IAN RANKIN

Die Sünden der Väter

Buch

Manche Schuld wird nie gesühnt, so auch im Fall von Joseph Lintz: Er soll im Zweiten Weltkrieg an einem SS-Verbrechen in Frankreich maßgeblich beteiligt gewesen sein. Doch Lintz bestreitet bis heute vehement seine Teilnahme an der Gräueltat. Unmengen von Akten aus jener Zeit geben nur Ungenaues wieder, und entsprechend missmutig macht sich Inspector John Rebus daran, der Vergangenheit von Lintz nachzuspüren. Immer wieder sucht er den alten Mann, dessen ganze Leidenschaft der Pflege von verwaisten Gräbern gilt, auf dem Friedhof auf, um ihn zur Rede zu stellen, aber Lintz schweigt beharrlich. Und auch in einem anderen Fall trifft Rebus nur auf stummen Widerstand: Candice, eine junge Frau aus Bosnien, ist zur Prostitution gezwungen worden, will aber über die Hintermänner nichts aussagen. John Rebus vermutet, dass Tommy Telford, ein Neuling in der Edinburgher Unterwelt, dahintersteckt. Noch bevor Rebus erste Beweise sammeln kann, überschlagen sich plötzlich die Ereignisse. Candice wird entführt, Lintz findet man erhängt an einem Baum auf dem Friedhof, und Rebus' Tochter Sammy wird von einem Auto angefahren – offenbar mit Absicht – und liegt im Koma. Vom Fahrer fehlt jede Spur, aber alles deutet daraufhin, dass Tommy Telford Rebus eine Warnung schicken wollte. Doch die Schuldgefühle, die ihn wegen des Unglücks seiner Tochter quälen, wecken in Rebus einen furchtbaren Drang nach Rache...

Autor

Ian Rankin, 1960 im schottischen Fife geboren, gilt als der »führende Krimiautor Großbritanniens« *(Times Literary Supplement)*. Der internationale Durchbruch gelang Ian Rankin mit seinem melancholischen Serienhelden John Rebus, der aus den britischen Bestsellerlisten nicht mehr wegzudenken ist. Rankin wurde bereits mit vielen renommierten Literaturpreisen ausgezeichnet, zuletzt mit dem *Deutschen Krimipreis 2004* für »Die Kinder des Todes«. Der Autor lebt mit seiner Familie in Edinburgh.

Die Inspector-Rebus-Romane in chronologischer Reihenfolge:

Ian Rankin

Die Sünden der Väter

Ein
Inspector-Rebus-Roman

Deutsch
von Giovanni und Ditte Bandini

GOLDMANN

Die Originalausgabe erschien 1998
unter dem Titel »The Hanging Garden«
bei Orion Books Ltd., London

FSC
Mix
Produktgruppe aus vorbildlich
bewirtschafteten Wäldern und
anderen kontrollierten Herkünften

Zert.-Nr. SGS-COC-1940
www.fsc.org
© 1996 Forest Stewardship Council

Verlagsgruppe Random House FSC-DEU-0100
Das FSC-zertifizierte Papier *München Super* für Taschenbücher
aus dem Goldmann Verlag liefert Mochenwangen Papier.

2. Auflage
Deutsche Erstveröffentlichung Februar 2006
Copyright © 1998 by Ian Rankin
Copyright © 2006 der deutschsprachigen Ausgabe
by Wilhelm Goldmann Verlag, München,
in der Verlagsgruppe Random House GmbH
Umschlaggestaltung: Design Team München
Umschlagfoto: buchcover.com/doublepoint pictures
Redaktion: Irmgard Perkounigg
KvD · Herstellung: Str.
Satz: Uhl + Massopust, Aalen
Druck und Bindung: GGP Media GmbH, Pößneck
Printed in Germany
ISBN-10: 3-442-45429-8
ISBN-13: 978-3-442-45429-7

www.goldmann-verlag.de

Für Miranda

»Ist alle Zeit auf ewig gegenwärtig,
Wird alle Zeit unerlösbar.«

T. S. Eliot, »Burnt Norton«

»Ich fuhr nach Schottland und fand dort nichts,
was wie Schottland aussah.«

Arthur Freed, Produzent von *Brigadoon*

Erstes Buch

»In a Hanging Garden / Change the past«

Sie stritten sich im Wohnzimmer.

»Hör mal, wenn dir dein Scheißjob so wichtig ist ...«

»Was willst du eigentlich von mir?«

»Das weißt du verdammt genau!«

»Ich reiß mir für uns drei den Arsch auf!«

»Komm mir nicht mit dem Mist!«

Und dann sahen sie sie. Sie hielt ihren Teddybären, Pa Broon, an einem gründlich durchgekauten Ohr fest. Sie spähte um den Türpfosten herum, den Daumen im Mund. Sie wandten sich ihr zu.

»Was gibt's, Süße?«

»Ich hab schlecht geträumt.«

»Komm her.« Die Mutter ging in die Hocke und breitete die Arme aus. Aber das Mädchen rannte zum Vater, klammerte sich an seine Beine.

»Komm, Schätzchen, ich bring dich wieder ins Bett.«

Er deckte sie zu, begann, ihr eine Geschichte vorzulesen.

»Papa«, sagte sie, »was, wenn ich einschlafe und wach nicht wieder auf? Wie Schneewittchen oder Dornröschen?«

»Niemand schläft für immer, Sammy. Es reicht ein Kuss, und man wacht wieder auf. Da können alle Hexen und bösen Königinnen gar nichts dagegen tun.«

Er küsste sie auf die Stirn.

»Tote wachen nicht wieder auf«, sagte sie und drückte Pa Broon fest an ihre Brust. »Nicht mal, wenn man sie küsst.«

1

John Rebus küsste seine Tochter.

»Soll ich dich bestimmt nicht fahren?«

Samantha schüttelte den Kopf. »Nach der Pizza brauch ich dringend etwas Bewegung.«

Rebus steckte die Hände in die Taschen, spürte unter seinem Taschentuch zusammengefaltete Banknoten. Er spielte mit dem Gedanken, ihr etwas Geld anzubieten – das tat man doch als Vater so, nicht? –, aber sie hätte bloß gelacht. Sie war vierundzwanzig und unabhängig; sie brauchte diese Geste nicht und hätte das Geld ganz gewiss nicht angenommen. Sie wollte sogar die Pizza bezahlen, mit dem Argument, sie habe die Hälfte aufgegessen, während er nur an einem einzigen Stück geknabbert habe. Die Reste befanden sich in einer Pappschachtel unter ihrem Arm.

»Tschüs, Dad.« Sie gab ihm ein Küsschen auf die Wange.

»Nächste Woche?«

»Ich ruf dich an. Vielleicht könnten wir mal zu dritt…?« Der Dritte wäre Ned Farlowe gewesen, ihr Freund. Sie ging rückwärts, während sie sprach. Ein letztes Winken, dann wandte sie sich von ihm ab. Sie überquerte die Straße, ohne sich noch einmal umzusehen. Aber auf der anderen Seite angelangt, drehte sie sich halb um, sah, dass er sie beobachtete, und winkte ihm kurz zu. Ein junger Mann stieß um ein Haar mit ihr zusammen. Er starrte auf den Bürgersteig, um seinen Hals schlängelte sich das dünne schwarze Kabel eines Kopfhörers. Dreh dich um und sieh sie dir an, befahl Rebus. Ist sie nicht unglaublich? Aber der Jüngling schlurfte einfach weiter, ohne sie oder die Welt wahrzunehmen.

Und dann war sie um die Ecke verschwunden. Rebus konnte sie jetzt nur noch in seiner Vorstellung sehen: wie sie sich vergewisserte, dass ihr die Pizzaschachtel nicht unter dem Arm wegrutschte; beim Gehen stur geradeaus blickte; sich mit dem Daumen hinter dem rechten Ohr rieb, wo sie sich erst kürzlich zum dritten Mal hatte piercen lassen. Er wusste, dass ihre Nase sich kräuseln würde, wenn ihr etwas Komisches durch den Kopf ging. Er wusste, dass sie sich, wenn sie sich konzentrieren wollte, manchmal die eine Ecke des Revers ihrer Jacke in den Mund steckte. Er wusste, dass sie ein Armband aus geflochtenem Leder, drei Silberringe, eine billige Uhr mit schwarzem Plastikarmband und indigoblauem Ziffernblatt trug. Er wusste, dass ihre Haare naturbraun waren. Er wusste, dass sie auf dem Weg zu einer Guy-Fawkes-Party war, aber nicht vorhatte, lange zu bleiben.

Er wusste nicht annähernd genug über sie, was auch der Grund dafür war, dass er sich mit ihr zum Essen verabredet hatte. Es war eine komplizierte Angelegenheit gewesen: wiederholte Umdisponierungen, Absagen in letzter Minute. Manchmal hatte es an ihr gelegen, häufiger an ihm. An dem Abend hätte er eigentlich auch woanders sein müssen. Er strich mit den Händen vorn über das Jackett, spürte die Ausbeulung in seiner inneren Brusttasche, seine private kleine Zeitbombe. Er warf einen Blick auf die Uhr und stellte fest, dass es fast neun war. Er konnte fahren oder auch laufen – er hatte es nicht weit.

Er entschied sich fürs Fahren.

Feuerwerksnacht in Edinburgh, Wälle von zusammengewehtem Laub entlang der Bürgersteige. Nicht mehr lang, und er würde morgens den Raureif von seiner Windschutz-scheibe kratzen müssen und dabei die Kälte wie Messer-stiche in den Nieren spüren. Der Südteil der Stadt schien den ersten Frost eher abzubekommen als der Norden. Rebus wohnte und arbeitete natürlich im Südteil. Nach einem kurzen Auswärtsspiel in Craigmillar war er jetzt wieder im Revier St. Leonard's. Er hätte jetzt auf die Wache fahren können – schließlich war seine Schicht noch nicht zu Ende –, aber er hatte anderes vor. Auf dem Weg zu seinem Auto kam er an drei Pubs vorbei. Plaudereien am Tresen, Zigarettenrauch und Gelächter, eine Luft zum Schneiden, heiß und alkoholgeschwängert: Er kannte das alles besser als seine eigene Tochter. Zwei von den drei Bars verfügten über einen »Türsteher«. Neuerdings sagte man dazu offenbar nicht mehr Rausschmeißer. Sie waren Türsteher oder, vornehm, »Front of House Manager«, Schränke von Kerlen, kurz geschoren und noch kürzer an-gebunden. Einer von ihnen trug einen Kilt. Sein Gesicht bestand aus Narbengewebe und Bulldoggenfalten, die Kopfschwarte war bis auf die Lederhaut kahl rasiert. Re-bus glaubte sich zu erinnern, dass er Wattie oder Wallie hieß. Er war einer von Telfords Männern. Vielleicht waren sie das alle. Ein Stück weiter, Graffiti an der Wand: *Hilft uns denn keiner?* Vier Worte, die sich über die ganze Stadt aus-breiteten.

Rebus parkte und bog um die Ecke in die Flint Street. Auf Erdgeschossniveau war mit Ausnahme eines Cafés und einer Spielhalle alles dunkel. Es gab eine einzige Straßen-laterne, und deren Birne war kaputt. Die Polizei hatte die Stadtverwaltung gebeten, sich mit dem Auswechseln ruhig Zeit zu lassen – das Observierungsteam konnte jede Hilfe gebrauchen, die es bekam. In den Wohnungen oberhalb der Geschäfte brannten hier und da ein paar Lichter. Am Straßenrand parkten drei Autos, aber nur in einem davon saßen Leute. Rebus öffnete die hintere Tür und stieg ein.

Auf dem Fahrersitz saß ein Mann, neben ihm eine Frau. Sie sahen beide durchgefroren und angeödet aus. Die Frau war Detective Constable Siobhan Clarke, Rebus' langjährige Mitarbeiterin in St. Leonard's, bis sie kürzlich dem Scottish Crime Squad zugeteilt worden war. Der Mann, ein Detective Sergeant namens Claverhouse, gehörte zum festen Beamtenstamm des Crime Squad. Die beiden waren Teil des Teams, das Tommy Telford und alles, was er tat, rund um die Uhr im Auge behalten sollte. Ihre hängenden Schultern und bleichen Gesichter verrieten nicht nur Langeweile, sondern auch das Wissen darum, dass die ganze Observierung sinnlos war.

Sie war deswegen sinnlos, weil die Straße Telford gehörte. Niemand parkte hier, ohne dass *er* wusste, wer es war und was er wollte. Die zwei anderen Autos, die am Straßenrand standen, waren Range Rover von Telfords Gang. Alles, was kein Range Rover war, sprang sofort ins Auge. Das Crime Squad hatte für solche Überwachungsaktionen einen speziell umgebauten Lieferwagen, aber der nützte in der Flint Street nichts. Jeder Lieferwagen, der hier länger als fünf Minuten parkte, kam in den Genuss der persönlichen Aufmerksamkeit zweier von Telfords Männern. Sie waren darauf getrimmt, gleichzeitig zuvorkommend und einschüchternd zu wirken.

»Von wegen verdeckte Überwachung«, knurrte Claverhouse. »Wir sitzen hier wie auf dem Präsentierteller, und es gibt nichts zu überwachen.« Er riss die Verpackung eines Snickersriegels mit den Zähnen auf und bot Siobhan Clarke den ersten Bissen an. Sie schüttelte den Kopf.

»Ein Jammer mit den Wohnungen«, sagte sie, während sie durch die Windschutzscheibe nach oben spähte. »Die wären ideal.«

»Bloß dass die alle Telford gehören«, meinte Claverhouse, den Mund voller Schokolade.

»Sind die alle vermietet?«, fragte Rebus. Er war erst seit einer Minute im Wagen und hatte schon eiskalte Füße.

»Ein paar stehen leer«, antwortete Clarke. »Telford benutzt sie als Warenlager.«

»Aber keine Sau kommt unbemerkt durch die Haustür«, fügte Claverhouse hinzu. »Wir haben's mit Stromablesern und Klempnern probiert, aber keiner hat's hineingeschafft.«

»Wer hat den Klempner gespielt?«, fragte Rebus.

»Ormiston. Warum?«

Rebus zuckte nur die Achseln. »Ich bräuchte jemanden, der mir einen tropfenden Wasserhahn repariert.«

Claverhouse lächelte. Er war lang und mager, hatte riesige dunkle Tränensäcke unter den Augen und helles, schütter werdendes Haar. Wegen seiner langsamen Bewegungen und schleppenden Sprechweise unterschätzten ihn die Leute häufig. Gelegentlich mussten sie feststellen, dass er seinen Spitznamen »Bloody« Claverhouse durchaus zu Recht trug.

Clarke sah auf die Uhr. »Neunzig Minuten bis zur Ablösung.«

»Heizung könnte nicht schaden«, schlug Rebus vor. Claverhouse drehte sich zu ihm um.

»Sag ich ihr doch die ganze Zeit, aber sie will nichts davon wissen.«

»Warum nicht?« Er sah Clarkes Augen im Rückspiegel. Sie lächelte.

»Weil wir dazu«, erwiderte Claverhouse, »den Motor laufen lassen müssten, und den Motor laufen zu lassen, wenn wir nirgendwo hinwollen, ist eine Verschwendung. Treibhauseffekt, oder was weiß ich.«

»Das stimmt«, sagte Clarke.

Rebus zwinkerte ihrem Spiegelbild zu. Es sah ganz danach aus, als hätte Claverhouse sie akzeptiert, was bedeutete, dass das ganze Fettes-Team sie akzeptiert hatte. Rebus, der ewige Außenseiter, beneidete sie um ihre Anpassungsfähigkeit.

»Ist doch sowieso alles für die Katz«, fuhr Claverhouse fort. »Der Scheißkerl weiß, dass wir hier sind. Der Lieferwagen war nach zwanzig Minuten aufgeflogen. Ormiston ist mit der Klempnermasche nicht mal bis in den Hausflur gekommen, und jetzt sitzen wir hier, außer uns keine Sau weit und breit. Wir würden nicht mehr auffallen, wenn wir mitten auf der Straße einen Highland-Schwerttanz aufführten.«

»Sichtbare Präsenz als Abschreckungsmittel«, sagte Rebus.

»Klar doch, noch so'n paar Nächte, und Tommy wird aus lauter Angst zum braven Bürger.« Claverhouse versuchte, eine bequemere Sitzhaltung zu finden. »Was von Candice gehört?«

Sammy hatte ihrem Vater die gleiche Frage gestellt. Rebus schüttelte den Kopf.

»Glauben Sie noch immer, dass Tarawicz sie sich geschnappt hat? Könnte sie nicht doch einfach abgehauen sein?«

Rebus schnaubte.

»Bloß weil es Ihnen in den Kram passen würde, dass *die* es waren, heißt noch lange nicht, dass es auch so ist. Kleiner Rat meinerseits: Überlassen Sie die Sache uns. Vergessen Sie die Frau. Sie haben schon mit dieser Adolf-Sache genug zu tun.«

»Erinnern Sie mich bloß nicht daran.«

»Haben Sie eigentlich Colquhoun ausfindig gemacht?«

»Leider nicht verfügbar. Hat sich plötzlich krank gemeldet.«

»Ich glaube, den können wir abschreiben.«

Rebus wurde plötzlich bewusst, dass er mit einer Hand seine Brusttasche liebkoste. »Also, was ist mit Telford? Sitzt er im Café oder was?«

»Ist vor einer knappen Stunde reingegangen«, sagte Clarke. »Da gibt's ein Hinterzimmer, das benutzt er als Büro. Die Spielhalle scheint er auch zu schätzen. Diese Videospiele, wo man auf einem Motorrad sitzt und seine Runden dreht.«

»Wir brauchen jemand drinnen«, meinte Claverhouse. »Entweder das, oder wir müssten den Laden verkabeln.«

»Wir haben nicht mal einen Klempner da reinbekommen«, erinnerte Rebus ihn. »Da glauben Sie, jemand mit einer Hand voll Wanzen hätte mehr Glück?«

»Noch weniger könnte er jedenfalls nicht haben.« Claverhouse schaltete das Radio ein und suchte nach Musik.

»Bitte«, flehte Clarke, »kein Country and Western.«

Rebus starrte durchs Fenster auf das Café. Es war hell erleuchtet, die untere Hälfte des Schaufensters mit einer Gardine verhängt. Auf der oberen Hälfte konnte man »Viel zu futtern für wenig Geld« lesen. An der Fensterscheibe klebte eine Speisekarte, und auf dem Bürgersteig stand ein Klappschild mit den Öffnungszeiten des Cafés: 6:30–20:30 Uhr. Das Lokal hätte seit einer Stunde geschlossen sein müssen.

»Wie sieht's mit seiner Konzession aus?«

»Er hat Anwälte«, erwiderte Clarke.

»War das Erste, womit wir's versucht haben«, fügte Claverhouse hinzu. »Er hat eine Verlängerung der Öffnungszeiten beantragt. Ich kann mir nicht vorstellen, dass sich irgendjemand in der Nachbarschaft beschweren würde.«

»Tja«, meinte Rebus, »so gern ich hier gemütlich rumsitze und Schwätzchen halte …«

»Heißt es jetzt Abschied nehmen?«, fragte Clarke. Sie gab sich redlich Mühe, aber Rebus sah ihr an, dass sie müde war. Gestörter Schlafrhythmus, Kälte, dazu die Öde einer Observierung, von der man genau weiß, dass sie zu nichts führt. Und Claverhouse war kein bequemer Partner: nicht viele Geschichten auf Lager, nur seine ständigen Hinweise darauf, man müsste alles »richtig« machen, im Klartext: streng nach Dienstvorschrift.

»Tun Sie uns einen Gefallen?«, fragte Claverhouse.

»Was?«

»Gegenüber vom Odeon gibt's einen Fish'n'Chips-Laden.«

»Was soll's sein?«

»Nur 'ne Tüte Pommes.«

»Siobhan?«

»Irn-Bru.«

»Ach, und John?«, fügte Claverhouse hinzu, als Rebus aus dem Wagen stieg. »Wenn Sie schon mal da sind, fragen Sie doch nach einer Wärmflasche.«

Ein Auto bog in die Straße ein, beschleunigte erst und hielt dann mit kreischenden Bremsen vor dem Café. Die hintere Tür auf der Bordsteinseite öffnete sich, aber niemand stieg aus. Das Auto schoss mit noch offener Tür wieder los, aber jetzt lag etwas auf dem Bürgersteig, kroch, versuchte, sich aufzurichten.

»Hinterher!«, schrie Rebus. Claverhouse hatte schon den Zündschlüssel herumgedreht und den ersten Gang reingerammt. Als der Wagen losfuhr, hing Clarke bereits am Funkgerät. Während Rebus die Straße überquerte, rappelte sich der Mann auf. Er stützte sich mit einer Hand am Schaufenster des Cafés ab, mit der anderen fasste er sich an den Kopf. Als Rebus näher kam, schien der Mann seine Anwesenheit zu spüren und taumelte vom Café weg auf die Fahrbahn.

»Herrgott!«, schrie er. »Hilfe!« Er fiel wieder auf die Knie, tastete jetzt mit beiden Händen an seinem Kopf herum.

18

Sein Gesicht war voller Blut. Rebus ging vor ihm in die Hocke.

»Wir rufen Ihnen einen Krankenwagen«, erklärte er. Am Schaufenster des Cafés hatte sich eine kleinere Menschenmenge versammelt. Jemand hatte die Tür geöffnet, und zwei junge Männer beobachteten die Szene, als seien sie Zuschauer einer Straßentheater-Vorführung. Rebus erkannte sie: Kenny Houston und Pretty-Boy. »Steht nicht einfach so da rum!«, brüllte er. Houston sah Pretty-Boy an, aber der rührte sich nicht vom Fleck. Rebus holte sein Handy raus und tippte den Notruf ein, während er Pretty-Boy fixierte: schwarzes gewelltes Haar, Eyeliner. Schwarze Lederjacke, schwarzer Rollkragenpullover, schwarze Jeans. Stones: »Paint it Black«. Aber das Gesicht kalkweiß, wie gepudert. Rebus ging auf die Tür zu. Hinter ihm fing der Mann an zu heulen, ein Schmerzensschrei, der zum Nachthimmel gellte.

»Wir kennen ihn nicht«, sagte Pretty-Boy.

»Ich hab nicht gefragt, ob ihr ihn kennt, ich hab gesagt, ihr sollt helfen!«

Pretty-Boy zuckte nicht mit der Wimper. »Wie heißt das Zauberwort?«

Rebus war nur noch zwei Fingerbreit von seinem Gesicht entfernt. Pretty-Boy lächelte und nickte Houston zu; der ging los, Handtücher holen.

Die meisten Gäste hatten sich wieder an ihre Tische gesetzt. Einer musterte den blutigen Handabdruck auf der Fensterscheibe. Rebus bemerkte eine weitere Gruppe von Leuten, die von einer Tür am hinteren Ende des Lokals aus zuschauten, in ihrer Mitte Tommy Telford: groß, die Schultern gestrafft, die Beine breit. Er hatte fast etwas Soldatisches an sich.

»Ich dachte, Sie passen auf Ihre Jungs auf, Tommy!«, rief Rebus ihm zu. Telford sah durch ihn hindurch, wandte sich dann ab und verschwand wieder im Hinterzimmer. Die Tür schloss sich. Von draußen noch mehr Geschrei. Rebus riss Houston die Handtücher aus der Hand und rannte los. Der Blutende war wieder auf die Beine gekommen und schwankte wie ein angeschlagener Boxer.

»Nehmen Sie einen Augenblick die Hände weg.« Der Mann entfernte die Hände von seinen verklebten Haaren, und Rebus sah, dass ein Teil der Kopfhaut sich mit ihnen hob, als sei sie mit einem Scharnier am Schädel befestigt. Eine dünne Blutfontäne traf Rebus mitten ins Gesicht. Er wandte sich ab und spürte das Blut an seinem Ohr, an seinem Hals. Er drückte dem Mann das Handtuch blindlings an den Kopf.

»Halten Sie das.« Er packte die Hände des Verletzten und drückte sie auf das Handtuch. Autoscheinwerfer: der Zivilwagen. Claverhouse hatte sein Fenster heruntergekurbelt.

»Wir haben sie in Causewayside verloren. Das Auto war gestohlen, jede Wette. Sind wahrscheinlich zu Fuß weiter.«

»Der hier muss in die Notaufnahme.« Rebus riss die hintere Tür auf. Clarke hatte eine Schachtel Papiertücher hervorgekramt und zog gerade eine Hand voll heraus.

»Ich glaube, aus dem Kleenexstadium ist er schon raus«, erklärte Rebus, als sie sie ihm reichte.

»Die sind für Sie«, sagte sie.

2

Zum Royal Infirmary war es eine Fahrt von drei Minuten. Die Unfall- und Notaufnahme richtete sich gerade auf Feuerwerkopfer ein. Rebus ging auf die Toilette, zog sich aus und wusch sich, so gut es ging. Sein Hemd war feucht und fühlte sich kalt an. Auf seiner Brust war ein Blutrinnsal eingetrocknet. Als er sich umdrehte und über die Schulter schaute, entdeckte er weiteres Blut an seinem Rücken. Er hatte eine Hand voll blauer Papierhandtücher angefeuchtet. In seinem Auto befand sich was zum Umziehen, aber das Auto stand in der Nähe der Flint Street. Die Tür der Toilette öffnete sich, und Claverhouse kam herein.

»Was Besseres hab ich nicht aufgetrieben«, sagte er und reichte ihm ein schwarzes T-Shirt. Vorne prangte ein Zombie mit dämonischen Augen und einer Sense in der Hand. »Gehört einem der jungen Ärzte, ich musste ihm versprechen, dass er es zurückbekommt.«

Rebus trocknete sich mit einem weiteren Bausch Handtücher ab. Er fragte Claverhouse, wie er aussehe.

»Sie haben noch was an der Stirn.« Claverhouse wischte die Flecken ab, die Rebus entgangen waren.

»Wie geht's ihm?«, fragte Rebus.

»Sie meinen, wenn's keine Gehirninfektion gibt, kommt er durch.«

»Was halten Sie davon?«

»Botschaft an Tommy von Big Ger.«

»Ist er einer von Tommys Leuten?«

»Will er nicht sagen.«

»Und wie lautet seine Geschichte?«

»Die Treppe runtergefallen, unten den Kopf angeschlagen.«

»Und die ihn abgesetzt haben?«

»Kann sich angeblich nicht erinnern.« Claverhouse verstummte kurz. »Äh, John ...?«

»Was?«

»Eine der Schwestern bat mich, Sie was zu fragen.«

Sein Ton verriet Rebus alles, was er wissen musste. »AIDS-Test?«

»Die meinten, bloß zur Sicherheit.«

Rebus ließ sich das durch den Kopf gehen. Blut in den

Augen, den Ohren, den ganzen Hals runter. Er inspizierte sich gründlich: keine Kratzer oder Schnitte. »Warten wir erst mal ab«, sagte er.

»Vielleicht sollten wir die Observierung abbrechen«, meinte Claverhouse, »und es denen überlassen, die Sache unter sich zu regeln.«

»Und ein paar Dutzend Rettungswagen abstellen, damit die die Leichen einsammeln?«

Claverhouse schnaubte. »Ist das Big Gers Stil?«

»Na und ob«, sagte Rebus und griff nach seinem Jackett.

»Aber diese Messerstecherei vor dem Nachtklub nicht?«

»Nein.«

Claverhouse fing an zu lachen, aber es war ein freudloses Lachen. Er rieb sich die Augen. »Aus den Fritten ist ja nichts geworden, was? Scheiße, ich könnte einen Drink gebrauchen.«

Rebus griff in seine Brusttasche und zog die Viertelflasche Bell's heraus.

Als er sie aufschraubte, wirkte Claverhouse nicht überrascht. Er nahm einen Schluck, spülte ihn mit einem zweiten hinunter und gab die Flasche zurück. »Genau, was der Arzt mir verschrieben hat.«

Rebus schraubte den Deckel wieder zu.

»Sie nicht auch einen?«

»Ich bin trocken.«

»Seit wann?«

»Diesen Sommer.«

»Warum schleppen Sie dann die Flasche mit sich rum?«

Rebus schaute sie an. »Weil sie nicht das ist, wonach sie aussieht.«

Claverhouse machte ein verdutztes Gesicht. »Was ist sie dann?«

»Eine Bombe.« Rebus steckte die Flasche wieder in die Tasche. »Eine kleine Selbstmordbombe.«

Sie schlenderten zurück zur Unfallstation. Siobhan Clarke erwartete sie vor einer geschlossenen Tür.

»Sie mussten ihn ruhig stellen«, erklärte sie. »Er war wieder aufgestanden und torkelte durch die Gegend.« Sie deutete auf die Spuren am Fußboden – ein Sprühnebel von Blut, zum Teil von Fußabdrücken verwischt.

»Haben wir einen Namen?«

»Er hat keinen genannt. Nichts in seinen Taschen, wodurch man ihn identifizieren könnte. Mehr als zweihundert in bar, Raubüberfall können wir also ausschließen. Auf was für eine Tatwaffe tippen Sie? Hammer?«

Rebus zuckte die Achseln. »Ein Hammer hätte eine Kerbe im Schädel hinterlassen. Dieser Hautlappen sieht zu sauber aus. Ich glaube, die sind mit einem Hackmesser auf ihn los.«

»Oder einer Machete«, fügte Claverhouse hinzu. »Was in der Art.«

Clarke starrte ihn an. »Ich rieche Whisky.«

Claverhouse legte sich einen Finger an die Lippen.

»Sonst noch was?«, fragte Rebus. Jetzt war es Clarke, die die Achseln zuckte.

»Nur eine Bemerkung am Rand.«

»Und zwar?«

»Tolles T-Shirt.«

Claverhouse steckte Geld in den Automaten, holte drei Kaffees raus. Er hatte in seinem Büro angerufen und mitgeteilt, die Observierung sei vorerst abgebrochen worden. Jetzt lauteten die Befehle, im Krankenhaus zu bleiben und dem Opfer nach Möglichkeit irgendeine Aussage zu entlocken. Wenn schon nichts anderes, dann zumindest seine Personalien. Claverhouse reichte Rebus einen der Becher.

»Weiß, ohne Zucker.«

Rebus nahm den Kaffee mit einer Hand entgegen. In der

anderen hielt er eine Plastiktüte, in der sich sein Hemd befand. Er würde versuchen, es wieder sauber zu kriegen. Es war ein gutes Hemd.

»Wissen Sie, John«, sagte Claverhouse, »*Sie* brauchen eigentlich nicht hier zu bleiben.«

Das wusste Rebus selbst. Zu seiner Wohnung war es bloß ein kurzer Spaziergang durch die Meadows. Zu seiner großen, leeren Wohnung. Nebenan wohnten Studenten. Sie ließen oft Musik laufen, Sachen, die ihm gar nichts sagten.

»Sie kennen doch Telfords Gang«, sagte Rebus. »Haben Sie das Gesicht nicht wiedererkannt?«

Claverhouse zuckte die Schultern. »Ich meinte, er sieht ein bisschen aus wie Danny Simpson.«

»Aber sicher sind Sie sich nicht?«

»Wenn's Danny ist, dann brauchen wir uns keine Hoffnungen zu machen, mehr als einen Namen aus ihm rauszukriegen. Telford sucht sich seine Jungs sorgfältig aus.«

Clarke kam den Korridor entlang auf sie zu. Sie nahm den Becher, den Claverhouse ihr hinhielt.

»Es ist Danny Simpson«, bestätigte sie. »Ich hab ihn mir grad noch mal angesehen, jetzt, wo das Blut abgewaschen ist.« Sie nahm einen Schluck Kaffee, runzelte die Stirn. »Wo ist der Zucker?«

»Sie sind schon süß genug«, erklärte Claverhouse.

»Warum haben die sich gerade Simpson ausgesucht?«, fragte Rebus.

»Zur falschen Zeit am falschen Ort?«, schlug Claverhouse vor.

»Hinzu kommt, dass er ziemlich am untersten Ende der Hackordnung steht«, fügte Clarke hinzu, »wodurch die Aktion eher als zarter Wink zu verstehen ist.«

Rebus musterte sie. Kurzes dunkles Haar, intelligentes Gesicht, ein Funkeln in den Augen. Er wusste, dass sie gut im Verhör war, dafür sorgte, dass die Verdächtigen nicht unruhig wurden, und aufmerksam zuhörte. Und gut auf der Straße: ebenso schnell zu Fuß wie von Begriff.

»Wie gesagt, John«, sagte Claverhouse und trank seinen Kaffee aus, »wann immer Sie verschwinden möchten...«

Rebus sah nach links und rechts den menschenleeren Korridor entlang. »Stehe ich irgendjemandem im Weg?«

»Das nicht. Aber Sie sind als *Verbindungsmann* abgestellt – und Schluss. Ich weiß, wie Sie arbeiten: Sie identifizieren sich mit Ihren Fällen – vielleicht ein bisschen zu sehr. Denken Sie nur an Candice. Ich meine nur...«

»Sie meinen, ich soll mich nicht einmischen?« Rebus schoss das Blut in die Wangen: *Denken Sie nur an Candice.*

»Ich meine, es ist *unser* Fall, nicht Ihrer. Das ist alles.«

Rebus Augen verengten sich. »Kapier ich nicht.«

Clarke schaltete sich ein. »John, ich glaube, er meint bloß –«

»Hey! Ist schon gut, Siobhan. Lassen Sie den Mann selbst reden.«

Claverhouse seufzte, knüllte seinen leeren Becher zusammen und sah sich nach einem Abfalleimer um. »John, gegen Telford zu ermitteln bedeutet, nebenbei auch Big Ger Cafferty und seine Leute im Auge zu behalten.«

»Und?«

Claverhouse starrte ihn an. »Okay, Sie wollen es im Klartext? Sie sind gestern nach Barlinnie gefahren – so was spricht sich in unserem Metier schnell rum. Sie haben Cafferty besucht. Sie haben einen Plausch mit ihm gehalten.«

»Er hatte mich gebeten zu kommen«, log Rebus.

Claverhouse hob die Hände. »Tatsache ist, wie Sie gerade gesagt haben: Er hat Sie gebeten, und Sie sind gesprungen.« Claverhouse zuckte die Achseln.

»Wollen Sie damit sagen, dass er mich in der Tasche hat?« Rebus' Stimme war lauter geworden.

»Jungs, Jungs«, beschwichtigte Clarke.

Die Tür am Ende des Korridors war aufgeflogen. Ein junger Mann in einem dunklen Anzug kam mit schwingendem Aktenkoffer auf den Getränkeautomaten zu. Er summte irgendein Liedchen vor sich hin. Als er die drei Polizisten erreichte, hörte er auf zu summen, stellte sein Köfferchen ab und kramte in seinen Taschen nach Kleingeld. Er sah sie an und lächelte.

»Guten Abend.«

Anfang dreißig, glatt aus der Stirn zurückgekämmtes schwarzes Haar. Ein einzelnes Ringellöckchen baumelte ihm zwischen den Augenbrauen.

»Kann jemand ein Pfund wechseln?«

Sie sahen in ihren Taschen nach, fanden nicht genug Münzen.

»Kein Problem.« Obwohl der Automat mit blinkenden Leuchtbuchstaben NUR PASSENDEN BETRAG forderte, warf der junge Mann die Pfundmünze ein und drückte die Auswahltaste für Tee, schwarz, ohne Zucker. Er bückte sich, um den Becher herauszuholen, schien es dann aber nicht eilig zu haben weiterzugehen.

»Sie sind Polizeibeamte«, stellte er fest. Er hatte eine schleppende, leicht nasale Aussprache. Schottische Oberschicht. Er lächelte. »Ich glaube zwar nicht, dass ich je mit einem von Ihnen beruflich zu tun hatte, aber es ist nicht zu verkennen.«

»Und Sie sind Anwalt«, tippte Rebus. Der Mann neigte bestätigend den Kopf. »Damit beauftragt, die Interessen eines gewissen Mr. Thomas Telford zu vertreten.«

»Ich bin Daniel Simpsons Rechtsberater.«

»Was auf dasselbe hinausläuft.«

»Soweit ich weiß, ist Daniel gerade hier eingeliefert worden.« Der Mann pustete auf seinen Tee, trank einen Schluck.

»Wer hat Ihnen gesagt, dass er hier ist?«

»Ich glaube eigentlich nicht, dass Sie das etwas angeht, Detective...?«

»DI Rebus.«

Der Mann nahm seinen Becher in die linke Hand, so dass er die rechte ausstrecken konnte. »Charles Groal.« Er warf einen Blick auf Rebus' T-Shirt. »Versteht die Polizei *das* unter ›Zivil‹, Inspector?«

Claverhouse und Clarke stellten sich ebenfalls vor. Groal verteilte mit großer Geste Geschäftskarten.

»Wie ich vermute«, sagte er, »halten Sie sich hier in der Hoffnung auf, meinen Mandanten befragen zu können.«

»Das stimmt«, meinte Claverhouse.

»Dürfte ich fragen, warum, DS Claverhouse? Oder sollte ich diese Frage besser an Ihren Vorgesetzten richten?«

»Er ist nicht mein –« Claverhouse bemerkte Rebus' Blick und verstummte.

Groal hob eine Augenbraue. »Nicht Ihr Vorgesetzter? Und doch ist er das ganz offensichtlich, als Inspector, während Sie Sergeant sind.« Er sah zur Decke empor, klopfte mit einem Finger an seinen Becher. »Sie sind keine Kollegen im engeren Sinn des Wortes«, sagte er schließlich und richtete den Blick wieder auf Claverhouse.

»DS Claverhouse und ich gehören zum Scottish Crime Squad«, erklärte Clarke.

»Und Inspector Rebus nicht«, bemerkte Groal. »Faszinierend.«

»Ich bin in St. Leonard's stationiert.«

»Dann gehört das hier ganz eindeutig in Ihren Zuständigkeitsbereich. Aber was das Crime Squad anbelangt...«

»Wir möchten nur wissen, was passiert ist«, fuhr Rebus fort.

»Ein Sturz oder so, nicht? Apropos, wie geht's ihm?«

»Nett, dass Sie fragen«, murmelte Claverhouse.

»Er ist bewusstlos«, sagte Clarke.

»Und vermutlich bald in einem OP. Oder wird man ihn zuerst röntgen? Ich kenn mich da nicht so besonders aus.«

»Sie könnten jederzeit eine Schwester fragen«, sagte Claverhouse.

»DS Claverhouse, ich meine, eine gewisse Feindseligkeit herauszuhören.«

»Ist nur sein normaler Umgangston«, sagte Rebus. »Hören Sie, Sie sind hier, um dafür zu sorgen, dass Danny Simpson die Klappe hält. Wir sind hier, um uns anzuhören, was Sie beide gemeinschaftlich für einen Haufen Scheiße für uns zusammenkochen werden. Ich würde sagen, das ist eine ziemlich adäquate Zusammenfassung, was meinen Sie?«

Groal legte den Kopf ein wenig schief. »Ich habe schon von Ihnen gehört, Inspector. Manchmal können solche Geschichten übertrieben sein, aber wie ich zu meiner Freude feststellen kann: nicht in Ihrem Fall.«

»Er ist eine lebende Legende«, meinte Clarke. Rebus schnaubte und entfernte sich in Richtung Notaufnahme.

Ein Trachtengruppler saß auf einem Stuhl, die Mütze auf dem Schoß, auf der Mütze ein aufgeklapptes Taschenbuch. Rebus hatte ihn schon vor einer halben Stunde gesehen. Der Constable saß vor einem Zimmer mit verschlossener Tür. Von innen waren leise Stimmen zu hören. Der Trachtengruppler hieß Redpath und arbeitete im Revier St. Leonard's. Er war seit nicht ganz einem Jahr bei der Polizei. Rekrut mit Hochschulabschluss. Sie nannten ihn den »Professor«. Er war lang und picklig und wirkte schüchtern. Als Rebus näher kam, klappte er das Buch zu, ließ aber einen Finger als Lesezeichen darin stecken.

»Science-Fiction«, erklärte er. »Ich hatte immer gedacht, ich würde da mal herauswachsen.«

»Es gibt eine Menge Dinge, aus denen wir nie herauswachsen, mein Sohn. Worum geht's?«

»Das Übliche: Gefährdung des Zeitkontinuums, Parallel-universen.« Redpath sah auf. »Was denken Sie über Parallel-universen, Sir?«

Rebus nickte zur Tür. »Wer ist da drin?«

»Unfall mit Fahrerflucht.«

»Schlimm?« Der Professor zuckte mit den Schultern. »Wo ist es passiert?«

»Oben auf der Minto Street.«

»Haben Sie das Auto?«

Redpath schüttelte den Kopf. »Wer weiß, vielleicht kann *sie* uns etwas sagen. Und Sie, Sir?«

»Ähnliche Geschichte, mein Sohn. Paralleles Universum, könnte man sagen.«

Siobhan Clarke erschien mit einem Becher frischen Kaffee. Sie grüßte Redpath mit einem Kopfnicken, worauf der Constable aufstand: eine höfliche Geste, die ihm ein verschmitztes Lächeln einbrachte.

»Telford will nicht, dass Danny redet«, sagte sie zu Rebus.

»Wie zu erwarten war.«

»Und in der Zwischenzeit wird er versuchen, den Aus-gleichstreffer zu landen.«

»Mit Sicherheit.«

Sie sah Rebus in die Augen. »Ich fand das vorhin ziemlich daneben von ihm.« Womit sie Claverhouse meinte, ohne in Anwesenheit eines Uniformierten Namen zu nennen.

Rebus nickte. »Danke.« Womit er meinte: Es war richtig, dass sie das in dem Moment nicht gesagt hatte. Claver-house und Clarke waren jetzt Partner. Es wäre nicht rich-tig gewesen, wenn sie sich gegen ihn gestellt hätte.

Eine Schiebetür öffnete sich, und eine Ärztin trat heraus. Sie war jung und sah erschöpft aus. Hinter ihr, im Zimmer, erkannte Rebus ein Bett, eine Gestalt auf dem Bett, Weiß-bekittelte, die sich an verschiedenen Apparaten zu schaffen machten. Dann glitt die Tür wieder zu.

»Wir werden eine Schädel-CT machen«, erklärte die Ärztin Redpath. »Haben Sie die Familie benachrichtigt?«

»Ich weiß ihren Namen nicht.«

»Ihre Sachen sind drinnen.« Die Ärztin schob die Tür wieder auf und ging hinein. Auf einem Stuhl lagen einige zusammengefaltete Kleidungsstücke und darunter eine Handtasche. Als die Ärztin die Tasche herauszog, bemerkte Rebus etwas: eine flache weiße Pappschachtel.

Eine weiße Pizza-Pappschachtel. Die Kleidung: schwarze Jeans, schwarzer BH, rotes Satin-Hemd. Ein schwarzer Dufflecoat.

»John?«

Und schwarze Schuhe mit mittelhohen Absätzen und kantiger Spitze, die wie neu aussahen, abgesehen von den Schrammen, als seien sie über die Straße geschleift worden.

Jetzt war er im Zimmer. Sie hatte eine Sauerstoffmaske auf. An der Stirn Platz- und Schürfwunden, die Haare aus dem Gesicht gestrichen. Ihre Fingerkuppen waren mit Blasen bedeckt, die Handflächen blutig gescheuert. Das Bett, auf dem sie lag, war eigentlich kein Bett, sondern eine breite stählerne Rolltrage.

»Entschuldigen Sie, Sir, aber Sie dürfen sich hier nicht aufhalten.«

»Was ist los?«

»Dieser Gentleman –«

»John? John, was ist denn?«

Man hatte ihr die Ohrringe abgenommen. Drei kleine Nadelstiche, der eine röter als seine Nachbarn. Das Gesicht oberhalb des Lakens: violett verquollene Augen, eine gebrochene Nase, beide Wangen aufgeschürft. Geplatzte Lippe, ein Kratzer am Kinn, Augenlider, die nicht einmal flatterten. Er sah ein Verkehrsopfer. Und hinter all dem sah er seine Tochter.

Er stieß einen Schrei aus.

Clarke und Redpath mussten ihn, unterstützt von Claverhouse, der den Lärm gehört hatte, gewaltsam hinausschleifen.

»Tür auflassen! Ich schlag Sie tot, wenn Sie diese Tür zumachen!«

Sie versuchten, ihn zum Hinsetzen zu bewegen. Redpath zog sein Buch noch gerade rechtzeitig vom Stuhl weg. Rebus riss es ihm aus der Hand und warf es quer durch den Flur.

»Wie konnten Sie *lesen*, verdammte Scheiße!«, stieß er hervor. »Das ist *Sammy*, die da drin liegt! Und Sie hocken hier draußen und *lesen!*«

Clarkes Becher war umgeschmissen worden, und als Rebus Redpath einen Stoß verpasste, rutschte dieser in der Kaffeepfütze aus und fiel hin.

»Können Sie die Tür festklemmen, dass sie offen bleibt?«, fragte Claverhouse die Ärztin. »Und hätten Sie vielleicht ein Beruhigungsmittel?«

Rebus fuhr sich mit den Fingern durch die Haare, heulte ohne Tränen, heiser und verständnislos. Als er an sich hinunterstarrte, sah er das lächerliche T-Shirt und wusste, dass es *das* war, was er von dem Abend in Erinnerung behalten würde: das Bild eines Iron-Maiden-T-Shirts mit einem grinsenden grelläugigen Dämon drauf. Er riss sich das Jackett vom Leib und fing an, am T-Shirt zu zerren.

Sie befand sich hinter dieser Tür, dachte er, und ich war hier draußen und plauderte locker vom Hocker. Sie hatte die ganze Zeit da drin gelegen, so lange er im Krankenhaus war. Da machte es zweimal klick: ein Verkehrsunfall mit Fahrerflucht; das Auto, das von der Flint Street davongeschossen war.

Er packte Redpath.

»Oben auf der Minto Street. Sind Sie sicher?«

»Was?«

»Sammy … oben auf der Minto Street?«

Redpath nickte. Clarke wusste sofort, woran Rebus dachte.

»Ich glaub nicht, John. Die sind in die entgegengesetzte Richtung gefahren.«

»Könnten kehrtgemacht haben.«

Claverhouse hatte einen Teil des Gesprächs mitbekommen. »Ich hab grad telefoniert. Die Typen, die es Danny Simpson besorgt haben – wir haben das Auto gefunden. Weißer Escort, auf dem Argyle Place stehen gelassen.«

Rebus sah zu Redpath. »Weißer Escort?«

Redpath schüttelte den Kopf. »Laut Augenzeugen ein dunkles Fahrzeug.«

Rebus drehte sich um, stand mit dem Gesicht zur Wand, die Hände flach dagegen gedrückt. Als er auf den Anstrich starrte, war es so, als könnte er in die Farbe *hinein*sehen.

Claverhouse legte ihm eine Hand auf die Schulter. »John, ich bin sicher, dass sie wieder gesund wird. Die Ärztin holt Ihnen ein paar Tabletten, aber wie wär's einstweilen damit?«

Claverhouse mit Rebus' Jackett in der Armbeuge, dem Flachmann in der Hand.

Die kleine Selbstmordbombe.

Er nahm Claverhouse die Flasche ab. Schraubte den Verschluss ab, ohne den Blick von der offenen Tür zu wenden. Führte die Flasche an die Lippen.

Trank.

Zweites Buch

»In the Hanging Garden / No one sleeps.«

Ein Urlaub am Meer: Wohnwagenpark, lange Spaziergänge und Sandburgen. Er saß in einem Liegestuhl und versuchte zu lesen. Ein kalter Wind, trotz der Sonne. Rhona rieb Sammy mit Sonnenmilch ein, meinte, man könne nicht vorsichtig genug sein. Sagte, er solle das Kind im Auge behalten, sie würde eben zum Wohnwagen zurückgehen, um ihr Buch zu holen. Sammy war eifrig damit beschäftigt, die Füße ihres Vaters im Sand einzubuddeln.

Er versuchte zu lesen, dachte aber an die Arbeit. So lang sie schon hier waren, schlich er jeden Tag zur Telefonzelle und rief im Revier an. Die Kollegen meinten ständig, er solle sich amüsieren und den ganzen Betrieb vergessen. Er hatte einen Spionagethriller zur Hälfte durch. Er hatte den Faden schon längst verloren.

Rhona tat ihr Bestes. Sie wäre gern ins Ausland gefahren, irgendwohin, wo es ein bisschen schick und nicht nur sonnig, sondern auch warm war. Aber die Finanzen waren auf seiner Seite gewesen. Also saßen sie jetzt an der Küste von Fife, wo er sie kennen gelernt hatte. Erhoffte er sich etwas? Die Wiedererweckung irgendeiner alten Erinnerung? Er war schon mit seinen Eltern hierher gekommen, hatte mit Mickey gespielt, hatte neue Freunde gewonnen, sie dann nach den zwei Wochen wieder verloren.

Er versuchte es wieder mit dem Spionageroman, aber Gedanken an die Arbeit kamen ihm in die Quere. Und dann fiel ein Schatten auf ihn.

»Wo ist sie?«

»Was?« Er sah auf seine im Sand verbuddelten Füße, aber Sammy war nicht da. Wie lang war sie schon weg? Er stand auf, suchte mit den Augen die Uferlinie ab. Ein paar unentschlossene Badende, die nicht weiter als bis zum Knie hineinwateten.

»Herrgott, John, wo ist sie?«

Er drehte sich um, sah zu den fernen Dünen.

»Die Dünen…?«

Sie hatten sie gewarnt. Manche Dünenhänge waren durch Winderosion ausgehöhlt. Es waren regelrechte kleine Höhlen entstanden, die auf Kinder eine magnetische Anziehungskraft ausübten. Nur neigten sie auch dazu einzustürzen. Erst wenige Wochen zuvor hatten verzweifelte Eltern ihren zehnjährigen Jungen aus dem Sand ausgegraben. Er hatte noch geatmet…

Sie liefen jetzt. Die Dünen, das Gras, von Sammy nichts zu sehen.

»Sammy!«

»Vielleicht ist sie ins Wasser gegangen.«

»Ich hatte dir doch gesagt, du sollst auf sie aufpassen!«

»Tut mir Leid. Ich…«

»Sammy!«

Eine kleine Gestalt in einer der Höhlen. Die auf Händen und Knien hoppelte. Rhona griff hinein, zog sie heraus, umarmte sie.

»Schätzchen, wir hatten dir doch gesagt, dass du das nicht sollst!«

»Ich war ein Kaninchen.«

Rebus starrte auf die bröselige Höhlendecke: Sand, lediglich von den Wurzeln der Sträucher und des Strandhafers zusammengehalten. Schlug mit der Faust dagegen. Die Decke stürzte ein. Rhona sah ihn an.

Ende der Ferien.

3

Rebus küsste seine Tochter.

»Bis dann«, sagte er und sah ihr nach, wie sie das Café verließ. Espresso und eine Scheibe Karamell-Shortbread – zu mehr hatte ihre Zeit nicht gereicht –, aber sie hatten sich auf ein andermal zum Abendessen verabredet. Nichts Besonderes, nur eine Pizza.

Es war der 30. Oktober. Wenn die Natur schlecht drauf war, würde es spätestens Mitte November Winter sein. Rebus hatte in der Schule gelernt, dass es vier verschiedene Jahreszeiten gab, hatte diese Jahreszeiten in leuchtenden und düsteren Farben gemalt, aber seine Heimat schien nichts davon zu wissen. Die Winter waren lang, länger als dem gastfreundlichsten Land lieb sein konnte. Das warme Wetter kam ganz unvermittelt. Kaum dass die ersten Knospen sprossen, liefen die Leute auch schon in T-Shirts herum, so dass Frühling und Sommer zu einer einzigen Jahreszeit verschmolzen. Und sobald die Blätter braun wurden gab es auch schon wieder den ersten Frost.

Sammy winkte ihm durch das Fenster des Cafés zu und war dann verschwunden. Sie schien zu einem ausgeglichenen, gesunden Menschen herangewachsen zu sein. Er hatte ständig nach Anzeichen von Labilität Ausschau gehalten, nach Spuren von Kindheitstraumata oder genetisch bedingten selbstzerstörerischen Anlagen. Vielleicht sollte er Rhona demnächst mal anrufen und ihr danken – dafür, dass sie Samantha allein großgezogen hatte. Leicht konnte es nicht gewesen sein. Natürlich hätte er gern einen Teil des Erfolgs für sich beansprucht. Aber *so* verlogen wollte er nicht sein, denn Tatsache war, dass er ihre Entwicklung gar nicht mitbekommen hatte. In seiner Ehe war es nicht anders gewesen: Selbst wenn er sich mit seiner Frau im selben Zimmer befunden hatte, selbst im Kino oder bei einem Abendessen unter Freunden… der wichtigste Teil von ihm war stets abwesend, mit dem einen oder anderen Fall beschäftigt, mit irgendeiner Frage, die ihm keine Ruhe ließ, ehe sie nicht beantwortet war.

Rebus nahm seinen Mantel. Was blieb ihm anderes übrig, als ins Büro zurückzugehen. Sammy war ebenfalls auf dem Weg in ihr Büro; sie arbeitete mit ehemaligen Strafgefangenen. Er wollte sie hinfahren, aber sie hatte abgelehnt. Jetzt, wo es offiziell war, hatte sie versucht, ihm von ihrem Lebensgefährten zu erzählen, Ned Farlowe. Rebus hatte sich bemüht, ein interessiertes Gesicht zu machen, musste aber erkennen, dass er in Gedanken halb bei Joseph Lintz war – mit anderen Worten: das altbekannte Problem. Als man ihm den Lintz-Fall übertragen hatte, hieß es, er bringe dafür die besten Voraussetzungen mit; zum einen seine Dienstzeit bei der Army und zum anderen seine offensichtliche Schwäche für historische Fälle – womit Farmer Watson, Rebus' Chief Superintendent, auf Bible John angespielt hatte.

»Bei allem Respekt, Sir«, hatte Rebus gesagt, »aber das klingt nach einem Haufen Bockmist. Zwei Gründe, mir die Sache aufs Auge zu drücken: Erstens würde sie niemand auch nur mit der Kneifzange anrühren; zweitens bin ich dadurch eine ganze Weile aus dem Verkehr gezogen.«

»Ihre Aufgabe«, hatte der Farmer erwidert, fest entschlossen, sich von Rebus nicht aus der Fassung bringen zu lassen, »wird darin bestehen, das vorhandene Material zu sichten und festzustellen, ob irgendetwas davon beweiskräftig ist. Wenn Sie es für nützlich halten, können Sie Mr.

Lintz vernehmen. Tun Sie, was immer Sie für notwendig halten, und wenn Sie glauben, Sie haben genug für eine Anklageerhebung gesammelt...«

»Werd ich nicht. Das wissen Sie doch selbst.« Rebus seufzte. »Sir, das habe ich alles schon einmal erlebt. Das ist doch überhaupt der Grund, warum die Abteilung für Kriegsverbrechen aufgelöst wurde. Dieser Fall vor ein paar Jahren – ein Haufen Lärm um nix und wieder nix.« Er schüttelte den Kopf. »Wer will denn überhaupt, dass das alles wieder ausgegraben wird, abgesehen von den Zeitungen?«

»Ich ziehe Sie vom Taystee-Fall ab. Den kann Bill Pryde übernehmen.«

Damit stand fest: Lintz war Rebus' Baby.

Angefangen hatte es mit einem Zeitungsartikel, mit Dokumenten, die einem Sonntagsblatt zugespielt worden waren. Die Dokumente waren vom Tel Aviver Holocaust-Untersuchungsamt gekommen. Die israelische Behörde hatte der Zeitung Informationen über einen gewissen Joseph Lintz geliefert, der angeblich seit Kriegsende unter falschem Namen still und ungestört in Schottland lebte und in Wirklichkeit ein gewisser Josef Linzstek sein sollte, ein gebürtiger Elsässer. Im Juni 1944 war Obersturmführer Linzstek mit der 3. Kompanie eines SS-Panzergrenadierregiments, das Teil der 2. SS-Panzerdivision war, in die französische Kleinstadt Villefranche d'Albarede im Département Corrèze einmarschiert. Die 3. Kompanie hatte alle Einwohner der Stadt zusammengetrieben – Männer, Frauen und Kinder. Die Kranken hatte man aus ihren Betten geholt, die Alten aus ihren Sesseln gezerrt, die Säuglinge aus ihren Wiegen genommen.

Ein junges Mädchen – aus Lothringen evakuiert – hatte beobachtet, wozu die Deutschen fähig waren. Sie hatte sich auf dem Dachboden ihres Hauses versteckt und alles durch eine kleine Dachluke mit angesehen. Alle wurden auf den Marktplatz getrieben. Das Mädchen sah, wie ihre Schulfreundinnen zu ihren Familien liefen. Sie selbst war an dem Tag nicht in der Schule gewesen: eine Racheninfektion. Sie fragte sich, ob jemand das den Deutschen verraten würde…

Es entstand einige Unruhe, als der Bürgermeister und andere Honoratioren sich beim verantwortlichen Offizier beschwerten. Während Maschinenpistolen die Menge in Schach hielten, wurden diese Männer – darunter der Geistliche, der Rechtsanwalt und der Arzt – mit Gewehrkolben zusammengeschlagen. Dann wurden Seile hervorgeholt und über ein halbes Dutzend der Bäume geworfen, die den Platz säumten. Die Männer wurden wieder auf die Füße gestellt, ihre Köpfe durch die Schlingen gesteckt. Ein knapper Befehl, eine Hand hob und senkte sich, und Soldaten zogen an jedem Seil, bis sechs Männer an den Bäumen baumelten, sich wanden, hilflos mit den Beinen strampelten und ihre Bewegungen immer langsamer und langsamer wurden.

Wie sich das Mädchen erinnerte, brauchten sie eine Ewigkeit, um zu sterben. Fassungsloses Schweigen auf dem Marktplatz, als wüsste jetzt der ganze Ort Bescheid, als hätte er begriffen, dass das keine bloße Ausweiskontrolle war. Weitere gebellte Befehle. Die Männer wurden von den Frauen und Kindern getrennt und zu Prudhommes Scheune abgeführt, alle übrigen in die Kirche getrieben. Der Platz leerte sich bis auf ein knappes Dutzend Soldaten mit nachlässig umgehängten Gewehren. Sie plauderten, kickten mit den Stiefeln Kiesel in die Luft, tauschten Scherze und Zigaretten aus. Einer von ihnen ging in die Bar und schaltete das Radio ein. Jazzmusik erfüllte die Luft und wetteiferte mit dem Rauschen der Blätter, als eine Brise die Leichen in den Bäumen schaukeln ließ.

»Es war seltsam«, sagte das Mädchen später. »Ich hatte aufgehört, sie als Tote zu betrachten. Es war so, als wären sie zu etwas anderem geworden, als wären sie jetzt Teil der Bäume.«

Dann die Explosion, Rauch- und Staubwolken, die aus der Kirche quollen. Ein Augenblick der Stille, als sei ein Vakuum in der Welt entstanden, dann Schreie, unmittelbar gefolgt von Maschinengewehrfeuer. Und als dieses endlich verstummte, konnte sie es immer noch hören. Denn es war nicht nur in der Kirche, es kam auch aus der Ferne.

Aus Prudhommes Scheune.

Als sie endlich – von Leuten aus den umliegenden Dörfern – entdeckt wurde, war sie nackt, lediglich in einen Schal gehüllt, den sie in einem Schrankkoffer gefunden hatte. Der Schal hatte ihrer Großmutter gehört, die das Jahr zuvor gestorben war. Aber sie war nicht die Einzige, die das Massaker überlebt hatte. Als die Soldaten in Prudhommes Scheune das Feuer eröffneten, hatten sie tief gezielt. Die erste Reihe von Männern, die zu Boden ging, war in Beinen und Unterleib getroffen worden, und die Körper, die anschließend auf sie fielen, schützten sie vor weiteren Kugeln. Als der Haufen mit Stroh und Reisig bedeckt und in Brand gesetzt worden war, hatten sie so lang wie möglich ausgehalten und sich dann nach oben gekämpft – und dabei jeden Augenblick damit gerechnet, erschossen zu werden. Vier von ihnen schafften es, zwei mit brennenden Haaren und Kleidern; einer erlag später seinen Verletzungen.

Drei Männer, ein junges Mädchen: die einzigen Überlebenden.

Die genaue Zahl der Todesopfer wurde nie ermittelt. Niemand wusste, wie viele Fremde sich an dem Tag in Villefranche aufgehalten hatten, wie viele Flüchtlinge dazugezählt werden mussten. Es wurde eine Liste von über siebenhundert Namen erstellt: Menschen, die aller Wahrscheinlichkeit nach getötet worden waren.

Rebus saß an seinem Schreibtisch und rieb sich mit den Fäusten die Augen. Das junge Mädchen war noch am Leben, mittlerweile eine Rentnerin. Die männlichen Überlebenden waren inzwischen alle gestorben. Den Prozess in Bordeaux im Jahr 1953 hatten sie allerdings noch erlebt. Ihm lagen Zusammenfassungen ihrer Aussagen vor, auf Französisch. Ein großer Teil des Materials auf seinem Schreibtisch war auf Französisch, das Rebus nicht beherrschte. Deswegen war er zum Seminar für moderne Sprachen gegangen und hatte jemanden gefunden, *der* es konnte. Dieser Jemand hieß Kirstin Mede und unterrichtete Französisch, verfügte aber auch über gewisse Deutschkenntnisse, was von Vorteil war; denn die nicht in Französisch abgefassten Dokumente, waren auf Deutsch. Er verfügte lediglich über eine einseitige englische Zusammenfassung der von den Nazijägern zur Verfügung gestellten Prozessakten. Die Verhandlung hatte im Februar 1953 begonnen und einen knappen Monat gedauert. Von den fünfundsiebzig Männern, die nachweislich zu den deutschen Streitkräften in Villefranche gehört hatten, waren lediglich fünfzehn anwesend gewesen: sechs Deutsche und neun Elsässer. Nicht einer von ihnen war Offizier gewesen. Ein Deutscher wurde zum Tod verurteilt, die anderen erhielten Haftstrafen zwischen vier und zwölf Jahren, aber sie wurden alle nach Prozessende auf freien Fuß gesetzt. Das Elsass hatte die Verhandlung nicht gutgeheißen, und in ihrem Bestreben, die Nation zu einen, hatte die Pariser Regierung eine Amnestie erlassen. Und die Deutschen, hieß es, hätten ihre Haftstrafen inzwischen schon abgebüßt.

Die Überlebenden von Villefranche waren entsetzt gewesen.

Eines fand Rebus allerdings noch verblüffender: Die Briten hatten ein paar deutsche Offiziere festgenommen, die an dem Massaker beteiligt gewesen waren, sich aber geweigert, sie den französischen Behörden auszuliefern. Schickten sie stattdessen nach Deutschland zurück, wo sie, völlig unbehelligt, ein langes Leben in Wohlstand genießen konnten. Wenn Linzstek damals gefasst worden wäre, hätte es die ganze jetzige Aufregung nicht gegeben.

Politik. Es war alles Politik. Als Rebus aufsah, stand Kirstin Mede vor ihm. Sie war groß, gut gebaut, tadellos gekleidet und hatte sich auf eine Weise geschminkt, wie man das nur bei Models sieht, Sie trug ein kariertes Kostüm, dessen Rock bis knapp zum Knie reichte, und lange goldfarbene Ohrringe. Sie hatte schon ihren Aktenkoffer geöffnet und holte gerade einen Stoß Papiere heraus.

»Die neusten Übersetzungen«, sagte sie.

»Danke.«

Rebus sah auf eine Notiz, die er sich gemacht hatte: »Reise nach Corrèze notwendig?« Na ja, der Farmer hatte schließlich gesagt, er habe völlig freie Hand. Er blickte wieder zu Kirstin Mede und fragte sich, ob das Budget wohl auch eine Reiseleiterin verkraften würde. Sie saß ihm gegenüber und rückte gerade eine Lesebrille mit halbmondförmigen Gläsern zurecht.

»Kann ich Ihnen einen Kaffee holen?«, fragte er.

»Ich bin heute ein bisschen in Eile. Ich wollte nur, dass Sie das hier sehen.« Sie legte zwei Blätter so auf seinen Schreibtisch herum, dass er sie lesen konnte. Das eine Blatt war die Fotokopie eines in Deutsch abgefassten, getippten Berichts, das andere ihre Übersetzung. Nach einem Blick auf den deutschen Text las er die Übersetzung.

»– Der Beginn der Vergeltungsmaßnahmen hat ein merkbares Aufatmen hervorgerufen und die Stimmung sehr günstig beeinflusst.«

»Anscheinend von Linzstek an seinen Kommandeur«, erklärte sie.

»Aber keine Unterschrift?«

»Nur der getippte und unterstrichene Name.«

»Dann hilft uns das also auch nicht, Linzstek zu identifizieren.«

»Nein, aber wissen Sie noch, worüber wir geredet hatten? Es verrät einen Grund für den Überfall.«

»Kleiner Fronturlaub mit Ringelpietz für die Jungs?«

Ihr Blick ließ ihn erstarren. »Tut mir Leid«, sagte er und hob entschuldigend die Hände. »War völlig daneben. Und Sie haben Recht, es sieht fast so aus, als versuchte der Obersturmführer die ganze Sache zu rechtfertigen.«

»Für die Nachwelt?«

»Vielleicht. Schließlich war es für die etwas Neues, auf der Seite der Verlierer zu stehen.« Er warf einen Blick auf die anderen Dokumente. »Sonst noch etwas?«

»Ein paar weitere Berichte, nichts Aufregendes. Und ein paar Augenzeugenaussagen.« Sie sah ihn mit blassgrauen Augen an. »Auf die Dauer geht's einem an die Nieren, nicht?«

Rebus nickte.

Die einzige Überlebende des Massakers wohnte in Juillac und war von der örtlichen Polizei kürzlich nach dem seinerzeit verantwortlichen Offizier der deutschen Truppen befragt worden. Ihre Aussage war die gleiche, die sie während des Prozesses gemacht hatte: Sie habe ihn lediglich ein paar Sekunden lang gesehen, und das auch nur vom Dachboden eines dreistöckigen Hauses aus. Man hatte ihr ein neueres Foto von Joseph Lintz gezeigt, worauf sie die Achseln zuckte.

»Vielleicht«, hatte sie gemeint. »Ja, vielleicht.«

Was der Staatsanwalt, wie Rebus wusste, niemals verwenden würde, da er verdammt genau wusste, was jeder auch nur unterdurchschnittlich begabte Verteidiger mit einer solchen Aussage gemacht hätte.

»Wie geht der Fall voran?«, fragte Kirstin Mede. Vielleicht hatte sie etwas in seiner Miene bemerkt.

»Schleppend. Das Problem ist dieser ganze Kram.« Er deutete auf den mit Papieren übersäten Schreibtisch. »Auf der einen Seite habe ich diese ganzen Unterlagen, auf der anderen einen kleinen Opa aus der Neustadt. Die beiden passen einfach nicht zusammen.«

»Haben Sie ihn persönlich gesprochen?«

»Ein-, zweimal.«

»Was ist er für ein Mensch?«

Was war Joseph Lintz für ein Mensch? Er war gebildet, beherrschte etliche Fremdsprachen. Er war sogar eine Zeit lang Professor für Germanistik an der Universität gewesen, Anfang der siebziger Jahre. Seine Erklärung dazu: »Ich füllte lediglich eine Vakanz aus, bis sie jemand Qualifizierteres gefunden hatten.« In Schottland lebte er seit 1945 oder 46 – was Daten anging, blieb er im Unbestimmten und machte dafür sein Gedächtnis verantwortlich. Die Angaben zu seinem früheren Leben hörten sich ebenso verschwommen an. Er meinte, alle seine persönlichen Papiere seien vernichtet worden. Die Alliierten hätten ihm Duplikate ausstellen müssen. Dass diese neuen Dokumente mehr waren als lediglich die amtliche Bestätigung einer Lügengeschichte, die man ihm abgenommen hatte, konnte man Lintz glauben oder nicht: Andere Beweise dafür gab es nicht. Seine Geschichte: geboren im Elsass; Eltern und sonstige Angehörige verstorben; Zwangsverpflichtung in die SS. Das Detail mit der SS fand Rebus sehr geschickt. Es war genau die Art von Eingeständnis, das Vernehmungsbeamte zu dem Schluss führte: Er ist in *dem* heiklen Punkt aufrichtig gewesen, also kann man ihm in den übrigen Punkten wahrscheinlich auch Glauben schenken. Es gab zwar keinerlei Unterlagen darüber, dass ein Joseph Lintz je in einem SS-Regiment gedient hätte. Doch andererseits hatte die SS,

45

sobald sie erkannt hatte, welche Wendung der Krieg nahm, selbst einen Großteil ihrer Akten vernichtet. Was seine Militärzeit anbelangte, blieb Lintz ebenfalls im Unbestimmten. Er machte für seine Erinnerungslücken eine Kriegsneurose verantwortlich. Aber er beteuerte, er habe niemals Linzstek geheißen und nie im Département Corrèze oder sonstwo in Frankreich gedient.

»Ich war im Osten«, erklärte er. »Dort haben mich die Alliierten gefunden, im Osten.«

Das Problem war, dass es keine überzeugende Erklärung dafür gab, wie Lintz nach Großbritannien gelangte. Er gab an, er habe beantragt, dorthin ausreisen zu dürfen, um ein neues Leben anzufangen. Ins Elsass habe er nicht zurückgewollt, oder überhaupt in die Nähe der Deutschen. Zwischen denen und ihm sollte genügend Wasser liegen. Wieder gab es keinerlei Unterlagen, die diese Aussage untermauert hätten. Mittlerweile hatten die jüdischen Stellen, die den Holocaust untersuchten, eigenes »Beweismaterial« vorgelegt, das Lintz mit der so genannten »Rattenlinie« in Verbindung zu bringen schien.

»Haben Sie je was von der ›Rattenlinie‹ gehört«, hatte Rebus ihn bei ihrem ersten Treffen gefragt.

»Natürlich«, hatte Joseph Lintz geantwortet. »Aber ich hatte nie etwas damit zu tun.«

Lintz: im Salon seines Domizils in der Heriot Row. Ein elegantes viergeschossiges georgianisches Gebäude. Ein riesiges Haus für einen allein stehenden Mann. Rebus hatte diesen Punkt angesprochen. Lintz hatte lediglich mit den Achseln gezuckt, was sein gutes Recht war. Woher hatte er das Geld dafür gehabt?

»Ich habe hart gearbeitet, Inspector.«

Vielleicht, aber Lintz hatte das Haus Ende der Fünfzigerjahre gekauft, angeblich von einem kleinen Dozentengehalt. Ein Kollege von damals verriet Rebus, dass seinerzeit alle im Institut vermutet hätten, Lintz habe ein privates Einkommen gehabt. Doch der stritt dies ab.

»Stadthäuser waren damals billiger, Inspector. Begehrt waren Anwesen auf dem Land und Bungalows.«

Joseph Lintz: knapp anderthalb Meter groß, Brillenträger. Pergamenthände mit Altersflecken. Am Handgelenk eine Ingersoll-Uhr von vor dem Krieg. An den Wänden seines Salons verglaste Bücherregale. Anthrazitfarbene Anzüge. Die fast weiblich wirkende Eleganz seiner ganzen Art: wie er eine Tasse an die Lippen führte; wie er Staubpartikel von seiner Hose wischte.

»Ich mache den Juden keinen Vorwurf«, hatte er gesagt. »Wenn sie könnten, würden sie jeden auf die Anklagebank setzen. Am liebsten wäre es ihnen, wenn sich die ganze Welt schuldig fühlte. Vielleicht haben sie ja Recht.«

»In welcher Hinsicht, Sir?«

»Hat nicht jeder von uns seine kleinen Geheimnisse, Dinge, deren er sich schämt?« Lintz hatte gelächelt. »Sie spielen ihr Spiel mit, und das ist Ihnen nicht einmal bewusst.«

Rebus hatte nicht locker gelassen. »Die zwei Namen sind sich doch sehr ähnlich, oder? Lintz, Linzstek.«

»Natürlich, sonst hätten ihre Anschuldigungen auch keinerlei Grundlage. Denken Sie doch einmal nach, Inspector: Hätte ich meinen Namen nicht gründlicher verändert? Trauen Sie mir nicht ein Mindestmaß an Intelligenz zu?«

»Mehr als ein Mindestmaß.« Gerahmte Diplome an den Wänden, ehrenhalber verliehene akademische Grade, Fotos, auf denen er zusammen mit Rektoren, Politikern zu sehen war. Als der Farmer ein bisschen mehr über Joseph Lintz erfahren hatte, riet er Rebus, »ja vorsichtig« zu sein. Lintz war ein Förderer der Künste – Oper, Museen, Galerien – und ein Gönner zahlreicher wohltätiger Organisationen. Er hatte *Freunde.* Aber er war gleichzeitig auch ein Einzelgänger, jemand, der sich am liebsten um die Wiederherstellung von Grabstätten auf dem historischen Warriston Cemetery kümmerte. Dunkle Tränensäcke über den hohlen Wangen. Schlief er nachts gut?

»Wie ein Lamm, Inspector.« Ein weiteres Lächeln. »Von der Opfersorte. Wissen Sie, ich mache Ihnen keinen Vorwurf. Sie tun nur Ihre Arbeit.«

»Ihre Nachsicht scheint keine Grenzen zu kennen, Mr. Lintz.«

Ein bedächtiges Achselzucken. »Kennen Sie Blakes Worte, Inspector? ›Und all die Ewigkeit hindurch / Vergebe ich dir, vergibst du mir.‹ Ich bin mir allerdings nicht so sicher, ob ich den *Medien* vergeben kann.« Das Wort brachte einen Widerwillen zum Ausdruck, der sich auch in einem Zucken seiner Gesichtsmuskeln äußerte.

»Haben Sie deswegen einen Anwalt auf sie angesetzt?«

»›Angesetzt‹ klingt so, als wäre ich ein Jäger, Inspector. Wir reden von einer *Zeitung,* mit einem Team von teuren Anwälten, die nur darauf warten, für ihren Mandanten tätig zu werden. Kann ein Einzelner hoffen, gegen eine solche Übermacht anzukommen?«

»Wozu es dann überhaupt versuchen?«

Lintz schlug mit geballten Fäusten auf die Armlehnen seines Sessels. »Aus Prinzip, Mann!« Derlei Ausbrüche waren selten und von kurzer Dauer, aber Rebus hatte mittlerweile genug davon erlebt, um zu wissen, dass Lintz zum Jähzorn neigte …

»Hallo?«, sagte Kirstin Mede und neigte den Kopf zur Seite, um seinen starr in die Ferne gerichteten Blick auf sich zu ziehen.

»Was?«

Sie lächelte. »Sie waren meilenweit weg.«

»Nur auf der anderen Seite der Stadt«, erwiderte er.

Sie deutete auf die Dokumente. »Ich lass sie Ihnen hier, okay? Wenn Sie irgendwelche Fragen haben…«

»Prima, danke.« Rebus stand auf.

»Schon gut, ich find schon allein hinaus.«

Aber Rebus bestand darauf. »Tut mir Leid, ich bin ein bisschen…« Er wedelte mit den Händen vor seinem Gesicht.

»Wie ich schon sagte – auf die Dauer geht es einem an die Nieren.«

Als sie durch das CID-Büro zum Ausgang gingen, spürte Rebus die Blicke, die ihnen folgten. Bill Pryde kam angebalzt, wollte vorgestellt werden. Er hatte helles, lockiges Haar und dichte blonde Augenbrauen, eine große sommersprossige Nase und einen kleinen Mund, der von einem karottenfarbenen Schnauzbart überdacht wurde – letzterer ein modisches Accessoire, auf das er bedenkenlos hätte verzichten können.

»Ist mir ein Vergnügen«, sagte er und gab Kirstin Mede die Hand. Dann, zu Rebus gewandt: »Da wünscht man sich glatt, wir hätten getauscht.«

Pryde arbeitete am Taystee-Fall: Ein Eiscremeverkäufer war tot in seinem Lieferwagen aufgefunden worden. Bei laufendem Motor, in einer geschlossenen Garage, wodurch es anfangs wie Selbstmord ausgesehen hatte.

Rebus lotste Kirstin Mede an Pryde vorbei und achtete darauf, dass sie nicht wieder aufgehalten wurden. Er wollte sie zu irgendwas einladen. Er wusste, dass sie unverheiratet war, schloss aber einen Freund nicht aus. Rebus überlegte: Was wäre ihr wohl lieber gewesen – französisches oder italienisches Essen? Sie sprach beide Sprachen. Dann vielleicht besser was Neutrales: Indisch oder Chinesisch. Vielleicht war sie Vegetarierin. Vielleicht hatte sie überhaupt was gegen Restaurants. Dann auf einen Drink? Aber Rebus trank neuerdings nicht.

»…also, was meinen Sie?«

Rebus fuhr zusammen. Kirstin Mede hatte ihn etwas gefragt.

»Verzeihung?«

Sie lachte, als sie begriff, dass er nicht zugehört hatte. Er fing an, sich zu entschuldigen, aber sie winkte ab. »Ich weiß schon«, sagte sie, »Sie sind ein bisschen…« Und sie wedelte mit den Händen vor ihrem Gesicht. Er lächelte. Sie waren stehen geblieben und musterten sich gegenseitig. Die Aktentasche hatte sie sich unter den Arm geklemmt. Das war der richtige Moment, um sie einzuladen – zu was auch immer, sollte *sie* doch entscheiden.

»Was ist das?«, sagte sie plötzlich. Es war ein Schrei gewesen, Rebus hatte ihn auch gehört. Er war durch die Tür gedrungen, vor der sie standen – die Tür zur Damentoilette. Sie hörten ihn noch einmal. Diesmal folgten ihm Worte, die sie verstanden.

»Hilfe, hört mich denn keiner!«

Rebus stieß die Tür auf und stürzte hinein. Eine Beamtin stemmte sich gegen die Tür einer Kabine, versuchte, sie mit der Schulter aufzudrücken. Hinter der Tür hörte Rebus ein ersticktes Würgen.

»Was ist los?«, fragte er.

»Vor zwanzig Minuten aufgegriffen. Sie meinte, sie müsste aufs Klo.« Die Wangen der Polizistin waren rot vor Ärger und Verlegenheit.

Rebus fasste an die Oberkante der Tür, zog sich hoch und spähte hinunter auf die Gestalt, die auf der Schüssel saß. Die Frau war jung, stark geschminkt. Sie hatte den Kopf an den Spülkasten gelehnt, so dass sie zu ihm hochstarrte, aber mit blicklosen Augen. Um so aktiver waren ihre Hände: Sie zogen eine lange Klopapierbahn von der Rolle und stopften sie ihrer Besitzerin in den Mund.

»Sie erstickt«, sagte Rebus und ließ sich wieder hinuntergleiten. »Aus dem Weg!« Er warf sich mit der Schulter an die Tür, versuchte es ein zweites Mal. Ging einen Schritt zurück und trat mit dem Absatz gegen das Schloss. Die Tür flog auf und knallte der Frau ans Knie. Er zwängte sich hinein. Ihr Gesicht nahm allmählich eine violette Färbung an.

»Halten Sie ihr die Hände fest!«, befahl er der Beamtin. Dann begann er, ihr das Papier aus dem Mund zu ziehen, meterweise weißes Papier. Er kam sich dabei vor wie ein drittklassiger Zauberkünstler. Da schien eine halbe Rolle drin zu sein, und als Rebus' Augen denen der Beamtin begegneten, brachen beide in ein fast unwillkürliches Lachen aus. Die Frau hatte aufgehört, sich zu wehren. Ihr Haar war mausbraun, strähnig und fettig. Sie trug eine schwarze Skijacke und einen eng anliegenden schwarzen Rock. Ihre nackten Beine waren rot marmoriert, und an dem einen Knie, wo die Tür sie getroffen hatte, bildete sich allmählich ein Bluterguss. Ihr knallroter Lippenstift verwischte unter Rebus' Fingern immer mehr. Sie weinte. Rebus hatte ein schlechtes Gewissen wegen seines plötzlichen Heiterkeitsausbruchs und kauerte sich hin, so dass er der Frau in die schwarz verschmierten Augen sehen konnte. Sie blinzelte, erwiderte dann seinen Blick und hustete, als der letzte Rest Klopapier endlich entfernt war.

»Sie ist Ausländerin«, erklärte die Polizistin. »Scheint kein Englisch zu sprechen.«

»Wie konnte sie Ihnen dann sagen, dass sie auf die Toilette musste?«

»Es gibt Mittel und Wege, oder?«

»Wo haben Sie sie gefunden?«

»Auf der Pleasance, frech wie Rotz.«

»Ist mir neu als Strich.«

»Mir auch.«

»Niemand bei ihr?«

51

»Nicht, soweit ich sehen konnte.«

Rebus fasste die Frau an den Händen. Er kauerte noch immer vor ihr, spürte die Berührung ihrer Knie an seiner Brust.

»Geht's jetzt?« Sie blinzelte bloß. Er bemühte sich um eine Miene höflicher Anteilnahme. »Jetzt wieder okay?«

Sie nickte schwach. »Okay«, sagte sie mit heiserer Stimme. Rebus tastete ihre Finger ab. Sie waren kalt. Er dachte nach: Junkie? Viele Professionelle waren das. Aber ihm war noch nie eine untergekommen, die kein Englisch sprach. Dann drehte er ihre Hände um, sah ihre Handgelenke. Ein Zickzack frisch vernarbter Schnittwunden. Sie leistete keinen Widerstand, als er einen Ärmel ihrer Jacke hochschob. Der Unterarm war von ähnlichen Narben übersät.

»Eine Schnipplerin.«

Jetzt redete die Frau, plapperte wirr drauflos. Kirstin Mede, die sich bislang nicht an der Aktion beteiligt hatte, trat näher. Rebus sah zu ihr hoch.

»Nicht meine Region… nicht ganz. Was Osteuropäisches.«

»Probieren Sie es mal mit was anderem.«

Also stellte ihr Mede eine Frage auf Französisch und wiederholte sie dann in drei oder vier anderen Sprachen. Die Frau schien zu begreifen, dass sie sich mit ihr zu verständigen versuchte.

»An der Uni findet sich wahrscheinlich jemand, der Ihnen helfen könnte«, erklärte Mede.

Rebus richtete sich langsam auf. Die Frau klammerte sich an seine Knie und zog ihn zu sich heran, so dass er fast das Gleichgewicht verlor. Ihr Griff war fest, ihr Gesicht drückte gegen seine Schenkel. Sie weinte und stammelte noch immer vor sich hin.

»Ich glaube, sie mag Sie, Sir«, meinte die Polizistin. Sie lösten gewaltsam ihre Hände, und Rebus machte einen Schritt zurück, aber sie stürzte unvermittelt auf ihn zu, wie eine Bettlerin. Jedes Mal wenn Rebus einen Schritt zurücktrat, krabbelte sie ihm auf allen vieren hinterher. Rebus sah sich nach dem Ausgang um, aber der war von einer Menschentraube versperrt. Aus dem drittklassigen Zauberkünstler war ein Nebendarsteller in einer Comedy-Nummer geworden. Die Beamtin packte die Frau, stellte sie wieder auf die Beine und drehte ihr dabei einen Arm hinter den Rücken.

»Komm schon«, sagte sie mit zusammengebissenen Zähnen. »Zurück in die Zelle. Die Show ist vorbei, Leute.«

Es gab plätschernden Applaus, als die Gefangene abgeführt wurde. Sie sah sich einmal um, suchte mit flehenden Augen nach Rebus. Worum sie flehte, wusste er nicht. Also wandte er sich an Kirstin Mede.

»Lust auf einen Curry, so bei Gelegenheit?«

Sie sah ihn an, als sei er übergeschnappt.

»Zweierlei: Erstens, sie ist bosnische Muslimin. Zweitens, sie möchte Sie wiedersehen.«

Rebus starrte den Mann aus dem slawistischen Seminar an, der auf Kirstin Medes Bitte hin gekommen war. Sie standen auf dem Korridor der St.-Leonard's-Wache.

»Bosnierin?«

Dr. Colquhoun nickte. Er war klein und fast kugelförmig und hatte langes schwarzes Schläfenhaar, das er zu beiden Seiten einer kuppelförmigen Glatze zurückgekämmt trug. Sein aufgeschwemmtes Gesicht war mit Pickelnarben übersät, sein brauner Anzug abgetragen und fleckig. Er trug wildlederne Hush Puppies in der gleichen Farbe wie sein Anzug. *Das*, musste Rebus unwillkürlich denken, ist endlich mal ein Unimensch, der auch wie einer aussieht! Colquhoun war ein einziges Konglomerat von nervösen Ticks.

53

»Ich bin kein Bosnien-Experte«, fuhr er fort, »aber sie sagt, sie sei aus Sarajevo.«

»Sagt sie auch, wie sie in Edinburgh gelandet ist?«

»Ich habe sie nicht gefragt.«

»Hätten Sie was dagegen, sie jetzt zu fragen?« Rebus deutete zum Ende des Korridors. Die zwei Männer gingen zurück; Colquhoun starrte dabei auf den Boden.

»Sarajevo hat im Krieg schwer gelitten«, erklärte er. »Sie ist übrigens zweiundzwanzig, das hat sie mir gesagt.«

Sie hatte älter ausgesehen. Vielleicht stimmte es ja; vielleicht log sie. Aber als sich die Tür des Vernehmungsraums öffnete und Rebus sie zum zweiten Mal sah, fiel ihm auf, wie unfertig ihr Gesicht wirkte, und er korrigierte ihr Alter nach unten. Als er eintrat, stand sie sofort auf, so, als wollte sie jeden Augenblick auf ihn zustürzen. Doch er hob warnend eine Hand und deutete auf den Stuhl. Sie setzte sich wieder hin und legte die Hände um einen Becher schwarzen Tee. Dabei wandte sie kein Auge von Rebus.

»Sie ist ein großer Fan von Ihnen«, sagte die Beamtin. Die Polizistin – dieselbe wie im Toilettenraum – hieß Ellen Sharpe. Sie saß auf dem zweiten Stuhl. Der Vernehmungsraum war nicht sehr geräumig; viel mehr als ein Tisch und zwei Stühle passten nicht hinein. Auf dem Tisch standen zwei identische Videorekorder und ein Doppeltapedeck. Die Videokamera äugte von einer Wand herunter. Rebus bedeutete Sharpe mit einer Handbewegung, den Stuhl für Colquhoun zu räumen.

»Hat sie Ihnen gesagt, wie sie heißt?«, fragte er den Unimann.

»Sie sagte ›Candice‹.«

»Sie glauben ihr nicht?«

»Das klingt nicht gerade bosnisch, Inspector.« Candice sagte etwas. »Sie meint, Sie seien ihr Beschützer.«

»Und wovor beschütze ich sie?«

Der Dialog zwischen Colquhoun und Candice klang hart, guttural.

»Sie sagt, zuerst haben Sie sie vor sich selbst beschützt. Und jetzt, müssen Sie weitermachen.«

»Sie weiter beschützen?«

»Sie sagt, sie gehöre jetzt Ihnen.«

Rebus starrte den Unimann an, der wiederum Candice' Arme fixierte. Sie hatte ihre Skijacke ausgezogen. Darunter trug sie ein geripptes kurzärmliges Leibchen, durch das sich ihre kleinen Brüste abzeichneten. Sie hatte die nackten Arme verschränkt, aber die Kratzer und Schnittwunden waren deutlich zu sehen.

»Fragen Sie sie, ob sie sich die selbst zugefügt hat.«

Colquhoun tat sich mit der Übersetzung sichtlich schwer. »Mein Metier sind eher Literatur und Film als… äh…«

»Was sagt sie?«

»Dass sie es selbst gemacht hat.«

Rebus blickte sie fragend an, und sie bestätigte es mit einem langsamen Nicken und einer leicht beschämten Miene.

»Wer schickt sie anschaffen?«

»Wie meinen…?«

»Wer schickt sie auf den Strich? Wer ist ihr Zuhälter?«

Ein weiterer kurzer Dialog.

»Sie sagt, sie versteht nicht.«

»Streitet sie ab, als Prostituierte zu arbeiten?«

»Sie sagt, sie versteht nicht.«

Rebus wandte sich an die Beamtin. »Nun?«

»Ein paar Autos haben gehalten. Sie hat den Kopf durchs Fenster gestreckt und mit den Fahrern geredet. Sie sind weitergefahren. Die Ware hat ihnen wohl nicht zugesagt.«

»Wenn sie kein Englisch kann, wie konnte sie dann mit den Fahrern ›reden‹?«

»Es gibt Mittel und Wege.«

Rebus sah Candice an. Er begann, sehr leise auf sie einzureden. »Einfacher Fick fünfzehn, Blasen zwanzig. Ohne Gummi einen Fünfer extra.« Er schwieg kurz. »Was kostet anal, Candice?«

Blut schoss ihr in die Wangen. Rebus lächelte.

»Vielleicht war sie nicht auf der Uni, aber irgendjemand hat ihr ein paar Worte Englisch beigebracht. Gerade so viel, wie sie für die Arbeit braucht. Fragen Sie sie noch mal, wie sie hierher gekommen ist.«

Colquhoun wischte sich erst das Gesicht ab. Während sie sprach, hielt Candice den Kopf gesenkt.

»Sie sagt, sie habe Sarajevo als Flüchtling verlassen. Erst Amsterdam, von da aus nach Großbritannien. Das Erste, woran sie sich erinnern kann, ist ein Ort mit vielen Brücken.«

»Brücken?«

»Dort habe sie eine Zeit lang gewohnt.« Die Geschichte schien Colquhoun erschüttert zu haben. Er reichte Candice ein Taschentuch, damit sie sich die Augen abtrocknen konnte. Sie belohnte ihn mit einem Lächeln. Dann sah sie Rebus an.

»Burger Pommes, ja?«

»Haben Sie Hunger?« Rebus rieb sich den Magen. Sie nickte und lächelte. Er wandte sich zu Sharpe. »Sehen Sie doch mal nach, was die Kantine zu bieten hat, ja?«

Die Beamtin bedachte ihn mit einem scharfen Blick, sie wollte offensichtlich nicht gehen. »Hätten Sie gern etwas, Mr. Colquhoun?«

Er schüttelte den Kopf. Rebus bat um einen Kaffee. Als Sharpe den Raum verlassen hatte, kauerte sich Rebus neben den Tisch und sah Candice an. »Fragen Sie sie, wie sie nach Edinburgh gekommen ist.«

Colquhoun tat wie ihm geheißen und hörte sich dann

eine ziemlich lange Geschichte an. Er kritzelte ein paar Notizen auf ein gefaltetes Blatt Papier.

»Von der Stadt mit den Brücken, sagt sie, habe sie nicht viel zu sehen bekommen. Man hielt sie eingesperrt. Manchmal wurde sie zu einem Rendezvous gefahren … Sie müssen schon verzeihen, Inspector. Umgangssprachliche Wendungen gehören nicht eben zu meinem Spezialgebiet.«

»Sie machen es ausgezeichnet, Sir.«

»Nun, sie wurde als Prostituierte eingesetzt, so viel kann ich jedenfalls erschließen. Und eines Tages setzte man sie wieder einmal ins Auto. Sie ging davon aus, dass man sie in ein Hotel oder ein Büro fahren würde.«

»Büro?«

»Ihren Ausführungen glaube ich entnehmen zu können, dass sie einen Teil ihrer … Arbeit … in Büros absolvierte. Wohnungen und Privathäuser kamen auch vor. Aber hauptsächlich Hotelzimmer.«

»Wo war sie untergebracht?«

»In einem Haus. Sie hatte ein Schlafzimmer, die Tür war immer abgeschlossen.« Colquhoun presste seine Nasenwurzel mit Daumen und Zeigefinger zusammen. »Eines Tages hat man sie ins Auto gesteckt, und ehe sie sich's versah, war sie in Edinburgh.«

»Wie lang hat die Fahrt gedauert?«

»Sie weiß es nicht genau. Zwischendurch hat sie wohl geschlafen.«

»Sagen Sie ihr, es wird alles gut werden.« Rebus hielt kurz inne. »Und fragen Sie sie, für wen sie jetzt arbeitet.«

In Candice' Gesicht kehrte die Angst zurück. Sie stotterte, schüttelte den Kopf. Colquhoun schien Probleme mit der Übersetzung zu haben.

»Sie kann es Ihnen nicht sagen«, erklärte er.

»Sagen Sie ihr, dass sie in Sicherheit ist.« Colquhoun tat es. »Sagen Sie es ihr noch einmal«, bat Rebus. Er vergewisserte sich, dass sie, solange Colquhoun sprach, *ihn* ansah. Er zeigte ihr ein entschlossenes Gesicht, ein Gesicht, dem sie vertrauen konnte. Sie streckte ihm die Hand entgegen. Er nahm sie, drückte sie.

»Fragen Sie sie noch einmal, für wen sie arbeitet.«

»Sie kann es Ihnen nicht sagen, Inspector. Man würde sie umbringen. Sie hat entsprechende Geschichten gehört.«

Rebus beschloss, es mit dem Namen zu versuchen, an den er die ganze Zeit gedacht hatte, dem Namen des Mannes, für den die Hälfte von Edinburghs Professionellen anschaffen ging.

»Cafferty«, sagte er und wartete auf eine Reaktion. Es kam keine. »Big Ger. Big Ger Cafferty.« Ihr Gesicht blieb ausdruckslos. Rebus drückte noch einmal ihre Hand. Es gab noch einen Namen ... einen, den er in letzter Zeit häufiger gehört hatte.

»Telford«, sagte er. »Tommy Telford.«

Candice zog ihre Hand weg und brach, genau in dem Moment, als Woman Police Constable Sharpe die Tür öffnete, in hysterisches Kreischen aus.

Rebus begleitete Dr. Colquhoun aus der Wache und musste daran denken, dass er diesen ganzen Schlamassel gerade einer solchen höflichen Geste zu verdanken hatte.

»Danke noch einmal, Sir. Sollte ich Ihre Hilfe brauchen – darf ich mich dann wieder an Sie wenden?«

»Wenn's sein muss«, antwortete Colquhoun widerwillig.

»Gibt nicht gerade viele Slawisten in der Gegend«, meinte Rebus. In der Hand hatte er Colquhouns Geschäftskarte, mit einer handschriftlich ergänzten Privatnummer auf der Rückseite. »Tja«, sagte er und streckte seine freie Hand aus, »danke noch einmal.« Dann fiel ihm noch etwas ein.

»Befanden Sie sich schon an der Universität, als Joseph Lintz Professor für Germanistik war?«

Die Frage überraschte Colquhoun. »Ja«, sagte er endlich.

»Kannten Sie ihn?«

»Unsere Institute hatten nicht viel miteinander zu tun. Ich habe ihn auf ein paar Empfängen gesehen, ab und an bei einer Vorlesung.«

»Was hielten Sie von ihm?«

Colquhoun blinzelte. Er vermied Rebus' Blick. »Es heißt, er sei ein Nazi gewesen.«

»Ja, aber damals…?«

»Wie ich schon sagte, wir hatten nicht viel miteinander zu tun. Ermitteln Sie gegen ihn?«

»Nur reine Neugier, Sir. Danke für Ihre Zeit.«

Als er wieder hineinging, stand Ellen Sharpe vor der Tür des Verhörraums.

»Also, was machen wir mit ihr?«, fragte sie.

»Hier behalten.«

»Sie meinen, sie verhaften?«

Rebus schüttelte den Kopf. »Nennen wir's Schutzhaft.«

»Weiß *sie* das?«

»Bei wem sollte sie sich beschweren? Es gibt in der ganzen Stadt nur einen, der überhaupt kapiert, was sie sagt, und den habe ich gerade nach Haus geschickt.«

»Was, wenn ihr Macker vorbeikommt und sie mitnehmen will?«

»Glauben Sie, er tut's?«

Sie überlegte kurz. »Wahrscheinlich nicht.«

»Nein, denn er braucht ja nur zu warten, früher oder später lassen wir sie ja sowieso laufen. Außerdem spricht sie kein Englisch, also, was könnte sie uns schon verraten? Und sie ist mit Sicherheit illegal ins Land gekommen, also wenn sie plaudern sollte, würden *wir* sie wahrscheinlich abschieben. Telford ist clever… das war mir nicht klar gewesen, aber das ist er. Eingeschleuste Ausländerinnen als Nutten einzusetzen. Geschickt.«

»Wie lang behalten wir sie hier?«

Rebus zuckte die Achseln.

»Und was sage ich meinem Chef?«

»Alle Rückfragen sind an DI Rebus zu richten«, erwiderte er und wollte die Tür öffnen.

»Ich fand das übrigens sehr beeindruckend, Sir.«

Er hielt inne. »Was?«

»Wie genau Sie die Preise für käuflichen Sex kennen.«

»Ich tu nur meinen Job«, sagte er lächelnd.

»Eine letzte Frage, Sir...?«

»Ja, Sharpe?«

»Wozu der Aufwand? Was ist an ihr so besonders?«

Rebus dachte nach, runzelte die Stirn. »Gute Frage«, sagte er schließlich, öffnete die Tür und trat ein.

Und wusste die Antwort. Wusste sie sofort. Sie sah wie Sammy aus. Man hätte ihr nur Make-up und Tränen abzuwischen, was Vernünftiges anzuziehen brauchen, und sie hätte für ihre Schwester durchgehen können.

Und sie hatte Angst.

Und vielleicht konnte er ihr helfen.

»Wie kann ich Sie nennen, Candice? Wie ist Ihr wirklicher Name?«

Sie ergriff seine Hand, legte ihre Wange daran. Er deutete auf sich.

»John«, sagte er.

»Don.«

»John.«

»Shaun.«

»John.« Er lächelte; sie ebenfalls. »John.«

»John.«

Er nickte. »Genau. Und Sie?« Er zeigte jetzt auf sie. »Wer sind Sie?«

Sie schwieg kurz. »Candice«, sagte sie, während in ihren Augen ein kleines Licht verlosch.

4

Rebus wusste nicht, wie Tommy Telford aussah, aber er wusste, wo er ihn finden konnte.

Die Flint Street war eine schmale Querstraße zwischen Clerk und Buccleuch Street, in der Nähe der Universität. Die Geschäfte hatten größtenteils dichtgemacht, aber die Spielhalle war immer sehr gut besucht, und von der Flint Street aus vermietete Telford Spielautomaten an Pubs und Klubs in der ganzen Stadt. Die Flint Street war das Zentrum seines östlichen Imperiums.

Die Konzession war bis vor kurzem im Besitz eines gewissen Davie Donaldson gewesen, aber er hatte sich plötzlich aus »gesundheitlichen Gründen« aus dem Geschäftsleben zurückgezogen. Möglicherweise hatte er damit das Richtige getan; denn wenn Tommy Telford von einem etwas wollte und man gab es ihm nicht, konnte das recht rasch zu einer nicht unerheblichen Verschlechterung des eigenen Gesundheitszustands führen. Donaldson hielt sich jetzt irgendwo versteckt – nicht vor Telford, sondern vor Big Ger Cafferty, für den er die Konzession »treuhänderisch verwaltet« hatte, solange der seine Haftstrafe in Barlinnie absaß. Manche glaubten, Cafferty regiere Edinburgh vom Knast aus ebenso erfolgreich, wie er es draußen getan hatte, aber die Unterwelt litt unter dem gleichen Horror Vacui wie die Natur, und jetzt war Tommy Telford in die Stadt eingezogen.

Telford war ein Produkt von Ferguslie Park, der übelsten Betonsiedlung in Paisley. Mit elf hatte er sich der örtlichen Gang angeschlossen; ein Jahr später wurde er wegen eines verstärkten Aufkommens aufgeschlitzter Autoreifen von zwei Polizisten aufgesucht. Er war von anderen Bandenmitgliedern umringt gewesen, fast alle älter als er, aber eindeutig seine Gefolgsmänner.

Seine Gang war mit ihm gewachsen, hatte sich einen ansehnlichen Brocken von Paisley gesichert: Drogenhandel, Prostitution, ein bisschen Schutzgelderpressung. Mittlerweile war er an Kasinos und Videoshops, Restaurants und einer Speditionsfirma beteiligt und besaß außerdem ein Immobilien-Portfolio, das ihn zum Herrn über mehrere hundert Mieter machte. Er hatte versucht, sich im nahe gelegenen Glasgow zu etablieren, dabei aber festgestellt, dass die Stadt bereits in festen Händen war. Also hatte er sich anderweitig umgetan. Man munkelte, er habe sich mit einer großen Nummer in Newcastle angefreundet. Keiner konnte sich an etwas Derartiges erinnern seit der Zeit, als die Kray-Brüder – berüchtigte Londoner Gangster der 1960er-Jahre – ihre Muskelmänner von »Big Arthur« in Glasgow bezogen hatten.

In Edinburgh war er vor einem Jahr aufgetaucht und hatte sich, ganz ruhig und unauffällig, ein Kasino und ein Hotel gekauft. Dann war er plötzlich unübersehbar *da* gewesen, wie der Schatten einer Regenwolke. Mit der Vertreibung Davie Donaldsons hatte er Cafferty einen wohl kalkulierten Tiefschlag verpasst. Cafferty konnte jetzt entweder kämpfen oder aufgeben. Jeder wartete darauf, dass das Blut zu spritzen begann …

Die Spielhalle nannte sich Fascination Street. Die Automaten waren eine einzige lichterblitzende Anmache, die in krassem Widerspruch zu den versteinerten Mienen der Spieler stand. Dann gab es noch Baller-Games mit riesigen Videobildschirmen und digitalen Pöbeleien.

»Traust du dich, du Penner?«, schnarrte eines davon herausfordernd, als Rebus daran vorbeikam. Die Dinger hatten Namen wie »Todesbote« und »NecroCop«; Letzteres erinnerte Rebus daran, wie alt er sich fühlte. Er sah sich um, erkannte ein paar Gesichter, Kids, die St. Leonard's schon von innen gesehen hatten. Sie lungerten vermutlich im Randbereich von Telfords Gang herum, wo sie auf die Einberufung warteten: Pflegekinder, die darauf hofften, von der »Familie« adoptiert zu werden. Die meisten von ihnen stammten aus Familien, die gar keine waren – Schlüsselkinder, vor der Zeit erwachsen.

Ein Kellner kam aus dem Café herein.

»Wer hat das Cornedbeef-Sandwich bestellt?«

Rebus lächelte, als sich Köpfe nach ihm umdrehten. »Cornedbeef« bedeutete Bulle. Mehr als einen kurzen Blick war er ihnen allerdings nicht wert. Wichtigere Dinge beanspruchten ihre Aufmerksamkeit. Am hinteren Ende der Spielhalle standen die wirklich großen Automaten: Miniaturmotorräder, auf denen man saß, während auf dem Videobildschirm eine Rennstrecke auf einen zuraste. Eine kleine Clique von Auserwählten stand um eine Maschine, auf der ein junger Mann in Lederjacke thronte. Keine Supermarktjacke, etwas weit Erleseneres. Beste Qualität. Blanke spitze Stiefel. Enge schwarze Jeans. Weißer Rollkragenpullover. Umgeben von katzbuckelnden Höflingen. Steely Dan: »Kid Charlemagne«. Rebus drängte sich zwischen die feindselig starrenden Zuschauer.

»Keiner am Cornedbeef-Sandwich interessiert?«, fragte er.

»Wer sind Sie?«, wollte der Mann auf der Maschine wissen.

»DI Rebus.«

»Caffertys Bulle.« Im Ton vollster Überzeugung.

»Was?«

»Sie und er sollen ja alte Freunde sein.«

»Ich habe ihn eingebuchtet.«

»Aber nicht jeder Bulle kriegt Besuchserlaubnis.« Rebus begriff, dass Telford zwar unverwandt auf den Bildschirm starrte, dabei aber sein Spiegelbild im Auge behielt. Er beobachtete ihn, redete mit ihm und schaffte es trotzdem, die Maschine unbeschadet um Haarnadelkurven zu lenken.

»Also, gibt's ein Problem, Inspector?«

»Ja, es gibt ein Problem. Wir haben eins Ihrer Mädchen aufgegriffen.«

»Meiner was?«

»Sie nennt sich Candice. Das ist auch so ziemlich alles, was wir wissen. Aber ausländische Mädchen sind mir eigentlich neu. Und *Sie* sind ebenfalls ziemlich neu in der Gegend.«

»Ich kann Ihnen nicht ganz folgen, Inspector. Ich liefere Waren und Dienstleistungen für die Unterhaltungsbranche. Unterstellen Sie mir, ich wäre ein Zuhälter?«

Rebus streckte einen Fuß aus und ließ das Motorrad seitlich wegkippen. Auf dem Bildschirm kam es ins Schleudern und knallte gegen eine Leitplanke. Einen Augenblick später wechselte das Bild – wieder zurück zum Start des Rennens.

»Sehen Sie, Inspector«, meinte Telford, immer noch ohne sich umzudrehen. »Das ist das Schöne an Videospielen. Nach einem Unfall kann man immer wieder neu anfangen. Ist im wirklichen Leben nicht ganz so einfach.«

»Und was, wenn ich den Strom abstelle? Ende des Spiels.«

Langsam drehte Telford den Oberkörper herum. Jetzt starrte er Rebus an. Von nahem wirkte er unglaublich jung. Die meisten Gangster, denen Rebus begegnet war, hatten verlebt ausgesehen, gleichzeitig unterernährt und überfüttert. Telford hatte das Aussehen eines neuen, noch nicht getesteten oder erforschten Bakterienstamms.

»Also, was wollen Sie, Rebus? Mir was von Cafferty ausrichten?«

»Candice«, sagte Rebus leise, und nur das leichte Zittern in seiner Stimme verriet seine Wut. Mit ein paar Drinks im

Leib hätte er Telford schon längst zu Boden geprügelt. »Von heute Abend an ist sie aus dem Spiel, klar?«

»Ich kenne keine Candice.«

»Klar?«

»Moment, nur um zu sehen, ob ich's wirklich kapiert habe. Ich soll mich Ihrer Meinung anschließen, dass eine Frau, die ich nicht kenne, damit aufhört, ihr Loch zu vermieten?«

Lächeln von Seiten der Zuschauer. Telford wandte sich wieder seinem Videospiel zu. »Wo ist diese Frau überhaupt her?«, fragte er fast beiläufig.

»Wissen wir nicht genau«, log Rebus. Telford brauchte nicht mehr zu erfahren, als unbedingt nötig war.

»Muss ja ein richtig anregendes Plauderstündchen mit ihnen beiden gewesen sein.«

»Sie macht sich in die Hose vor Angst.«

»Ich mir auch, Rebus. Ich hab Angst, dass Sie mich noch zu Tode langweilen. Diese Candice – hat sie Sie rangelassen? Ich kann mir nicht vorstellen, dass Sie sich für jede x-beliebige Nutte dermaßen ins Zeug legen würden.«

Gelächter, auf Rebus' Kosten.

»Sie ist aus dem Spiel, Telford. Kommen Sie nicht auf die Idee, ihr auch nur ein Haar zu krümmen.«

»So was fasse ich nicht mal mit der Zange an, Kumpel. Ich bin einer von der sauberen Sorte. Sprech jeden Abend meine Gebete.«

»Und küssen anschließend Ihren Schmuseteddy?«

»Glauben Sie nicht alles, was Sie hören, Inspector. Nehmen Sie ein Cornedbeef-Sandwich mit für den Heimweg, ich glaube, es ist eins übrig.« Rebus blieb noch eine Weile stehen, bevor er sich abwandte. »Und richten Sie den Trotteln da draußen einen Gruß von mir aus.«

Rebus ging zur Tür und hinaus in die Nacht, Richtung Nicolson Street. Er fragte sich, was er mit Candice tun sollte. Nächstliegende Antwort: sie auf freien Fuß setzen und hoffen, dass sie so gescheit sein würde, sich nicht erwischen zu lassen. Als er an einem parkenden Auto vorüberkam, glitt das Fenster herunter.

»Bewegen Sie ihren Arsch rein!«, befahl eine Stimme vom Beifahrersitz aus. Rebus blieb stehen, spähte nach dem Mann, der gesprochen hatte, erkannte das Gesicht.

»Ormiston«, sagte er verblüfft und öffnete die hintere Tür des Orion. »Jetzt verstehe ich, was er meinte.«

»Wer?«

»Tommy Telford. Ich soll Sie von ihm grüßen.«

Der Fahrer starrte Ormiston an. »Wieder mal aufgeflogen.« Er klang nicht überrascht. Rebus erkannte die Stimme wieder.

»Hallo, Claverhouse.«

DS Claverhouse, DC Ormiston: Scottish Crime Squad, die Auslese von Fettes. Auf Observierungsposten. Claverhouse: so dünn »wie 'ne verhungerte Bohnenstange«, wie Rebus' Vater gesagt hätte. Ormiston: sommersprossig und mit Haaren wie Wrestling-Held Mick McManus – hingeklatschter Topfschnitt, unnatürlich schwarz.

»Falls Ihnen das ein Trost ist: Sie waren schon aufgeflogen, bevor ich da reingegangen bin.«

»Was zum Teufel haben Sie da gemacht?«

»Meine Aufwartung. Und was treiben Sie so?«

»Unsere Zeit verplempern«, murmelte Ormiston.

Das Crime Squad war hinter Telford her: gute Neuigkeiten für Rebus.

»Ich hab jemanden«, sagte er. »Sie arbeitet für Telford. Sie hat Angst. Sie könnten ihr helfen.«

»Wer Angst hat, redet nicht.«

»Diese vielleicht schon.«

Claverhouse starrte ihn an. »Und wir brauchen nichts weiter zu tun, als …?«

»Sie hier rausschaffen, sie irgendwo verstecken.«

»Zeugenschutzprogramm?«

»Wenn's so weit kommt.«

»Was weiß sie?«

»Schwer zu sagen. Ihr Englisch ist nicht das beste.«

Claverhouse merkte es sofort, wenn ihm was angedreht werden sollte. »Erzählen Sie«, sagte er.

Rebus erzählte. Sie bemühten sich, kein Interesse zu zeigen.

»Wir werden mit ihr reden«, meinte Claverhouse.

Rebus nickte. »Und, wie lang läuft das hier schon?«

»Seit Telford und Cafferty auf Kollisionskurs gegangen sind.«

»Und auf wessen Seite stehen wir?«

»Wir sind die Blauhelme, wie immer«, antwortete Claverhouse. Er sprach langsam, wägte jedes Wort ab. Ein vorsichtiger Mann, DS Claverhouse. »Und dann kommen Sie und marschieren rein wie so ein beschissener Söldner.«

»Ich bin nie ein Taktiker gewesen. Außerdem wollte ich den Dreckskerl einmal aus der Nähe sehen.«

»Und?«

»Er sieht aus wie ein Bubi.«

»Und er ist so sauber wie ein frisch gebadetes Baby«, sagte Claverhouse. »Er hat ein Dutzend Leutnants, die gegebenenfalls den Kopf für ihn hinhalten.«

Beim Wort »Leutnants« musste Rebus sofort an Joseph Lintz denken. Es gab Männer, die Befehle gaben, und welche, die sie ausführten: Welche Gruppe war die schuldigere?

»Verraten Sie mir eins«, sagte er, »das mit dem Teddybären… stimmt das?«

Claverhouse nickte. »Auf dem Beifahrersitz seines Range Rover. So'n riesiges giftgelbes Ding, wie man sie auf Tombolas angedreht kriegt.«

»Und die Geschichte dazu?«

Ormiston wandte sich nach hinten. »Schon mal was von Teddy Willocks gehört? Mann fürs Grobe aus Glasgow. Zimmermannsnägel und Tischlerhammer.«

Rebus nickte. »Legte man sich mit dem Falschen an, kam Willocks mit der Werkzeugtasche vorbei.«

»Aber dann«, fuhr Claverhouse fort, »legte sich Teddy mit irgendeinem *Geordie*-Gangster an. Telford war jung, erst dabei, sich einen Namen zu machen, und er wollte sich unbedingt mit besagtem Geordie gut stellen, also hat er Teddy umgelegt.«

»Und deswegen hat er immer einen Teddybären dabei«, erklärte Ormiston. »Damit's keiner vergisst.«

Rebus dachte nach. *Geordie* bedeutete »Newcastler«, »aus Newcastle«. Newcastle, mit seinen vielen Brücken über dem Tyne...

»Newcastle«, sagte er leise und beugte sich nach vorn.

»Was ist damit?«

»Vielleicht war Candice dort. Ihre ›Stadt der Brücken‹. Sie könnte uns vielleicht helfen, Telford mit diesem Geordie-Gangster in Verbindung zu bringen.«

Ormiston und Claverhouse sahen sich an.

»Sie wird eine sichere Bleibe brauchen«, sagte Rebus. »Geld, einen Ort, wo sie anschließend hinkann.«

»Einen Heimflug erster Klasse, wenn sie uns hilft, Telford festzunageln.«

»Ich hab so meine Zweifel, dass sie wieder nach Hause möchte.«

»Das wird sich zeigen«, meinte Claverhouse. »Als Erstes müssen wir mit ihr reden.«

»Sie werden einen Dolmetscher brauchen.«

Claverhouse starrte ihn an. »Und selbstverständlich haben Sie genau den richtigen Mann an der Hand...«

Sie schlief in ihrer Zelle, unter der Decke zusammengerollt, so dass nur ihr Haar zu sehen war. The Mothers of Invention: »Lonely Little Girl«. Die Zelle befand sich im Frauentrackt. Rosa und blau gestrichen, eine Planke zum Schlafen, die Wände mit Graffiti bedeckt.

»Candice«, sagte Rebus leise und berührte ihre Schulter. Sie schreckte hoch, als hätte er ihr einen Stromstoß verpasst. »Alles in Ordnung, ich bin's, John.«

Ihr flackernder Blick konzentrierte sich erst allmählich auf ihn. »John«, sagte sie. Dann lächelte sie.

Claverhouse war weggegangen, um ein paar Telefonate zu erledigen, Dinge zu regeln. Ormiston stand in der Tür und musterte Candice. Nicht dass er als besonders wählerisch bekannt gewesen wäre. Rebus hatte versucht, Colquhoun zu Hause zu erreichen, aber es hatte niemand abgenommen. Also teilte er ihr jetzt durch Gesten mit, dass sie sie woandershin bringen wollten.

»In ein Hotel«, sagte er.

Das Wort gefiel ihr nicht. Sie sah von ihm zu Ormiston und dann wieder zu ihm zurück.

»Es ist schon okay«, sagte Rebus. »Nur zum Schlafen, wo Sie in Sicherheit sind. Nix Telford, nichts dergleichen.«

Sie schien sich zu entspannen, stand auf und blieb vor ihm stehen. Ihre Augen schienen zu sagen: Ich werde dir vertrauen, und wenn du mich enttäuschst, werde ich nicht überrascht sein.

Claverhouse kam zurück. »Alles geregelt«, sagte er und richtete seine Aufmerksamkeit auf Candice. »Sie spricht kein Englisch?«

»Jedenfalls nicht so, wie in besseren Kreisen üblich.«

»In dem Fall«, sagte Ormiston, »dürfte sie bei uns bestens aufgehoben sein.«

Drei Männer und eine junge Frau in einem dunkelblauen Ford Orion, der in südlicher Richtung die Stadt verließ.

Es war mittlerweile nach Mitternacht, schwarze Taxis patrouillierten durch die Straßen. Studenten quollen aus Pubs.

»Die werden von Jahr zu Jahr jünger.« Claverhouse: nie um eine Plattitüde verlegen.

»Und immer mehr von ihnen fangen danach bei uns an«, kommentierte Rebus.

Claverhouse lächelte. »Ich meinte die Nutten, nicht die Studenten. Letzte Woche haben wir eine aufgegriffen, die meinte, sie wär fünfzehn. Wie sich dann rausstellte, war sie zwölf, von zu Hause abgehauen. Tat ganz erwachsen.«

Rebus versuchte sich an die zwölfjährige Sammy zu erinnern. Er sah sie verängstigt, in den Klauen eines Irren, der einen Hass auf Rebus hatte. Sie hatte anschließend schlimme Albträume gehabt, bis ihre Mutter mit ihr nach London zog. Ein paar Jahre später rief Rhona Rebus an, um ihm mitzuteilen, dass er Sammy ihre Kindheit geraubt habe.

»Wir sind angemeldet«, erklärte Claverhouse. »Keine Sorge, wir haben das Hotel schon zu anderen Gelegenheiten benutzt. Es ist perfekt.«

»Sie wird was zum Anziehen brauchen«, meinte Rebus.

»Siobhan kann ihr morgen früh was mitbringen.«

»Wie kommt Siobhan klar?«

»So wie's aussieht, gut. An die Witze und den Umgangston hat sie sich allerdings noch nicht gewöhnt.«

»Ach, sie kann einen Scherz schon vertragen«, sagte Ormiston. »Und einen ordentlichen Schluck ebenfalls.«

Letzteres war Rebus neu. Er fragte sich, wie sehr Siobhan Clarke sich ändern würde, um sich ihrer neuen Umgebung anzupassen.

»Liegt praktisch direkt an der Umgehungsstraße«, sagte Claverhouse, womit er ihr Ziel meinte. »Nicht mehr weit.«

Die Stadt endete abrupt. Der Grüngürtel, dann die Pentland Hills. Auf der Schnellstraße war kaum Verkehr, und zwischen den Auffahrten gab Ormiston Vollgas. In Colinton fuhren sie runter und bogen ins Hotelgelände ein. Es war eine Raststätte, die zu einer landesweiten Kette gehörte: überall dieselben Preise, die gleichen Zimmer. Die Autos auf dem überfüllten Parkplatz waren typische Vertreterschlitten, mit von Zigarettenpäckchen übersäten Beifahrersitzen. Die Außendienstler schliefen mittlerweile oder lagen apathisch vor dem Fernseher, die Fernbedienung in der Hand.

Candice wollte nur aussteigen, wenn Rebus mitkam.

»Sie sind das Licht ihres Lebens«, meinte Ormiston.

An der Rezeption meldeten sie sie als die Hälfte eines Ehepaars an – Mrs. Angus Campbell. Die zwei Beamten vom Crime Squad kannten die Prozedur aus dem Effeff. Rebus musterte den Mann an der Rezeption, aber Claverhouse bedeutete ihm mit einem Augenzwinkern, dass der Mann okay sei.

»Was im ersten Stock, Malcolm«, sagte Ormiston. »Dass keiner durchs Fenster reingucken kann.«

Zimmer Nummer 20. »Wird jemand bei ihr sein?«, fragte Rebus, während sie die Treppe hinaufstiegen.

»Direkt im Zimmer«, antwortete Claverhouse. »Auf dem Gang wär's zu auffällig, und im Auto würden wir uns den Arsch abfrieren. Haben Sie mir Colquhouns Nummer gegeben?«

»Ormiston hat sie.«

Ormiston war dabei, die Tür aufzuschließen. »Wer übernimmt die erste Wache?«

Claverhouse zuckte die Achseln. Candice sah Rebus an, schien zu spüren, wovon die Rede war. Sie packte ihn am Arm und plapperte in ihrer Muttersprache drauflos, sah dabei erst Claverhouse und dann Ormiston an und schlenkerte dabei die ganze Zeit mit Rebus' Arm.

»Es ist okay, Candice, wirklich. Die werden auf Sie aufpassen.«

Sie schüttelte immer weiter den Kopf, hielt ihn mit einer Hand fest und deutete mit der anderen auf ihn, tippte ihm mit dem Zeigefinger auf die Brust, damit auch wirklich klar war, was sie meinte.

»Was sagen Sie, John?«, fragte Claverhouse. »Eine glückliche Zeugin ist eine kooperative Zeugin.«

»Um wie viel Uhr kommt Siobhan?«

»Ich sag ihr, sie soll sich beeilen.«

Rebus sah zu Candice, seufzte, nickte. »Okay.« Er deutete auf sich, dann aufs Zimmer. »Aber nur kurz, okay?«

Candice schien damit zufrieden zu sein und ging hinein. Ormiston reichte Rebus den Schlüssel.

»Aber dass ihr jungen Leute mir nicht die Nachbarn aufweckt...!«

Rebus machte ihm die Tür vor der Nase zu.

Das Zimmer war genau wie erwartet. Rebus füllte den Wasserkocher, schaltete ihn ein und hängte einen Teebeutel in eine Tasse. Candice zeigte auf das Badezimmer und vollführte dann Drehbewegungen mit den Händen.

»Baden?« Er machte eine einladende Geste. »Nur zu.«

Die Vorhänge waren zugezogen. Er öffnete sie ein wenig und schaute hinaus. Eine grasige Böschung, gelegentliches Scheinwerferlicht von der Schnellstraße. Er zog die Vorhänge sorgfältig wieder zu und versuchte dann, die Heizung zu regulieren. Die Luft im Zimmer war zum Schneiden. Es schien keinen Thermostaten zu geben, also ging er wieder ans Fenster und öffnete es einen Spalt breit. Kalte Nachtluft und das Rauschen von nahem Verkehr. Er riss das Päckchen Sahnekekse auf: zwei kleine Stücke. Mit einem Mal verspürte er einen Bärenhunger. Er hatte im Foyer einen Imbissautomaten gesehen. Jede Menge Kleingeld in den Taschen. Er goss den Tee auf, gab Milch dazu, setzte sich aufs Sofa. In Ermangelung anderer Ablenkungen schaltete er den Fernseher ein. Der Tee war in Ordnung. Er nahm den Hörer ab und rief Jack Morton an.

»Hab ich dich geweckt?«

»Nicht direkt. Wie läuft's.«

»Ich hätte heute Lust auf einen Drink gehabt.«

»Und was gibt's Neues?«

Rebus hörte durch die Leitung, dass sein Freund es sich bequem machte. Jack hatte Rebus geholfen, vom Alkohol wegzukommen, und gesagt, er könne ihn zu jeder beliebigen Uhrzeit anrufen.

»Ich musste mit diesem Scheißhaufen reden, Tommy Telford.«

»Der Name sagt mir was.«

Rebus zündete sich eine Zigarette an. »Ich glaube, ein Drink wäre hilfreich gewesen.«

»Davor oder danach?«

»Nicht oder, *und*.« Rebus lächelte. »Rat mal, wo ich jetzt bin?«

Jack musste passen, also erzählte ihm Rebus die Geschichte.

»Was hast du vor?«, fragte Jack.

»Ich weiß nicht.« Rebus dachte nach. »Sie scheint mich zu brauchen. Ist lange her, dass mir so was passiert ist.« Noch während er das sagte, kamen ihm Zweifel, ob das die ganze Wahrheit war. Er erinnerte sich an einen anderen Streit mit Rhona: Sie hatte ihn angeschrien und ihm vorgeworfen, er habe jede Beziehung, die er je gehabt hatte, ausgenutzt.

»Immer noch Lust auf diesen Drink?«, fragte ihn Jack.

»Ich bin meilenweit von einem entfernt.« Rebus drückte seine Zigarette aus. »Träum was Schönes, Jack.«

Er war bei seiner zweiten Tasse Tee, als sie, in denselben Kleidern wie zuvor und mit nassem Haar, aus dem Bad kam.

»Besser?«, fragte er und hielt dabei den Daumen hoch. Sie nickte lächelnd. »Möchten Sie einen Tee?« Er deutete auf den Wasserkocher. Sie nickte wieder, also brühte er ihr eine Tasse auf. Dann schlug er einen Ausflug zum Imbissautomaten vor. Ihre Ausbeute bestand aus Chips, Nüssen, Schokolade und ein paar Dosen Coke. Noch eine Tasse Tee, und die winzigen Milchportionen waren alle. Rebus lag ohne Schuhe auf dem Sofa und sah bei abgeschaltetem Ton fern. Candice lag vollständig angezogen auf dem Bett, pickte sich ab und an einen Chip aus der Tüte und zappte. Sie schien vergessen zu haben, dass er da war. Er fasste das als Kompliment auf.

Er musste eingeschlafen sein. Die Berührung ihrer Finger an seinem Knie weckte ihn auf. Sie stand vor ihm, in T-Shirt und sonst gar nichts. Sie starrte ihn an, die Finger noch immer auf seinem Knie. Er lächelte, schüttelte den Kopf, führte sie wieder zum Bett. Bedeutete ihr, sich hinzulegen. Sie streckte ihm die Arme entgegen. Er schüttelte erneut den Kopf und zog die Steppdecke über sie.

»Damit ist es jetzt vorbei«, sagte er. »Gute Nacht, Candice.«

Rebus ging zum Sofa zurück, legte sich wieder hin und wünschte sich, sie würde aufhören, seinen Namen zu sagen.

The Doors: »Wishful Sinful«...

Ein leises Klopfen an der Tür weckte ihn. Draußen war es noch dunkel. Er hatte vergessen, das Fenster wieder zu schließen, und im Zimmer war es kalt. Der Fernseher lief noch, aber Candice schlief; sie hatte die Steppdecke weggestrampelt, und rings um ihre nackten Schenkel verstreut, lagen Schokoladenpapierchen. Rebus deckte sie zu, ging auf Zehenspitzen zur Tür, spähte durch den Spion und öffnete.

»Herzlichen Dank für die Ablösung«, flüsterte er Siobhan Clarke zu.

Sie hielt eine prallvolle Einkaufstüte in der Hand. »Danken Sie Gott für den durchgehend geöffneten Laden.« Sie gingen hinein. Clarke warf einen Blick auf die schlafende Frau, marschierte dann zum Sofa und begann, die Tüte auszupacken.

»Für Sie«, flüsterte sie, »zwei Sandwiches.«

»Gott segne Sie, mein Kind.«

»Für das bosnische Dornröschen ein paar Sachen von mir. Die werden's wohl tun, bis die Läden aufmachen.«

Rebus biss schon in das erste Sandwich. Käsesalat auf Weißbrot hatte noch nie besser geschmeckt.

»Wie komm ich nach Haus?«, fragte er.

»Ich hab Ihnen ein Taxi bestellt.« Sie sah auf ihre Uhr. »Ist in zwei Minuten hier.«

»Was würde ich bloß ohne Sie tun?«

»Schwer zu sagen: entweder erfrieren oder verhungern.« Sie schloss das Fenster. »Jetzt machen Sie schon, raus hier.«

Er sah Candice noch ein letztes Mal an, war versucht, sie zu wecken, um ihr zu sagen, dass er nicht für immer wegging. Aber sie schlief so fest, und Siobhan würde sich schon um alles kümmern.

Also steckte er sich das zweite Sandwich in die Tasche, warf den Zimmerschlüssel auf das Sofa und verschwand.

Vier Uhr dreißig. Das Taxi stand schon mit laufendem Motor vor dem Hotel. Rebus fühlte sich verkatert. Er ging im Geist alle Lokale durch, in denen er zu dieser Uhrzeit noch einen Drink bekommen hätte. Er wusste nicht, wie viele Tage es her war, dass er zuletzt was getrunken hatte. Er zählte nicht mit.

Er nannte dem Taxifahrer seine Adresse, lehnte sich zurück und dachte wieder an Candice, die so tief und fest schlief und sich einstweilen in Sicherheit befand. Und an Sammy, die mittlerweile zu alt war, um auf ihren Vater noch irgendwie angewiesen zu sein. Sie schlief jetzt wahrscheinlich ebenfalls, an Ned Farlowe gekuschelt. Schlaf bedeutete Unschuld. Selbst die Stadt sah im Schlaf unschuldig aus. Manchmal betrachtete er die Stadt und entdeckte eine Schönheit, der sein Zynismus nichts anhaben konnte. Einmal – kürzlich? vor Jahren? – hatte ihn jemand in einem Pub dazu aufgefordert »Romantik« zu definieren. Wie sollte das angehen? Er hatte schon zu viele der Kehrseiten der Liebe gesehen. Menschen, die sowohl aus Leidenschaft als auch aus einem völligen Mangel daran getötet wurden, so dass er jetzt, wenn er Schönheit sah, nicht umhinkonnte, sich vorzustellen, dass sie vergehen oder zerstört werden würde. Er sah Liebespaare in den Princes Street Gardens und malte sich aus, wie sie sich ein paar Jahre später stritten und einander verrieten. Er sah herzförmige Valentinskarten in den Läden und stellte sich Stichwunden darin vor, echte blutende Herzen.

Natürlich hatte er seinem Pub-Inquisitor gegenüber nichts davon erzählt.

»Definieren Sie Romantik«, hatte die Aufforderung gelautet. Und Rebus' Reaktion? Er hatte ein frisch gezapftes Pint Bier vom Tresen genommen und das Glas geküsst.

Er schlief bis neun, duschte und machte sich Kaffee. Dann rief er das Hotel an, wo ihm Siobhan versicherte, dass alles in bester Ordnung sei.

»Sie war ein bisschen erschrocken, als sie aufwachte und mich statt Sie sah. Hat die ganze Zeit Ihren Namen wiederholt. Ich hab ihr gesagt, dass Sie wiederkommen würden.«

»Und wie sieht die weitere Planung aus?«

»Einkaufen – einmal kurz durch das Gyle. Dann nach Fettes. Dr. Colquhoun kommt mittags für eine Stunde vorbei. Wir werden sehen, was wir aus ihr rausbekommen.«

Rebus stand am Fenster und schaute hinunter auf die regennasse Arden Street. »Geben Sie auf sie Acht, Siobhan.«

»Keine Sorge.«

Rebus wusste, dass er sich keine Sorgen zu machen brauchte, nicht bei Siobhan. Das war ihr erster richtiger Einsatz beim Crime Squad, da würde sie den Teufel tun und die Sache vermasseln. Er stand in der Küche, als das Telefon klingelte.

»Spreche ich mit Inspector Rebus?«

»Wer ist am Apparat?« Eine Stimme, die ihm fremd war.

»Inspector, mein Name ist David Levy. Wir kennen uns nicht. Bitte entschuldigen Sie, dass ich Sie zu Hause anrufe. Matthew Vanderhyde hat mir Ihre Nummer gegeben.«

Der alte Vanderhyde. Rebus hatte ihn seit einer ganzen Weile nicht gesehen.

»Ja?«

»Ich muss gestehen, ich war schon erstaunt, als sich herausstellte, dass er Sie kannte.« In der Stimme schwang ein trockener Humor mit. »Aber mittlerweile dürfte mich bei Matthew eigentlich nichts mehr überraschen. Ich hatte ihn aufgesucht, weil er Edinburgh kennt.«

»Ja?«

Lachen am anderen Ende der Leitung. »Tut mir Leid, Inspector. Ich kann Ihnen Ihren Argwohn nicht verdenken, nachdem ich mich bei der Vorstellung so ungeschickt angestellt habe. Ich bin Historiker. Solomon Mayerlink bat mich herauszufinden, ob ich Ihnen irgendwie behilflich sein könnte.«

Mayerlink... den Namen kannte Rebus von irgendwoher. Richtig: Mayerlink leitete das Holocaust-Untersuchungsamt.

»Und was genau meint Mr. Mayerlink, wie Sie mir ›behilflich‹ sein könnten?«

»Vielleicht sollten wir das persönlich besprechen, Inspector. Ich wohne in einem Hotel am Charlotte Square.«

»Im Roxburghe?«

77

»Könnten wir uns dort treffen? Vielleicht schon heute Vormittag?«

Rebus sah auf die Uhr. »In einer Stunde?«, schlug er vor.

»Wunderbar. Bis dann, Inspector.«

Rebus rief im Büro an und teilte mit, wo er zu erreichen sei.

5

Sie saßen in der Lounge des Roxburghe, und Levy schenkte Kaffee ein. In der entgegengesetzten Ecke, am Fenster, studierte ein älteres Ehepaar einzelne Teile einer Zeitung. David Levy war ebenfalls ein älterer Jahrgang. Er trug eine schwarz gerahmte Brille und ein silbernes Bärtchen. Sein Haar wirkte wie ein Silberhalo um eine Kopfhaut, die die Farbe von gegerbtem Leder hatte. Seine Augen schienen ständig feucht zu sein, als habe er gerade in eine Zwiebel gebissen. Er trug einen graubraunen Safarianzug mit blauem Hemd und blauer Krawatte. Mittlerweile im Ruhestand, hatte er früher in Oxford, im Staat New York, in Tel Aviv und an verschiedenen anderen Orten rund um den Globus gearbeitet.

»Mit Joseph Lintz bin ich allerdings nie in Kontakt gekommen. Es bestand auch keinerlei Veranlassung, da wir ganz unterschiedliche Interessengebiete haben.«

»Warum glaubt Mr. Mayerlink dann, dass Sie mir behilflich sein könnten?«

Levy stellte die Kaffeekanne auf das Tablett zurück. »Milch? Zucker?« Rebus schüttelte den Kopf und wiederholte seine Frage.

»Na ja, Inspector«, antwortete Levy, während er zwei Löffel Zucker in seine Tasse gab, »es ginge eigentlich mehr um moralische Unterstützung.«

»Moralische Unterstützung?«

»Schauen Sie, Inspector, es sind schon viele Leute vor Ihnen in der Situation gewesen, in der Sie sich jetzt befinden. Und ich rede von objektiven Leuten, Profis, die durch die Ermittlungen keinerlei persönliche Interessen verfolgten.«

Rebus schwoll der Kamm. »Falls Sie damit unterstellen wollen, ich würde meinen Job nicht machen...«

Über Levys Gesicht huschte ein schmerzerfüllter Ausdruck. »Bitte, Inspector, ich stelle mich ziemlich ungeschickt an, stimmt's? Ich meine damit lediglich, dass es Zeiten geben wird, da Sie an der Berechtigung dessen, was Sie tun, zweifeln werden. Sie werden am *Sinn* Ihres Tuns zweifeln.« Seine Augen funkelten. »Vielleicht *sind* Ihnen bereits Zweifel gekommen?«

Rebus schwieg. Er hatte eine ganze Schublade von Zweifeln, besonders jetzt, wo er einen echten, lebendigen Fall hatte – Candice. Candice, die sie möglicherweise zu Tommy Telford führen würde.

»Man könnte sagen, ich bin hier als Ihr Gewissen, Inspector.« Levy verzog das Gesicht. »Nein, das habe ich auch nicht richtig formuliert. Sie *haben* schon ein Gewissen, das steht außer Frage.« Er seufzte. »Die Frage, die Sie ohne Zweifel beschäftigt, ist dieselbe, die ich mir schon zu verschiedenen Gelegenheiten gestellt habe: Kann die Zeit Schuld tilgen? Ich persönlich müsste die Frage mit ›Nein‹ beantworten. Die Sache ist die, Inspector.« Levy beugte sich nach vorn. »Sie untersuchen nicht die Verbrechen eines alten Mannes, sondern die eines jungen Mannes, der inzwischen alt geworden ist. Konzentrieren Sie sich *darauf*. Es hat schon früher Untersuchungen gegeben, halbherzige Pflichtübungen. Regierungen warten lieber darauf, dass diese Männer sterben, als ihnen selbst den Prozess machen zu müssen. Aber jede Untersuchung ist ein Akt des Erinnerns, und Erinnerung ist niemals vergeudet. Erinnerung ist unsere einzige Möglichkeit zu lernen.«

»So wie wir aus Bosnien unsere Lehre gezogen haben?«

»Sie haben Recht, Inspector, als Spezies haben wir schon von jeher immer viel Zeit gebraucht, um eine Lektion zu lernen. Manchmal muss man sie uns regelrecht einbläuen.«

»Und Sie glauben, ich bin Ihr Blaumann? Gab es überhaupt Juden in Villefranche?« Rebus konnte sich nicht erinnern, irgendwas darüber gelesen zu haben.

»Spielt das eine Rolle?«

»Ich wundere mich nur – woher das Interesse?«

»Um ehrlich zu sein, Inspector, gibt es noch einen kleinen zusätzlichen Grund.« Levy nahm einen Schluck Kaffee, während er seine Worte abwägte. »Die ›Rattenlinie‹. Wir möchten gern nachweisen, dass es sie wirklich gab, dass ihr Zweck darin bestand, Nazis vor möglichen Verfolgern zu retten.« Er schwieg kurz. »Dass sie mit der stillschweigenden Billigung – der *mehr* als stillschweigenden Billigung – mehrerer westlicher Regierungen und sogar des Vatikans operierte. Es geht hier um die allgemeine Mittäterschaft.«

»Sie wollen also, dass sich möglichst alle schuldig fühlen?«

»Wir wollen Anerkennung, Inspector. Wir wollen die Wahrheit. Ist es nicht auch das, was *Sie* wollen? Matthew Vanderhyde versicherte mir, dies sei das Grundmotiv Ihres Handelns.«

»Er kennt mich nicht besonders gut.«

»Da wäre ich mir nicht so sicher. Und derweil gibt es Leute, die lieber möchten, dass die Wahrheit verborgen bleibt.«

»Und die Wahrheit wäre …?«

»Dass bekannte Kriegsverbrecher nach Großbritannien – und in andere Länder – geschafft wurden und ein neues Leben, eine neue Identität angeboten bekamen.«

»Als Gegenleistung wofür?«

»Damals fing gerade der Kalte Krieg an, Inspector. Sie kennen den alten Spruch: ›Meines Feindes Feind ist mein Freund.‹ Diese Mörder wurden von den Geheimdiensten beschützt. Der Militärische Nachrichtendienst bot ihnen Posten an. Es gibt Leute, denen es lieber wäre, wenn das nicht bekannt würde.«

»Und?«

»Und ein Prozess, ein öffentlicher Prozess, würde sie bloßstellen.«

»Sie wollen mich vor Geheimschnüfflern warnen?«

Levy legte die Hände aneinander, fast wie zum Gebet. »Also, ich befürchte, dass dies keine hundertprozentig befriedigende Begegnung gewesen ist, und dafür möchte ich mich entschuldigen. Ich bin noch ein paar Tage hier, wenn nötig, vielleicht auch etwas länger. Könnten wir es noch mal versuchen?«

»Ich weiß nicht.«

»Nun, denken Sie darüber nach, ja? Bitte.« Levy streckte seine rechte Hand aus, Rebus schlug ein. »Ich werde hier sein, Inspector. Danke, dass Sie sich die Zeit genommen haben.«

»Machen Sie's gut, Mr. Levy.«

»Schalom, Inspector.«

Selbst noch an seinem Schreibtisch konnte Rebus Levys Handschlag spüren. Von den Villefranche-Akten umgeben, kam er sich vor wie der Kurator eines Museums, das nur Spezialisten und Spinner besuchten. In Villefranche war Schlimmes geschehen, aber war Joseph Lintz dafür verantwortlich gewesen? Und wenn ja – hatte er während des vergangenen halben Jahrhunderts nicht vielleicht Gelegenheit zur Sühne gehabt? Rebus rief die Staatsanwaltschaft an, um mitzuteilen, wie langsam, wenn überhaupt, er vorankomme. Man dankte ihm für den Anruf. Dann ging er zum Farmer.

»Kommen Sie rein, John, was kann ich für Sie tun?«

»Sir, wussten Sie, dass das Crime Squad eine Observierung in unserem Revier durchführt?«

»Sie meinen, auf der Flint Street?«

»Sie wissen also davon?«

»Man hält mich auf dem Laufenden.«

»Wer fungiert als Verbindungsmann?«

Der Farmer runzelte die Stirn. »Wie gesagt, John, man hält mich auf dem Laufenden.«

»Dann gibt es also keinen eigentlichen Verbindungsmann?« Der Farmer schwieg. »Von Rechts wegen müsste es einen geben, Sir.«

»Worauf wollen Sie hinaus, John?«

»Ich will den Job.«

Der Farmer starrte auf seinen Schreibtisch. »Sie haben genug mit Villefranche zu tun.«

»Ich will den Job, Sir.«

»John, ein solcher Job erfordert Diplomatie. Und das ist noch nie Ihre Stärke gewesen.«

Also erzählte Rebus von Candice und weshalb er bereits mit dem Fall zu tun hatte. »Und da ich sowieso schon drin stecke, Sir«, schloss er, »könnte ich genauso gut den V-Mann machen.«

»Und die Villefranche-Sache?«

»Behält weiterhin höchste Priorität, Sir.«

Der Farmer fixierte ihn. Rebus hielt seinem Blick stand. »Also gut«, sagte er endlich.

»Sie informieren Fettes?«

»Ich informiere Fettes.«

»Danke, Sir.« Rebus wandte sich zur Tür.

»John ...?« Der Farmer war aufgestanden. »Sie wissen, was ich gleich sagen werde.«

»Sie werden mir einschärfen, nicht zu vielen Leuten auf die Füße zu treten, keinen kleinen Privatkreuzzug zu inszenieren, in Kontakt mit Ihnen zu bleiben und das in mich gesetzte Vertrauen nicht zu missbrauchen. Trifft's das in etwa, Sir?«

Der Farmer schüttelte lächelnd den Kopf. »Zischen Sie ab«, sagte er.

Rebus zischte ab.

Als er das Zimmer betrat, erhob sich Candice so abrupt, dass ihr Stuhl umfiel. Sie kam auf ihn zu und umarmte ihn, während er die Gesichter der übrigen Anwesenden betrachtete – Ormiston, Claverhouse, Dr. Colquhoun und eine Beamtin.

Sie befanden sich in einem Vernehmungsraum in Fettes, der Zentrale der Polizei von Lothian und Borders. Colquhoun trug denselben Anzug wie am Vortag und wirkte ebenso nervös. Ormiston bückte sich gerade nach Candice' Stuhl. Er hatte an eine Wand gelehnt gestanden. Claverhouse saß am Tisch neben Colquhoun, vor sich einen Notizblock, einen Stift schreibbereit in der Hand.

»Sie sagt, sie freut sich, Sie zu sehen«, dolmetschte Colquhoun.

»Wär ich nie drauf gekommen.« Candice trug neue Sachen: Jeans, die ihr zu lang und unten gut zehn Zentimeter umgeschlagen waren; einen schwarzen Wollpullover mit V-Ausschnitt. Ihre Skijacke hing über der Lehne ihres Stuhls.

»Bringen Sie sie dazu, dass sie sich wieder hinsetzt, ja?«, sagte Claverhouse. »Wir haben wenig Zeit.«

Für Rebus gab es keinen Stuhl, also blieb er neben Ormiston und der Beamtin stehen. Candice begann wieder zu erzählen, warf ihm aber regelmäßig kurze Blicke zu. Er bemerkte, dass neben Claverhouse' Schreibblock ein brauner

Aktendeckel, ein DIN-A4-Umschlag und darauf ein während der Observierung aufgenommenes Schwarzweißfoto Tommy Telfords lagen.

»Diesen Mann«, wollte Claverhouse wissen und tippte mit dem Finger auf das Foto, »kennt sie ihn?«

Colquhoun übersetzte die Frage, hörte sich dann ihre Antwort an. »Sie…«, er räusperte sich, »sie hat mit ihm nie direkt zu tun gehabt.« Das war alles, was von ihrem zweiminütigen Kommentar übrig blieb. Claverhouse griff in den Umschlag, breitete weitere Fotos vor ihr aus. Candice tippte auf eines davon.

»Pretty-Boy«, sagte Claverhouse. Er nahm Telfords Foto wieder in die Hand. »Aber mit *diesem* Mann hatte sie auch zu tun?«

»Sie…«, Colquhoun wischte sich das Gesicht mit dem Taschentuch ab, »sie sagt etwas von Japanern… asiatischen Geschäftsleuten.«

Rebus tauschte einen Blick mit Ormiston; der zuckte die Achseln.

»Wo war das?«, fragte Claverhouse.

»In einem Auto… mehreren Autos. Sie wissen schon, eine Art Konvoi.«

»Sie befand sich in einem der Autos?«

»Ja.«

»Wo sind sie hingefahren?«

»Aus der Stadt hinaus, haben ein-, zweimal gehalten.«

»Juniper Green«, sagte Candice klar und deutlich.

»Juniper Green«, wiederholte Colquhoun.

»Dort haben sie gehalten?«

»Nein, gehalten haben sie vorher.«

»Wozu?«

Colquhoun wandte sich wieder an Candice. »Sie weiß es nicht. Sie meint, einer der Fahrer sei in einen Laden gegangen, um sich Zigaretten zu kaufen. Die anderen schienen sich alle ein Gebäude anzusehen, als seien sie daran interessiert, aber ohne etwas zu sagen.«

»Was für ein Gebäude?«

»Sie weiß es nicht.«

Claverhouse war sichtlich am Ende seiner Geduld. Sie erzählte ihm so gut wie nichts, und Rebus wusste, dass das Crime Squad sie, wenn sie nichts zu bieten hatte, umgehend wieder auf die Straße setzen würde. Colquhoun taugte nicht für diese Aufgabe, er war völlig überfordert.

»Wo fuhren sie von Juniper Green aus hin?«

»Einfach kreuz und quer durch die Gegend. Zwei oder drei Stunden lang, meint sie. Manchmal hielten sie an und stiegen aus, aber nur, um sich die Landschaft anzusehen. Jede Menge Hügel und…« Colquhoun stellte eine Rückfrage. »Hügel und Fahnen.«

»Fahnen? An Gebäuden?«

»Nein, in den Boden gesteckt.«

Claverhouse sah Ormiston mit einem Ausdruck der Hoffnungslosigkeit an.

»Golfplätze«, sagte Rebus. »Versuchen Sie doch mal, ihr einen Golfplatz zu beschreiben, Dr. Colquhoun.«

Colquhoun tat's, und sie nickte bestätigend und strahlte Rebus an. Auch Claverhouse sah ihn an.

»Nur ins Blaue geraten«, erklärte Rebus mit einem Achselzucken. »Japanische Geschäftsleute – das ist eben das, was ihnen an Schottland gefällt.«

Claverhouse wandte sich wieder zu Candice. »Fragen Sie sie, ob sie einem dieser Männer… gefällig war.«

Colquhoun räusperte sich wieder und wurde zunehmend röter, während er sprach. Candice schlug die Augen nieder, nickte, fing an zu reden.

»Sie sagt, dazu sei sie ja überhaupt nur da gewesen. Anfangs habe sie sich getäuscht. Da glaubte sie, sie wollten einfach nur eine hübsche Frau zum Ansehen dabeihaben.

Sie aßen schön zu Mittag… die nette Autofahrt… Aber dann fuhren sie wieder in die Stadt zurück, setzten die Japaner an einem Hotel ab, und sie musste mit hoch in eines der Zimmer. Mit den dreien… sie war, wie Sie es selbst formulierten, DS Claverhouse, allen drei ›gefällig‹.«

»Erinnert sie sich an den Namen des Hotels?«

Tat sie nicht.

»Wo haben sie zu Mittag gegessen?«

»In einem Restaurant in der Nähe von Fahnen und…« Colquhoun korrigierte sich. »In der Nähe eines Golfplatzes.«

»Wie lang ist das her?«

»Zwei oder drei Wochen.«

»Und zu wie vielen waren sie unterwegs?«

Colquhoun gab die Frage weiter. »Die drei Japaner und vielleicht vier weitere Männer.«

»Fragen Sie sie, wie lange sie schon in Edinburgh ist«, sagte Rebus.

Colquhoun tat es. »Sie glaubt, vielleicht einen Monat.«

»Ein Monat auf dem Strich… komisch, dass sie uns nicht vorher aufgefallen ist.«

»Auf den Strich wurde sie zur Strafe geschickt.«

»Wofür?«, fragte Claverhouse. Rebus wusste die Antwort.

»Dafür, dass sie sich hässlich gemacht hat.« Er wandte sich zu Candice. »Fragen Sie sie, warum sie sich schneidet.«

Candice sah ihn an und zuckte die Achseln.

»Worauf wollen Sie hinaus?«, fragte Ormiston.

»Sie glaubt, dass die Narben potenzielle Freier abschrecken. Was bedeutet, dass sie das Leben, das sie in letzter Zeit geführt hat, nicht mag.«

»Und uns zu helfen ihre einzige reelle Chance ist, da rauszukommen?«

»Was in der Art.«

Also fragte Colquhoun sie noch einmal und referierte dann: »Es gefällt denen nicht, dass sie das tut. Deswegen tut sie es.«

»Sagen Sie ihr: Wenn sie uns hilft, wird sie nichts dergleichen mehr tun müssen.«

Colquhoun dolmetschte und warf dabei einen Blick auf seine Uhr.

»Sagt ihr der Name Newcastle etwas?«, fragte Claverhouse.

Colquhoun versuchte sein Glück. »Ich habe ihr erklärt, dass das eine Stadt in England ist, die an einem Fluss liegt.«

»Vergessen Sie die Brücken nicht«, warf Rebus ein.

Colquhoun fügte ein paar Worte hinzu, aber Candice zuckte nur die Achseln. Es beunruhigte sie sichtlich, dass sie ihren Erwartungen nicht gerecht wurde. Rebus lächelte ihr noch einmal aufmunternd zu.

»Was ist mit dem Mann, für den sie arbeitete?«, fragte Claverhouse. »Dem, bevor sie nach Edinburgh kam?«

Darüber hatte sie eine Menge zu erzählen, und während sie redete, fasste sie sich immer wieder mit den Fingern ans Gesicht. Colquhoun nickte, unterbrach sie von Zeit zu Zeit, damit er übersetzen konnte.

»Ein großer, starker Mann... dick. Er war der Boss. Irgendwas mit seiner Haut... ein Muttermal vielleicht, auf jeden Fall etwas Auffälliges. Und eine Brille, so wie eine Sonnenbrille, aber nicht ganz.«

Rebus beobachtete, wie Claverhouse und Ormiston einen weiteren Blick tauschten. Es war alles viel zu vage, um wirklich etwas nützen zu können. Colquhoun blickte wieder auf seine Uhr. »Und Autos, viele Autos. Besagter Mann hat sie zu Schrott verarbeitet.«

»Vielleicht hatte er eine Narbe im Gesicht«, mutmaßte Ormiston.

»Eine Brille und eine Narbe dürften uns kaum allzu weit bringen«, fügte Claverhouse hinzu.

»Meine Herren«, sagte Colquhoun, während Candice zu Rebus hinübersah, »so Leid es mir tut, ich muss jetzt gehen.«

»Besteht die Chance, dass Sie später noch einmal vorbeikommen, Sir?«, fragte Claverhouse.

»Sie meinen, heute?«

»Ich dachte, vielleicht heute Abend...?«

»Hören Sie, ich habe auch andere Verpflichtungen.«

»Das ist uns bewusst, Sir. Zunächst einmal wird DC Ormiston Sie in die Stadt zurückfahren.«

»Mit Vergnügen«, sagte Ormiston, der Charme in Person. Schließlich brauchten sie Colquhoun. Sie mussten ihn bei Laune halten.

»Noch eins«, sagte Colquhoun. »In Fife gibt's eine Flüchtlingsfamilie. Aus Sarajevo. Die würden sie wahrscheinlich bei sich aufnehmen. Ich könnte sie fragen.«

»Danke, Sir«, erwiderte Claverhouse. »Vielleicht später, ja?«

Colquhoun wirkte enttäuscht, als Ormiston mit ihm den Raum verließ.

Rebus ging zu Claverhouse, der gerade seine Fotos einsammelte.

»Ziemlich komischer Kauz«, meinte Claverhouse.

»An die reale Welt nicht gewöhnt.«

»Auch nicht sonderlich hilfreich.«

Rebus sah zu Candice. »Was dagegen, wenn ich mit ihr ein bisschen an die Luft gehe?«

»Was?«

»Nur für eine Stunde.« Claverhouse starrte ihn an. »Sie ist die ganze Zeit hier eingesperrt gewesen, und das Einzige, was sie erwartet, ist das Hotelzimmer. Ich setz sie in einer Stunde, anderthalb Stunden, dort wieder ab.«

»Bringen Sie sie ja intakt zurück, vorzugsweise mit einem Lächeln im Gesicht.«

Rebus winkte Candice zu sich.

»Japaner und Golfplätze«, sagte Claverhouse nachdenklich. »Was halten Sie davon?«

»Telford ist Geschäftsmann, wie wir wissen. Und Geschäftsleute machen mit anderen Geschäftsleuten Geschäfte.«

»Er vermietet Rausschmeißer und Spielautomaten: Was haben Japaner damit zu tun?«

Rebus zuckte die Achseln. »Die schwierigen Fragen überlasse ich grundsätzlich Leuten wie Ihnen.« Er öffnete die Tür.

»Ach, und John?«, sagte Claverhouse in warnendem Ton und nickte in Richtung Candice. »Sie gehört dem Crime Squad, okay? Und vergessen Sie nicht: *Sie* haben sich an *uns* gewandt.«

»Kein Problem, Claverhouse. Und übrigens, ich bin Ihre Verbindung zur Abteilung B.«

»Seit wann?«

»Mit sofortiger Wirkung. Wenn Sie mir nicht glauben, fragen Sie Ihren Chef. Das hier mag *Ihr* Fall sein, aber Telford arbeitet in *meinem* Revier.«

Er fasste Candice am Arm und führte sie aus dem Zimmer.

Er hielt an der Ecke der Flint Street.

»Es ist okay, Candice«, sagte er, als er ihre Unruhe bemerkte. »Wir bleiben im Auto. Es ist alles in Ordnung.« Sie blickte hektisch um sich, hielt nach Gesichtern Ausschau, die sie nicht sehen wollte. Rebus ließ den Wagen wieder an und fuhr los. »Schau«, sagte er, »wir fahren weg.« Im Wissen, dass sie ihn nicht verstand. »Ich könnte mir vorstellen, dass ihr an dem Tag von hier aus losgefahren seid.« Er sah sie an. »An dem Tag, als ihr nach Juniper Green gefahren seid. Die Japaner dürften in einem Hotel im Zentrum gewohnt haben, in irgendeinem teuren Laden. Ihr habt sie abgeholt und seid dann in östlicher Richtung gefahren. Vielleicht über die Dalry Road?« Es war ein reines Selbstgespräch. »Herrgott, ich weiß es nicht. Hör mal, Candice, was immer du siehst, was immer dir bekannt vorkommt – sag's mir, okay?«

»Okay.«

Hatte sie verstanden? Nein, sie lächelte. Sie hatte bloß auf das letzte Wort reagiert. Sie wusste lediglich, dass sie sich von der Flint Street entfernten. Zunächst fuhr er mit ihr zur Princes Street.

»War das Hotel hier, Candice? Die Japaner? War das hier?« Sie starrte verständnislos aus dem Fenster.

Er bog in die Lothian Road ein, »Usher Hall«, sagte er. »Sheraton … Klingelt's bei einem davon?« Bei keinem. Stadtauswärts über die Western Approach Road, die Slateford Road und weiter auf die Lanark Road. Die meisten Ampeln standen auf Rot, so dass sie jede Menge Zeit hatte, sich die Gebäude entlang der Straße genau anzusehen. Rebus deutete auf jeden Zeitungsladen, an dem sie vorbeikamen, für den Fall, dass der Konvoi dort angehalten hatte, um Zigaretten zu kaufen. Bald hatten sie die Stadt hinter sich gelassen und erreichten Juniper Green.

»Juniper Green!«, rief sie und deutete auf das Schild, glücklich, ihm etwas bieten zu können. Rebus rang sich ein Lächeln ab. Es gab jede Menge Golfplätze rings um die Stadt. Er konnte unmöglich hoffen, sie zu jedem einzelnen kutschieren zu können – nicht in einer Woche, geschweige denn in einer Stunde. Er hielt kurz neben einem Feld. Candice stieg aus. Also tat er es auch und zündete sich eine Zigarette an. Am Straßenrand standen zwei steinerne Torpfeiler, aber ohne Tor dazwischen und Weg dahinter. Früher mochte da eine Fahrspur gewesen sein, und an deren Ende ein Haus. Auf einem der Pfeiler thronte die stark verwitterte Darstellung eines Stiers. Candice zeigte auf den Boden hinter dem anderen Pfeiler, wo, halb unter Gras und Unkraut verborgen, ein zweiter behauener Steinblock lag.

»Sieht wie eine Schlange aus«, meinte Rebus. »Ein Drache vielleicht.« Er sah sie an. »Für irgendjemanden hat das bestimmt eine Bedeutung.« Verständnislos erwiderte sie seinen Blick. Er sah Sammys Gesichtszüge, rief sich ins Gedächtnis, dass er ihr helfen wollte. Er lief Gefahr, das zu vergessen, sich ausschließlich darauf zu konzentrieren, wie sie *ihnen* helfen könnte, an Telford ranzukommen.

Wieder im Auto, bog er in Richtung Livingston ab in der Absicht, bis nach Ratho zu fahren und von da aus in die Stadt zurück. Dann fiel ihm auf, dass Candice sich umgedreht hatte und durch das Heckfenster blickte.

»Was ist?«

Sie stieß einen Schwall von Worten aus, klang dabei aber unsicher. Rebus wendete trotzdem und fuhr langsam zurück. Er hielt am Straßenrand gegenüber einer niedrigen Trockensteinmauer, hinter der sich das wellige Gelände eines Golfplatzes ausdehnte.

»Erkennst du's wieder?« Sie redete weiter. »Hier? Ja?«

Sie sah ihn an, sagte etwas, das irgendwie entschuldigend klang.

»Ist schon okay«, sagte er. »Sehen wir es uns trotzdem ein bisschen näher an.« Er fuhr weiter bis zu einem offen stehenden imposanten zweiflügligen Eisentor. Auf einer Seite prangte auf einem Schild POYNTINGHAME GOLF- UND COUNTRY-CLUB. Darunter: »Schnellgerichte und Speisen à la carte, Besucher willkommen«. Als Rebus hineinfuhr, begann Candice zu nicken, und als ein georgianischer Riesenbau in Sicht kam, hüpfte sie fast auf ihrem Sitz und klatschte sich mit den Händen auf die Oberschenkel.

»Ich glaube, ich verstehe«, sagte Rebus.

Er parkte vor dem Haupteingang, eingequetscht zwischen einem Volvo Kombi und einer Toyota-Flunder. Draußen auf dem Course beendeten drei Männer gerade ihr Spiel. Als der letzte Ball eingelocht war, wurden Geldbeutel gezückt und wechselten Scheine den Besitzer.

Rebus wusste zweierlei über Golf: Erstens, dass es für manche Leute etwas wie eine Religion war; zweitens, dass eine Menge Spieler gern wetteten. Sie wetteten auf das Endergebnis, auf jedes Loch, ja nach Möglichkeit sogar auf jeden einzelnen Schlag.

Und waren Japaner nicht passionierte Zocker?

Er fasste Candice am Arm und eskortierte sie ins Hauptgebäude. Klaviermusik aus der Bar. Zigarillorauch und Eichentäfelung. Riesige Porträts selbstgefälliger Unbekannter. Ein paar alte Holzputter, gerahmt und hinter Glas. Ein Plakat kündigte für den Abend ein Halloween-Dinner mit Tanz an. Rebus ging an die Rezeption, erklärte, wer er sei und was er wolle. Die Empfangsdame telefonierte kurz und führte sie dann zum Büro des geschäftsführenden Direktors.

Hugh Malahide, kahl und dünn, Mitte vierzig, stotterte grundsätzlich ein wenig, was sich aber verstärkte, sobald Rebus ihm die erste Frage stellte. Als er sie an ihn zurückgab, schien er Zeit gewinnen zu wollen.

»Haben wir in letzter Zeit japanische Gäste gehabt? Nun, ein paar Spieler sind gelegentlich hier.«

»Diese Männer kamen zum Lunch. Vielleicht vor zwei, drei Wochen. Sie waren zu dritt, in Begleitung von drei oder vier Schotten. Kamen wahrscheinlich in Range Rovern. Der Tisch könnte auf den Namen Telford reserviert gewesen sein.«

»Telford?«

»Thomas Telford.«

»Ah, ja …« Malahide war das alles äußerst unangenehm.

»Sie kennen Mr. Telford?«

»In gewisser Weise.«

Rebus beugte sich vor. »Reden Sie weiter.«

»Nun ja, er ist ... hören Sie, wenn ich so unkooperativ erscheine, dann deswegen, weil wir die ganze Sache nicht an die große Glocke hängen möchten.«

»Ich verstehe, Sir.«

»Mr. Telford fungiert als Mittelsmann.«

»Mittelsmann?«

»Bei den Verhandlungen.«

Rebus begriff, worauf Malahide hinauswollte. »Die Japaner wollen Poyntinghame kaufen?«

»Sie verstehen, Inspector, ich bin hier lediglich der Manager. Ich meine, ich bin für das routinemäßige Geschäft verantwortlich.«

»Aber Sie sind doch der geschäftsführende Direktor.«

»Ohne persönliche Beteiligung am Klub. Die Eigentümer wollten anfangs nichts von Verkauf wissen. Aber dann wurde ihnen ein Angebot gemacht, das sie, wie ich glaube, nicht ausschlagen können. Und die potenziellen Käufer sind ... nun ja, hartnäckig.«

»Hat es irgendwelche Drohungen gegeben, Mr. Malahide?«

Er machte ein entsetztes Gesicht. »Was denn für Drohungen?«

»Vergessen Sie's.«

»Die Verhandlungen sind nicht *feindselig* gewesen, falls Sie das meinen.«

»Also waren diese Japaner, die hier gespeist haben ...?«

»Es waren Bevollmächtigte der Käuferseite.«

»Und die wiederum wäre ...?«

»Ich weiß es nicht. Die Japaner sind immer sehr verschlossen. Irgendeine große Firma oder ein Konzern, könnte ich mir vorstellen.«

»Können Sie sich vorstellen, warum sie Poyntinghame kaufen wollen?«

»Das habe ich mich selbst schon gefragt.«

»Und?«

»Jeder weiß, dass die Japaner große Golfliebhaber sind. Es könnte eine Prestigesache sein. Oder vielleicht wollen sie in Livingston eine Fabrik eröffnen.«

»Und Poyntinghame würde dann als Feierabendklub für die Werksangehörigen dienen?«

Malahide schauderte bei der bloßen Vorstellung. Rebus stand auf.

»Sie haben mir sehr geholfen, Sir. Noch etwas, was Sie mir sagen könnten?«

»Hören Sie, Inspector, das war alles völlig inoffiziell.«

»Damit habe ich kein Problem. Namen können Sie mir wohl keine nennen?«

»Namen?«

»Der Gäste an dem Tag.«

Malahide schüttelte den Kopf. »Tut mir Leid, nicht einmal eine Kreditkartennummer. Mr. Telford hat wie immer bar bezahlt.«

»Hat er ein großes Trinkgeld dagelassen?«

»Inspector«, meinte er lächelnd, »manche Geheimnisse sind sakrosankt.«

»Behandeln wir dieses Gespräch auch so, Sir, einverstanden?«

Malahide sah zu Candice. »Sie ist eine Prostituierte, stimmt's? Das habe ich mir schon an dem Tag gedacht, als sie hier waren.« In seiner Stimme schwang Abscheu mit. »Du bist ein kleines Nuttchen, wie?«

Candice starrte ihn an, sah Hilfe suchend zu Rebus und sagte ein paar Worte, die beide Männer nicht verstanden.

»Was sagt sie?«, fragte Malahide.

»Sie sagt, sie hätte einmal einen Freier gehabt, der ge-

94

nauso aussah wie Sie. Er hat Knickerbocker angezogen und sich von ihr den Hintern mit einem Sechsereisen versohlen lassen.«

Malahide begleitete sie nach draußen.

6

Rebus rief von Candice' Zimmer aus Claverhouse an.

»Vielleicht ist was dran, vielleicht auch nicht«, sagte Claverhouse, aber Rebus fiel auf, dass er interessiert war, und das war gut: Je länger sein Interesse vorhielt, desto länger würde er Candice behalten wollen. Ormiston war auf dem Weg zum Hotel, um seine Babysitterpflichten wahrzunehmen.

»Was ich wirklich gerne wüsste, ist, wie zum Teufel Telford an eine solche Sache rangekommen ist.«

»Gute Frage«, bemerkte Claverhouse.

»Ist doch ein ganzes Stück ab von seinem bisherigen Betätigungsfeld, oder?«

»Soweit wir wissen.«

»Ein Chauffeurdienst für Japsenfirmen …«

»Vielleicht ist er hinter dem Auftrag her, sie mit Spielautomaten zu beliefern.«

Rebus schüttelte den Kopf. »Ich kapier's trotzdem nicht.«

»Nicht Ihr Problem, John, vergessen Sie das nicht.«

»So ist das wohl.« Es klopfte an der Tür. »Klingt nach Ormiston.«

»Kann ich mir nicht vorstellen. Er ist gerade erst los.«

Rebus starrte auf die Tür. »Claverhouse, bleiben Sie dran.«

Er legte den Hörer auf den Nachttisch. Es klopfte wieder. Rebus bedeutete Candice, die auf dem Sofa gesessen und eine Zeitschrift durchgeblättert hatte, ins Bad zu gehen. Dann schlich er zur Tür und legte das Auge an den Spion. Eine Frau: die Tagesschicht an der Rezeption. Er schloss die Tür auf.

»Ja?«

»Brief für Ihre Frau.«

Er starrte auf den kleinen weißen Umschlag, den sie ihm auszuhändigen versuchte.

»Brief«, wiederholte sie.

Auf dem Umschlag stand weder Name noch Adresse, keine Briefmarke. Rebus nahm ihn und hielt ihn gegen das Licht. Innen ein einzelnes Blatt und dann noch etwas Quadratisches, wie ein Foto.

»Ein Mann hat ihn an der Rezeption abgegeben.«

»Wie lange ist es her?«

»Zwei, drei Minuten.«

»Wie sah er aus?«

Sie zuckte die Schultern. »Eher groß, kurzes braunes Haar. Er trug einen Anzug, den Brief hat er aus einem Aktenkoffer genommen.«

»Woher wissen Sie, für wen er ist?«

»Er sagte, er wäre für die Ausländerin. Er hat sie aufs I-Tüpfelchen genau beschrieben.«

Rebus starrte immer noch auf den Umschlag. »Okay, danke«, murmelte er. Er schloss die Tür, ging wieder ans Telefon.

»Was war?«, fragte Claverhouse.

»Jemand hat gerade einen Brief für Candice abgegeben.« Rebus klemmte sich den Hörer zwischen Schulter und Kinn und riss den Umschlag auf. Darin befanden sich ein Polaroidfoto und ein einzelnes Blatt, auf dem etwas Handschriftliches in kleinen Blockbuchstaben stand. Etwas Ausländisches.

»Was steht drin?«, fragte Claverhouse.

»Ich weiß nicht.« Rebus versuchte, ein paar Worte vorzulesen. Candice war aus dem Bad herausgekommen. Sie riss ihm das Blatt aus der Hand, überflog es rasch und floh dann wieder ins Bad.

»Candice kann was damit anfangen«, sagte Rebus. »Ein Foto ist auch dabei.« Er sah es sich an. »Das ist sie, wie sie vor einem fetten Typen kniet und ihm einen bläst.«

»Personenbeschreibung?«

»Dem Fotografen ging's weniger um das Gesicht. Claverhouse, wir müssen sie hier wegschaffen.«

»Warten Sie, bis Ormiston da ist. Vielleicht versuchen die nur, Ihnen Angst einzujagen. Wenn die sie sich schnappen wollen, stellt ein Bulle im Auto kein größeres Problem dar. Zwei Bullen vielleicht.«

»Wie haben die's rausgekriegt?«

»Darüber denken wir später nach.«

Rebus hatte die ganze Zeit auf die Badezimmertür gestarrt und erinnerte sich jetzt an die Klokabine in St. Leonard's. »Ich muss Schluss machen.«

»Seien Sie vorsichtig.«

Rebus legte auf.

»Candice?« Er versuchte, die Tür zu öffnen. Sie war abgeschlossen. »Candice?« Er ging einen Schritt zurück und trat zu. Die Tür war nicht so stabil wie die auf dem Revier; er riss sie fast aus den Angeln. Sie saß auf der Kloschüssel, hatte einen Einwegrasierer in der Hand und schnitt sich damit die Arme auf. Sie hatte Blut am T-Shirt, und Blut spritzte auf den weiß gekachelten Fußboden. Sie fing an, ihn anzuschreien, immer hektischer und abgehackter. Rebus riss ihr den Rasierer aus der Hand und schnitt sich dabei in den Daumen. Er zerrte sie von der Kloschüssel, warf den Rasierer hinein, spülte, und dann begann er, ihr Handtücher um die Arme zu wickeln. Der Brief lag auf dem Fußboden. Er schwenkte ihn vor ihrem Gesicht.

»Die versuchen dir bloß Angst einzujagen, das ist alles.«

Ohne selbst auch nur entfernt daran zu glauben. Wenn Telford sie so schnell ausfindig machen konnte, wenn er die Möglichkeit hatte, ihr in ihrer Sprache zu schreiben, dann war er weit mächtiger, weit intelligenter, als Rebus vermutet hatte.

»Es wird alles gut«, fuhr er fort. »Ich versprech's dir. Es ist alles okay. Wir werden auf dich aufpassen. Wir bringen dich hier weg, schaffen dich irgendwohin, wo er dich nicht finden kann. Ich versprech's dir, Candice. Sieh mich an, ich bin's, John.«

Aber sie heulte nur und schüttelte den Kopf. Eine Zeit lang hatte sie tatsächlich an Ritter in strahlender Rüstung geglaubt. Jetzt begriff sie, wie dumm sie gewesen war...

Die Luft schien rein zu sein.

Sie nahmen Rebus' Auto, sie auf dem Beifahrersitz, Ormiston im Fond. Es gab keine andere Möglichkeit. Sie hatten sich entscheiden müssen: ein schneller Abgang oder warten, bis eine größere Eskorte kam. Und so wie Candice Blut verlor, konnten sie es sich nicht leisten zu warten. Die Fahrt zum Krankenhaus war nervenaufreibend, dann hieß es, sich in Geduld fassen, während ihre Schnittwunden untersucht und zum Teil genäht wurden. Rebus und Ormiston standen in der Notaufnahme herum, tranken becherweise Kaffee, stellten sich gegenseitig Fragen, auf die sie keine Antwort wussten.

»Wie hat er es rausbekommen?«

»Von wem hat er den Brief schreiben lassen?«

»Warum sollte er uns warnen? Warum hat er sie sich nicht einfach geschnappt?«

»Was steht eigentlich in dem Brief?«

Da fiel Rebus ein, dass sie sich ganz in der Nähe der Universität befanden. Er zog Dr. Colquhouns Karte aus der Tasche und wählte dessen Büronummer. Colquhoun war da. Rebus las ihm die Mitteilung vor, buchstabierte einzelne Wörter.

»Klingt wie Adressen«, sagte Colquhoun. »Nichts, was man übersetzen könnte.«

»Adressen? Sind da irgendwelche Ortsnamen dabei?«

»Ich glaube nicht.«

»Sir, wenn sie transportfähig ist, nehmen wir sie mit nach Fettes... könnten Sie dorthin kommen? Es ist wichtig.«

»Bei Ihnen ist immer alles wichtig.«

»Ja, Sir, aber das *ist* wichtig. Candice könnte in Lebensgefahr schweben.«

Colquhoun ließ sich Zeit mit seiner Antwort. »Tja, in dem Fall...«

»Ich schicke Ihnen einen Wagen vorbei.«

Nach einer Stunde war sie so weit wiederhergestellt, dass sie fahren konnten. »Die Schnitte sind nicht allzu tief«, erklärte der Arzt. »Nicht lebensgefährlich.«

»Das war auch nicht ihre Absicht.« Rebus wandte sich zu Ormiston. »Sie glaubt, dass sie wieder zu Telford kommt, deswegen hat sie das getan. Sie *weiß*, dass sie wieder zu Telford kommt.«

Candice sah so aus, als habe sie keinen Tropfen Blut mehr im Leib. Ihr Gesicht wirkte noch ausgezehrter als vorher, ihre Augen dunkler. Rebus versuchte sich zu erinnern, wie ihr Lächeln aussah. Sie hielt die Arme schützend vor der Brust verschränkt und wich seinem Blick aus. Rebus hatte ein solches Verhalten schon wiederholt bei festgenommenen Verdächtigen gesehen: Menschen, für die die ganze Welt zu einer Falle geworden war.

In Fettes wurden sie bereits von Claverhouse und Colquhoun erwartet. Rebus zog Brief und Foto hervor.

»Wie ich sagte, Inspector«, stellte Colquhoun fest, »Adressen.«

»Fragen Sie sie, was sie bedeuten«, verlangte Claverhouse.

Sie waren wieder im selben Vernehmungsraum. Candice wusste, wo ihr Platz war, und hatte sich schon hingesetzt, an den noch immer verschränkten Armen Mullbinden und rosa Heftpflaster. Colquhoun fragte, aber sie ignorierte ihn. Candice starrte mit unbewegter Miene auf die gegenüberliegende Wand und schaukelte nur leicht vor und zurück.

»Fragen Sie sie noch einmal«, sagte Claverhouse. Aber Rebus unterbrach, noch ehe Colquhoun anfangen konnte.

»Fragen Sie sie, ob dort Bekannte von ihr wohnen, Menschen, die ihr etwas bedeuten.«

Als Colquhoun die Frage formulierte, nahm das Schaukeln ein wenig an Intensität zu. Ihre Augen hatten sich wieder mit Tränen gefüllt.

»Ihre Eltern? Geschwister?«

Colquhoun übersetzte. Candice versuchte, das Zittern ihrer Lippen zu unterdrücken.

»Vielleicht hat sie ein Kind zurückgelassen...«

Als Colquhoun fragte, schoss Candice kreischend von ihrem Stuhl auf. Ormiston versuchte sie zu packen, aber sie trat nach ihm. Als sie sich beruhigt hatte, fiel sie in einer Ecke des Zimmers in sich zusammen und verschränkte die Arme über dem Kopf.

»Sie wird uns überhaupt nichts sagen«, übersetzte Colquhoun. »Es sei dumm von ihr gewesen, uns zu glauben. Sie will jetzt nur weg. Es gibt nichts, womit sie uns helfen könnte.«

Rebus und Claverhouse tauschten einen Blick.

»Wir können sie nicht festhalten, John – nicht, wenn sie gehen will. Es war schon heikel genug, dass wir ihr keinen Anwalt besorgt haben. Wenn sie erst mal den Wunsch zu gehen äußert...«

»Kommen Sie schon, Mann«, zischte Rebus, »sie macht sich in die Hose vor Angst, und das mit gutem Grund. Und jetzt, wo Sie alles aus ihr rausgeholt haben, was sie zu bieten hat, wollen Sie sie einfach wieder Telford ausliefern?«

»Hören Sie, es geht nicht darum –«

»Er wird sie umbringen, das wissen Sie so gut wie ich.«

»Wenn er sie umbringen wollte, dann wär sie schon tot.« Claverhouse schwieg einen Moment. »So dumm ist er nicht. Er weiß verdammt genau, dass er ihr lediglich einen Schrecken einzujagen brauchte. Er *kennt* sie. Es schmeckt mir genauso wenig wie Ihnen, aber was können wir denn tun?«

»Sie einfach ein paar Tage länger hier behalten, zusehen, ob wir nicht...«

»Ob wir nicht was? Wollen Sie sie der Einwanderungsbehörde übergeben?«

»Das wäre eine Idee. Dass sie bloß hier rauskommt.«

Claverhouse ließ sich das durch den Kopf gehen, wandte sich dann zu Colquhoun. »Fragen Sie sie, ob sie wieder nach Sarajevo möchte.«

Colquhoun fragte. Tränenerstickt nuschelte sie irgendeine Antwort.

»Sie sagt, wenn sie zurückgeht, werden sie alle töten.«

Schweigen im Raum. Alle starrten sie an. Vier Männer. Männer, die einen Beruf hatten, Familie. Männer mit einem eigenen Leben. Normalerweise wurde ihnen nur selten bewusst, wie gut es ihnen ging. Und jetzt wurde ihnen noch etwas anderes bewusst: wie hilflos sie waren.

»Sagen Sie ihr«, meinte Claverhouse leise, »dass sie jederzeit gehen kann, wenn sie das wirklich will. Aber wenn sie bleibt, werden wir unser Möglichstes tun, um ihr zu helfen...«

Also redete Colquhoun mit ihr. Und als er fertig war, stand sie vom Boden auf und sah sie an. Dann wischte sie sich die Nase am Verband ab, strich sich die Haare aus den Augen und ging zur Tür.

»Geh nicht, Candice«, sagte Rebus.

Sie drehte sich halb nach ihm um. »Okay«, sagte sie.

Dann öffnete sie die Tür und war weg.

Rebus packte Claverhouse am Arm. »Wir müssen Telford einkassieren und ihm einschärfen, dass er ja die Finger von ihr lassen soll.«

»Meinen Sie, das muss man ihm extra sagen?«

»Meinen Sie, das würde ihn beeindrucken?«, fügte Ormiston hinzu.

»Ich glaub's einfach nicht. Er ängstigt sie halb zu Tode, und der Erfolg ist, dass wir sie laufen lassen? Das geht mir einfach nicht in den Kopf.«

»Sie hätte jederzeit nach Fife gehen können«, bemerkte Colquhoun. Jetzt, wo Candice aus dem Zimmer war, schien er etwas selbstsicherer zu werden.

»Kommt jetzt ein bisschen spät«, meinte Ormiston.

»Diesmal hat er uns geschlagen, das ist alles«, sagte Claverhouse, die Augen auf Rebus gerichtet. »Aber am Ende machen wir ihn fertig, keine Sorge.« Er brachte ein dünnes, freudloses Lächeln zustande. »Glauben Sie nur nicht, wir geben auf, John. Das ist nicht unser Stil. Wird schon, Kumpel. Wird schon …«

Sie wartete draußen auf dem Parkplatz, neben der Beifahrertür seines ramponierten Saab 900.

»Okay?«, sagte sie.

»Okay«, bestätigte er und lächelte erleichtert, als er das Auto aufschloss. Ihm fiel nur ein einziger Ort ein, wo er sie hätte hinbringen können. Als er durch die Meadows fuhr, erkannte sie die von Bäumen gesäumten Spielfelder wieder und nickte.

»Du bist schon mal hier gewesen?«

Sie sagte ein paar Worte und nickte wieder, als Rebus in die Arden Street einbog. Er parkte und wandte sich zu ihr.

»*Hier* bist du schon mal gewesen?«

Sie deutete nach oben und hielt sich die locker geschlossenen Fäuste wie ein Fernglas vor die Augen.

»Mit Telford?«

»Telford«, sagte sie. Sie tat so, als würde sie etwas aufschreiben, und Rebus holte Notizbuch und Stift heraus und reichte sie ihr. Sie zeichnete einen Teddybären.

»Du warst in Telford's Auto hier?«, fragte Rebus. »Und er hat eine der Wohnungen da oben beobachtet?« Er zeigte auf seine eigene Wohnung.

»Ja, ja.«

»Wann war das?« Die Frage verstand sie nicht. »Ich brauch ein Wörterbuch«, murmelte er. Dann öffnete er die Tür, stieg aus und sah sich um. In den Autos in der näheren Umgebung saß niemand. Keine Range Rover darunter. Er bedeutete Candice auszusteigen und ihm zu folgen.

Sein Wohnzimmer schien ihr zu gefallen. Sie steuerte schnurstracks auf seine Plattensammlung zu, fand aber nichts, was sie wiedererkannt hätte. Rebus ging in die Küche, um Kaffee zu kochen und nachzudenken. Er konnte sie nicht hier behalten – nicht, wenn Telford die Adresse kannte. Telford... warum hatte er Rebus' Wohnung beobachtet? Die Antwort lag auf der Hand: Er wusste, dass der Detective mit Cafferty in Verbindung stand und damit eine potenzielle Bedrohung darstellte. Er ging davon aus, Cafferty habe Rebus in der Tasche. Kenne deinen Feind: Das war eine weitere Regel, die Telford gelernt hatte.

Rebus rief einen Kontaktmann in der Wirtschaftsredaktion des *Scotland on Sunday* an.

»Japanische Firmen«, sagte Rebus. »Komma, Gerüchte betreffend.«

»Geht's auch ein bisschen genauer?«

»Neue Standorte rund um Edinburgh, vielleicht in Livingston.«

Rebus hörte, wie der Journalist auf seinem Schreibtisch

mit Papieren raschelte. »Es wird was von einem Mikropro-
zessorenwerk gemunkelt.«

»In Livingston?«

»Das ist einer von mehreren möglichen Standorten.«

»Sonst noch was?«

»Nö. Woher das Interesse?«

»Bis dann, Tony.« Rebus legte auf und sah zu Candice. Er
wusste beim besten Willen nicht, wo er sie sonst hätte hinbringen können. Hotels waren nicht sicher. *Ein* möglicher
Ort fiel ihm ein, aber das wäre riskant gewesen… Na ja,
nicht *sehr* riskant. Er nahm den Hörer ab und wählte.

»Sammy?«, sagte er. »Ob du mir wohl einen Gefallen tun
könntest…?«

Sammy wohnte in Shandon, in einer der Reihenhaus-»Ko-
lonien«, die im neunzehnten Jahrhundert für die Facharbeiter bestimmter Fabriken gebaut worden waren. Draußen auf der schmalen Straße einen Parkplatz zu finden war
so gut wie unmöglich. Rebus fuhr so nah heran, wie es ging.

Sammy erwartete sie im engen Flur und führte sie ins
kleine Wohnzimmerchen. Auf einem Korbstuhl lag eine
Gitarre. Candice griff danach, setzte sich auf den Stuhl und
schlug einen Akkord an.

»Sammy«, sagte Rebus, »das ist Candice.«

»Hallo«, meinte Sammy. »Frohes Halloween.« Candice
reihte jetzt Akkorde aneinander. »Hey, das ist ja Oasis.«

Candice sah auf, lächelte. »Oasis«, echote sie.

»Ich hab die CD irgendwo…« Sammy sah einen Turm
von CDs durch, der neben der Hi-Fi-Anlage stand. »Hier
ist sie. Soll ich sie auflegen?«

»Ja, ja.«

Sammy schaltete die Anlage an, sagte Candice, sie würde Kaffee kochen, und bedeutete Rebus mit einer Geste,
ihr zu folgen.

»Also, wer ist sie?« Die Küche war winzig. Rebus blieb in der Tür stehen.

»Sie ist Prostituierte. Gegen ihren Willen. Ich möchte nicht, dass ihr Zuhälter sie findet.«

»Wo kommt sie her?«

»Sarajevo.«

»Und sie kann nicht viel Englisch?«

»Wie ist dein Serbokroatisch?«

»Etwas eingerostet.«

Rebus sah sich um. »Wo ist dein Freund?«

»Arbeiten.«

»Am Buch?« Rebus mochte Ned Farlowe nicht. Zum Teil lag's am Namen: »Neds« war der Spitzname, mit dem die *Sunday Post* jugendliche Rowdys und Schläger bezeichnete. Typen, die alten Omis die Rentenausweise und Gehhilfen raubten. Und Farlowe bedeutete Chris Farlowe: »Out of Time«, eine Nummer eins, die eigentlich den Stones zugestanden hätte. Farlowe recherchierte für eine Geschichte des organisierten Verbrechens in Schottland.

»Die alte Geschichte«, erwiderte Sammy. »Er braucht Geld, um es sich leisten zu können, das Ding zu schreiben.«

»Und was macht er?«

»So'n paar Reportagen. Wie lang soll ich babysitten?«

»Höchstens ein paar Tage. So lange, bis ich was anderes gefunden habe.«

»Was wird er tun, wenn er sie findet?«

»Das möchte ich lieber nicht wissen.«

Sammy spülte die Becher aus. »Sie sieht mir ähnlich, nicht?«

»Ja, das stimmt.«

»Ich hab noch ein paar freie Tage gut. Vielleicht rufe ich im Büro an, ob ich nicht zu Hause bleiben kann. Wie ist ihr richtiger Name?«

»Hat sie mir nicht gesagt.«

»Hat sie irgendwas zum Umziehen?«

»In einem Hotel. Ich lass die Sachen von einem Streifenwagen vorbeibringen.«

»Ist sie wirklich in Gefahr?«

»Möglicherweise.«

Sammy sah ihn an. »Aber ich nicht?«

»Nein«, antwortete ihr Vater. »Weil das unser Geheimnis bleiben wird.«

»Und was erzähle ich Ned?«

»Möglichst wenig, sag einfach, du tust deinem Dad einen Gefallen.«

»Und du glaubst, ein Journalist gibt sich damit zufrieden?«

»Wenn er dich liebt…«

Das Wasser kochte. Sammy goss drei Becher voll. Im Wohnzimmer hatte sich Candice' Interesse mittlerweile auf einen Stapel amerikanischer Comichefte verlagert.

Rebus trank seinen Kaffee aus und verließ das Haus. Fuhr aber nicht in seine Wohnung, sondern in die Young Street und bestellte im Ox einen Becher Instantkaffee. Fünfzig P. Ganz schön preiswert, wenn man's recht bedachte. Fünfzig Pence für… na? – ein halbes Pint? Ein Pfund das Pint? Noch doppelt so viel wäre billig gewesen. Gut, sagen wir, eins Komma sieben mal so viel, dann käme es auf den Preis eines Biers… mehr oder weniger.

Nicht dass Rebus mitgezählt hätte.

Im Nebenzimmer war kaum was los, lediglich am Kamintisch saß einer und kritzelte vor sich hin. Das war ein Stammgast, irgendein Journalist. Rebus dachte an Ned Farlowe, der mit Sicherheit etwas über Candice würde erfahren wollen. Aber wenn ihn jemand in Schach halten konnte, dann Sammy. Rebus holte sein Handy heraus und wählte Colquhouns Büronummer.

»Tut mir Leid, Sie wieder zu belästigen«, sagte er.

»Was ist denn jetzt schon wieder?« Der Dozent klang äußerst genervt.

»Diese Flüchtlinge, von denen Sie gesprochen hatten. Meinen Sie, Sie könnten sich kurz mit ihnen unterhalten?«

»Tja also, ich…« Colquhoun räusperte sich. »Ja, ich könnte wohl mit ihnen reden. Heißt das…?«

»Candice ist in Sicherheit.«

»Ich habe die Telefonnummer nicht hier.« Colquhoun klang verdattert. »Könnten Sie warten, bis ich wieder zu Hause bin?«

»Rufen Sie mich an, sobald Sie mit ihnen gesprochen haben. Und danke.«

Rebus legte auf, leerte seinen Kaffee und wählte dann Siobhan Clarkes Privatnummer.

»Sie müssten mir einen Gefallen tun«, sagte er und kam sich allmählich vor wie eine kaputte Schallplatte.

»Wie viel Ärger werde ich mir damit einhandeln?«

»So gut wie keinen.«

»Kann ich das schriftlich haben?«

»Bin ich bescheuert?« Rebus lächelte. »Ich möchte die Akte Telford einsehen.«

»Warum fragen Sie nicht einfach Claverhouse?«

»Ich frag lieber Sie.«

»Das ist ein Haufen Papier. Wollen Sie Fotokopien?«

»Was auch immer.«

»Ich werd sehen, was ich tun kann.« Im Schankraum wurde es laut. »Sie sind doch nicht im Ox oder?«

»Zufällig doch.«

»Und trinken?«

»Einen Becher Kaffee.«

Sie lachte ungläubig und meinte, er solle auf sich aufpassen. Rebus unterbrach die Verbindung und starrte seinen Becher an. Leute wie Siobhan Clarke konnte einen Mann schon in den Suff treiben.

7

Es war sieben, als ihn der Summer aus dem Schlaf riss und ihm verriet, dass jemand unten vor der Haustür stand. Er torkelte in den Flur zur Gegensprechanlage und fragte, wer es Kacke noch mal sei.

»Der Croissant-Mann«, erwiderte eine raue englische Stimme.

»Der was?«

»Na los, Blödmann, aufgewacht. Das Gedächtnis lässt wohl langsam nach, was?«

Ein Name kam Rebus in den Sinn. »Abernethy?«

»Jetzt machen Sie schon auf, es ist scheußlich kalt hier unten.«

Rebus drückte auf den Knopf, um Abernethy reinzulassen, und trottete dann ins Schlafzimmer zurück, um sich was anzuziehen. Er konnte keinen klaren Gedanken fassen. Abernethy war DI beim Special Branch, der Staatssicherheitspolizei in London. Das letzte Mal hatte er sich in Edinburgh aufgehalten, um Terroristen zu jagen. Rebus fragte sich, was zum Teufel er jetzt von ihm wollte.

Als es an der Tür klingelte, stopfte sich Rebus das Hemd in die Hose und öffnete. Abernethy hatte nicht gelogen: Er hielt eine Tüte Croissants in der Hand. Er hatte sich nicht sehr verändert: die gleichen ausgebleichten Jeans zur schwarzen Leder-Bomberjacke, dieselben kurz geschorenen braunen, igelgestylten Haare. Er hatte ein massiges pockennarbiges Gesicht und unheimliche psychopathenblaue Augen.

»Wie läuft's, Kumpel?« Abernethy klopfte Rebus auf die Schulter und marschierte wie selbstverständlich in die Küche. »Na, dann mal Wasser aufsetzen.« Als täten sie das jeden Tag. Als wohnten sie keine sechshundertfünfzig Kilometer auseinander.

»Abernethy, was zum Teufel treiben Sie hier?«

»Na, Sie füttern natürlich, wie das die Engländer schon immer mit euch Röckchenträgern getan haben. Butter da?«

»Gucken Sie mal in der Butterdose nach.«

»Teller?«

Rebus deutete auf einen Schrank.

»Jede Wette, dass Sie Pulverkaffee trinken: Stimmt's?«

»Abernethy…«

»Machen wir erst das hier fertig, und dann reden wir, okay?«

»Das Wasser kocht eher, wenn Sie den Kocher einschalten.«

»Stimmt.«

»Und ich glaube, es müsste noch Marmelade da sein.«

»Honig?«

»Sehe ich vielleicht aus wie 'ne Biene?«

Abernethy grinste. »Apropos, herzliche Grüße vom alten Georgie Flight. Wie man hört, geht er bald in Rente.«

George Flight: noch so ein Gespenst aus Rebus' Vergangenheit. Abernethy hatte den Deckel vom Kaffeeglas aufgeschraubt und roch am Granulat.

»Wie alt ist das?« Er rümpfte die Nase. »Keine Klasse, John.«

»Im Gegensatz zu Ihnen, wollen Sie sagen? Seit wann sind Sie hier?«

»Vor einer halben Stunde eingetrudelt.«

»Aus London?«

»Hab für ein paar Stunden auf einem Rastplatz gehalten und 'ne Runde gepennt. Aber diese A1 ist mörderisch. Nördlich von Newcastle hat man das Gefühl, es fängt die Dritte Welt an.«

»Sind Sie die sechshundertfünfzig Kilometer bloß gefahren, um mich zu beleidigen?«

Sie trugen alles hinüber auf den Wohnzimmertisch, wo

Rebus etwas Platz machte, indem er Bücher, Notizblöcke und Material über den Zweiten Weltkrieg beiseite schob.

»Also«, begann er, als sie sich gesetzt hatten, »ich gehe davon aus, dass dies kein Höflichkeitsbesuch ist.«

»Doch, in gewisser Weise schon. Ich hätte auch einfach anrufen können, aber plötzlich kam mir der Gedanke: Was der alte Gauner wohl so treibt? Und ehe ich mich's versah, war ich im Auto und auf dem Weg zum Nordring.«

»Ich bin gerührt.«

»Ich hab immer versucht, über Sie und was Sie so treiben auf dem Laufenden zu bleiben.«

»Warum?«

»Weil das letzte Mal, als wir uns gesehen haben… na ja, Sie sind *anders*, nicht?«

»Tatsächlich?«

»Ich meine, Sie sind kein Teamspieler. Sie sind ein Einzelgänger, ein bisschen so wie ich. Einzelgänger können nützlich sein.«

»Nützlich?«

»Für verdeckte Ermittlungen, Jobs, die ein bisschen aus dem Rahmen fallen.«

»Sie denken, ich wär was für den Special Branch?«

»Schon mal daran gedacht, nach London zu ziehen? *Da* ist die Action.«

»Ich krieg hier oben schon genug geboten.«

Abernethy sah aus dem Fenster. »Dieses Nest könnte man nicht mal mit einem Fünfzig-Megatonnen-Sprengkopf aufwecken.«

»Hören Sie, Abernethy, nicht dass ich Ihre Gesellschaft nicht schätzen würde oder so, aber was *treiben* Sie hier?«

Abernethy wischte sich die Krümel von den Händen. »Also, Ende des geselligen Teils.« Er nahm einen Schluck Kaffee und schauderte ob des scheußlichen Geschmacks. »Kriegsverbrechen«, sagte er. Rebus hielt im Kauen inne.

»Es gibt eine neue Liste von Namen. Sie wissen Bescheid, denn einer davon wohnt direkt bei Ihnen um die Ecke.«

»Und?«

»Und ich leite die Londoner Zentrale. Wir haben eine SoKo Kriegsverbrechen gebildet. Meine Aufgabe ist, Informationen über die verschiedenen laufenden Ermittlungen zu sammeln, ein zentrales Register anzulegen.«

»Sie wollen wissen, was ich weiß?«

»Das wär's in etwa.«

»Und Sie sind die ganze Nacht durchgefahren, nur um das rauszukriegen? Da muss mehr dahinterstecken.«

Abernethy lachte. »Warum das?«

»Muss einfach. So ein Sammlerjob ist was für jemand, der gut am Schreibtisch arbeitet. Das ist nichts für Sie, Sie sind nur an der Front glücklich.«

»Was ist mit Ihnen? Für einen Historiker habe ich Sie noch nie gehalten.« Abernethy tippte auf eines der Bücher, die auf dem Tisch lagen.

»Das ist eine Bußübung.«

»Wie kommen Sie darauf, dass es in meinem Fall was anderes wäre? Also, wie sieht's mit Herrn Lintz aus?«

»Gar nicht. Bislang habe ich nur Nieten gezogen. Wie viele Fälle sind's insgesamt?«

»Ursprünglich siebenundzwanzig, aber acht davon haben das Zeitliche gesegnet.«

»Irgendwelche Fortschritte?«

Abernethy schüttelte den Kopf. »Einen haben wir vor Gericht gebracht. Das Verfahren ist schon am ersten Tag geplatzt. Wenn sie plemplem sind, kann man ihnen nicht den Prozess machen.«

»Schön. Zu Ihrer Information – so steht's mit dem Lintz-Fall: Ich kann nicht beweisen, dass er Josef Linzstek war und ist. Ich kann seine Darstellung seiner Militärzeit nicht widerlegen; ebenso wenig die, wie er angeblich nach

Großbritannien gekommen ist.« Rebus zuckte die Achseln.

»Genau die Geschichte, die ich überall zu hören bekomme.«

»Was hatten Sie erwartet?« Rebus zupfte an einem Croissant herum.

»Diese Plörre ist eine Zumutung«, bemerkte Abernethy. »Gibt's einen anständigen Kaffeeladen hier in der Gegend?«

Also gingen sie in ein Café, wo Abernethy einen doppelten Espresso und Rebus einen Koffeinfreien bestellte. Der *Record* berichtete auf der Titelseite über eine Messerstecherei mit tödlichem Ausgang, die sich vor einem Nachtklub ereignet hatte. Der Mann, der die Zeitung las, faltete sie zusammen, als er zu Ende gefrühstückt hatte, und nahm sie mit.

»Besteht die Aussicht, dass Sie sich heute mit Lintz unterhalten?«, fragte Abernethy unvermittelt.

»Warum?«

»Ich dachte, ich könnte vielleicht mitkommen. Man hat nicht oft die Chance, jemand kennen zu lernen, der vielleicht siebenhundert Franzosen umgebracht hat.«

»Morbide Neugier?«

»Wir tendieren doch alle ein bisschen dazu, oder?«

»Ich habe keine neuen Fragen, die ich ihm stellen könnte«, erwiderte Rebus. »Und er hat schon bei seinem Anwalt was von Belästigung gemurmelt.«

»Er hat gute Beziehungen?«

Rebus starrte ihn über den Tisch hinweg an. »Sie haben Ihre Hausaufgaben gemacht.«

»Abernethy, der gewissenhafte Bulle.«

»Na ja, Sie haben Recht. Er hat Freunde in hohen Positionen, nur halten sich viele von ihnen jetzt lieber bedeckt.«

»Klingt so, als ob Sie ihn für unschuldig hielten.«

112

»Bis zum Nachweis seiner Schuld.«

Abernethy lächelte, hob seine Tasse. »Seit einiger Zeit zieht ein jüdischer Historiker durch die Gegend. Hat er sich bei Ihnen gemeldet?«

»Wie heißt er?«

Ein weiteres Lächeln. »Mit wie vielen jüdischen Historikern haben Sie letztens zu tun gehabt? Er heißt David Levy.«

»Sie sagen, er zieht durch die Gegend?«

»Eine Woche hier, eine Woche dort, erkundigt sich, wie die jeweiligen Ermittlungen laufen.«

»Momentan ist er in Edinburgh.«

Abernethy pustete auf seinen Kaffee. »Dann haben Sie also mit ihm geredet?«

»Ja, habe ich.«

»Und?«

»Was und?«

»Hat er Ihnen seine Story von der ›Rattenlinie‹ aufgetischt?«

»Noch einmal – woher das Interesse?«

»Allen anderen *hat* er sie aufgetischt.«

»Und was, wenn er es getan hat?«

»Herrgott, beantworten Sie *jede* Frage mit einer Gegenfrage? Seitdem ich diese SoKo leite, ist der Name Levy mehr als einmal auf meinem Bildschirm erschienen. Deswegen interessiert es mich.«

»Abernethy, der gewissenhafte Bulle.«

»Genau. Also, wie ist es, statten wir Lintz einen Besuch ab?«

»Na ja, da Sie extra die lange Fahrt gemacht haben...«

Auf dem Weg zurück zu seiner Wohnung hielt Rebus bei einem Zeitungsladen und kaufte den *Record*. Die Messerstecherei hatte sich vor Megan's Nightclub ereignet, einem neuen Etablissement in Portobello. Das Opfer war ein fünfundzwanzigjähriger »Türsteher« namens William Tennant. Auf die Titelseite hatte es die Meldung geschafft, weil ein Erstligaspieler indirekt in die Sache verwickelt gewesen war. Ein Freund, mit dem er unterwegs gewesen war, hatte ein paar kleinere Schnittwunden davongetragen. Der Täter war auf einem Motorrad entkommen. Der Fußballer hatte der Presse gegenüber keinen Kommentar abgegeben. Rebus kannte ihn. Er wohnte in Linlithgow. Ein knappes Jahr zuvor hatte man ihn in Edinburgh wegen Zuschnellfahrens erwischt und – so seine Worte – »ein klitzekleines bisschen Charlie«, das heißt Kokain, bei ihm gefunden.

»Irgendwas Interessantes?«, fragte Abernethy.

»Jemand hat einen Rausschmeißer abgestochen. Verträumtes Provinzstädtchen, hm?«

»Eine solche Story käme in London bestenfalls in die Kleinanzeigen.«

»Wie lange bleiben Sie hier?«

»Ich fahr heute wieder, ich wollte einen Abstecher nach Carlisle machen. Die sollen da noch so einen alten Nazi haben. Von da geht's nach Blackpool und Wolverhampton und erst dann wieder zurück nach London.«

»Ein Masochist, wie er im Buche steht.«

Rebus wählte die Touristenroute: die Mound entlang und über die Princes Street. Auf der Heriot Row parkte er in zweiter Reihe, aber Joseph Lintz war nicht zu Hause.

»Macht nichts«, sagte er. »Ich weiß, wo er wahrscheinlich ist.« Er fuhr die Inverleith Row entlang, bog dann nach rechts zu den Warriston Gardens ab und parkte vor dem Friedhofstor.

»Was ist er, Totengräber?« Abernethy stieg aus und zog den Reißverschluss seiner Jacke zu.

»Er pflanzt Blumen.«

»Blumen? Wozu?«

»Ich weiß auch nicht genau.«

114

Ein Friedhof hätte ein Ort des Todes sein müssen, aber Warriston kam Rebus eher wie ein weitläufiger Park vor, in den man hier und da Plastiken hatte fallen lassen. Der neuere Teil mit seiner gepflasterten Zufahrt ging bald in einen unbefestigten Weg über, der sich zwischen Steinen mir verwitterten Inschriften hinzog. Ringsum Obeliske und keltische Kreuze, jede Menge Bäume und Vögel und die hektischen Bewegungen von Eichhörnchen. Ein Tunnel, der unter einem Fußweg verlief, führte zum ältesten Teil des Friedhofs. Aber zwischen Tunnel und Zufahrt lag das eigentliche Herz des Ortes, in dem die Vergangenheit Edinburghs zum Appell antrat: Namen wie Ovenstone, Cleugh und Flockhart und Berufe wie Aktuar, Seidenhändler, Eisenkrämer. Manche Leute waren in Indien gestorben, andere in frühester Kindheit. Ein Schild am Tor informierte die Besucher, dass das Friedhofsgelände von der Stadt Edinburgh enteignet worden sei, weil die früheren Eigentümer es hätten völlig verwahrlosen lassen. Aber gerade diese Verwahrlosung machte zumindest einen Teil seines Charmes aus. Die Leute führten hier ihre Hunde spazieren, um sich in der Kunst der Fotografie zu üben, oder sinnierten einfach nur zwischen den Grabsteinen. Schwule kamen, um Gesellschaft, andere, um Einsamkeit zu finden.

Nach Einbruch der Dunkelheit bekam der Ort natürlich ein völlig anderes Gesicht. Eine Prostituierte aus Leith – eine Frau, die Rebus gekannt und gemocht hatte – war hier erst wenige Monate zuvor ermordet aufgefunden worden. Rebus fragte sich, ob Joseph Lintz wohl davon wusste ...

»Mr. Lintz?«

Er stutzte gerade das Gras um einen Grabstein mit einer kleinen Heckenschere. Als er sich mühsam aufrichtete, glänzte ein Schweißfilm auf seinem Gesicht.

»Ah, Inspector Rebus. Sie haben einen Kollegen mitgebracht?«

»Das ist DI Abernethy.«

Abernethy betrachtete den Grabstein, der einem Schulmeister namens Cosmo Merriman gehörte.

»Sie haben die Erlaubnis, sich hier zu betätigen?«, fragte er und sah endlich Lintz in die Augen.

»Es hat noch niemand versucht, mich daran zu hindern.«

»Inspector Rebus meinte, Sie würden auch Blumen pflanzen.«

»Die Leute nehmen an, ich sei ein Verwandter.«

»Aber das sind Sie nicht, oder?«

»Nur insofern, als alle Menschen Brüder sind, Inspector Abernethy.«

»Sie sind also Christ?«

»Das bin ich.«

»Schon von Haus aus?«

Lintz zog ein Taschentuch hervor und putzte sich die Nase. »Sie fragen sich, ob ein Christ eine Gräueltat wie das Massaker von Villefranche verüben könnte. Es ist vielleicht nicht in meinem Interesse, das zu sagen, aber ich halte das durchaus für möglich. Das habe ich Inspector Rebus bereits erklärt.«

Rebus nickte. »Wir haben uns ein paarmal unterhalten.«

»Gläubigkeit ist nämlich keine Versicherung. Sehen Sie sich Bosnien an – jede Menge Katholiken unter den Kämpfenden, und auch jede Menge guter Muslime. ›Gut‹ in dem Sinn, dass sie gläubig sind. Sie sind davon überzeugt, dass ihr Glaube ihnen das Recht zu töten gibt.«

Bosnien: Rebus sah ein gestochen scharfes Bild von Candice, die dem Grauen entfloh, nur um sich in noch grauenvolleren Umständen, einer noch auswegloseren Situation wiederzufinden.

Lintz stopfte sich das große weiße Taschentuch in die Tasche seiner ausgebeulten braunen Kordhose. In dieser Aufmachung – grüne Gummigaloschen, grüner Wollpullover, Tweedjackett – sah er tatsächlich wie ein Gärtner aus. Kein Wunder, dass er auf dem Friedhof so wenig Aufmerksamkeit erregte. Er verschmolz mit der Umgebung. Rebus konnte nur staunen, wie geschickt er das machte, wie meisterhaft er die Kunst der Unsichtbarkeit beherrschte.

»Sie sehen ungeduldig aus, Inspector Abernethy. Theorien sind nicht so Ihre Sache, habe ich Recht?«

»Darauf weiß ich nichts zu sagen, Sir.«

»In dem Fall können Sie nicht allzu viel wissen. Also, Inspector Rebus, *er* hört sich an, was ich zu sagen habe. Mehr noch, er erweckt den Eindruck, als ob es ihn interessierte. Ob dieser Eindruck zutrifft, kann ich nicht beurteilen, aber seine schauspielerische Leistung – so es denn eine solche sein sollte – ist vorbildlich.« Lintz sprach immer so, als habe er seinen Text Satz für Satz einstudiert. »Anlässlich seines letzten Besuchs erörterten wir die zwiespältige Natur des Menschen. Hätten Sie möglicherweise *darüber* eine Meinung, Inspector Abernethy?«

Der Ausdruck in Abernethys Gesicht war frostig. »Nein, Sir.«

Lintz zuckte die Achseln: Fall erledigt. »Gräueltaten, Inspector, kommen kraft des allgemeinen Willens zustande.« Gewissermaßen zum Mitschreiben gesagt; als der Dozent, der er früher gewesen war. »Denn mitunter braucht es nicht mehr als Angst, zum Außenseiter zu werden, um uns in Teufel zu verwandeln.«

Abernethy schniefte, die Hände in den Taschen. »Klingt so, als wollten Sie Kriegsverbrechen rechtfertigen, Sir. Klingt für mich so, als könnten Sie sogar selbst welche begangen haben.«

»Muss man Astronaut sein, um sich den Mars vorstellen zu können?« Er wandte sich zu Rebus, bedachte ihn mit dem Anflug eines Lächelns.

»Tja, vielleicht bin ich einfach nur ein bisschen zu schlicht gestrickt, Sir«, meinte Abernethy. »Und ein bisschen kalt ist mir außerdem. Gehen wir doch zum Wagen, und setzen wir unsere Unterhaltung dort fort, einverstanden?«

Während Lintz seine wenigen Gartengeräte in eine Leinwandtasche packte, sah sich Rebus um, bemerkte eine Bewegung in der Ferne, zwischen Grabsteinen. Eine kauernde Männergestalt. Momentaufnahme eines Gesichts, das er kannte.

»Was ist?«, fragte Abernethy.

Rebus schüttelte den Kopf. »Nichts.«

Die drei Männer gingen schweigend zurück zum Saab. Rebus hielt Lintz die hintere Tür auf. Zu seiner Überraschung stieg Abernethy gleichfalls hinten ein. Rebus setzte sich ans Steuer und spürte, wie seine Zehen allmählich wieder warm wurden. Abernethy hatte den ausgestreckten Arm auf die Rückenlehne der Sitzbank gelegt und sich mit dem Oberkörper zu Lintz gewandt.

»Also, *Herr* Lintz, die Rolle, die ich bei der ganzen Sache spiele, ist mit einem Satz erklärt. Ich sammle alle Informationen im Zusammenhang mit dieser jüngsten Flut von angeblichen alten Nazifällen. Sie sehen doch ein, dass wir bei solchen Anschuldigungen, so ernsten Anschuldigungen, die Pflicht haben, Ermittlungen anzustellen?«

»Ich würde weniger von Anschuldigungen als von Verleumdungen sprechen.«

»In dem Fall besteht ja für Sie kein Grund, sich Sorgen zu machen.«

»Außer um meinen Ruf.«

»Sobald Sie entlastet sind, werden wir uns darum kümmern.«

Rebus hörte aufmerksam zu. Das klang alles nicht nach Abernethy. Der feindselige Ton von vorhin am Grab war etwas anderem, weit Vieldeutigerem gewichen.

»Und bis dahin?« Lintz schien zu begreifen, was der Lon-

118

doner zwischen den Zeilen sagte. Rebus fühlte sich aus dem Gespräch ausgeschlossen – bewusst ausgeschlossen, da das der Grund dafür gewesen war, dass Abernethy sich in den Fond gesetzt hatte. Er hatte zwischen sich und dem Detective, der gegen Joseph Lintz ermittelte, eine Barriere errichtet – eine reale, konkrete Barriere. Etwas war im Busch.

»Bis dahin«, antwortete Abernethy, »sollten Sie sich meinem Kollegen gegenüber so kooperativ wie möglich zeigen. Je eher er seine Schlüsse ziehen kann, desto eher wird das alles vorbei sein.«

»Das Problem bei Schlüssen ist, dass sie schlüssig sein sollten, und ich habe kaum Beweise für die Richtigkeit meiner Behauptungen. Es war Krieg, Inspector Abernethy, viele Akten wurden vernichtet …«

»Wenn *beiden* Seiten die Beweise fehlen, ist ein Unschuldnachweis nicht erforderlich.«

Lintz nickte. »Ich verstehe«, sagte er.

Abernethy hatte nichts gesagt, was Rebus nicht auch gedacht hätte; das Problem war, dass er es *dem Verdächtigen* gesagt hatte.

»Hilfreich wäre es, wenn Sie ein paar Ihrer Gedächtnislücken schließen könnten«, konnte Rebus sich nicht verkneifen hinzuzufügen.

»Nun, Mr. Lintz«, fuhr Abernethy fort, »danke, dass Sie sich die Zeit genommen haben.« Seine Hand lag auf der Schulter des alten Mannes: beschützend, beruhigend. »Können wir Sie irgendwo absetzen?«

»Ich bleibe noch ein Weilchen hier«, sagte Lintz, öffnete die Tür und stieg bedächtig aus. Abernethy reichte ihm die Tasche mit den Gartengeräten.

»Machen Sie's gut«, sagte er.

Lintz nickte, verbeugte sich leicht vor Rebus und schlurfte zum Friedhofstor zurück. Abernethy kletterte auf den Beifahrersitz.

»Komischer alter Kauz, was?«

»Sie haben ihm praktisch gesagt, dass er nichts zu befürchten hat.«

»Quatsch«, erwiderte Abernethy. »Ich habe ihm gesagt, woran er ist, wie die Sache momentan für ihn steht. Das ist alles.« Er sah Rebus' Gesichtsausdruck. »Ach, kommen Sie, sind Sie wirklich scharf darauf, ihn vor Gericht zu sehen? Einen alten Hochschullehrer, der sich als Friedhofsgärtner betätigt?«

»Es macht die Sache nicht gerade einfacher, wenn Sie so reden, als stünden Sie auf seiner Seite.«

»Selbst einmal angenommen, er *hätte* das Massaker angeordnet – glauben Sie, ein Prozess und ein paar Jahre im Knast, bis er abkratzt, wären die Lösung? Da ist es doch viel besser, den Kerlen ordentlich Angst einzujagen, sich die Verhandlung zu schenken und Millionen an Steuergeldern zu sparen.«

»Das ist nicht unser Job«, erklärte Rebus und ließ den Motor an.

Er fuhr Abernethy zurück in die Arden Street. Sie gaben sich die Hand, und Abernethy bemühte sich, den Eindruck zu erwecken, als ob er gern noch etwas länger geblieben wäre.

»Bis die Tage«, sagte er. Und dann war er weg. Während sich sein Sierra entfernte, fuhr ein anderes Auto in die frei gewordene Parklücke. Siobhan Clarke stieg aus, eine Supermarkttüte in der Hand.

»Für Sie«, sagte sie. »Ich glaube, ich hab mir einen Kaffee verdient.«

Sie war nicht so mäkelig wie Abernethy, akzeptierte einen Becher Instantkaffee mit Dank und aß ein übrig gebliebenes Croissant. Es gab eine Nachricht auf dem Anrufbeantworter. Dr. Colquhoun teilte ihm mit, die Flüchtlingsfamilie könne Candice am nächsten Tag bei sich aufnehmen. Rebus notierte sich die Adresse und richtete seine Aufmerksamkeit dann auf den Inhalt von Siobhans Plastiktüte. Fotokopien, vielleicht zweihundert Blatt.

»Bringen Sie die nicht durcheinander«, warnte sie. »Ich hatte keine Zeit, sie zusammenzuheften.«

»Schnelle Arbeit.«

»Ich bin gestern Nacht wieder ins Büro. Ich dachte, ich erledige das besser, wenn keiner da ist. Wenn Sie möchten, kann ich Ihnen eine Zusammenfassung geben.«

»Sagen Sie mir nur, wer die Hauptspieler sind.«

Sie kam an den Tisch, zog sich einen Stuhl heran und setzte sich neben Rebus; fischte eine Serie von Überwachungsfotos aus dem Stapel und gab den Gesichtern Namen.

»Brian Summers«, erklärte sie, »besser bekannt als ›Pretty-Boy‹. Er hält die Pferdchen in Trab, jedenfalls die meisten.« Blasses, eckiges Gesicht, dichte schwarze Wimpern, Schmollmund. Candice' Zuhälter.

»Besonders hübsch ist er ja nicht.«

Clarke legte das nächste Foto hin. »Kenny Houston.«

»Von Pretty-Boy zu Grotten-Hässlich.«

»Ich bin sicher, seine Mutti hat ihn lieb.« Vorstehende Zähne, teigige Haut.

»Was macht er?«

»Sein Ressort sind die Türsteher. Kenny, Pretty-Boy und Tommy Telford sind in derselben Straße aufgewachsen. Sie bilden den harten Kern der ›Familie‹.« Sie ging ein paar weitere Fotos durch. »Malky Jordan... er sorgt für den Drogennachschub. Sean Haddow... das kleine Großhirn, kümmert sich um die Finanzen. Ally Cornwell... Muskelmann. Derek McGrain... Die ›Familie‹ kennt keine konfessionellen Unterschiede, Evangelen und Papisten arbeiten Seite an Seite.«

»Eine ideale Gesellschaft.«

121

»Bloß ohne Frauen. Telfords Philosophie: Beziehungen schaden dem Geschäft.«

Rebus hob einen Stoß Blätter auf. »Also, was haben wir konkret?«

»Alles außer den Beweisen.«

»Und die soll die Observierung liefern?«

Sie lächelte über den Rand ihres Bechers hinweg. »Sie sind da nicht so überzeugt?«

»Ist nicht mein Problem.«

»Trotzdem interessiert es Sie.« Kurze Pause. »Candice?«

»Es gefällt mir nicht, was mit ihr passiert ist.«

»Schön, nur vergessen Sie nicht: Von mir haben Sie das alles hier nicht.«

»Danke, Siobhan.« Kurze Pause. »Und sonst, alles in Ordnung?«

»Bestens. Es gefällt mir beim Crime Squad.«

»Bisschen mehr los als in St. Leonard's.«

»Brian fehlt mir.« Ihr früherer Partner, mittlerweile aus dem Dienst ausgeschieden.

»Sehen Sie ihn manchmal?«

»Nein, und Sie?«

Rebus schüttelte den Kopf, stand auf und begleitete sie zur Tür.

Er beschäftigte sich rund eine Stunde lang mit den Unterlagen, erfuhr mehr über die »Familie« und ihre verwickelten Aktivitäten. Nichts über Newcastle. Nichts über Japan. Die acht oder neun Männer, die den Kern der »Familie« bildeten, waren zusammen zur Schule gegangen. Drei von ihnen hockten weiterhin in Paisley und kümmerten sich um das Stammgeschäft. Die übrigen befanden sich mittlerweile in Edinburgh und arbeiteten emsig daran, Big Ger Cafferty die Stadt aus den Klauen zu reißen.

Er ging die Liste der Nachtklubs und Bars durch, an denen Telford beteiligt war. Beigefügt waren Polizeiberichte über Festnahmen in der näheren Umgebung der Lokale. Schlägereien zwischen Betrunkenen, tätliche Angriffe auf Rausschmeißer, Sachbeschädigungen an Autos und Gebäuden. Dann fiel Rebus etwas auf: ein parkender Würstchenwagen, der vor mehreren Klubs beobachtet worden war. Befragung des Besitzers als möglichen Zeugen. Aber der hatte nie etwas Nennenswertes beobachtet. Name: Gavin Tay.

Mr. Taystee.

Der angebliche Selbstmörder von neulich. Rebus klingelte bei Bill Pryde an, fragte nach dem Stand der Ermittlungen.

»Sackgasse, Kumpel«, sagte Pryde nicht übermäßig bekümmert. Pryde: zu lange keine Beförderung und auch keine in Aussicht. Am Anfang des langen Abstiegs in den Ruhestand.

»Wussten Sie, dass er nebenher auch eine Würstchenbude betreibt?«

»Könnte erklären, wo er die Knete herhatte.«

Gavin Tay, ein Ex-Knacki, war seit mehr als einem Jahr im Eiscremegeschäft gewesen. Und das mit Erfolg: Vor seinem Haus parkte ein neuer Benz. Nach seinen Kontoauszügen zu schließen, hatte er keine nennenswerten Rücklagen gehabt. Seine Witwe konnte sich den Benz auch nicht erklären. Und jetzt der Nachweis, dass er einen Zweitjob gehabt, dass er nebenher Hotdogs und Getränke an Leute verkauft hatte, die aus Nachtklubs torkelten.

Aus Tommy Telfords Nachtklubs.

Gavin Tay: mehrere Vorstrafen wegen Körperverletzung und Hehlerei. Ein Gewohnheitsverbrecher, der endlich die Kurve gekriegt hatte … Im Zimmer wurde es allmählich stickig. Rebus schmerzte der Kopf. Und da er keinen klaren Gedanken mehr fassen konnte, beschloss er, ein paar Schritte zu laufen.

Ging durch die Meadows und über die George IV. Bridge, dann die Playfair Steps hinunter zur Princes Street. Auf den steinernen Stufen vor der Scottish Academy saß eine Gruppe von Leuten: unrasiert, gefärbte Haare, zerrissene Kleidung. Die Besitzlosen der Stadt, die ihr Bestes taten, um nicht ignoriert zu werden. Rebus wusste, dass er einiges mit ihnen gemeinsam hatte. Im Lauf seines Lebens war er bereits in mehreren Rollen gescheitert: als Ehemann, Vater, Liebhaber. Er hatte es nicht geschafft, den Vorstellungen der Army gerecht zu werden, und bei der Polizei war er auch nicht gerade »einer der Jungs«. Als einer aus der Gruppe die Hand ausstreckte, reichte ihm Rebus einen Fünfer. Dann überquerte er die Princes Street und machte sich auf den Weg in die Oxford Bar.

Er setzte sich mit einem Becher Kaffee in eine Ecke, holte sein Handy heraus und rief Sammy an. Sie war zu Haus. Mit Candice sei alles okay. Rebus teilte ihr mit, dass er eine Bleibe für Candice habe. Sie könne am nächsten Tag umziehen.

»Das ist gut«, sagte Sammy. »Wart einen Moment.« Es raschelte, als der Hörer weitergereicht wurde.

»Hallo, John, wie geht's dir?«

Rebus lächelte. »Hallo, Candice. Das war sehr gut.«

»Danke. Ich bin… äh… Sammy lernt mir…« Sie lachte und gab den Hörer zurück.

»Ich bringe ihr Englisch bei«, erklärte Sammy.

»Das habe ich gemerkt.«

»Wir haben mit ein paar Texten von Oasis angefangen und von da aus weitergemacht.«

»Ich versuch, später auf einen Sprung vorbeizukommen. Was hat Ned gesagt?«

»Er war so kaputt, als er nach Haus kam, dass er sie, glaub ich, kaum bemerkt hat.«

»Ist er da? Ich würde gern mit ihm reden.«

»Nein, er ist arbeiten.«

»Was sagtest du noch mal, macht er gerade?«

»Ich hab nichts gesagt.«

»Stimmt. Danke noch mal, Sammy. Bis dann.«

Er nahm einen Schluck Kaffee, ließ ihn im Mund kreisen. Abernethy: Er konnte die Sache nicht einfach vergessen. Er schluckte den Kaffee hinunter, rief das Roxburghe an und ließ sich mit David Levys Zimmer verbinden.

»Levy.«

»Hier ist John Rebus.«

»Inspector, wie schön, von Ihnen zu hören. Kann ich etwas für Sie tun?«

»Ich würde gern mit Ihnen reden.«

»Sind Sie in Ihrem Büro?«

Rebus sah sich um. »Gewissermaßen. Von Ihrem Hotel aus sind's zwei Minuten zu Fuß. Sie biegen nach rechts ab, überqueren die George Street und gehen hinunter zur Young Street. An deren Ende ist die Oxford Bar. Ich sitze im Nebenzimmer.«

Als Levy ankam, bestellte ihm Rebus ein halbes Pint Starkbier. Levy ließ sich auf einen Stuhl nieder und hängte seinen Spazierstock an die Rückenlehne. »Nun, was kann ich für Sie tun?«

»Ich bin nicht der einzige Polizist, mit dem Sie geredet haben.«

»Nein, das stimmt.«

»Heute hat mich jemand vom Londoner Special Branch besucht.«

»Und er hat Ihnen gesagt, dass ich seit einiger Zeit im Land herumreise?«

»Ja.«

»Und er hat Sie davor gewarnt, mit mir zu sprechen?«

»Nicht explizit.«

Levy nahm seine Brille ab und begann sie zu putzen. »Ich

habe es Ihnen ja gesagt, es gibt Leute, denen es lieber wäre, wenn man ›die Vergangenheit ruhen ließe‹. Dieser Mann – ist er eigens aus London angereist, nur um Ihnen von mir zu erzählen?«

»Er wollte Joseph Lintz sprechen.«

»Ach so.« Levy sah nachdenklich drein. »Ihre Interpretation, Inspector?«

»Ich hatte auf Ihre gehofft.«

»Meine gänzlich subjektive Interpretation?« Rebus nickte. »Er möchte sich Lintz' sicher sein können. Dieser Mann arbeitet für den Special Branch, und wie jeder weiß, ist der Special Branch der öffentliche Arm der Geheimdienste.«

»Er wollte sichergehen, dass ich nichts aus Lintz herausbekommen würde?«

Levy nickte und starrte auf den Rauch, der von Rebus' Zigarette aufstieg – eine Illustration dieses Falls: In der einen Minute konnte man ihn sehen, in der nächsten nicht mehr. Wie Rauch.

»Ich habe ein Büchlein mitgebracht«, sagte Levy und griff in seine Tasche. »Ich möchte, dass Sie es lesen. Es ist auf Englisch, aus dem Hebräischen übersetzt. Es handelt von der ›Rattenlinie‹.«

Rebus nahm das Buch. »Beweist es irgendetwas?«

»Das hängt davon ab, was Sie darunter verstehen.«

»Konkrete Beweise.«

»Es *gibt* konkrete Beweise, Inspector.«

»In diesem Buch?«

Levy schüttelte den Kopf. »In Whitehall, hinter Schloss und Riegel, bis zum Ablauf der gesetzlichen Hundertjahresfrist nicht einzusehen.«

»Also keinerlei Chance, irgendetwas zu beweisen.«

»*Eine* Möglichkeit gibt es …«

»Nämlich?«

»Wenn jemand auspackt. Wenn wir auch nur *einen* von denen zum Reden bewegen können...«

»Darum geht's also bei der ganzen Sache? Ihren Widerstand zu brechen? Das schwächste Glied in der Kette zu finden?«

Levy lächelte wieder. »Wir haben gelernt, uns zu gedulden, Inspector.« Er leerte sein Glas. »Ich bin Ihnen sehr dankbar, dass Sie angerufen haben. Dieses Mal war es eine viel befriedigendere Begegnung.«

»Werden Sie Ihren Vorgesetzten eine Erfolgsmeldung zukommen lassen?«

Levy ging darauf nicht ein. »Wir sprechen uns wieder, nachdem Sie das Buch gelesen haben.« Er stand auf. »Dieser Beamte vom Special Branch... mir scheint sein Name entfallen zu sein...«

»Ich habe ihn nicht genannt.«

Levy schwieg einen Moment und sagte dann: »Ah, das erklärt die Sache natürlich. Hält er sich noch in Edinburgh auf?« Rebus schüttelte den Kopf. »Dann ist er also wahrscheinlich auf dem Weg nach Carlisle, ja?«

Rebus nahm einen Schluck Kaffee, ohne einen Kommentar abzugeben.

»Ich danke Ihnen noch einmal, Inspector«, sagte Levy, nicht im mindesten entmutigt.

»Danke, dass Sie vorbeigeschaut haben.«

Levy sah sich um. »Ihr Büro«, sagte er und schüttelte den Kopf.

8

Die Rattenlinie war eine »Untergrundbahn«, die Nazis – manchmal mit Hilfe des Vatikans – vor ihren sowjetischen Verfolgern in Sicherheit gebracht hatte. Das Ende des

Zweiten Weltkriegs bedeutete den Beginn des Kalten Kriegs. Man brauchte geheimdienstliche Informationen und dazu intelligente, skrupellose Personen, die über ein gewisses Maß an einschlägigen Fähigkeiten und Kenntnissen verfügten. Es hieß, der britische Geheimdienst habe Klaus Barbie, dem »Schlächter von Lyon«, einen Posten angeboten. Gerüchten zufolge war hochrangigen Nazis die Flucht nach Amerika ermöglicht worden. Erst 1987 veröffentlichte die UNO ihre vollständige, vierzigtausend Namen umfassende Liste nazideutscher und japanischer Kriegsverbrecher.

Warum war die Liste nicht früher freigegeben worden? Rebus glaubte den Grund zu kennen. Nach der modernen politischen Logik waren Deutschland und Japan Teil der weltumspannenden kapitalistischen Gemeinschaft. In wessen Interesse wäre es gewesen, alte Wunden wieder aufzureißen? Und außerdem – wie viele Gräueltaten hatten die Alliierten ihrerseits zu verbergen? Wer konnte schon einen Krieg führen, ohne sich die Hände schmutzig zu machen? Rebus, der beim Militär groß geworden war, konnte das durchaus nachvollziehen. Er hatte Dinge getan... Er hatte eine Zeit lang in Nordirland gedient, hatte miterlebt, wie Vertrauen missbraucht, Angst durch Hass verdrängt wurde.

Einem Teil von ihm kam die Existenz der Rattenlinie durchaus glaubhaft vor.

Das Buch, das Levy ihm gegeben hatte, schilderte, wie eine solche Organisation konkret gearbeitet haben konnte. Rebus fragte sich: War es wirklich möglich, spurlos zu verschwinden, seine Identität zu wechseln? Und dann die immer wiederkehrende Frage: Spielte das alles irgendeine Rolle? Es *gab* Möglichkeiten der Identifizierung, und es *hatten* Prozesse stattgefunden – gegen Eichmann, Barbie, Demjanjuk –, während andere noch liefen. Er las über Kriegsverbrecher, die, anstatt vor Gericht gestellt oder ausgeliefert zu werden, wieder nach Hause geschickt und erfolgreiche Geschäftsleute wurden und in gesegnetem Alter starben. Er las aber auch über Verbrecher, die ihre Strafe abgesessen und zu »guten Menschen« geworden waren, Menschen, die sich *wirklich* geändert hatten. Diese Männer erklärten, der wahre Schuldige sei der *Krieg* gewesen. Rebus erinnerte sich an eine der ersten Unterredungen, die er mit Joseph Lintz in dessen herrschaftlichem Salon geführt hatte. Der alte Mann war heiser gewesen, hatte einen Schal um den Hals getragen.

»In meinem Alter, Inspector, kann sich ein einfacher Racheninfekt wie der Anfang vom Ende anfühlen.«

Es schien nicht viele Fotos im Haus zu geben. Lintz hatte erklärt, etliche seien während des Krieges verloren gegangen.

»Wie andere Andenken auch. Diese Fotos habe ich allerdings.«

Er hatte Rebus ein halbes Dutzend gerahmter Aufnahmen aus den Dreißigerjahren gezeigt. Während er erklärte, wer die dargestellten Personen seien, war Rebus plötzlich der Gedanke gekommen: Was, wenn das alles gar nicht stimmt? Was, wenn das hier bloß eine Hand voll alter Fotos sind, die er irgendwo gefunden hat und rahmen ließ? Und die Namen, die Identitäten, die er jetzt den Gesichtern zuordnete – waren sie erfunden? In diesem Augenblick hatte er zum ersten Mal begriffen, wie leicht es sein könnte, ein anderes Leben zu erfinden.

Und irgendwann im weiteren Verlauf ihres Gesprächs, hatte Lintz zwischen Schlückchen von honiggesüßtem Tee über Villefranche zu sprechen begonnen.

»Ich habe viel darüber nachgedacht, Inspector, wie Sie sich vorstellen können. Dieser Obersturmführer Linzstek, hatte er an dem Tag das Kommando?«

»Ja.«

»Aber vermutlich handelte er auf höheren Befehl. Ein Obersturmführer – er entspricht einem *Lieutenant* – rangiert nicht besonders hoch in der Hackordnung.«

»Mag sein.«

»Und wenn ein Soldat einen Befehl bekommen hat... nun, dann muss er ihn auch ausführen, richtig?«

»Selbst wenn der Befehl verrückt ist?«

»Trotzdem würde ich sagen, dass die betreffende Person zumindest zur Verübung des Verbrechens *genötigt* wurde – eines Verbrechens, das sehr viele von uns unter vergleichbaren Umständen ebenfalls verübt hätten. Sehen Sie nicht, wie verlogen es ist, jemandem den Prozess wegen einer Tat zu machen, die man in der gleichen Lage wahrscheinlich auch begangen hätte? Ein Soldat, der allein aus dem Glied tritt... und Nein zum Massaker sagt: Hätten *Sie* das gewagt?«

»Das hoffe ich.« Und Rebus dachte an Ulster und an »Mean Machine«...

Levys Buch bewies überhaupt nichts. Rebus erfuhr dadurch lediglich, dass Josef Linzstek auf einer Liste von Personen stand, die angeblich über die Rattenlinie entkommen waren – wobei speziell er sich als Pole ausgegeben haben soll. Aber woher stammte die Liste? Aus Israel. Größtenteils war alles Spekulation. *Beweisen* tat es nichts.

Und wenn Rebus' Instinkt auch sagte, dass Lintz und Linzstek ein und dieselbe Person waren, verriet er ihm weiterhin nichts darüber, ob das irgendeine Rolle spielte.

Er gab das Buch im Roxburghe wieder ab und bat den Mann an der Rezeption, dafür zu sorgen, dass Mr. Levy es bekam.

»Ich glaube, er ist auf seinem Zimmer, wenn Sie hinaufgehen möchten...«

Rebus schüttelte den Kopf. Er hatte dem Buch keinerlei Botschaft beigefügt, da er wusste, dass Levy das wahrscheinlich schon als Botschaft verstehen würde. Er ging nach Haus, um sein Auto zu holen, fuhr zum Haymarket und dann weiter nach Shandon. Wie immer war es ein Problem, in der Nähe von Sammys Wohnung einen Parkplatz zu finden. Alle hockten nach der Arbeit vor ihren Fernsehern. Er stieg die Vortreppe hinauf und fragte sich, wie heimtückisch die Steinstufen wohl werden würden, wenn erst der Frost käme; oben angelangt, klingelte er. Sammy führte ihn ins Wohnzimmer, wo Candice sich gerade eine Gameshow ansah.

»Hallo, John«, sagte sie. »Bist du meine *wonderwall*?« Das war eine Anspielung auf einen Song von Oasis.

»Ich bin niemandes *wonderwall*, Candice.« Er wandte sich zu Sammy. »Alles in Ordnung?«

»Klar.«

In dem Moment kam Ned Farlowe aus der Küche. Er aß Suppe aus einem Napf und stippte dabei gelegentlich eine zusammengeklappte Scheibe Vollkornbrot hinein.

»Könnten wir kurz reden?«, fragte Rebus.

Farlowe nickte, deutete dann mit dem Kopf in Richtung Küche.

»Was dagegen, wenn ich dabei weiteresse? Ich bin am Verhungern.« Er setzte sich an den Klapptisch, nahm eine weitere Scheibe Brot aus der Tüte und strich Margarine darauf. Sammy streckte den Kopf durch die Tür, sah den Ausdruck im Gesicht ihres Vaters und trat einen taktischen Rückzug an. Die Küche maß ungefähr zwei Meter im Quadrat und enthielt entschieden zu viele Töpfe und Geräte. Schon eine Schwanz wedelnde Katze hätte darin unweigerlich was umgeworfen.

»Ich hab Sie heute gesehen«, begann Rebus, »wie Sie sich auf dem Warriston-Friedhof herumdrückten. Zufall?«

»Was meinen *Sie?*«

»Ich frage Sie.« Rebus lehnte sich an die Spüle und verschränkte die Arme.

»Ich beobachte Lintz.«

»Warum?«

»Weil ich dafür bezahlt werde.«

»Von einer Zeitung?«

»Lintz' Anwalt schmeißt mit einstweiligen Verfügungen nur so um sich. Niemand kann sich leisten, sich in seiner Nähe blicken zu lassen.«

»Aber Sie sollen ihn trotzdem beobachten?«

»Wenn's zu einer Verhandlung kommt, wollen meine Auftraggeber so viel wie möglich wissen, was ja verständlich ist.«

Mit »Verhandlung« meinte Farlowe nicht etwa einen Prozess gegen Lintz, sondern eine Zivilklage gegen die Zeitung, wegen Verleumdung.

»Wenn er Sie erwischt...«

»Er hat keine Ahnung, wer ich bin. Außerdem wird's bei Bedarf immer einen anderen geben, der für mich einspringt. Kann ich jetzt eine Frage stellen?«

»Lassen Sie mich erst noch was sagen. Sie wissen, dass ich gegen Lintz ermittle?« Farlowe nickte. »Das bedeutet, dass wir zu eng aufeinander sitzen. Sollten Sie etwas herausfinden, könnte man annehmen, Sie haben es von mir.«

»Ich habe Sammy nicht erzählt, was ich mache, und zwar *ganz bewusst,* damit es eben zu keinem Interessenskonflikt kommen kann.«

»Ich meine damit nur, dass andere Ihnen das vielleicht nicht abnehmen würden.«

»Noch ein paar Tage, und ich habe genug Geld, um einen weiteren Monat am Buch zu arbeiten.« Farlowe hatte seine Suppe aufgegessen. Er trug den leeren Napf zur Spüle und blieb neben Rebus stehen.

132

»Ich möchte Ihnen wirklich keine Scherereien machen, aber – was können Sie schon dagegen unternehmen?«

Rebus starrte ihn an. Sein erster Impuls war, Farlowes Kopf in die Spüle zu rammen, aber wie hätte Sammy das aufgefasst?

»Also«, sagte Farlowe, »kann ich jetzt meine Frage stellen?«

»Und zwar?«

»Wer ist Candice?«

»Eine Freundin von mir.«

»Warum kann sie dann nicht bei *Ihnen* wohnen?«

Rebus begriff, dass er es nicht mehr mit dem Freund seiner Tochter zu tun hatte. Er stand einem Journalisten gegenüber, jemandem, der eine Story witterte.

»Kleiner Vorschlag«, antwortete Rebus. »Sagen wir, ich hab Sie auf dem Friedhof nicht gesehen. Sagen wir, dieses kleine Gespräch eben hat niemals stattgefunden.«

»Und ich stelle keine Fragen über Candice?«

Rebus schwieg.

Farlowe ließ sich den Deal durch den Kopf gehen. »Sagen wir, ich kann Ihnen ein paar Fragen für mein Buch stellen.«

»Was für Fragen?«

»Über Cafferty.«

Rebus schüttelte den Kopf. »Ich könnte Ihnen allerdings was über Tommy Telford erzählen.«

»Wann?«

»Sobald wir ihn eingebuchtet haben.«

Farlowe lächelte. »Bis dahin könnte ich schon Rentner sein.« Er wartete, erkannte, dass Rebus ihm keinen Schritt entgegenkommen würde.

»Sie ist ja sowieso nur noch bis morgen hier«, sagte Rebus.

»Wo geht sie dann hin?«

133

Rebus zwinkerte ihm nur zu. Verließ die Küche, ging wieder ins Wohnzimmer. Unterhielt sich mit Sammy, während Candice' Gameshow ihren Höhepunkt erreichte. Jedes Mal, wenn sie das Publikum lachen hörte, fiel sie in das Gelächter mit ein. Rebus traf Vorkehrungen für den nächsten Tag und ging. Von Farlowe war nichts zu sehen. Er hatte sich entweder ins Schlafzimmer verzogen oder war durch die Hintertür nach draußen gegangen. Rebus musste kurz überlegen, bis ihm wieder einfiel, wo er sein Auto geparkt hatte. Er fuhr vorsichtig, hielt an jeder roten Ampel.

Auf der Arden Street waren alle Parkplätze belegt. Er ließ den Saab im Halteverbot stehen. Als er sich der Haustür näherte, hörte er eine Autotür aufgehen und drehte sich nach dem Geräusch um.

Es war Claverhouse. »Was dagegen, wenn ich mit reinkomme?«

Rebus fielen auf Anhieb ein Dutzend Gründe ein, ja zu sagen. Aber er zuckte bloß die Achseln und schloss die Tür auf. »Was Neues über die Messerstecherei vor dem Megan's?«, fragte er.

»Woher wussten Sie, dass wir uns dafür interessieren würden?«

»Ein Rausschmeißer wird abgestochen, der Täter flieht auf einem wartenden Motorrad. Das war vorsätzlicher Mord. Und die Mehrzahl der Edinburgher Rausschmeißer arbeitet für Tommy Telford.«

Sie stiegen die Treppe hinauf. Rebus' Wohnung lag im zweiten Stock.

»Tja, Sie haben Recht«, sagte Claverhouse. »Billy Tennant arbeitete für Telford. Er kontrollierte den Warenumschlag im Megan's.«

»Ware im Sinne von Stoff?«

»Der Freund des Fußballers, der, der verletzt wurde, ist ein bekannter Dealer. Mit Heimatbasis in Paisley.«

»Hat damit ebenfalls Beziehungen zu Telford.«

»Wir vermuten, dass er die eigentliche Zielperson war, Tennant ist bloß dazwischengekommen.«

»Bleibt also nur die Frage: Wer steckt dahinter?«

»Kommen Sie schon, John. Es war natürlich Cafferty.«

»Ist nicht Caffertys Stil«, entgegnete Rebus, während er die Tür aufschloss.

»Er könnte ja dem jungen Prätendenten das eine oder andere abgeguckt haben.«

»Machen Sie es sich gemütlich«, meinte Rebus auf dem Weg ins Wohnzimmer. Das Frühstücksgeschirr stand noch immer auf dem Esstisch. Siobhans Wundertüte hing an einer Stuhllehne.

»Ein Gast.« Claverhouse hatte die zwei Becher und zwei Teller bemerkt. »Sie ist jetzt aber nicht hier, oder?«

»Zum Frühstück war sie auch nicht hier.«

»Weil sie bei Ihrer Tochter ist.«

Rebus erstarrte.

»Ich bin zum Hotel gefahren, um die Rechnung zu bezahlen. Da sagte man mir, ein Streifenwagen hätte alle ihre Sachen abgeholt. Also hab ich ein bisschen rumgefragt, und der Fahrer nannte mir als Zustellungsadresse Samanthas Wohnung.« Claverhouse setzte sich aufs Sofa, schlug die Beine übereinander. »Also, was wird hier gespielt, John, und wieso hielten Sie es für angebracht, mich auf der Reservebank hocken zu lassen?« Er klang jetzt ruhig, aber Rebus merkte ihm an, dass er ganz schön getobt hatte.

»Möchten Sie einen Drink?«

»Ich möchte eine Antwort.«

»Als ich heute Morgen rauskam, wartete sie neben meinem Auto. Ich hatte keine Ahnung, wo ich sie hätte hinbringen können. Also nahm ich sie hierher mit. Aber sie erkannte die Straße wieder. Telford hat meine Wohnung beobachtet.«

Claverhouse machte ein interessiertes Gesicht. »Warum?«

»Vielleicht weil ich Cafferty kenne. Ich konnte Candice nicht hier behalten, also habe ich sie zu Sammy gebracht.«

»Ist sie noch immer dort?« Rebus nickte. »Und was passiert jetzt?«

»Sie kann woanders unterkommen, bei der Flüchtlingsfamilie.«

»Für wie lange?«

»Was meinen Sie damit?«

Claverhouse seufzte. »John, sie ist... das einzige Leben, das sie hier kennen gelernt hat, ist das der Prostitution.«

Um sich irgendwie zu beschäftigen, ging Rebus an die Hi-Fi-Anlage und sah seine Kassetten durch.

»Wie soll sie sich ihren Lebensunterhalt verdienen? Werden *Sie* für sie sorgen? Zu was macht Sie das?«

Rebus ließ eine CD fallen und drehte sich abrupt um. »Nichts dergleichen«, stieß er hervor.

Claverhouse hob beschwichtigend die Hände. »Kommen Sie schon, John, Sie wissen doch selbst, dass es –«

»Gar nichts weiß ich.«

»John...«

»Wie wär's, wenn Sie jetzt gehen würden?« Es war nicht nur ein langer Tag gewesen, sondern vor allem das Gefühl, als würde dieser Tag niemals enden. Er spürte förmlich, wie sich der Abend ins Unendliche dehnte und ihm nirgendwo Ruhe bot. In seinem Kopf wiegten sich Leichen sanft in Baumkronen, während eine Kirche unter Rauchschwaden versank. Telford saß auf seinem Spielzeugmotorrad und fuhr Umstehende über den Haufen. Abernethy berührte einen alten Mann an der Schulter. Soldaten schlugen mit Gewehrkolben auf Zivilisten ein. Und John Rebus... John Rebus war in jeder Szene dabei und gab sich alle Mühe, lediglich Zuschauer zu bleiben.

Er legte Van Morrison auf: *Hardnose the Highway*. Er

hatte diese Musik an Stränden von East Neuk und bei Hausobservierungen laufen lassen. Sie schien ihn immer zu heilen oder zumindest seine Wunden zu lindern. Als er sich wieder umdrehte, war Claverhouse verschwunden. Er schaute aus dem Fenster. In der Wohnung direkt gegenüber wohnten zwei Kinder. Er hatte sie schon oft vom Fenster aus beobachtet, aber sie hatten ihn nicht ein einziges Mal gesehen, weil sie nie auch nur einen Blick nach draußen warfen. Ihre Welt war in sich vollkommen und spannend, was immer sich vor ihrem Fenster abspielen mochte, völlig belanglos. Jetzt lagen sie im Bett, ihre Mutter zog die Fensterläden zu. Ruhige Stadt. Was das anging, hatte Abernethy Recht. Es gab weite Teile Edinburghs, in denen man sein ganzes Leben zubringen konnte, ohne jemals in Schwierigkeiten zu geraten. Dennoch war die Mordrate in Schottland doppelt so hoch wie die in seinem südlichen Nachbarland, und die Hälfte dieser Morde wurde in den zwei größten Städten verübt.

Nicht dass Statistiken etwas bedeutet hätten. Ein Tod war ein Tod. Etwas Einzigartiges war aus der Welt verschwunden. Ein Mord oder mehrere hundert ... für die Überlebenden war jeder Einzelne von Bedeutung. Rebus dachte an die einzige Überlebende von Villefranche. Er hatte sie nie kennen gelernt und würde dazu wohl auch nie Gelegenheit haben. Ein weiterer Grund, warum es so schwer war, sich wirklich, *leidenschaftlich* in einen historischen Fall zu vertiefen. In einem zeitgenössischen war ein Großteil der Fakten unmittelbar verfügbar. Man konnte mit den Zeugen reden, Beweismaterial sammeln, Zeugenaussagen hinterfragen. Man konnte Schuld und Leid abschätzen. Man wurde Teil der Geschichte. Das war es, was Rebus interessierte. Die Menschen interessierten ihn; ihre Geschichten fesselten ihn. Wenn er an ihrem Leben teilhatte, konnte er sein eigenes vergessen.

Er bemerkte, dass der Anrufbeantworter blinkte: eine Nachricht.

»Ach, hallo. Ich bin... äh, ich weiß nicht, wie ich das sagen soll...« Es war die Stimme von: Kirstin Mede. Sie seufzte. »Hören Sie, ich kann nicht mehr weitermachen. Also, versuchen Sie bitte nicht... Es tut mir Leid, ich kann einfach nicht. Es gibt andere Leute, die Ihnen helfen können. Ich bin sicher, dass einer von denen...«

Ende der Nachricht. Rebus starrte auf das Gerät. Er nahm es ihr nicht übel. *Ich kann nicht mehr weitermachen.* Geht mir genau so, dachte Rebus. Der einzige Unterschied war – *er musste* weitermachen. Er setzte sich an den Tisch und zog das Villefranche-Material zu sich heran: Listen von Namen und Berufen, Lebensaltern und Geburtsdaten. Picat, Mesplede, Rousseau, Deschamps, Weinhändler, Porzellanmaler, Stellmacher, Magd. Was konnten sie einem Schotten mittleren Alters schon bedeuten? Er schob die Unterlagen beiseite und legte Siobhans Akten auf den Tisch.

Schluss mit Van the Man; los mit Seite eins von *Wish You Were Here.* Zerkratzt wie sonst was. Er erinnerte sich, dass die Platte seinerzeit in einer schwarzen Plastikhülle steckte. Wenn man sie aufgerissen hatte, war da so ein Geruch herausgeströmt – angeblich, wie er später erfahren hatte, der Gestank von brennendem Fleisch...

»Ich brauche einen Drink«, sagte er zu sich und beugte sich in seinem Stuhl nach vorn. »Ich will einen Drink. Ein paar Bier, vielleicht mit je einem Whisky dazu.« Etwas, um die Kanten zu glätten...

Er sah auf die Uhr; Sperrstunde noch in weiter Ferne. Nicht dass die in Edinburgh viel bedeutet hätte, dem Land, an dem die Sperrstunde spurlos vorbeigegangen war. Konnte er es zum Ox schaffen, ehe es zumachte? Ja, wär viel zu einfach gewesen. Eine gewisse Herausforderung erhöhte den Reiz. Warten wir noch ein Stündchen, und dann sehen wir weiter. Oder rufen Jack Morton an.

Oder gehen aus dem Haus, jetzt gleich.

Das Telefon klingelte. Er nahm ab.

»Hallo?«

»John?« Klang wie »Sean«.

»Hallo Candice. Was gibt's?«

»Gibt's?«

»Irgendein Problem?«

»Problem, nein. Ich nur wollte ... ich sage zu dir, bis morgen.«

Er lächelte. »Ja, wir sehen uns morgen. Du sprichst sehr gut Englisch.«

»*I was chained to a razor blade.*«

»Was?«

»Ist aus Song.«

»Ach ja, klar. Aber jetzt bist du da nicht mehr angekettet, oder?«

Sie schien nicht zu verstehen. »Ich ... äh ...«

»Ist schon gut, Candice. Bis morgen.«

»Ja, morgen.«

Rebus legte auf. An eine Rasierklinge gekettet ... Mit einem Mal hatte er gar keine Lust mehr auf einen Drink.

9

Er holte Candice am folgenden Nachmittag ab. Zwei Plastiktüten enthielten ihre gesamte Habe. Sie umarmte Sammy so fest, wie ihre bandagierten Arme es zuließen.

»Auf Wiedersehen, Candice«, sagte Sammy.

»Ja, wiedersehn. Ich danke ...« Dann wusste sie nicht mehr weiter und breitete nur die Arme aus, dass die Tüten hin und her schwangen.

Sie hielten kurz bei McDonald's (ihre Entscheidung), um sich Proviant zu besorgen. Zappa und die Mothers: »Cruising for Burgers«. Der Tag war klar und kalt, genau richtig, um über die Forth Bridge zu fahren. Rebus fuhr gemächlich, damit Candice die Aussicht genießen konnte. Ihr Ziel war East Neuk, eine bei Künstlern und Urlaubern beliebte Ansammlung von Fischerdörfern an der Südostküste von Fife. Jetzt, außerhalb der Saison, wirkte Lower Largo wie ausgestorben. Rebus hatte zwar eine Adresse, aber er musste halten, um nach dem Weg zu fragen. Schließlich parkte er vor einem kleinen Reihenhaus. Candice starrte auf die rote Tür, bis er ihr durch Gesten bedeutete, ihm zu folgen. Er hatte es nicht geschafft, ihr begreiflich zu machen, was sie hier eigentlich wollten. Hoffte, Mr. und Mrs. Petrec würden diesbezüglich mehr Erfolg haben.

Die Tür wurde von einer Frau Anfang vierzig geöffnet. Sie hatte langes schwarzes Haar und sah ihn über den Rand einer Lesebrille hinweg prüfend an. Dann richtete sie ihre Aufmerksamkeit auf Candice und sagte etwas in einer Sprache, die die junge Frau offenbar verstand. Candice antwortete sichtlich scheu, wusste nicht, um was es ging.

»Kommen Sie bitte rein«, sagte Mrs. Petrec. »Mein Mann ist in der Küche.«

Sie setzten sich an den Küchentisch. Mr. Petrec war kräftig gebaut, hatte einen dichten braunen Schnurrbart und welliges braunes und silbergraues Haar. Eine Kanne Tee kam auf den Tisch, und Mrs. Petrec rutschte mit ihrem Stuhl neben Candice und fing wieder an zu reden.

»Sie erklärt dem Mädchen, wo sie ist«, sagte Mr. Petrec.

Rebus nickte, trank den starken Tee, lauschte einer Konversation, die er nicht verstand. Anfangs zurückhaltend, wurde Candice, während sie ihre Geschichte erzählte, zunehmend lebhafter, und Mrs. Petrec war eine geübte, einfühlsame Zuhörerin, bekundete Anteilnahme am Entsetzen und der Verzweiflung.

»Man hat sie nach Amsterdam gebracht, ihr erzählt, dass es dort Arbeit für sie geben würde«, erklärte Mr. Petrec. »Ich weiß, dass es anderen jungen Frauen auch so ergangen ist.«

»Ich glaube, sie hat ein Kind zurückgelassen.«

»Einen Sohn, ja. Sie erzählt meiner Frau gerade von ihm.«

»Was ist mit Ihnen?«, fragte Rebus. »Wie sind Sie hier gelandet?«

»In Sarajevo war ich Architekt. Keine leichte Entscheidung, sein ganzes Leben hinter sich zu lassen.« Er schwieg einen Moment. »Zuerst sind wir nach Belgrad. Ein Flüchtlingsbus brachte uns nach Schottland.« Er zuckte die Achseln. »Das war vor fast fünf Jahren. Jetzt bin ich Anstreicher.« Ein Lächeln. »Lange Anfahrten kein Problem.«

Rebus sah zu Candice: Sie hatte angefangen zu weinen, Mrs. Petrec tröstete sie.

»Wir werden uns um sie kümmern«, versicherte Mrs. Petrec, den Blick fest auf ihren Mann gerichtet.

Später, an der Tür, versuchte Rebus, ihnen etwas Geld zu geben, aber sie lehnten es ab.

»Ist es Ihnen recht, wenn ich ab und zu vorbeikomme und nach ihr sehe?«

»Aber natürlich.«

Er stand vor Candice.

»Ihr wirklicher Name ist Dunja«, sagte Mrs. Petrec leise.

»Dunja.« Rebus wiederholte das Wort. Sie lächelte, und ihr Blick wurde sanft, als setzte eine Verwandlung bei ihr ein. Sie beugte sich vor.

»Kiss the girl«, sagte sie.

Je ein Küsschen auf beide Wangen. Ihre Augen füllten sich erneut mit Tränen. Rebus nickte, um ihr zu bedeuten, dass er alles verstand.

Am Auto angelangt, winkte er einmal, und sie warf ihm noch eine Kusshand zu. Dann fuhr er um die Straßenecke und hielt, die Hände fest um das Lenkrad geklammert. Er fragte sich, ob sie es schaffen, ob sie lernen würde zu vergessen. Er dachte wieder an die Worte seiner Exfrau. Was hätte sie jetzt von ihm gedacht? Hatte er Dunja ausgenutzt? Nein, aber er fragte sich, ob das nur daran lag, dass sie ihm nichts über Telford hatte sagen können. Irgendwie hatte er das Gefühl, nicht das Richtige getan zu haben. Die einzige Entscheidung, die sie bislang selbst traf, war, als sie bei seinem Auto auf ihn gewartet hatte, nicht zu Telford zurückzugehen. Davor und danach waren ihr alle Entscheidungen abgenommen worden. In gewisser Weise war sie so eingesperrt wie eh und je, denn die Schlösser und Ketten befanden sich in ihrem Kopf; sie waren das, was sie vom Leben erwartete. Sie würde Zeit brauchen, um sich zu ändern, um wieder anzufangen, der Welt zu vertrauen. Die Petrecs würden ihr dabei helfen.

Als er in südlicher Richtung die Küste entlangfuhr und an Familien im Allgemeinen dachte, beschloss er, seinen Bruder zu besuchen.

Mickey wohnte in einer Neubausiedlung in Kirkcaldy; sein roter BMW stand in der Auffahrt. Er war gerade von der Arbeit heimgekommen und zeigte sich gebührend überrascht, Rebus zu sehen.

»Chrissie und die Kinder sind bei Chrissies Mutter«, erklärte er. »Ich wollte mir zum Abendessen was vom Inder kommen lassen. Wie wär's mit einem Bier?«

»Vielleicht lieber einen Kaffee«, sagte Rebus. Er setzte sich ins Wohnzimmer und wartete, bis Mickey mit zwei alten Schuhkartons zurückkehrte.

»Guck, was ich letztes Wochenende auf dem Dachboden gefunden habe. Ich dachte, das würd dich vielleicht interessieren. Milch und Zucker?«

»Ein Schuss Milch.«

Während Mickey in die Küche ging, um den Kaffee zu holen, warf Rebus einen Blick in die Schachteln. Sie waren mit Päckchen von Fotos gefüllt. Die Päckchen waren datiert, manchmal mit einem Fragezeichen dahinter. Rebus öffnete wahllos eines davon. Urlaubsschnappschüsse. Ein Kostümfest. Ein Picknick. Rebus hatte selbst keine Bilder von seinen Eltern, und die Fotos versetzten ihm einen gewissen Schock. Seine Mutter hatte dickere Beine, als er sich erinnern konnte, aber andererseits auch einen ganz hübschen Körper. Sein Vater zeigte auf jedem Bild dasselbe Grinsen, ein Grinsen, das Rebus und Mickey von ihm übernommen hatten. Als er sich weiter nach unten grub, fand er auch ein Bild von sich zusammen mit Rhona und Sammy an irgendeinem Strand, über den ein heftiger Wind pfiff. Peter Gabriel: »Family Snapshot«. Rebus konnte das Foto beim besten Willen nicht einordnen. Mickey kam mit einem Becher Kaffee und einer Flasche Bier zurück.

»Da gibt's welche«, sagte er, »bei denen ich keine Ahnung habe, wer die Leute sind. Verwandte vielleicht? Oma und Opa?«

»Ich glaub kaum, dass ich dir da groß weiterhelfen könnte.«

Mickey reichte ihm eine Speisekarte. »Hier«, sagte er, »der beste Inder der Stadt. Such dir was aus.«

Also traf Rebus seine Wahl, und Mickey gab die Bestellung telefonisch durch. Lieferung in zwanzig Minuten. Rebus hatte sich das nächste Päckchen vorgenommen. Diese Fotos waren noch älter, aus den Vierzigerjahren. Sein Vater in Uniform. Die Soldaten trugen Mützen wie die Angestellten von McDonald's. Dazu lange Kakishorts. Auf der Rückseite mancher Bilder stand »Malaya«, auf anderen »Indien«.

»Weißt du noch, dass der Alte in Malaya verwundet worden war?«

»Nein, stimmt gar nicht.«

»Er hat uns doch die Wunde gezeigt. Am Knie.«

Rebus schüttelte den Kopf. »Onkel Jimmy hat mir mal erzählt, das wär eine Platzwunde gewesen, die Dad sich beim Fußballspielen zugezogen hat. Er pulte sich ständig den Schorf ab, bis sich am Ende eine Narbe bildete.«

»Uns hat er erzählt, das wär eine Kriegsverletzung.«

»Das war geschwindelt.«

Mickey hatte die andere Schachtel geöffnet. »Hier, guck dir das mal an…« Er reichte ihm einen daumendicken Stoß von Postkarten und Fotos, die von einem Gummiband zusammengehalten wurden. Rebus streifte das Gummi ab, drehte die Karten um, erkannte seine Handschrift. Die Fotos waren auch von ihm: gestellte Schnappschüsse, schlecht aufgenommen.

»Wo hast du denn die her?«

»Du hast mir immer eine Karte oder ein Foto geschickt, weißt du nicht mehr?«

Die Sachen stammten alle aus Rebus' Militärzeit. »Ich hatte es vergessen«, sagte er.

»In der Regel einmal alle zwei Wochen. Einen Brief an Dad, eine Karte für mich.«

Rebus lehnte sich zurück und fing an, sie durchzusehen. Nach dem Poststempel zu urteilen waren sie chronologisch geordnet. Grundausbildung, dann Dienst in Deutschland und Ulster, weitere Übungen auf Zypern, Malta, in Finnland und in der Wüste von Saudi-Arabien. Der Ton der Karten war durchweg forsch-fröhlich, so dass Rebus sich gar nicht wiedererkannte. Die Karten aus Belfast bestanden praktisch nur aus Witzeleien, und dennoch war Rebus diese Zeit als eine der albtraumhaftesten seines Lebens in Erinnerung geblieben.

»Ich hab mich immer gefreut, wenn sie eintrafen«, meinte Mickey lächelnd. »Glaub mir, du hättest mich fast dazu gebracht, mich ebenfalls zu melden.«

Rebus dachte immer noch an Belfast: die verrammelten Kasernen, das ganze Gelände eine einzige Festung. Nach dem Patrouillendienst auf den Straßen gab es keinerlei Möglichkeit, Dampf abzulassen. Alkohol, Glücksspiel, Prügeleien – alles in denselben vier Wänden. Alles in Mean Machine gipfelnd ... Und hier waren diese Postkarten, hier war das Bild von Rebus' früherem Leben, mit dem Mickey die letzten zwanzig Jahre gelebt hatte.

Und es war alles eine Lüge.

Oder doch nicht? Wo war denn schon die Wahrheit zu finden, außer in Rebus' Kopf? Die Postkarten waren gefälschte Dokumente, aber gleichzeitig auch die einzig existierenden. Es gab nichts, was ihnen widersprochen hätte, nichts außer Rebus' Wort. Genau so verhielt es sich mit der Rattenlinie, genau so mit Joseph Lintz' Geschichte. Rebus sah seinen Bruder an und wusste, dass er den Bann jetzt, in diesem Augenblick, hätte brechen können. Er brauchte dazu nichts anderes zu tun, als die Wahrheit zu sagen.

»Was ist los?«, fragte Mickey.

»Nichts.«

»Jetzt bereit für das Bier? Das Essen müsste jeden Augenblick kommen.«

Rebus starrte auf seinen allmählich kalt werdenden Kaffee. »Mehr als bereit«, sagte er und wickelte das Gummiband wieder um seine Vergangenheit. »Aber ich bleib bei dem hier.« Er hob den Becher, prostete seinem Bruder zu.

10

Am nächsten Morgen fuhr Rebus zur St.-Leonard's-Wache, rief beim National Criminal Intelligence Service in Prestwick an und erkundigte sich, ob sie irgendetwas hätten, was britische Kriminelle mit dem Mädchenhandel auf dem

Kontinent in Verbindung brachte. Seine Überlegung: *Irgendjemand* hatte Candice – für ihn war sie immer noch Candice – von Amsterdam nach Großbritannien geschafft, und er glaubte nicht, dass es Telford gewesen war. Wer immer es sein mochte, Rebus würde ihm irgendwie auf die Spur kommen. Er wollte Candice beweisen, dass ihre Ketten durchaus zu sprengen waren.

Er bat das NCIS, ihm alle einschlägigen Informationen, über die es verfügte, zuzufaxen. Das meiste Material betraf die »Tippelzone«, einen Parkplatz, auf dem nicht registrierte Strichmädchen mit stillschweigender Duldung der Stadtverwaltung ihre Dienste anboten. Bei den Prostituierten, die dort arbeiteten, handelte es sich größtenteils um – vielfach aus Osteuropa eingeschleuste – Ausländerinnen ohne Arbeitserlaubnis. Die wichtigsten Strippenzieher schienen Gangs aus dem ehemaligen Jugoslawien zu sein. Namentlich war dem NCIS kein einziger dieser Mädchenhändler und Zuhälter bekannt. Und über Prostituierte, die von Amsterdam nach Großbritannien einreisten, lag ebenfalls nichts vor.

Rebus ging auf den Parkplatz, um seine zweite Zigarette des Tages zu rauchen. Es standen noch ein paar andere Raucher herum, eine kleine Bruderschaft von Ausgestoßenen. Als er wieder ins Büro kam, wollte der Farmer wissen, ob in Sachen Lintz irgendwelche Fortschritte zu vermelden seien.

»Vielleicht sollte ich ihn herholen und ihm ein bisschen die Visage polieren«, schlug Rebus vor.

»Etwas mehr Ernst, wenn ich bitten darf!«, knurrte der Farmer und marschierte zurück in sein Büro.

Rebus setzte sich an seinen Schreibtisch und zog eine Akte zu sich heran.

»Ihr Problem, Inspector«, hatte Lintz einmal zu ihm gesagt, »ist, dass Sie Angst haben, ernst genommen zu werden. Sie möchten den Leuten das bieten, was sie Ihrer Meinung nach von Ihnen erwarten. Ich erwähne das Ischtartor, und Sie erzählen was von einem Hollywoodfilm. Anfangs dachte ich, das habe den Zweck, mich in Sicherheit zu wiegen, damit ich mich vielleicht verplaudere, aber mittlerweile scheint das eher ein Spiel zu sein, das Sie gegen *sich selbst* spielen.«

Rebus: in seinem gewohnten Sessel in Lintz' Salon. Das Fenster gewährte einen Blick auf die Queen Street Gardens. Der Park war ständig abgeschlossen; für den Schlüssel musste man bezahlen.

»Machen Ihnen gebildete Menschen Angst?«

Rebus sah den alten Mann an. »Nein.«

»Sind Sie sich da sicher? Wünschen Sie sich nicht vielleicht, selbst so wie sie zu sein?« Lintz grinste und bleckte dabei kleine verfärbte Zähne. »Intellektuelle sehen sich gern als Opfer der Geschichte: Außenseiter, die mit Argwohn betrachtet, wegen ihrer Überzeugungen festgenommen, ja sogar gefoltert und ermordet werden. Aber Karadzic hält sich auch für einen Intellektuellen. Die Nazihierarchie hatte ihre eigenen Denker und Philosophen. Und selbst in Babylon…« Lintz stand auf, goss sich Tee nach. Rebus lehnte dankend ab.

»Selbst in Babylon, Inspector«, fuhr Lintz fort, während er es sich wieder bequem machte, »mit all seinem Reichtum und seinen Künsten, mit seinem weisen König… wissen Sie, was da geschah? Nebukadnezar hielt die Juden siebzig Jahre lang gefangen. Diese prächtige, Ehrfurcht gebietende Kultur… Erkennen Sie allmählich den Irrsinn, Inspector, die Perversion, die so tief in uns allen sitzt?«

»Vielleicht müsste ich mir eine Brille anschaffen.«

Lintz schleuderte seine Tasse quer durch den Raum. »*Zuhören* müssten Sie, und lernen! Sie müssen begreifen!«

Tasse und Untertasse lagen unversehrt auf dem Teppich.

Tee sickerte in die kunstvollen Muster ein, wo er bald nicht mehr zu sehen sein würde…

Er parkte auf dem Buccleuch Place. Das Slawistische Seminar war in einem der großen mehrstöckigen Gebäude untergebracht. Er versuchte es erst im Sekretariat, fragte, ob Dr. Colquhoun im Haus sei.

»Ich habe ihn heute noch nicht gesehen.«

Als Rebus erklärte, worum es ihm ging, telefonierte die Sekretärin ein bisschen herum, konnte aber niemanden erreichen. Dann schlug sie vor, er könne sich einen Stock höher in der Institutsbibliothek umsehen; da sie immer abgeschlossen sei, gab sie ihm einen Schlüssel.

Der Raum war um die drei mal vier Meter groß und seit langem nicht mehr gelüftet worden. Die Fensterläden waren geschlossen, so dass kein Tageslicht hereindrang. Auf einem der vier Lesetische stand ein Schild mit der Aufschrift RAUCHEN VERBOTEN. Auf einem anderen ein Aschenbecher mit drei ausgedrückten Stummeln. Eine ganze Wand war mit Regalen bedeckt, bis obenhin voll mit Büchern, Broschüren, Zeitschriften. Außerdem gab es Archivboxen mit Zeitungsausschnitten und an den Wänden Landkarten, die den wechselnden Verlauf der innerjugoslawischen Grenzen zeigten. Rebus holte die Box mit den aktuellsten Ausschnitten aus dem Regal.

Wie viele Leute aus seinem Bekanntenkreis, wusste Rebus nicht viel über den Krieg im ehemaligen Jugoslawien. Er hatte im Fernsehen ein paar Berichte gesehen, war über die Bilder schockiert gewesen und dann wieder zur Tagesordnung übergegangen. Aber wenn man den Ausschnitten Glauben schenken durfte, war die ganze Region fest in den Händen von Kriegsverbrechern. Die IFOR schien ihr Bestes getan zu haben, um jeglicher Konfrontation aus dem Weg zu gehen. In letzter Zeit hatte es ein paar Festnahmen gegeben, aber nichts Nennenswertes: Von ohnehin dürftigen vierundsiebzig zur Fahndung ausgeschriebenen Verdächtigen waren lediglich *sieben* gefasst worden.

Über Mädchenhändler fand er nichts, also bedankte er sich bei der Sekretärin und gab ihr den Schlüssel zurück, dann fuhr er im Schneckentempo durch die verstopften Straßen der Innenstadt. Als sein Handy klingelte und er ranging, wäre er fast von der Fahrbahn abgekommen.

Candice war verschwunden.

Mrs. Petrec war außer sich. Sie hatten am Abend zuvor gegessen, heute Morgen gefrühstückt, und mit Candice schien alles in Ordnung gewesen zu sein.

»Sie sagte, es gebe viel, was sie uns nicht erzählen könne«, erklärte Mr. Petrec, der neben seiner sitzenden Frau stand und ihre Schultern streichelte. »Sie sagte, sie wolle vergessen.«

Und dann war sie zu einem Spaziergang am Hafen aus dem Haus gegangen und nicht wieder zurückgekehrt. Sie konnte sich verlaufen haben, obwohl das Dorf klein war. Petrec war in der Arbeit gewesen; seine Frau hatte sich auf die Suche gemacht und herumgefragt, ob jemand sie gesehen habe.

»Und Mrs. Muirs Sohn«, warf sie ein, »hat mir erzählt, sie wäre in einem Wagen weggefahren.«

»Wo war das?«, fragte Rebus.

»Nur ein paar Straßen weiter«, antwortete Mrs. Petrec.

»Führen Sie mich da hin.«

Vor dem elterlichen Haus auf der Seaford Road erzählte der elfjährige Eddie Muir Rebus, was er gesehen hatte. Ein Auto hatte neben einer Frau gehalten. Ein kurzer Wortwechsel, von dem er allerdings nichts mitbekam. Dann öffnete sich die Tür, und die Frau stieg ein.

»Welche Tür, Eddie?«

»Eine von den hinteren. Ging auch nicht anders, vorne saßen schon zwei.«

»Männer?«

Eddie nickte.

»Und die Frau ist von sich aus eingestiegen? Ich meine, sie haben sie nicht reingezerrt oder so?«

Eddie schüttelte den Kopf. Er saß auf seinem Rad und hatte es sichtlich eilig wegzukommen. Ein Fuß trat immer wieder versuchsweise ins Pedal.

»Kannst du das Auto beschreiben?«

»Groß, ziemlich protzig. Nicht von hier.«

»Und die Männer?«

»Ich hab sie nicht richtig gesehen. Der Fahrer hatte ein Pars-Shirt.« Das heißt, ein Fußballtrikot von Dunfermline Athletic. Was bedeuten würde, dass er aus Fife kam. Rebus runzelte die Stirn. Freier? Konnte das sein? Dass Candice so schnell zu ihrem alten Leben zurückkehrte? Nicht wahrscheinlich, nicht in so einem Ort, in so einer Straße. Das war keine Zufallsbegegnung gewesen. Mrs. Petrec hatte Recht: Sie war entführt worden. Was bedeutete, dass jemand gewusst hatte, wo sie sich aufhielt. War gestern jemand Rebus gefolgt? Falls ja, hatte er sich unsichtbar zu machen verstanden. Ein Peilsender am Auto? Das kam ihm unwahrscheinlich vor, aber er überprüfte trotzdem die Innenseite der Kotflügel und den Unterboden: nichts. Mrs. Petrec hatte sich nach einer von ihrem Mann verschriebenen Wodka-Therapie ein wenig beruhigt.

»Hat sie telefoniert?«, fragte er. Petrec schüttelte den Kopf. »Irgendwelche unbekannten Gesichter auf der Straße?«

»Das wäre mir aufgefallen. Nach Sarajevo ist es schwierig, sich irgendwo sicher zu fühlen.« Er breitete die Arme aus. »Und hier ist der Beweis – man ist *nirgendwo* sicher.«

»Haben Sie irgendjemandem von Dunja erzählt?«

»Wem hätten wir's erzählen sollen?«

Wer wusste Bescheid? Das war die Frage. Einmal Rebus selbst und dann Claverhouse und Ormiston, weil Colquhoun von der Wohnung gesprochen hatte.

Colquhoun wusste Bescheid. Der zappelige alte Slawist wusste Bescheid... Während der Rückfahrt nach Edinburgh versuchte ihn Rebus zu erreichen: keine Antwort, weder im Büro noch zu Hause. Er hatte die Petrecs gebeten, ihn anzurufen, wenn Candice wieder auftauchen sollte, aber er glaubte nicht, dass das passieren würde. Er erinnerte sich an ihren Blick, als er sie vor einigen Tagen gebeten hatte, ihm zu vertrauen. *Wenn du mich enttäuschst, werde ich nicht überrascht sein.* Als hätte sie schon damals gewusst, dass er versagen würde. Sie hatte ihm eine zweite Chance gegeben und an seinem Auto auf ihn gewartet. Und er hatte sie enttäuscht. Er zog sein Handy wieder hervor und rief Jack Morton an.

»Jack«, sagte er, »um Gottes willen, red mir bloß aus, dass ich jetzt was trinken gehe.«

Er versuchte es bei Colquhoun zu Hause und im Slawistischen Seminar. Dann fuhr er in die Flint Street und sah sich in der Spielhalle nach Tommy Telford um. Aber Telford war nicht da, sondern im Büro hinter dem Café, wie üblich von seinen Männern umringt.

»Ich muss mit Ihnen reden«, sagte Rebus.

»Na dann reden Sie.«

»Ohne Publikum.« Rebus deutete auf Pretty-Boy. »Der da kann bleiben.«

Telford ließ sich Zeit, aber schließlich nickte er, und der Raum begann sich zu leeren. Pretty-Boy stand an eine Wand gelehnt, die Hände hinter dem Rücken. Telford saß weit in seinem Stuhl zurückgelehnt, die Füße auf dem Schreibtisch. Sie wirkten beide entspannt, selbstsicher. Rebus konnte sich vorstellen, wie *er* aussah: wie ein Bär im Käfig.

»Ich will wissen, wo sie ist.«

»Wer?«

»Candice.«

Telford lächelte. »Immer noch mit ihr beschäftigt, Inspector? Woher sollte ich wissen, wo sie ist?«

»Weil ein paar Ihrer Jungs sie sich geschnappt haben.« Aber noch während er sprach, erkannte Rebus, dass er sich irrte. Telfords Gang war eine *Familie*: Sie waren alle in Paisley aufgewachsen. Und es gab nicht allzu viele Dunfermline-Fans so weit von Fife. Er starrte Pretty-Boy an, Telfords Oberzuhälter. Nach Edinburgh war Candice aus einer Stadt mit vielen Brücken gekommen, möglicherweise Newcastle. Telford hatte Beziehungen in Newcastle. Und das Trikot von Newcastle United – senkrechte schwarze und weiße Streifen – hatte große Ähnlichkeit mit dem von Dunfermline. Wahrscheinlich lag es für einen Jungen aus Fife nahe, die beiden zu verwechseln.

Ein Newcastler Trikot. Ein Auto aus Newcastle.

Telford redete, aber Rebus hörte nicht mehr zu. Er verließ das Büro und ging zurück zu seinem Auto. Fuhr nach Fettes – zur Crime-Squad-Zentrale – und machte sich auf die Suche. Er fand eine Kontaktnummer, eine gewisse DS Miriam Kenworthy. Rief an, aber sie war nicht da.

»Scheiß drauf!«, sagte er sich und stieg wieder ins Auto.

Die A 1 war nicht direkt die schnellste Straße des Landes – in dem Punkt hatte Abernethy Recht gehabt. Aber bei dem spärlichen abendlichen Verkehr kam Rebus recht zügig voran. Als er Newcastle erreichte, war es später Abend. Die Pubs leerten sich, vor den Nachtlokalen bildeten sich Schlangen, ein paar United-Trikots standen wie ebenso viele Schwedische Gardinen herum. Er kannte sich in der Stadt nicht aus. Fuhr in Kreisen, immer an denselben Leuchtschriften und Wahrzeichen vorbei, hielt dann weiter auf die Peripherie zu, ohne bestimmtes Ziel.

Auf der Suche nach Candice. Oder nach Mädchen, die sie vielleicht kannten.

Nach ein paar Stunden gab er es auf und kehrte ins Zentrum zurück. Er hatte vorgehabt, im Auto zu übernachten, aber als er ein Hotel mit einem freien Zimmer fand, war die Aussicht auf ein Bad einfach zu verlockend.

Er vergewisserte sich, dass es keine Minibar gab.

Ein langes heißes Bad, die Augen geschlossen, während die Gedanken noch immer nicht zur Ruhe kamen. Dann setzte er sich in einen Sessel am Fenster und lauschte in die Nacht: Taxis und Schreie, Lieferwagen. Er konnte nicht einschlafen. Er legte sich aufs Bett, ließ den Fernseher ohne Ton laufen und erinnerte sich an Candice in dem Hotelzimmer, schlafend inmitten von Schokoladenpapierchen. Deacon Blue: »Chocolate Girl«.

Er wachte bei laufendem Frühstücksfernsehen auf, er räumte sein Zimmer und frühstückte in einem Café. Rief anschließend Miriam Kenworthy in ihrem Büro an und stellte zu seiner Erleichterung fest, dass sie eine Frühaufsteherin war.

»Kommen Sie gleich vorbei«, sagte sie in einem leicht abwesenden Ton. »Sie sind nur ein paar Minuten von hier entfernt.«

Sie war jünger, als sie am Telefon geklungen hatte, und ihr Gesicht weicher, als sie sich gab. Ein Milchmädchengesicht, rund, mit rosigen Pausbacken. Sie musterte ihn und drehte ihren Schreibtischstuhl leicht hin und her, während er ihr die Geschichte erzählte.

»Tarawicz«, sagte sie, als er fertig war. »Jake Tarawicz. Richtiger Vorname wahrscheinlich Joachim.« Kenworthy lächelte. »Manche bei uns nennen ihn Mr. Pink Eyes. Er hat ein paar Mal geschäftlich – oder zumindest persönlich – mit diesem Telford zu tun gehabt.« Sie öffnete den braunen Aktendeckel, der vor ihr lag. »Mr. Pink Eyes hat jede Menge europäische Connections. Ist Ihnen Tschetschenien ein Begriff?«

»In Russland?«

»Es ist Russlands Sizilien, wenn Sie verstehen, was ich meine.«

»Und da kommt Tarawicz her?«

»Das ist die eine Theorie. Die andere lautet, er sei Serbe. Was erklären könnte, warum er den Konvoi organisiert hat.«

»Was für einen Konvoi?«

»Lastwagen mit Hilfslieferungen für das ehemalige Jugoslawien. Ein echter Menschenfreund, unser Mr. Pink.«

»Aber auch eine Möglichkeit, Menschen außer Landes zu schmuggeln?«

Kenworthy sah ihn an. »Sie haben Ihre Hausaufgaben gemacht.«

»Nennen Sie es eine wohl begründete Vermutung.«

»Tja, es verschafft ihm Aufmerksamkeit. Vor sechs Monaten ist er vom Papst gesegnet worden. Ist mit einer Engländerin verheiratet – nicht aus Liebe. Sie war eins seiner Mädchen.«

»Aber dadurch bekommt er eine unbefristete Aufenthaltsgenehmigung.«

Sie nickte. »Er ist noch nicht so lange hier, fünf, sechs Jahre...«

Wie Telford, dachte Rebus.

»Aber er hat sich einen Namen gemacht, hat sich da hineingedrängt, wo früher Asiaten, Türken das Sagen hatten... Es heißt, er habe mit einer hübschen Kollektion von gestohlenen Ikonen angefangen. Aus dem Sowjetblock sind Tonnen von dem Zeug rausgeschafft worden. Und als dieses Geschäft abzuflauen begann, hat er sich auf Nutten verlegt. Billige Mädchen, und es reichte ein bisschen Crack, um sie ruhig zu halten. Das Crack kommt aus London – *die* Szene ist fest in der Hand der Jamaikaner. Mr. Pink vertreibt deren Ware im ganzen Nordosten. Er dealt außerdem mit Heroin für die Türken und verkauft gelegentlich Mädchen an Bordelle der Triaden.« Sie sah Rebus an, stellte fest, dass sie seine ungeteilte Aufmerksamkeit hatte. »Keine Rassenvorurteile, wenn's ums Geschäft geht.«

»Sieht mir auch so aus.«

»Wahrscheinlich verkauft er auch Drogen an Ihren Freund Telford, der sie dann wiederum durch seine Nachtklubs unter die Leute bringt.«

»Wahrscheinlich‹?«

»Wir haben keine konkreten Beweise. Es ging sogar das Gerücht, Pink verkaufe gar nicht an Telford, sondern Telford an *ihn*.«

Rebus blinzelte. »Telford ist keine so große Nummer.«

Sie zuckte die Achseln.

»Wo sollte er den Stoff herkriegen?«

»Es war ein Gerücht, mehr nicht.«

Aber ein Gerücht, das Rebus zu denken gab, da es die Beziehung zwischen Tarawicz und Telford erklären konnte …

»Was hat Tarawicz davon?«, fragte er.

»Sie meinen, außer Geld? Nun, Telford bildet gute Rausschmeißer aus. Schottische Türsteher werden hier unten respektiert. Und dann hält Telford natürlich Anteile an ein paar Casinos.«

»Die für Tarawicz ebenso viele Geldwaschanlagen darstellen?« Rebus ließ sich das durch den Kopf gehen. »Gibt es eigentlich etwas, wo Tarawicz seine Finger *nicht* drin hat?«

»Jede Menge. Er bevorzugt … *mobile* Geschäfte. Und er ist noch immer ein relativer Newcomer.«

Eagles: »New Kid in Town«.

»Wir glauben, dass er seit einiger Zeit mit Waffen handelt. Es kommt eine ganze Menge Zeug nach Westeuropa rein. Die Tschetschenen scheinen Waffen bis zum Abwinken zu haben.« Sie schniefte, sammelte ihre Gedanken.

»Klingt so, als wäre er Tommy Telford um einen Schritt voraus.« Was erklären würde, warum Telford so scharf darauf war, mit ihm ins Geschäft zu kommen. Er war erst dabei zu lernen, wie er sich unter den etablierten Spielern seinen Platz erobern konnte: der Jamaikaner und Asiaten, der Türken und Tschetschenen und all der anderen. Rebus sah sie als Speichen eines gigantischen Rades, das erbarmungslos durch die Welt rollte und auf seinem Weg alles zermalmte.

»Warum ›Mr. Pink Eyes‹?«, wollte er wissen.

Sie hatte diese Frage erwartet, schob ihm ein Farbfoto zu.

Es war die Nahaufnahme eines Gesichts mit rosiger, blasiger Haut, über die sich weißes Narbengewebe zog. Das Gesicht sah schwammig, aufgedunsen aus, und mittendrin von einer blau getönten Brille verborgene Augen. Keinerlei Brauen. Das Haar über der vorspringenden Stirn war schütter und gelb. Der Mann sah aus wie ein monströses rasiertes Schwein.

»Was ist mit ihm passiert?«, fragte er.

»Wir wissen es nicht. So sah er aus, als er hier ankam.«

Rebus erinnerte sich an Candice' Beschreibung: Sonnenbrille, sieht aus wie das Opfer eines Verkehrsunfalls. Passte haargenau.

»Ich will mit ihm reden«, sagte Rebus.

Aber zunächst fuhr ihn Kenworthy noch ein wenig in der Stadt herum. Sie zeigte ihm, wo die Straßenmädchen arbeiteten. Es war Vormittag, also kaum was los. Er beschrieb ihr

Candice, und sie versprach, dass sie das an ihre Kollegen weitergeben würde. Sie sprachen mit den wenigen Frauen, die sie trafen. Alle schienen Kenworthy zu kennen, zeigten keinerlei Feindseligkeit ihr gegenüber.

»Sie sind nicht anders als Sie und ich«, erklärte sie ihm, als sie weiterfuhr. »Arbeiten, um ihre Kinder zu ernähren.«

»Oder ihre Sucht zu finanzieren.«

»Das natürlich auch.«

»In Amsterdam haben sie eine Gewerkschaft.«

»Nützt den armen Schweinen, die hierhergeschafft werden, aber nicht viel.« An einer Kreuzung blinkte Kenworthy. »Sind Sie sicher, dass er sie hat?«

»Telford, glaube ich, jedenfalls nicht. Jemand kannte Adressen in Sarajevo, Adressen, die für sie von Bedeutung waren. Jemand hat sie von dort außer Landes geschafft.«

»Klingt tatsächlich nach Mr. Pink.«

»Und er ist der Einzige, der sie zurückschicken kann.«

Sie sah ihn an. »Warum sollte er so etwas tun?«

Gerade als Rebus glaubte, schlimmer könnte die Umgebung nicht mehr werden – verfallene Industrieanlagen, ausgebrannte Häuser und Schlaglöcher –, blinkte Kenworthy und bog in einen Schrottplatz ein.

»Soll das ein Witz sein?«, fragte er.

Drei Deutsche Schäferhunde an Zehn-Meter-Ketten bellten und stürzten auf das Auto zu. Kenworthy ignorierte sie und fuhr einfach weiter. Man kam sich vor wie in einer Schlucht. Zu beiden Seiten ragten Schwindel erregende Canyonwände aus Autowracks in die Höhe.

»Hören Sie das?«

Das tat Rebus. Das Auto gelangte auf eine weite offene Fläche, und er sah, wie ein gelber Kran mit dem von seinem Arm herabbaumelnden Greifer den Wagen, den er gerade fallen gelassen hatte, wieder aufnahm, weit hochzog und anschließend wieder auf das Wrack eines anderen krachen ließ. Ein paar Männer lungerten in sicherem Abstand herum, rauchten Zigaretten und machten gelangweilte Gesichter. Der Greifer knallte auf das Dach des oberen Autos und beulte es übel ein. Glas glitzerte auf dem öldurchtränkten Boden, Diamanten auf schwarzem Samt.

Jake Tarawicz – Mr. Pink Eyes – saß in der Führerkabine des Krans, lachte und grölte, als er das Autowrack abermals hochhob und herumschlenkerte, so wie eine Katze mit einer Maus weiterspielt, ohne zu merken, dass sie schon längst tot ist. Falls er seine neuen Zuschauer bemerkt hatte, gab er es durch nichts zu erkennen. Kenworthy war nicht sofort aus dem Wagen gestiegen. Erst hatte sie sich eines ihrer professionellen Gesichter zurechtgelegt. Als sie so weit war, nickte sie Rebus zu, und sie öffneten ihre Türen gleichzeitig.

Als Rebus sich aufrichtete, stellte er fest, dass der Greifer den Wagen fallen gelassen hatte und jetzt auf sie zuschwang. Kenworthy verschränkte die Arme und wich nicht von der Stelle. Rebus musste an diese Kirmesspiele denken, bei denen man mit einem Miniaturgreifer versuchen muss, Preise aufzuklauben. Er konnte Tarawicz sehen, der an den Steuerhebeln herumhantierte wie ein Junge an einem Spielzeug. Dabei musste er an Tommy Telford auf seinem Videogamemotorrad denken und erkannte schlagartig, was die beiden Männer verband: Sie waren nie richtig erwachsen geworden.

Das Dröhnen des Motors verstummte plötzlich, und Tarawicz sprang aus der Führerkabine. Er trug einen cremefarbenen Anzug und ein smaragdgrünes Hemd mit offenem Kragen. Er hatte sich grüne Gummistiefel ausgeliehen, damit seine Hose nicht schmutzig wurde. Als er auf die zwei Detectives zuging, folgten ihm seine Männer.

»Miriam«, begann er, »es ist immer ein Vergnügen.« Kurze

Pause. »So wird jedenfalls gemunkelt.« Ein paar seiner Männer grinsten. Rebus erkannte eines der Gesichter: »The Crab«, so hatte er in Zentralschottland geheißen. Mit seiner Pranke konnte er Knochen zermalmen. Rebus hatte ihn schon lange nicht mehr gesehen – und so geschniegelt und herausgeputzt überhaupt noch nie.

»Alles klar, Krabbe?«, fragte Rebus.

Dies schien Tarawicz zu missfallen, und er warf seinem Handlanger einen Blick über die Schulter zu. Crab blieb stumm, aber sein Hals hatte sich gerötet.

Stand man Tarawicz direkt gegenüber, war es schwierig, ihn nicht unverhohlen anzustarren. Seine Augen verlangten, dass man ihren Blick erwiderte, aber wonach es einen wirklich drängte, war, die umgebende Haut zu betrachten.

Jetzt sah er Rebus an.

»Kennen wir uns schon?«

»Nein.«

»Das ist Detective Inspector Rebus«, erklärte Kenworthy. »Er ist extra aus Schottland hergekommen, um Sie zu sprechen.«

»Ich fühl mich geschmeichelt.« Tarawicz' Grinsen entblößte kleine scharfe, weit auseinander stehende Zähne.

»Ich glaube, Sie wissen, warum ich hier bin«, sagte Rebus.

Tarawicz mimte den Erstaunten. »Weiß ich das?«

»Telford brauchte Ihre Hilfe. Er brauchte Candice' Heimatadresse, er brauchte eine Nachricht für sie auf Serbokroatisch…«

»Ist das hier so was wie ein Ratespiel?«

»Und jetzt haben Sie sie sich wieder geschnappt.«

»Hab ich das?«

Rebus trat einen halben Schritt vor. Tarawicz' Männer schwärmten hinter ihrem Boss aus. Tarawicz' Gesicht glänzte – was von Schweiß oder einer medizinischen Salbe herrühren konnte.

»Sie wollte aussteigen«, fuhr Rebus fort. »Ich hab ihr versprochen, dass ich ihr helfen würde. Ich breche meine Versprechen nie.«

»Sie wollte aussteigen? Das hat sie *Ihnen* gesagt?« Tarawicz' Stimme klang spöttisch.

Einer der Männer im Hintergrund räusperte sich. Rebus hatte sich über den Mann schon gewundert – so viel kleiner und zurückhaltender als die anderen, besser angezogen und mit traurigen Augen und teigiger Haut. Jetzt wusste er Bescheid: Rechtsanwalt. Und sein Hüsteln sollte Tarawicz bedeuten, dass er zu viel sagte.

»Ich werde Tommy Telford fertig machen«, sagte Rebus leise. »Das verspreche ich *Ihnen*. Und wenn er erst mal hinter Gittern sitzt – wer weiß, ob er dann nicht singt?«

»Ich bin sicher, dass Mr. Telford selbst auf sich aufpassen kann, Inspector. Was man von Candice nicht unbedingt behaupten kann.« Wieder hustete der Anwalt.

»Ich will, dass sie von der Straße wegbleibt«, sagte Rebus.

Tarawicz starrte ihn mit seinen winzigen pechschwarzen Pupillen an.

»Kann Thomas Telford ungehindert seinen Geschäften nachgehen?«, fragte er schließlich. Hinter ihm erstickte der Anwalt fast an einem Hustenanfall.

»Sie wissen, dass ich das nicht versprechen kann«, antwortete Rebus. »Sein Hauptproblem bin nicht ich.«

»Dann richten Sie es Ihrem Freund aus«, sagte Tarawicz. »Und anschließend, hören Sie auf, sein Freund zu sein.«

Da begriff Rebus: Tarawicz sprach von *Cafferty*. Telford hatte ihm erzählt, Rebus sei Caffertys Mann.

»Ich glaube, das lässt sich machen«, erwiderte Rebus leise.

»Dann machen Sie's.« Tarawicz wandte sich ab.

»Und Candice?«

»Ich werd sehen, was ich tun kann.« Er blieb stehen und

steckte die Hände in die Taschen seines Jacketts. »Ach, und Miriam«, sagte er, den Rücken noch immer den beiden zugewandt, »in diesem roten Zweiteiler gefallen Sie mir besser.«

Dann entfernte er sich lachend.

»Steigen Sie ins Auto«, forderte Kenworthy Rebus mit zusammengebissenen Zähnen auf. Sie sah nervös aus, ließ ihre Schlüssel fallen, bückte sich, um sie wieder aufzuheben.

»Was ist los?«

»Nichts ist los«, zischte sie.

»Der rote Zweiteiler?«

Sie starrte ihn wütend an. »Ich *habe* keinen roten Zweiteiler.« Sie wendete, wobei sie Gas- und Bremspedal ein wenig energischer als unbedingt nötig bearbeitete.

»Ich komm nicht mit.«

»Letzte Woche«, erklärte sie, »habe ich mir rote Unterwäsche gekauft... BH und Höschen.« Sie ließ den Motor aufheulen. »Das ist so sein Spielchen.«

»Und, woher weiß er davon?«

»Das frage ich mich auch.« Sie brauste an den Hunden vorbei und durchs Tor. Rebus dachte an Tommy Telford, daran, dass er seine Wohnung beobachtet hatte.

»Observierung ist nicht immer so einseitig, wie man glaubt«, sagte er und wusste jetzt, von wem Telford das Handwerk gelernt hatte. Ein wenig später erkundigte er sich nach dem Schrottplatz.

»Der gehört ihm. Er hat eine Schrottpresse, aber bevor die Autos zerquetscht werden, spielt er gern noch ein bisschen mit ihnen. Und wer ihm in die Quere kommt, dem lässt er den Sicherheitsgurt zuschweißen.« Sie sah ihn an. »Dann darf man mitspielen.«

Nie einen Fall persönlich nehmen. Das war *die* goldene Regel, gegen die Rebus fast immer verstieß. Manchmal hatte er das Gefühl, dass er sich deswegen so sehr mit seinen Fällen identifizierte, weil er kein eigenes Leben besaß. Er konnte nur *durch andere Menschen* leben.

Warum hatte er sich bei Candice so engagiert? Lag es an ihrer Ähnlichkeit mit Sammy? Oder daran, dass sie den Eindruck erweckt hatte, *ihn* zu brauchen? So wie sie sich an diesem ersten Tag an sein Bein geklammert hatte … Hatte er sich gewünscht, wenigstens einmal jemandes Ritter in strahlender Rüstung zu sein? Ein echter, nicht bloß so tun, als ob?

John Rebus – der personifizierte Als-ob.

Er rief von seinem Auto aus Claverhouse an und setzte ihn ins Bild. Claverhouse meinte, er solle sich keine Sorgen machen.

»Herzlichen Dank«, entgegnete Rebus. »Jetzt geht's mir schon viel besser. Hören Sie, wer ist Telfords Lieferant?«

»Wofür? Stoff?«

»Ja.«

»Das ist die wirklich spannende Frage. Ich glaube, er *macht* Geschäfte mit Newcastle, aber wer nun eigentlich kauft und wer verkauft, können wir nicht mit Sicherheit sagen.«

»Was, wenn Telford verkauft?«

»Dann bezieht er vom Kontinent.«

»Was sagt die Drogenfahndung dazu?«

»Sie sagt nein. Wenn er den Stoff von einem Boot übernehmen würde, müsste er ihn von der Küste in die Stadt schaffen. Da ist es viel wahrscheinlicher, dass er ihn in Newcastle einkauft. Tarawicz hat die europäischen Kontakte.«

»Da fragt man sich doch, wozu er Telford überhaupt braucht …«

»John, tun Sie sich einen Gefallen, schalten Sie fünf Minuten lang ab.«

»Colquhoun scheint in Deckung gegangen zu sein...«

»Haben Sie mich verstanden?«

»Wir sprechen uns bald.«

»Geht's jetzt wieder zurück?«

»Sozusagen.« Rebus unterbrach die Verbindung und fuhr los.

11

»Strawman«, sagte Morris Gerald Cafferty, als er von zwei Gefängniswärtern ins Zimmer eskortiert wurde.

Ein halbes Jahr zuvor hatte Rebus Cafferty versprochen, dass er einen Glasgower Gangster, Uncle Joe Toal, hinter Gitter bringen würde. Es hatte nicht geklappt, so sehr Rebus sich auch bemüht hatte. Toal hatte sein hohes Alter und seinen schlechten Gesundheitszustand geltend gemacht und war noch immer ein freier Mann – wie ein Kriegsverbrecher, den man wegen Senilität ungeschoren lässt. Seitdem war Cafferty der Meinung, Rebus sei ihm was schuldig.

Cafferty setzte sich und rollte ein paar Mal den Kopf, um seinen Nacken zu lockern.

»Und?«, fragte er.

Rebus schickte die Wärter mit einer Kopfbewegung hinaus, wartete schweigend, bis sie den Raum verlassen hatten. Dann zog er eine Viertelflasche Bell's aus der Tasche.

»Behalten Sie die«, meinte Cafferty. »So wie Sie aussehen, haben Sie die nötiger als ich.«

Rebus steckte die Flasche wieder ein. »Ich soll Ihnen was ausrichten; aus Newcastle.«

Cafferty verschränkte die Arme. »Jake Tarawicz?«

Rebus nickte. »Er will, dass Sie Tommy Telford in Ruhe lassen.«

»Was meint er damit?«

»Kommen Sie schon, Cafferty. Dieser Rausschmeißer, den man abgestochen hat, der verletzte Dealer... Das ist der Anfang eines Krieges.«

Cafferty starrte den Detective an. »Damit habe ich nichts zu tun.«

Rebus schnaubte verächtlich, doch als er Cafferty in die Augen sah, glaubte er ihm fast.

»Wer war es dann?«, fragte er leise.

»Woher soll ich das wissen?«

»Trotzdem ist das der Anfang eines Krieges.«

»Mag schon sein. Aber was geht das Tarawicz an?«

»Er macht Geschäfte mit Tommy.«

»Und um die zu schützen, muss er *mir* einen Bullen ins Haus schicken?« Cafferty schüttelte den Kopf. »Das glauben Sie doch wohl selbst nicht.«

»Ich weiß es nicht«, sagte Rebus.

»Eine Möglichkeit, die Sache zu beenden.« Cafferty schwieg kurz. »Ziehen Sie Telford aus dem Verkehr.« Er sah den Ausdruck in Rebus' Gesicht. »Ich meine nicht umlegen, ich meine einbuchten. Das müsste doch eigentlich Ihr Job sein, Strawman.«

»Ich bin nur hergekommen, um was auszurichten.«

»Und was ist für Sie drin? Etwas in Newcastle?«

»Vielleicht.«

»Sind Sie jetzt Tarawicz' Mann?«

»Sie müssten mich besser kennen.«

»Müsste ich?« Cafferty lehnte sich auf seinem Stuhl zurück, streckte die Beine aus. »Das frage ich mich manchmal. Ich meine, das bereitet mir keine schlaflosen Nächte, aber fragen tu ich mich das manchmal schon.«

Rebus stützte sich auf den Tisch. »Sie müssen doch was auf der hohen Kante haben. Warum können Sie sich nicht einfach damit begnügen?«

Cafferty lachte. Die Luft fühlte sich wie elektrisch geladen an; sie hätten die letzten zwei Menschen auf der Welt sein können. »Sie möchten, dass ich mich zur Ruhe setze?«

»Ein guter Boxer weiß, wann er aufhören sollte.«

»Dann hätten wir beide nichts mehr im Ring zu suchen, oder? Haben *Sie* vielleicht vor, sich zur Ruhe zu setzen, Strawman?«

Trotz allem musste Rebus lächeln.

»Hatte ich auch nicht gedacht. Sollen Sie Tarawicz eine Antwort überbringen?«

Rebus schüttelte den Kopf. »Das war nicht der Deal.«

»Na ja, falls er nachfragen sollte, sagen Sie ihm, er täte besser daran, eine Lebensversicherung abzuschließen, eine mit saftiger Todesprämie.«

Rebus starrte Cafferty an. Das Gefängnis hatte vielleicht seine Muskeln erschlaffen lassen, aber weicher hatte es ihn nicht gemacht.

»Ich wär ein glücklicher Mann, wenn jemand Telford aus dem Verkehr ziehen würde«, fuhr Cafferty fort. »Verstehen Sie, was ich meine, Strawman? Dafür würde ich *ziemlich* viel geben.«

Rebus stand auf. »Daraus wird nichts«, erwiderte er. »Ich persönlich wäre überglücklich, wenn Sie sich gegenseitig aus dem Weg räumten. Ich würde direkt am Ring stehen und Freudensprünge machen.«

»Wissen Sie, was passiert, wenn man am Ring steht?« Cafferty rieb sich die Schläfen. »Man läuft leicht Gefahr, sich mit Blut zu besudeln.«

»Solange es nicht das eigene Blut ist...«

Das Gelächter drang tief aus Caffertys Brustkasten. »Sie sind kein Zuschauer, Strawman. Das liegt nicht in Ihrer Natur.«

»Und Sie, sind Sie neuerdings Psychologe?«

»Das gerade nicht«, sagte Cafferty. »Aber ich weiß, was die Leute anmacht.«

Drittes Buch

»Cover my face as the animals cry«

Er rannte durch das Krankenhaus, hielt Schwestern an, um sie nach dem Weg zu fragen. Schweiß tropfte ihm vom Gesicht, der Schlips hing ihm lose um den Hals. Bog nach rechts ab, nach links, hielt nach Schildern Ausschau. Wer war schuld? Er stellte sich immer wieder dieselbe Frage. Eine Nachricht, die ihn nicht erreicht hatte. Weil er auf Observierung gewesen war. Weil er keinen Funkkontakt hatte. Weil die Zentrale nicht gewusst hatte, wie wichtig die Nachricht war.

Jetzt rannte er, ein Stechen in der Seite. Er war den ganzen Weg vom Auto hierher gerannt. Zwei Treppen hoch, Korridore entlang. Überall still. Tiefe Nacht.

»Entbindungsstation!«, rief er einem Mann zu, der eine Rolltrage vor sich herschob. Der Mann deutete auf eine Doppeltür. Er stieß sie auf. Drei Schwestern in einem Glaskabuff. Eine davon kam heraus.

»Kann ich Ihnen helfen?«

»Ich bin John Rebus. Meine Frau...«

Sie sah ihn abweisend an. »Drittes Bett.« Mit ausgestrecktem Finger... Drittes Bett, Vorhang ringsherum zugezogen. Er riss ihn auf. Rhona lag auf der Seite, das Gesicht noch gerötet, Haarsträhnen an die Stirn geklebt. Und neben ihr, an sie gekuschelt, eine winzige Vollkommenheit mit braunflaumigem Kopf und schwarzen, blicklosen Augen.

Er berührte die Nase, fuhr mit dem Finger die Kurven eines Öhrchens nach. Das Gesicht zuckte. Er beugte sich darüber hinweg, um seine Frau zu küssen.

»Rhona... es tut mir wirklich Leid. Ich hab erst vor zehn

169

Minuten davon erfahren. Wie ist es...? Ich meine... er ist wun-
derschön.«

*   »Er ist eine Sie«, sagte seine Frau und wandte sich ab.*

12

Rebus saß im Büro seines Chefs. Es war Viertel nach neun,
und er hatte vergangene Nacht vielleicht eine Dreiviertel-
stunde Schlaf bekommen. Da war die Nachtwache im
Krankenhaus gewesen und Sammys Operation: irgendwas
mit einem Blutgerinnsel. Sie war noch immer ohne Bewusstsein, ihr Zustand weiterhin »kritisch«. Er hatte Rhona
in London angerufen. Sie würde den nächsten Zug nehmen. Er hatte ihr seine Handynummer gegeben, damit sie
ihm ihre Ankunftszeit durchgeben könnte. Sie hatte angefangen, mit sich überschlagender Stimme Fragen zu stellen,
und irgendwann aufgelegt. Er hatte versucht, einen Rest
Gefühl für sie aufzubringen. Richard und Linda Thomp-
son: »Withered and Died«.

Er hatte Mickey angerufen. Und damit war die Familie
abgehakt. Es gab ein paar andere Leute, die er hätte anrufen können. Patience etwa, mit der er eine Zeit lang ein Ver-
hältnis gehabt und bei der Sammy anschließend noch länger gewohnt hatte. Aber er tat es nicht. Am nächsten Morgen würde er das Büro anrufen, in dem Sammy arbeitete.
Er schrieb es sich in sein Notizbuch, um es nicht zu vergessen. Und dann hatte er Sammys Nummer gewählt und
Ned Farlowe informiert.

Farlowe hatte eine Frage gestellt, die er sonst von niemandem gehört hatte: »Und was ist mit Ihnen? Geht's halb-
wegs?«

Rebus hatte sich im Krankenhauskorridor umgesehen.
»Nicht direkt.«

»Ich bin sofort da.«

Also hatten sie sich ein paar Stunden lang gegenseitig Gesellschaft geleistet, anfangs ohne allzu viel zu reden. Farlowe rauchte, und Rebus half ihm, das Päckchen leer zu kriegen. Mit Whisky konnte er sich nicht revanchieren – in der Flasche war nichts mehr drin –, aber er hatte dem jungen Mann mehrere Becher Kaffee spendiert, da Farlowe fast sein ganzes Geld für die Taxifahrt aus Shandon ausgegeben hatte…

»Aufwachen, John.«

Der Farmer schüttelte ihn sanft. Rebus blinzelte, richtete sich in seinem Sessel auf.

»Entschuldigen Sie, Sir.«

Chief Superintendent Watson ging um den Schreibtisch herum und setzte sich. »Tut mir verdammt Leid, das mit Sammy. Ich weiß wirklich nicht, was ich sagen soll, außer, dass ich sie in meine Gebete einschließe.«

»Ich danke Ihnen, Sir.«

»Möchten Sie einen Kaffee?« Der Kaffee des Farmers war auf der ganzen Wache berüchtigt, aber Rebus nahm mit Freuden einen Becher an. »Wie geht es ihr denn?«

»Noch immer bewusstlos.«

»Vom Auto keine Spur?«

»Letzten Informationen zufolge, nein.«

»Wer führt die Ermittlungen?«

»Bill Pryde hat die Sache letzte Nacht ins Rollen gebracht. Wer sie von ihm übernommen hat, weiß ich nicht.«

»Ich erkundige mich.« Der Farmer führte ein Gespräch im Haus, während Rebus ihn über den Rand seines Bechers hinweg beobachtete. Der Farmer war ein großer, breitschultriger Mann, der hinter einem Schreibtisch sehr imposant wirkte. Seine Wangen waren ein einziges Geflecht winziger roter Äderchen, und seine schütteren Haare zogen sich wie die Furchen eines penibel gepflügten Feldes quer über seinen Schädel. Auf seinem Schreibtisch standen Fotos: Enkelkinder. Die Bilder waren in einem Garten mit einer Schaukel im Hintergrund aufgenommen worden. Eines der Kinder hielt einen Teddybären in den Armen. Rebus spürte, wie sich ihm die Kehle zuschnürte, und er versuchte, den schmerzhaften Knoten hinunterzuschlucken.

Der Farmer legte wieder auf. »Bill ist immer noch an der Sache dran«, teilte er Rebus mit. »Er meint, wenn er durcharbeitet, könnten wir schneller mit Resultaten rechnen.«

»Das ist nett von ihm.«

»Also, sobald wir etwas wissen, melden wir uns bei Ihnen, aber so lange möchten Sie wahrscheinlich nach Hause…«

»Nein, Sir.«

»Oder ins Krankenhaus.«

Rebus nickte langsam. Ja, ins Krankenhaus. Aber nicht sofort. Erst musste er noch mit Bill Pryde reden.

»Einstweilen werde ich Ihre Fälle umverteilen.« Der Farmer begann zu schreiben. »Da wäre einmal diese Kriegsverbrechergeschichte, dann Ihre Verbindungsarbeit in der Telford-Sache. Arbeiten Sie sonst noch an etwas?«

»Sir, es wäre mir lieber, wenn Sie… Ich meine, ich möchte weiterarbeiten.«

Der Farmer musterte ihn, lehnte sich dann zurück und balancierte den Stift zwischen zwei Fingern.

»Warum?«

Rebus zuckte die Schultern. »Ich will mich ablenken.« Ja, das war mit ein Grund. Und außerdem wollte er nicht, dass ihm jemand seine Arbeit abnahm. Es war *seine* Arbeit. Sie gehörte ihm; er gehörte ihr.

»Schauen Sie, John, Sie werden doch auch etwas Zeit für sich brauchen, oder?«

»Ich komm schon zurecht, Sir.« Er sah den Farmer flehend an. »Bitte.«

Über den Gang und ins CID-Zimmer, wo er jedem zunickte, der auf ihn zukam, um ihm sein Mitgefühl auszusprechen. Nur einer blieb an seinem Schreibtisch sitzen – Bill Pryde wusste, dass Rebus seinetwegen gekommen war.

»Morgen, Bill.«

Pryde nickte. Sie hatten sich kurz nach Mitternacht in der Unfallstation gesehen. Ned Farlowe war auf einem Stuhl eingenickt, also hatten sie sich zum Reden auf den Korridor begeben. Pryde sah jetzt müder aus. Er hatte den Kragen seines dunkelgrünen Hemdes aufgeknöpft. Sein brauner Anzug sah verknittert aus.

»Danke, dass Sie drangeblieben sind«, begann Rebus, während er sich einen Stuhl heranzog. Und dachte: *Jemand anders wär mir lieber gewesen, jemand Gescheiteres…*

»Schon okay.«

»Irgendwas Neues?«

»Ein paar brauchbare Augenzeugen. Sie standen gerade an der Ampel.«

»Was sagen sie?«

Pryde überlegte sich seine Antwort genau. Er wusste, dass er es nicht nur mit einem Bullen, sondern auch mit einem Vater zu tun hatte. »Sie überquerte gerade die Straße. Sah so aus, als wollte sie die Minto Street runter, vielleicht zur Bushaltestelle.«

Rebus schüttelte den Kopf. »Sie wollte zu Fuß gehen, Bill. War auf dem Weg zu einer Freundin in der Gilmour Road.«

Das hatte sie während des Essens gesagt, und sich entschuldigt, dass sie nicht länger bleiben könne. Bloß noch einen Kaffee nach der Pizza… noch einen Kaffee, und sie wäre in dem Moment nicht da gewesen. Oder wenn sie sein Angebot angenommen hätte, sie zu fahren… Wenn man über das Leben nachdachte, stellte man es sich als eine Folge größerer Zeitklumpen vor, aber in Wirklichkeit war es nichts anderes als eine Serie aneinander gereihter Augenblicke, und jeder Einzelne von ihnen konnte einen von Grund auf verändern.

»Das Auto fuhr in südlicher Richtung stadtauswärts«, fuhr Pryde fort. »Scheint eine rote Ampel übersehen zu haben. Das meinte jedenfalls der Fahrer hinter ihm.«

»Glauben Sie, er war betrunken?«

Pryde nickte. »So wie er fuhr ... Ich meine, er könnte einfach die Kontrolle über das Fahrzeug verloren haben, aber warum hat er dann nicht angehalten?«

»Fahrzeugbeschreibung?«

Pryde schüttelte den Kopf. »Dunkles Auto, sportlich angehaucht. Das Kennzeichen hat niemand gesehen.«

»Das ist eine ziemlich stark befahrene Straße, es müssen doch auch andere Autos in der Nähe gewesen sein.«

»Ein paar Leute haben sich gemeldet.« Pryde blätterte seine Notizen durch. »Nichts, was groß helfen würde, aber ich werde mich mit ihnen unterhalten, mal sehen, ob ihnen nicht noch das eine oder andere einfällt.«

»Könnte das Auto nicht geklaut gewesen sein? Vielleicht hatte der Kerl es deswegen so eilig.«

»Ich kann das überprüfen.«

»Ich helfe Ihnen.«

Pryde sah ihn nachdenklich an. »Sicher?«

»Versuchen Sie, mich davon abzuhalten, Bill.«

»Keine Reifenspuren«, sagte Pryde, »keinerlei Anzeichen dafür, dass er zu bremsen versuchte, weder davor noch danach.

Sie standen da, wo die Minto Street in die Newington Road überging. Die Querstraßen waren Salisbury Place und Salisbury Road. Autos, Lieferwagen und Busse stauten sich an den Ampeln, während Fußgänger die Straße überquerten.

Es hätte jeder von euch sein können, dachte Rebus. Jeden von denen hätte es anstelle von Sammy treffen können ...

»Sie befand sich ungefähr hier«, fuhr Pryde fort und zeigte auf die Stelle, wo, direkt hinter der Ampel, eine Busspur begann. Die Fahrbahn war breit, vierspurig. Sie hatte die Straße nicht an der Ampel überquert, sondern war ein paar Schritte die Minto Street entlang weitergegangen und dann diagonal auf die andere Straßenseite. In ihrer Kindheit hatten sie ihr beigebracht, wie man die Straße überquert. Ampel, Zebrastreifen, rechts und links gucken und so weiter. Hatten ihr die Regeln eingehämmert. Rebus schaute sich um. Am Ende der Minto Street befanden sich ein paar Wohnhäuser und Pensionen. An einer Ecke gab es eine Bank, an einer anderen eine Filiale von Remnant Kings – ein Kurzwaren- und Einrichtungsgeschäft – und direkt daneben einen Imbissladen.

»Der Imbissladen könnte geöffnet haben«, meinte Rebus und deutete darauf. An der dritten Ecke war ein Spar. »Der Supermarkt da auch. Was sagten Sie, wo stand sie noch mal?«

»Auf der Busspur.« Sie hatte drei Spuren überquert, war nur noch ein, zwei Meter vom Gehweg entfernt gewesen. »Laut Augenzeugenaussagen hatte sie schon fast den Bürgersteig erreicht, als er sie anfuhr. Ich glaube, er war betrunken, hatte einen kurzen Filmriss.« Pryde nickte in Richtung der Bank. Davor standen zwei Telefonzellen. »Ein Zeuge rief von da aus an.« An der Wand hinter den Telefonzellen klebte ein Plakat. Ein irre grinsender Typ am Lenkrad, dazu der Text: »So viele Fußgänger, so wenig Zeit.« Ein Computerspiel ...

»Es wäre so einfach gewesen, ihr auszuweichen«, überlegte Rebus laut.

»Sind Sie auch wirklich okay? Ein Stück weiter gibt's ein Café.«

»Es ist alles in Ordnung, Bill.« Er sah sich um, atmete tief ein. »Das da hinter dem Spar scheinen Büros zu sein, nicht anzunehmen, dass da noch jemand war. Aber über dem Remnant Kings und der Bank sind Wohnungen.«

»Wollen Sie da nachfragen?«

»Und im Spar und im Kebab-Laden. Sie übernehmen die Pensionen und die Wohnhäuser, in einer halben Stunde treffen wir uns wieder hier.«

Rebus redete mit jedem, der infrage kam. Im Spar arbeitete inzwischen eine andere Schicht, aber der Filialleiter händigte ihm die Privatnummern der Angestellten aus, die vergangene Nacht im Dienst gewesen waren. Sie hatten weder was gesehen noch gehört. Erst am Blaulicht des Rettungswagens hatten sie gemerkt, dass überhaupt was passiert war. Der Kebab-Laden hatte geschlossen, aber als Rebus gegen die Tür hämmerte, kam aus dem Hinterzimmer eine Frau heraus, die sich die Hände mit einem Geschirrtuch abtrocknete. Er drückte seinen Dienstausweis an die Glastür, und die Frau ließ ihn ein. Am Abend zuvor war viel los gewesen. Sie hatte den Unfall nicht beobachtet – genau so nannte sie es, »Unfall«. Und genau das war es; bevor sie das Wort aussprach, war es ihm tatsächlich nicht bewusst gewesen. Elvis Costello: »Accidents Will Happen«. Unfälle passieren eben.

»Nein«, sagte die Frau, »das Erste, was mir aufgefallen ist, waren die Menschen. Ich meine, nur drei oder vier Leute, aber ich konnte sehen, dass sie um etwas herumstanden. Und dann tauchte der Rettungswagen auf. Wird sie durchkommen?«

Den Blick, mit dem sie Rebus ansah, kannte er schon von anderen Gelegenheiten. Er drückte fast den Wunsch aus, dass das Opfer sterben möge, damit es eine sensationelle Geschichte zu erzählen gäbe.

»Sie ist im Krankenhaus«, erwiderte er, unfähig, der Frau noch ins Gesicht zu schauen.

»Ja, aber in der Zeitung steht, sie liegt im Koma.«

»Welche Zeitung?«

Sie holte die Morgenausgabe der *Evening News*. Irgendwo auf Seite soundsoviel las er eine kurze Meldung – »Fahrerflucht: Opfer im Koma«.

Es war kein Koma. Sie war bewusstlos, das war alles. Aber Rebus war für die Meldung dankbar. Vielleicht würde sie jemand lesen und anrufen. Vielleicht würde sich beim flüchtigen Fahrer allmählich das schlechte Gewissen melden. Vielleicht hatte noch jemand im Auto gesessen… Es war schwer, ein Geheimnis ganz für sich zu behalten, *irgend*jemandem vertraute man sich in der Regel immer an.

Er probierte es im Remnant Kings, aber natürlich war das Geschäft nachts geschlossen gewesen, also stieg er die Treppen hinauf zu den Wohnungen. In der ersten war niemand da. Er schrieb ein paar Zeilen auf die Rückseite einer Visitenkarte und schob sie durch den Briefkastenschlitz, dann notierte er sich den Namen an der Tür. Wenn sie sich nicht meldeten, würde er es tun. Die zweite Tür öffnete ein junger Mann. Er war höchstens Anfang zwanzig und strich sich eine üppige schwarze Tolle aus den Augen. Er trug eine Buddy-Holly-Brille und hatte Aknenarben um den Mund. Rebus stellte sich vor. Die Hand fuhr wieder an die Haare, dazu ein Blick über die Schulter in die Wohnung.

»Wohnen Sie hier?«, fragte Rebus.

»Hm, ja. Also, gehören tut mir das hier nicht. Wir wohnen zur Miete.«

An der Tür standen keine Namen. »Sonst noch jemand da?«

»Nö.«

»Sind Sie Studenten?«

Der junge Mann nickte. Rebus fragte ihn nach seinem Namen.

»Rob. Robert Renton. Worum geht's?«

178

»Letzte Nacht gab es einen Verkehrsunfall, Rob. Mit Fahrerflucht.« Er war schon so oft in der Situation gewesen; mit einer nüchternen Mitteilung ein Leben von Grund auf verändern zu müssen. Es war eine ganze Stunde her, dass er zuletzt im Krankenhaus angerufen und sie sich seine Handynummer notiert und gemeint hatten, es würde vielleicht einfacher sein, wenn sie *ihn* anriefen, sobald es irgendwelche Neuigkeiten gebe. Sie meinten, einfacher für sie, nicht für ihn.

»Ach ja«, sagte Renton, »den hab ich gesehen.«

Rebus blinzelte. »Sie haben den Unfall gesehen?«

Renton nickte, dass ihm die Tolle vor den Augen auf und ab wippte. »Vom Fenster aus. Ich war aufgestanden, um eine neue CD einzulegen, und –«

»Hätten Sie was dagegen, wenn ich kurz reinkomme? Ich würde gern sehen, was für eine Aussicht Sie hatten.«

Renton blies die Backen auf, atmete wieder aus. »Tja, ich denk...«

Und Rebus war drin.

Das Wohnzimmer war leidlich aufgeräumt. Rebus trat als Erster ein und ging zu dem Hi-Fi-Turm, der zwischen zwei Fenstern stand. »Ich legte gerade eine neue CD ein, und ich guckte aus dem Fenster. Man hat einen Blick auf die Bushaltestelle, und ich dachte, ich könnte vielleicht Jane sehen, wie sie aus dem Bus steigt.« Pause. »Jane ist Erics Freundin.«

Die Worte rauschten an Rebus vorbei. Er starrte hinunter auf die Straße, die Sammy entlanggegangen war. »Erzählen Sie mir, was Sie gesehen haben.«

»So ein Mädchen überquerte die Straße. Sie war hübsch... fand ich jedenfalls. Dann fuhr das Auto bei Rot über die Kreuzung, machte einen Schlenker und erwischte sie voll.«

Rebus schloss für eine Sekunde die Augen.

»Sie muss drei Meter hoch geflogen sein, ist in diese Hecke gefallen und dann auf den Bürgersteig zurückgeprallt. Danach hat sie sich nicht mehr gerührt.«

Rebus öffnete die Augen. Er stand am Fenster, Renton hinter seiner linken Schulter. Unten überquerten Leute die Straße, gingen achtlos über die Stelle, an der Sammy angefahren worden, die Stelle, wo sie aufgeschlagen war. Streuten Asche auf die Stelle, wo sie gelegen hatte.

»Den Fahrer haben Sie wohl nicht gesehen?«

»Unmöglich aus dieser Perspektive.«

»Sonst noch jemand im Auto?«

»Konnte ich nicht erkennen.«

Er trägt eine Brille, dachte Rebus. Was taugt seine Zeugenaussage?

»Als Sie den Unfall sahen, sind Sie da nicht hinuntergegangen?«

»Ich bin kein Medizinstudent oder sonstwas.« Er deutete mit dem Kopf auf eine Staffelei, die in der Ecke stand. Rebus entdeckte ein Regal mit Farben und Pinseln. »Jemand lief zur Telefonzelle, also wusste ich, dass bald Hilfe kommen würde.«

Rebus nickte. »Hat's sonst noch jemand beobachtet?«

»Die waren alle in der Küche.« Renton schwieg einen Moment. »Ich weiß, was Sie jetzt denken.« Rebus bezweifelte das. »Sie glauben, ich trage eine Brille, also habe ich das vielleicht nicht richtig gesehen. Aber er hat eindeutig einen Schlenker gemacht. Sie wissen schon... absichtlich. Ich meine, als hätte er's auf sie abgesehen.« Er nickte vor sich hin.

»Auf sie *abgesehen?*«

Renton machte mit der Hand eine Bewegung, wie von einem Auto, das von einer Fahrspur auf die andere wechselt. »Er hielt direkt auf sie zu.«

»Er hat nicht die Kontrolle über den Wagen verloren?«

180

»Nein, das hätte viel ruckartiger ausgesehen.«

»Welche Farbe hatte das Auto?«

»Dunkelgrün.«

»Und was war es für ein Fabrikat?«

Renton zuckte die Achseln. »Von Autos habe ich keine Ahnung. Aber ich sag Ihnen was…«

»Was?«

Renton nahm seine Brille ab, putzte sie gründlich. »Warum versuche ich nicht einfach, es Ihnen zu zeichnen?«

Er rückte die Staffelei ans Fenster und machte sich an die Arbeit. Rebus ging in den Flur und rief das Krankenhaus an. Der Mensch, den er ans Telefon bekam, klang nicht allzu überrascht.

»Unverändert, tut mir Leid. Es sind ein paar Besucher bei ihr.«

Mickey und Rhona. Rebus unterbrach die Verbindung und wählte Prydes Handynummer.

»Ich bin in einer der Wohnungen über Remnant Kings. Ich habe einen Augenzeugen.«

»Ja?«

»Er hat alles mit angesehen. Und er ist Kunststudent.«

»Ja?«

»Mann, Bill. Soll ich's Ihnen vielleicht aufzeichnen, damit Sie's kapieren?«

Kurzes Schweigen am anderen Ende der Leitung, dann sagte Pryde: »Ach so.«

13

Rebus hielt sich das Handy ans Ohr, während er durch das Krankenhaus ging.

»Joe Herdman hat eine Liste zusammengestellt«, sagte Bill Pryde gerade, »Rover 600er Serie, die neueren Ford

Mondeos, Toyota Celica und noch ein paar Nissans. Absoluter Außenseiter wäre der 5er BMW.«

»Das grenzt die Auswahl wohl ein bisschen ein.«

»Joe sagt, Rover, Mondeo und Celica wären die Favoriten. Er hat mir noch ein paar weitere Details genannt – Chromleisten um die Nummernschilder und so Sachen. Ich werd unseren Künstlerfreund anrufen, mal sehen, ob bei ihm irgendwas klickt.«

Eine Schwester funkelte Rebus böse an, als er an ihr vorbeiging.

»Mobiltelefone sind hier nicht erlaubt«, sagte sie barsch.

»Hören Sie, ich bin etwas in Eile…«

»Sie können bei den Geräten zu Störungen führen.«

Rebus blieb stehen, und alle Farbe wich aus seinem Gesicht. »Ich hatte es vergessen«, sagte er. Er legte sich eine zitternde Hand an die Stirn.

»Geht's Ihnen nicht gut?«

»Doch, doch. Hören Sie, ich werd's nie wieder tun, okay?« Und bevor er weiterging: »Sie können sich darauf verlassen.«

Rebus holte eine Fotokopie von Rentons Zeichnung aus der Tasche. Joe Herdman war ein Sergeant im Innendienst, der alles über Autos wusste. Er hatte sich schon früher als nützlich erwiesen, als es ihm gelang aus einer vagen Beschreibung etwas recht Konkretes herauszuholen. Rebus betrachtete während des Gehens die Zeichnung. Alle Details waren da: Gebäude im Hintergrund, die Hecke, die Umstehenden. Und Sammy, im Augenblick des Zusammenstoßes. Sie hatte sich halb umgedreht und streckte die Hände nach vorne aus, als könnte sie das Auto so zum Stehen bringen. Aber Renton hatte vom Heck des Wagens ausgehende dünne waagrechte Striche gezogen, die den Fahrtwind darstellten, hohe Geschwindigkeit andeuteten. Wo ein Gesicht hätte sein sollen, hatte er lediglich ein leeres Oval eingezeichnet. Die hintere Hälfte des Autos war sehr deutlich dargestellt, die vordere verschwommen, in perspektivischer Verkürzung. Renton erklärte, er habe alles weggelassen, was er nicht wirklich genau gesehen habe. Er versicherte, nichts aus der Phantasie ergänzt zu haben.

Es war das Gesicht – beziehungsweise dessen Nichtvorhandensein –, das Rebus an der Zeichnung am meisten irritierte. Er versetzte sich in die Situation, fragte sich, was *er* getan hätte. Hätte er sich auf den Wagen konzentriert, sich das Kennzeichen eingeprägt? Oder hätte seine ganze Aufmerksamkeit Sammy gegolten? Was hätte bei *ihm* die Oberhand behalten: Bulleninstinkt oder Vaterliebe? Auf der Wache hatte jemand gesagt: »Keine Sorge, den kriegen wir schon.« Nicht: »Keine Sorge, sie wird schon wieder gesund.« Was die ganze Sache auf zwei Dinge reduzierte: den Schuldigen und die Vergeltung – und nicht etwa sie, das Opfer, und ihre Genesung.

»Ich wäre bloß ein Augenzeuge wie jeder andere auch gewesen«, sagte Rebus leise. Dann faltete er die Zeichnung zusammen und steckte sie wieder ein.

Sammy lag in einem Einzelzimmer voller Schläuche und Apparate, wie er sie aus Filmen und Fernsehserien kannte. Nur dass hier das Zimmer schäbiger war, Farbe von den Wänden und den Fensterrahmen blätterte. Die Stühle bestanden aus Metallbeinen mit Gummifüßen und aus einem Stück gegossenen Kunststoff-Sitzschalen. Als er eintrat, stand eine Frau auf. Sie umarmten sich. Er küsste sie auf die Schläfe.

Direkt auf sie zugehalten. Hatte das sonst keiner gesagt?

»Hallo, Rhona.«

»Hallo, John.«

Sie sah müde aus, aber ihr Haar war modisch geschnitten und gefärbt: das matte Gold eines reifen Kornfeldes. Ihre Kleidung war elegant, und sie trug Schmuck. Er betrachtete ihre Augen. Die Farbe stimmte nicht. Farbige Kontaktlinsen. Nicht einmal ihre Augen wollten ihre Vergangenheit preisgeben.

»Gott, Rhona, es tut mir entsetzlich Leid.«

Er flüsterte, um Sammy nicht zu stören. Was lächerlich war, da er sich im Augenblick nichts sehnlicher wünschte, als dass sie aufwachte.

»Wie geht's ihr?«, fragte er.

»Praktisch unverändert.«

Mickey erhob sich. Drei Stühle standen in einer Art Halbkreis. Mickey und Rhona hatten mit einem leeren Stuhl zwischen sich gesessen. Als Rhona sich aus Rebus' Umarmung löste, nahm sein Bruder ihren Platz ein.

»Es ist alles so schrecklich«, sagte Mickey mit leiser Stimme. Er sah so aus wie immer: ein Partylöwe, der keine Einladungen mehr bekam.

Nachdem die Begrüßung vorüber war, trat Rebus an Sammys Bett. Ihr Gesicht war noch immer zerschrammt und voller Blutergüsse, und jetzt konnte er die wahrscheinliche Ursache jeder einzelnen Abschürfung benennen: Hecke, Mauer, Bürgersteig. Ein Bein war gebrochen, beide Arme dick bandagiert. Neben ihrem Kopf lag ein Teddybär mit einem fehlenden Ohr. Rebus lächelte.

»Du hast Pa Broon mitgebracht.«

»Ja.«

»Wissen die schon, ob sie irgendwelche ...?« Während er sprach, war sein Blick auf Sammy gerichtet.

»Was?« Rhona wollte, dass er es aussprach. Keine Chance, sich zu verstecken.

»... Hirnschäden davongetragen hat?«, fragte er.

»Kein Mensch hat uns irgendwas gesagt«, antwortete sie in einem beleidigten Ton.

Direkt auf sie zugehalten. Hatte das sonst keiner gesagt? Nein, keiner der anderen Augenzeugen hatte etwas Ähnliches auch nur angedeutet. Doch sie hatten auch nicht Rentons Logenplatz gehabt.

»Ist denn niemand hier gewesen?«

»Nicht, seit ich den Raum betreten habe.«

»Und ich war schon vor Rhona da«, fügte Mickey hinzu. »Keine Menschenseele gesehen.«

Das reichte. Rebus stürmte aus dem Zimmer. Am Ende des Korridors standen ein Arzt und zwei Schwestern herum und plauderten. Eine der Schwestern lehnte mit dem Rücken an der Wand.

»Was ist hier eigentlich los?«, explodierte Rebus. »Den ganzen Morgen ist keine Menschenseele auch nur in Sichtweite meiner Tochter gewesen!«

Der Arzt war jung. Blonde kurze Haare, gescheitelt.

»Wir tun alles, was in unserer Macht steht.«

»Was soll das heißen?«

»Ich habe vollstes Verständnis dafür, dass Sie –«

»Leck mich, Freundchen! Warum ist der Chef nicht gekommen, um sie sich anzusehen? Warum liegt sie da bloß rum wie eine –«

»Ihre Tochter ist heute Morgen von zwei Spezialisten untersucht worden«, erklärte der Arzt ruhig. »Wir müssen einige Testergebnisse abwarten, bevor wir entscheiden, ob eine weitere OP nötig ist. Wir haben eine Hirnschwellung festgestellt. Die Tests brauchen nun mal eine gewisse Zeit, wir können nichts daran ändern.«

Rebus fühlte sich betrogen; noch immer wütend, aber niemand da, *auf den* er hätte wütend sein können – nicht hier. Er nickte, wandte sich ab.

Wieder im Zimmer, erklärte er Rhona die Situation. Neben einem der Apparate standen ein Koffer und eine große Reisetasche.

»Hör mal«, sagte er zu ihr, »am sinnvollsten wäre es, wenn du dich in der Wohnung einquartieren würdest. Ist nur zehn Minuten von hier, und du könntest das Auto haben.«

Sie schüttelte den Kopf. »Wir haben Zimmer im Sheraton gebucht.«

»Die Wohnung liegt näher, und ich verlange in der Regel keine Miete...« *Wir?* Rebus sah zu Mickey, aber dessen Augen waren auf das Bett gerichtet. Dann ging die Tür auf, und ein Mann trat ein. Klein, vierschrötig, kurzatmig. Er rieb sich die Hände, damit auch ja jeder wüsste, dass er auf dem Klo gewesen war. Schlaffe Hautfalten zogen sich quer über seine Stirn, und weitere quollen ihm aus dem Hemdkragen. Sein Haar war dicht und schwarz, wie ein Ölteppich. Als er Rebus erblickte, blieb er stehen.

»John«, sagte Rhona, »das ist ein Freund von mir, Jackie.«

»Jackie Platt«, stellte sich der Mann vor und streckte eine fleischige Hand aus.

»Als Jackie von der Sache hörte, bestand er darauf, mich herzufahren.«

Platt zuckte die Achseln, so dass sein Kopf fast zwischen den Schultern verschwand. »Konnte sie ja schlecht mutterseelenallein hier hochrattern lassen.«

»Verdammt üble Fahrt«, warf Mickey in einem Ton ein, als habe er das schon mal gesagt.

»Auf die Baustellen hätte ich *schon* verzichten können«, pflichtete ihm Jackie Platt bei. Rebus fing Rhonas Blick auf; sie sah sofort weg, um etwaigen Vorwürfen auszuweichen.

Rebus empfand diesen Klotz von Mann als Fremdkörper. Es war so, als hätte sich ein Schauspieler auf den falschen Set verirrt. Platt hatte nicht im Drehbuch gestanden.

»Sie sieht so friedlich aus, nicht?«, meinte der Mann, während er auf das Bett zuging. Er berührte ihren Arm, Sammys bandagierten Arm, strich mit dem Handrücken darüber. Rebus bohrte sich die Nägel in den Handteller.

Dann gähnte Platt. »Weißt du, Rhona, das mag jetzt nicht

186

die feine Art sein, aber ich glaub, ich steh kurz vorm Koma, muss jetzt einfach 'ne Runde knacken. Wir sehen uns im Hotel, okay?« Sie nickte erleichtert. Platt nahm den Koffer. Als er an Rhona vorbeiging, fuhr seine Hand in die Hosentasche und tauchte mit ein paar zusammengefalteten Geldscheinen wieder auf.

»Nimm dir'n Taxi, okay?«

»Okay, Jackie. Bis nachher.«

»Cheerio, Süße.« Er drückte ihre Hand. »Tschüs, Mickey. Alles Gute, John.« Ein gewaltiges, das ganze Gesicht fältendes Augenzwinkern, und er war weg. Rhona hob ihre freie Hand, die ohne das Bündel Banknoten.

»Kein Wort, okay?«

»Nichts läge mir ferner«, erwiderte Rebus und setzte sich. »›Ich glaub, ich steh kurz vorm Koma‹. Äußerst taktvoll, was?«

»Komm schon, Johnny«, sagte Mickey. Johnny: Nur Mickey kriegte das hin, den Namen so auszusprechen, dass die Jahre von ihnen beiden abfielen. Rebus sah seinen Bruder an und lächelte. Mickey war Psychotherapeut; er fand immer das richtige Wort.

»Warum das Gepäck?«, fragte Rebus Rhona.

»Was?«

»Du gehst doch in ein Hotel, warum hast du die Sachen nicht im Auto gelassen?«

»Ich wollte eigentlich hier bleiben. Die hatten mir gesagt, es sei möglich. Aber dann hab ich sie gesehen ... und es mir anders überlegt.« Tränen rannen ihr über die Wangen und verwischten die bereits zerlaufene Mascara noch weiter. Mickey hatte ein Taschentuch parat.

»John, was, wenn sie ...? O Gott, warum musste das nur passieren?« Sie heulte jetzt. Rebus ging zu ihr, ging in die Knie und legte die Hände auf ihre. »Sie ist alles, was wir haben, John. Sie ist alles, was wir je gehabt haben.«

»Sie ist noch immer da, Rhona. Sie ist direkt vor dir.«

»Aber warum *sie?* Warum Samantha?«

»Das werde ich ihn fragen, wenn ich ihn gefunden habe, Rhona.« Er küsste sie auf den Scheitel, die Augen auf Mickey gerichtet. »Und glaub mir, ich *werde* ihn finden.«

Als Ned Farlowe später vorbeikam, nahm Rebus ihn mit nach draußen. Es nieselte, aber die Luft tat gut.

»Einer der Augenzeugen«, sagte Rebus, »glaubt, dass es vorsätzlich war.«

»Ich verstehe nicht.«

»Er glaubt, dass der Fahrer Sammy anfahren *wollte.*«

»Ich kapier's immer noch nicht.«

»Nun, es gibt zwei mögliche Szenarien: Erstens, er war einfach darauf aus, einen Fußgänger zu überfahren, und jeder wäre ihm recht gewesen. Zweitens, er hatte es konkret auf Sammy abgesehen. Er war ihr gefolgt; als sie die Straße überquerte, sah er seine Chance gekommen. Die Ampel stand zwar auf Rot, aber er musste trotzdem durch. Dann war sie schon so nah an den Bordstein gekommen, dass er die Fahrbahn wechseln musste.«

»Aber warum?«

Rebus starrte ihn an. »Ich bin Sammys Vater, und Sie sind ihr Lebensgefährte, okay? Was das Folgende anbelangt, vergessen Sie ihren Beruf.«

Farlowe erwiderte seinen Blick, nickte bedächtig.

»Ich hab ein paar Konfrontationen mit Tommy Telford gehabt«, erklärte Rebus. Er sah Teddybären vor sich: Pa Broon und denjenigen, den Telford immer in seinem Auto dabeihatte. »Das könnte eine Botschaft für mich gewesen sein.« Telford oder Tarawicz: Jacke wie Hose. »Oder für Sie, wenn Sie Fragen über Telford gestellt haben sollten.«

»Sie meinen, mein Buch …«

»Ich bleibe nach allen Seiten offen. Ich habe an dem Lintz-Fall gearbeitet... und Sie ebenfalls.«

»Jemand, der uns von der Sache abzuschrecken versucht?«

Rebus dachte an Abernethy, zuckte die Achseln. »Dann wäre da noch Sammys Job, ihre Arbeit mit Exknackis. Vielleicht hatte jemand einen Hass auf sie.«

»Herrgott.«

»Hat sie mal erwähnt, dass ihr jemand gefolgt sei? Dass sie Fremde in der Gegend gesehen hätte?« Die gleiche Frage, die er den Petrecs gestellt hatte – nur eines anderen Opfers wegen...

Farlowe schüttelte den Kopf. »Also«, sagte er, »noch bis vor fünf Minuten war ich von einem Unfall ausgegangen. Jetzt erzählen Sie mir, es sei ein Mordversuch gewesen. Sind Sie *sicher?*«

»Ich verlasse mich auf einen Zeugen.« Aber er wusste, was Bill Pryde dachte: ein alkoholisierter Fahrer, ein Wahnsinniger. Und ein Brillenträger, der von einem Logenplatz aus zugeschaut und die Sache falsch interpretiert hatte. Er holte die Zeichnung wieder heraus.

»Was ist das?«

Rebus reichte sie ihm. »Das, was jemand letzte Nacht gesehen hat.«

»Was ist das für ein Wagen?«

»Rover 600, Mondeo, irgendwas in der Art. Dunkelgrün. Klingelt's bei Ihnen?«

Ned Farlowe schüttelte den Kopf. »Ich würde gern helfen. Ich kann mich umhören.«

»*Ein* junger Mensch im Koma reicht.«

Die übrigen Mitarbeiter hatten ihre Sachen zusammengepackt und waren nach Haus gegangen. Jetzt hielten sich nur noch Rebus und Sammys Chefin, eine gewisse Mae

Crumley, im Raum auf. Ein halbes Dutzend Schreibtischlampen erhellten das improvisierte Büro im Obergeschoss eines alten vierstöckigen Gebäudes am Palmerston Place. Rebus kannte den Ort. Dort gab's eine Kirche, in der die AA Meetings abhielten. Er hatte an einigen teilgenommen. Er schmeckte noch immer den Whisky im Mund. Nicht dass er heute schon welchen getrunken hätte – jedenfalls nicht, seitdem es hell war. Aber Jack Morton hatte er auch nicht angerufen.

Die Adresse mochte etwas nobler sein als von Rebus erwartet, aber die Räumlichkeiten waren bescheiden. Das Büro befand sich unter der Dachschräge, so dass man in der Hälfte des verfügbaren Raums nicht aufrecht stehen konnte; was aber niemanden davon abgehalten hatte, Schreibtische noch in den unmöglichsten Ecken aufzustellen.

»Welcher davon ist Sammys?«, fragte Rebus. Mae Crumley deutete auf den Schreibtisch, der neben ihrem stand. Irgendwo befand sich wohl ein Computer, aber zu sehen war nur der Monitor. Lose Blätter, Bücher, Broschüren und Berichte hatten sich in einer Kaskade auf den Stuhl ergossen und von da aus auf den Fußboden.

»Sie arbeitet zu viel«, sagte Crumley. »Das tun wir alle.«

Rebus nippte an dem Kaffee, den sie ihm gemacht hatte: Kaffee Hag.

»Als Sammy sich hier bewarb«, fuhr sie fort, »sagte sie als Allererstes, dass ihr Vater beim CID wäre. Sie hat nie versucht, es zu verheimlichen.«

»Und Sie hatten keine Bedenken, sie einzustellen?«

»Überhaupt keine.« Crumley verschränkte die Arme, üppige Arme; sie war eine üppige Frau. Ihr Haar war feuerrot, lang und kraus und mit einem schwarzen Band zusammengebunden. Sie trug ein sandfarbenes Leinenhemd und darüber eine Jeansjacke. Über blassgrauen Augen wölb-

190

ten sich zu dünnen Strichen gezupfte Brauen. Ihr Schreibtisch sah relativ ordentlich aus, aber nur, wie sie Rebus erklärte, weil sie meist länger im Büro blieb als alle anderen.

»Wie sieht's mit ihren Kunden aus?«, fragte Rebus. »Könnte einer von denen was gegen sie gehabt haben?«

»Gegen Sammy oder gegen *Sie*?«

»Wegen *mir* gegen Sammy.«

Crumley ließ sich das durch den Kopf gehen. »So sehr, dass er sie überfahren hätte – lediglich um ein Exempel zu statuieren? Da habe ich erhebliche Zweifel.«

»Ich würde gern einen Blick auf Sammys Klientenliste werfen.«

Sie schüttelte den Kopf. »Hören Sie... das ist nicht richtig, was Sie hier machen. Die Sache ist viel zu persönlich, das wissen Sie selbst. Ich meine, mit wem rede ich eigentlich: mit Sammys Vater oder mit einem Bullen?«

»Sie glauben, ich hätte eine Rechnung zu begleichen?«

»Und, stimmt das etwa nicht?«

Rebus stellte den Kaffeebecher hin. »Vielleicht.«

»Und deswegen ist es nicht richtig, was Sie machen.« Sie seufzte. »Ganz oben auf meiner Wunschliste: Sammy wieder auf den Beinen und hier. Aber was halten Sie davon, wenn ich mich in der Zwischenzeit ein bisschen umhöre? Ich bekäme die Leute wahrscheinlich eher zum Reden als Sie.«

Rebus nickte. »Dafür wäre ich Ihnen dankbar.« Er stand auf. »Danke für den Kaffee.«

Draußen konsultierte er die Liste, die er von der Schnapskirche erhalten hatte. Er trug sie immer bei sich, zog sie aber nur selten zu Rate. In Palmerston Place fand in anderthalb Stunden ein Meeting statt. Das war nichts. Er wusste, dass er die Zeit bis dahin in einem Pub verbringen würde. Jack Morton hatte ihn bei den Anonymen Alkoholikern eingeführt, aber einer von ihnen war Rebus nie so

191

recht geworden, auch wenn die Berichte ihn durchaus berührt hatten.

»Wisst ihr«, hatte ein Mann der Gruppe erzählt, »ich hatte Probleme in der Arbeit, Probleme mit meiner Frau, mit meinen Kindern. Ich hatte Geldprobleme und Gesundheitsprobleme und was weiß ich nicht alles. Praktisch das Einzige, womit ich keine Probleme hatte, war das Saufen. Und das lag daran, dass ich ständig besoffen war.«

Rebus steckte sich eine Zigarette an und fuhr nach Haus.

Er setzte sich in seinen Sessel und dachte über Rhona nach. Sie hatten über Jahre so viel gemeinsam erlebt... und dann war alles mit einem Mal zu Ende. Er hatte sich entschieden, seinen Beruf über seine Ehe zu stellen, und das konnte sie ihm nicht verzeihen. Zuletzt hatte er sie in London gesehen, ihr neues Leben wie eine Rüstung tragend. Niemand hatte ihn wegen Jackie Platt vorgewarnt. Das Telefon klingelte.

»Rebus.«

»Ich bin's, Bill.« Pryde klang geradezu aufgeregt, was bei ihm das höchste der Gefühle war.

»Was haben Sie rausgefunden?«

»Dunkelgrüner Rover 600 – ich glaube, der Halter sprach von ›Sherwood-Grün‹ –, gestern Abend, ungefähr eine Stunde vor der Kollision, gestohlen.«

»Wo?«

»Parkuhr auf der George Street.«

»Was meinen Sie?«

»Mein Rat wäre: für alle Möglichkeiten offen bleiben. Dies vorausgeschickt, haben wir jetzt wenigstens ein Kennzeichen. Der Halter hat den Diebstahl letzten Abend achtzehn Uhr vierzig angezeigt. Das Fahrzeug ist bislang noch nirgendwo aufgetaucht, also habe ich die Alarmbereitschaft erhöht.«

»Geben Sie mir das Kennzeichen durch.« Pryde las ihm

die Buchstaben und Zahlen vor. Rebus bedankte sich und legte auf. Er dachte an Danny Simpson, den man etwa um die Zeit, als Sammy angefahren worden war, vor der Fascination Street abgesetzt hatte. Zufall? Oder eine doppelte Botschaft, an Telford *und* Rebus. Was den Verdacht auf Big Ger Cafferty lenkte. Er rief im Krankenhaus an, erfuhr, dass der Zustand unverändert sei. Farlowe war im Krankenzimmer. Die Schwester sagte, er habe seinen Laptop dabei.

Rebus erinnerte sich an die heranwachsende Sammy – eine Abfolge unverbundener Einzelbilder. Er war nicht für sie da gewesen. Er versuchte, nicht an die Hölle zu denken, die sie in den Händen Gordon Reeves durchgemacht hatte ...

Er sah gute Menschen, die böse Dinge, und böse Menschen, die Gutes taten, und versuchte, die beiden in Gruppen zu ordnen. Er sah Candice, Tommy Telford und Mr. Pink Eyes. Und der Rahmen für alles: Edinburgh. Er sah die Masse von Menschen, die mühselig ihr Leben fristeten, und zollte ihnen Respekt. Sie *wussten* Dinge, und sie empfanden Dinge, die er niemals empfinden würde. Früher hatte er geglaubt, sehr viel zu wissen. Als Junge hatte er *alles* gewusst. Jetzt wusste er es besser. Das Einzige, dessen man sich sicher sein konnte, waren die eigenen Gedanken, und selbst die konnten einen täuschen. Ich kenne mich nicht einmal selbst, dachte er. Wie konnte er also hoffen, Sammy jemals wirklich zu kennen? Und mit jedem Jahr verstand er weniger.

Er dachte an die Oxford Bar. Selbst als Abstinenzler war er Stammgast geblieben, trank eben Cola und becherweise Kaffee. Ein Pub wie der Ox war sehr viel mehr als eine bloße Alk-Abfüllstelle. Er bot Therapie und Zuflucht, Unterhaltung und Kunst. Er schaute auf die Uhr, spielte mit dem Gedanken, sich jetzt auf den Weg zu machen. Nur ein paar Whiskys und ein Bier, gerade genug, um sich bis zum nächsten Morgen selbst ausstehen zu können.

Das Telefon klingelte erneut. Er nahm ab.

»'n Abend, John.«

Rebus lächelte, lehnte sich zurück. »Jack, du musst ein gottverdammter Gedankenleser sein ...«

14

Am nächsten Vormittag ging Rebus über den Friedhof. Er war im Krankenhaus gewesen, um nach Sammy zu sehen – Zustand unverändert. Jetzt hatte er das Gefühl, etwas Zeit zu haben, Zeit zum Totschlagen ...

»Ein bisschen frischer heute, Inspector.« Joseph Lintz richtete sich von seiner knienden Stellung auf und schob sich die Brille ganz auf die Nase. Seine Hose war an den Knien feucht. Er ließ sein Schäufelchen auf eine weiße Plastiktüte fallen. Neben der Tüte standen mehrere Töpfe mit kleinen Grünpflanzen.

»Wird der Frost die nicht umbringen?«, fragte Rebus. Lintz zuckte die Achseln.

»Er bringt uns alle um; aber vorher dürfen wir noch ein Weilchen blühen.«

Rebus wandte sich ab. Heute war er nicht in der Stimmung für Spielchen. Der Warriston-Friedhof, ein sehr großer Friedhof, war für Rebus früher ein Geschichtsbuch gewesen, das mit seinen Grabsteinen vom Edinburgh des neunzehnten Jahrhunderts erzählte. Doch jetzt empfand er ihn als eine unerquickliche Erinnerung an die Sterblichkeit. Er und der alte Mann waren die einzigen Lebenden weit und breit. Lintz hatte ein Taschentuch hervorgezogen.

»Noch Fragen?«, erkundigte er sich.

»Nicht direkt.«

»Was dann?«

»Um ehrlich zu sein, Mr. Lintz, habe ich momentan andere Sorgen.«

Der alte Mann sah ihn an. »Könnte es sein, dass diese ganze archäologische Buddelei allmählich anfängt, Sie zu langweilen, Inspector?«

»Ich begreif's immer noch nicht – Pflanzen vor dem ersten Frost zu setzen…«

»Na ja, *danach* kann ich ja kaum noch viel pflanzen, oder? Und in meinem Alter… jeder Tag könnte der letzte sein, den ich *über* der Erde verbringe. Mir gefällt die Vorstellung, dass über mir ein paar Blumen fortdauern könnten.« Er lebte seit fast einem halben Jahrhundert in Schottland, aber noch immer verbarg sich etwas Fremdes unter dem regionalen Akzent, eigentümliche Formulierungen und Intonationen, die Joseph Lintz bis zu seinem Tod beibehalten würde, Erinnerungen an seine frühere Geschichte.

»Also«, sagte er jetzt, »keine Fragen heute?« Rebus schüttelte den Kopf. »Sie scheinen wirklich etwas auf dem Herzen zu haben, Inspector. Ist es etwas, bei dem ich Ihnen helfen könnte?«

»Wie?«

»Ich weiß es auch nicht. Aber Sie sind hergekommen, obwohl Sie keine Fragen hatten. Ich gehe davon aus, dass es einen Grund dafür gibt.«

Ein Hund trottete durch das hohe Gras, die Nase dicht über dem Boden. Es war ein gelber Labrador, kurzhaarig und fett.

»Ich fragte mich lediglich«, sagte Rebus, »wozu Sie wohl fähig wären.« Lintz sah ihn verdutzt an. Der Hund fing an, den Boden aufzuscharren. Lintz hob einen Stein auf und schleuderte ihn auf den Hund, traf ihn aber nicht. Der Besitzer des Labradors bog gerade um die Ecke. Er war jung und spindeldürr und hatte kurz geschorenes Haar.

»Das Vieh sollte an der Leine sein!«, brüllte Lintz.

»*Ja, mein Führer!*«, keifte der Hundebesitzer zurück und knallte die Hacken zusammen. Er lachte, als er an ihnen vorüberging.

»Ich bin jetzt eine Berühmtheit«, sagte Lintz nachdenklich, nach seinem kurzen Ausbruch wieder gefasst. »Das habe ich den Zeitungen zu verdanken.« Er sah in den Himmel, blinzelte. »Die Leute übermitteln mir ihren Hass durch die königliche Post. Vorgestern Nacht parkte ein Auto vor meinem Haus … dem wurde die Frontscheibe mit einem Backstein eingeschlagen. Es war nicht mein Auto, aber das konnten die Leute nicht wissen. Jetzt halten meine Nachbarn beim Parken gebührenden Abstand – vorsichtshalber …«

Er sprach wie der alte Mann, der er war, ein bisschen müde, ein bisschen mitgenommen.

»Das ist das schlimmste Jahr meines Lebens.« Er blickte hinunter auf die Rabatte, an der er gerade gearbeitet hatte. Das frisch umgepflügte Erdreich sah wie zerkrümelter Schokoladenkuchen aus. Ein paar aufgescheuchte Regenwürmer und Asseln suchten das Weite. »Und es wird noch schlimmer werden, stimmt's?«

Rebus zuckte die Achseln. Die Feuchtigkeit drang ihm durch die Schuhsohlen, er hatte kalte Füße. Er stand auf dem ungepflasterten Weg, Lintz auf dem fünfzehn Zentimeter höher liegenden Rasen. Und selbst so musste Lintz noch zu ihm aufschaun. Ein kleines altes Männchen. Und Rebus konnte ihn studieren, mit ihm reden, ihn zu Hause aufsuchen und sich die wenigen Fotografien ansehen, die – nach Lintz' Aussage – aus seinen Jugendtagen noch erhalten waren.

»Was hatten Sie vorhin gemeint?«, fragte er. »Wozu ich fähig wäre … irgendwie darum ging es doch?«

Rebus starrte ihn an. »Ist schon in Ordnung, der Hund hat es mir gerade gezeigt.«

»Ihnen was gezeigt?«

»Wie Sie mit dem Feind umgehen.«

Lintz lächelte. »Ich mag Hunde nicht, das ist wahr. Lesen Sie da nicht zu viel hinein, Inspector. Das ist Sache der Journalisten.«

»Ohne Hunde wäre Ihr Leben leichter, stimmt's?«

Lintz zuckte die Achseln. »Natürlich.«

»Und ohne mich auch?«

Lintz runzelte die Stirn. »Wenn's nicht Sie wären, wäre es ein anderer, ein Flegel wie Ihr Inspector Abernethy.«

»Was glauben Sie, was er Ihnen zu verstehen geben wollte?«

Lintz blinzelte. »Ich bin mir nicht sicher. Da war noch jemand anders, der sich mit mir unterhalten wollte. Ein Mann namens Levy. Ich habe mich geweigert, mit ihm zu reden – *ein* Privileg, das ich zumindest noch genieße.«

Rebus scharrte mit den Füßen, versuchte, sie etwas aufzuwärmen. »Ich habe eine Tochter. Habe ich Ihnen das schon mal gesagt?«

Lintz sah ihn verblüfft an. »Kann sein, dass Sie es erwähnt haben.«

»Sie wissen, dass ich eine Tochter habe?«

»Ja … das heißt, ich meine, es schon gewusst zu haben, bevor Sie es jetzt erwähnten.«

»Nun, Mr. Lintz, vorletzte Nacht hat jemand versucht, sie zu töten – oder sie zumindest schwer zu verletzen. Sie liegt im Krankenhaus, noch immer ohne Bewusstsein. Und *das* macht mir zu schaffen.«

»Das tut mir sehr Leid. Wie ist es …? Ich meine, woher wissen Sie …?«

»Ich glaube, jemand hat möglicherweise versucht, mir dadurch eine Botschaft zu übermitteln.«

Lintz riss die Augen auf. »Und Sie halten *mich* für fähig, etwas Derartiges zu tun? Mein Gott, ich dachte, wir verstehen uns mittlerweile – wenigstens bis zu einem gewissen Grad.«

Rebus hatte diesbezüglich seine Zweifel. Er überlegte sich, wie leicht es sein musste, eine Rolle zu spielen, die man ein halbes Jahrhundert lang eingeübt hatte. Er überlegte sich, wie leicht es sein mochte, sich zu dem Entschluss durchzuringen, eine Unschuldige zu töten... oder zumindest ihren Tod anzuordnen. Dazu bedurfte es lediglich eines Befehls. Ein paar Worte an einen anderen, der jemandes Willen ausführte. Vielleicht hatte Lintz das Zeug dazu. Vielleicht würde es ihm nicht schwerer fallen, als es Josef Linzstek gefallen war.

»Eines sollten Sie wissen«, fügte Rebus hinzu. »Drohungen schrecken mich nicht ab. Ganz im Gegenteil.«

»Es ist gut, dass Sie so stark sind.« Rebus suchte nach einem verborgenen Sinn hinter den Worten. »Ich gehe jetzt nach Hause. Kann ich Ihnen eine Tasse Tee anbieten?«

Rebus fuhr ihn nach Haus und saß dann im Wohnzimmer, während Lintz sich in der Küche zu schaffen machte. Begann, einen Stoß Bücher durchzublättern, die auf einem Schreibtisch lagen.

»Alte Geschichte, Inspector«, erklärte Lintz, als er mit dem Tablett hereinkam – er lehnte immer jede Hilfe ab. »Noch so ein Hobby von mir. Mich fasziniert besonders jene Schnittstelle, an der Geschichte und Fiktion ineinander übergehen.« Die Bücher handelten alle von Babylonien. »Babylon etwa ist eine historische Tatsache, aber wie steht's mit dem Turm von Babel?«

»Ein Song von Elton John?«, rief Rebus.

»Sie immer mit Ihren Witzen.« Lintz sah auf. »Wovor haben Sie eigentlich Angst?«

Rebus nahm eine der Tassen. »Ich hab schon von den hängenden Gärten von Babylon gehört«, räumte er ein, während er das Buch wieder hinlegte. »Was haben Sie denn sonst noch für Hobbys?«

»Astrologie, Geistererscheinungen, das Unbekannte.«

»Sind Sie jemals von Geistern heimgesucht worden?«

Lintz wirkte belustigt. »Nein.«

»Hätten Sie es gern?«

»Von den Geistern der siebenhundert französischen Dörfler? Nein, Inspector, das hätte ich ganz und gar nicht gern. Es war die Astrologie, die mich auf die Chaldäer brachte. Und die kamen aus Babylon. Haben Sie schon mal von den babylonischen Zahlen gehört...?«

Lintz beherrschte die Kunst, Gespräche in die Richtung zu lenken, die *ihm* jeweils behagte. Diesmal würde sich Rebus nicht von seinem Thema abbringen lassen. Er wartete, bis Lintz seine Tasse an die Lippen geführt hatte.

»Haben Sie versucht, meine Tochter zu töten?«

Lintz hielt kurz inne, nahm dann einen Schluck.

»Nein, Inspector«, antwortete er leise.

Womit Telford, Tarawicz und Cafferty übrig blieben. Rebus dachte an Telford: umgeben von seiner »Familie«, aber begierig, mit den großen Jungs zu spielen. Inwieweit unterschied sich ein Bandenkrieg von einem richtigen? Es gab Soldaten, denen Befehle erteilt wurden. Sie mussten sich bewähren oder verloren das Gesicht, standen als Feiglinge da. Einen Zivilisten erschießen, einen Fußgänger überfahren. Rebus begriff, dass es ihm nicht um den Fahrer ging, er wollte denjenigen, der dem Fahrer *den Auftrag* gegeben hatte. Lintz hatte Linzstek mit dem Argument verteidigt, der junge Obersturmführer habe lediglich Befehle ausgeführt, der eigentlich Schuldige sei der Krieg, als ob Menschen in solchen Situationen keinen Einfluss hätten...

»Inspector«, fragte der alte Mann, »glauben *Sie*, dass ich Linzstek bin?«

199

Rebus nickte. »Ich weiß, dass Sie es sind.«

Ein ironisches Lächeln. »Dann verhaften Sie mich doch.«

»Da kommt unser Puritaner«, sagte Pater Conor Leary. »Darauf aus, Irlands gottgegebenes Guinness zu stehlen.« Er hielt inne, die Augen leicht zusammengekniffen. »Oder sind Sie immer noch auf diesem Abstinenztrip?«

»Ich versuch's«, antwortete Rebus.

»Na ja, dann werde ich Sie nicht in Versuchung führen.« Leary lächelte. »Aber Sie kennen mich, John. Ich bin diesbezüglich zwar kein Experte, aber ein Tröpfchen hat noch keinem Christenmenschen geschadet.«

»Das Problem ist: Viele Tröpfchen ergeben zusammen eine ganz gewaltige Sintflut.«

Pater Leary lachte. »Aber haben wir nicht alle die Sintflut überlebt? Kommen Sie rein.«

Pater Leary war Pfarrer der Kirche Unserer Lieben Frau von der immerwährenden Hilfe. Vor Jahren hatte jemand den Namen auf dem Schild draußen übermalt und aus *help*, »Hilfe«, *hell*, »Hölle«, gemacht. Die Aufschrift war mehrere Male korrigiert worden, aber in Rebus' Vorstellung war und blieb dieser Ort die »Immerwährende Hölle« – als die ihn die Anhänger Calvins und des schottischen Reformators John Knox betrachtet hätten. Pater Leary führte ihn in die Küche.

»Hier, Mann, hocken Sie sich hin. Ich hab Sie schon so lang nicht mehr gesehen. Dachte schon, Sie hätten mich aufgegeben.« Er ging zum Kühlschrank und holte eine Dose Guinness heraus.

»Betätigen Sie sich nebenbei als Apotheker?«, fragte Rebus. Pater Leary sah ihn an. Rebus nickte in Richtung des Kühlschranks. »Ihr Arzneivorrat.«

Pater Leary verdrehte die Augen. »In meinem Alter geht man mit Angina zum Arzt und kommt mit Medikamenten für jede nur erdenkliche Krankheit wieder raus. Die meinen, das gibt Senioren ein Gefühl von Sicherheit.« Er holte ein Glas und stellte es neben die Bierdose. Rebus spürte, wie sich eine schwere Hand auf seine Schulter legte.

»Tut mir verflucht Leid wegen Sammy.«

»Woher wissen Sie davon?«

»Ihr Name stand heute Morgen in irgendeinem Käseblatt.« Pater Leary setzte sich. »Fahrerflucht, hieß es.«

»Fahrerflucht«, wiederholte Rebus.

Pater Leary schüttelte müde den Kopf und strich sich dabei mit einer Hand langsam über die Brust. Er musste so Ende der sechzig sein, doch konkrete Angaben hatte er diesbezüglich noch nie gemacht. Stämmig gebaut, dazu ein dichter Silberschopf. Graue Büschel sprossen ihm aus Ohren, Nasenlöchern und weißem Stehkragen. Seine Hand schien der Guinnessdose die Gurgel zuzudrücken. Doch als er sich einschenkte, tat er es bedächtig, fast ehrfurchtsvoll.

»Eine schreckliche Sache«, bemerkte er leise. »Sie liegt im Koma, stimmt's?«

»Nicht, solange das die Ärzte nicht sagen.« Rebus räusperte sich. »Sind erst anderthalb Tage.«

»Sie wissen ja, was wir Gläubige sagen«, fuhr Pater Leary fort. »Wenn etwas Derartiges passiert, dann ist es eine Prüfung. Etwas, das uns stärker machen soll.« Die Schaumkrone auf seinem Guinness war makellos. Er nahm einen Schluck, leckte sich nachdenklich über die Lippen. »Das ist das, was wir *sagen*; muss nicht unbedingt auch das sein, was wir glauben.« Er blickte in sein Glas.

»Mich hat es nicht stärker gemacht. Ich bin zum Whisky zurückgekehrt.«

»Das kann ich verstehen.«

»Bis mich ein Freund daran erinnert hat, dass es der faule Ausweg war, der feige Ausweg.«

»Und wer wollte ihm da widersprechen?«

»Faint-Heart and the Sermon«, erwiderte Rebus lächelnd.

»Was ist das?«

»Ein Song. Aber vielleicht sind das auch Sie und ich: Hasenherz und Prediger.«

»Hören Sie schon auf, wir sind bloß zwei alte Knaben, die miteinander plaudern. Also, wie kommen Sie klar, John?«

»Ich weiß nicht.« Er schwieg kurz. »Ich glaube nicht, dass es ein Unfall war. Und der Mann, der höchstwahrscheinlich hinter der Sache steckt… Sammy ist nicht die erste Frau, die er versucht hat zu zerstören.« Rebus blickte dem Priester in die Augen. »Ich will ihn töten.«

»Haben es aber bislang noch nicht getan?«

»Ich hab ihn noch nicht einmal gesprochen.«

»Weil Sie nicht wissen, was Sie dann möglicherweise tun würden?«

»Oder *nicht* tun.« Sein Handy meldete sich. Mit einem entschuldigenden Blick schaltete Rebus es ein.

»John, Bill hier.«

»Ja, Bill?«

»Der grüne Rover 600.«

»Ja?«

»Wir haben ihn.«

Das Auto hatte im Halteverbot vor dem Piershall-Friedhof gestanden. Unter dem Scheibenwischer steckte ein Strafzettel mit Datum und Uhrzeit vom vorigen Nachmittag. Wie jeder leicht hätte feststellen können, war die Fahrertür nicht abgeschlossen. Vielleicht *hatte* das jemand festgestellt: Der Wagen war leer, kein Kleingeld, kein Autoatlas, keine Kassetten. Die Bedienungskonsole des Radiorekorders war entfernt worden. Im Zündschloss steckte kein Schlüssel. Ein Autotransporter war vorgefahren, und der Rover wurde gerade auf die Ladefläche gezogen.

»Howdenhall war mir einen Gefallen schuldig«, erklärte Bill Pryde. »Wird noch heute auf Fingerabdrücke hin untersucht.«

Rebus musterte die linke Seite der Kühlerhaube. Keine Beulen, nichts, was darauf hingedeutet hätte, dass der Wagen als Rammbock gegen seine Tochter eingesetzt worden war.

»Wir brauchen wahrscheinlich Ihre Einwilligung, John.«

»Wozu?«

»Jemand müsste ins Krankenhaus und Sammys Fingerabdrücke nehmen.«

Rebus starrte den Kühler des Wagens an, dann holte er die Zeichnung heraus. Ja, sie hatte eine Hand ausgestreckt. Da konnten durchaus ihre Fingerabdrücke drauf sein, für ihn nicht sichtbar.

»Klar«, sagte er. »Kein Problem. Sie glauben, das ist der Wagen?«

»Ich sag's Ihnen, sobald wir die Fingerabdrücke haben.«

»Jemand klaut ein Auto«, überlegte Rebus laut, »dann fährt er damit jemand über den Haufen und lässt es ein paar Kilometer weiter stehen.« Er sah sich um. »Schon mal in dieser Straße gewesen?« Pryde schüttelte den Kopf. »Ich auch nicht.«

»Also jemand von hier?«

»Ich frag mich, warum der das Auto überhaupt geklaut hat.«

»Um's zu verkaufen?«, schlug Pryde vor. »Vielleicht auch nur für eine Spritztour.«

»Joy-rider lassen Autos nicht einfach so stehen.«

»Nein, aber er hatte einen Schreck bekommen. Er hatte grad jemand umgefahren.«

»Und dann fährt er noch kilometerweit bis hierher, bevor er auf die Idee kommt, die Karre stehen zu lassen?«

»Vielleicht wollte er damit ursprünglich einen Job erledigen, eine Tankstelle überfallen oder so. Dann hat er Sammy angefahren und beschlossen, die Sache aufzustecken. Vielleicht war der Job irgendwo hier in der Gegend.«

»Oder Sammy *war* der Job.«

Pryde legte ihm eine Hand auf die Schulter. »Warten wir ab, was die Eierköpfe rauskriegen, okay?«

»Sie halten nichts davon?«

»Schauen Sie, das ist so eine Idee, die Sie haben, und das ist Ihr gutes Recht, aber momentan haben Sie dafür keine anderen Beweise als die Aussage eines Studenten. Es gab weitere Zeugen, John. Ich habe sie alle noch einmal befragt, und sie haben mir das Gleiche gesagt: Es sah so aus, als hätte der Fahrer ganz einfach die Kontrolle über das Fahrzeug verloren.«

Prydes Stimme hatte einen gereizten Unterton. Rebus wusste, warum: Überstunden.

»Kriegen Sie noch heute Abend von Howdenhall Bescheid?«

»Sie haben's versprochen. Und dann rufe ich Sie sofort an, okay?«

»Auf meinem Handy«, sagte Rebus. »Ich werde unterwegs sein.« Er schaute sich um. »*War* nicht neulich was mit dem Piershill-Friedhof?«

»Jugendliche«, antwortete Pryde nickend. »Haben einen Haufen Grabsteine umgeschmissen.«

Jetzt erinnerte sich Rebus wieder. »Aber nur die jüdischen Grabsteine, oder?«

»Ich glaube.«

Und auf der Mauer, neben dem Eingangstor, der gleiche Graffito: *Hilft uns denn keiner?*

Es war später Abend und Rebus war unterwegs. Nicht auf der M90 nach Fife, sondern auf der M8, in westlicher Richtung, nach Glasgow. Er hatte eine halbe Stunde im

Krankenhaus verbracht, anschließend anderthalb Stunden im Restaurant des Sheraton, wo er von Rhona und Jackie Platt zum Abendessen eingeladen worden war. Er hatte einen sauberen Anzug und ein frisches Hemd angehabt, nicht geraucht und eine Flasche Highland-Quellwasser getrunken.

Die Ärzte wollten bei Sammy noch weitere Tests durchführen. Der Neurologe hatte ihn und Rhona in sein Büro gebeten und ihnen alles haarklein erläutert. Im Anschluss an die Tests würde wahrscheinlich eine weitere Operation durchgeführt werden. Rebus konnte sich kaum erinnern, was der Mann gesagt hatte. Rhona hatte noch ein paar Fragen gestellt, aber die Antworten waren auch nicht erhellender gewesen als die vorangegangenen Ausführungen.

Die Stimmung beim Abendessen war gedrückt gewesen. Wie sich herausstellte, handelte Jackie Platt mit Gebrauchtwagen.

»Wissen Sie, John, meine wichtigste Quelle sind die Todesanzeigen. Die Lokalzeitung durchsehen, hinflitzen und feststellen, ob der Verblichene ein Auto hinterlässt. Und dann heißt es: Bargeld lacht.«

»Tut mir Leid, Sammy ist nicht motorisiert«, hatte Rebus gesagt, worauf Rhona ihr Besteck auf den Teller hatte fallen lassen.

Nach dem Essen hatte sie ihn zu seinem Auto begleitet, ihn fest am Arm gepackt.

»Fang den Dreckskerl, John. Ich will ihm ins Gesicht sehen.« Ihre Augen loderten.

Er nickte. Stones: »Just Wanna See His Face.« Rebus wollte das ebenfalls.

Die M8, zur Rushhour oft ein wahrer Alptraum, war abends eher eine ruhige Strecke. Er kam gut voran, und bald schon würde er die Silhouette von Easterhouse vor dem Hintergrund des Himmels sehen. Als sein Handy klingelte, hörte er es zunächst nicht. Schuld waren die Wishbone Ash. Als *Argus* zu Ende war, nahm er ab.

»Rebus.«

»John, Bill hier.«

»Was haben Sie rausgekriegt?«

»Die Leute von der Spurensicherung waren ein wahrer Schatz. Am ganzen Auto Fingerabdrücke, innen und außen. Von mehreren Personen.« Er verstummte, und Rebus dachte, die Verbindung sei unterbrochen. »Vorn an der Motorhaube der Abdruck einer ganzen Hand...«

»Von Sammy?«

»Eindeutig.«

»Dann hätten wir also das Auto.«

»Der Halter hat uns seine Abdrücke gegeben, damit wir die schon mal ausschließen können. Sobald das erledigt ist...«

»Wir sind noch nicht aus dem Schneider, Bill. Das Auto stand nicht abgeschlossen vor diesem Friedhof, möglich, dass jemand es ausgeräumt hat.«

»Der Halter sagt, als er ausstieg, sei die Konsole des Radiorekorders noch dran gewesen. Außerdem waren da noch ein halbes Dutzend Kassetten, eine Packung Paracetamol, Benzinquittungen und eine Straßenkarte. Also *hat* es jemand ausgeräumt, ob's nun der Mistkerl war, hinter dem wir her sind, oder bloß irgendein Penner.«

»Wenigstens wissen wir, dass es das Auto ist.«

»Morgen fahr ich noch mal raus nach Howdenhall, nehm mit, was sie an etwaigen weiteren Fingerabdrücken haben, und mach mich damit an die Arbeit. Außerdem höre ich mich in Piershill um, ob jemand vielleicht beobachtet hat, wie die Karre abgestellt wurde.«

»Und zwischendurch legen Sie sich ein bisschen aufs Ohr, ja?«

»Worauf Sie Gift nehmen können. Und Sie?«

»Ich?« Zwei Espressos nach dem Essen. Dazu das Wissen um das, was ihm bevorstand. »Ich hau mich auch bald in die Falle, Bill. Wir sprechen uns morgen.«

In den Randbezirken von Glasgow, unterwegs zum Barlinnie-Gefängnis.

Er hatte sich telefonisch angemeldet. Die offizielle Besuchszeit war längst vorbei, aber Rebus hatte sich eine passende Geschichte zurechtgelegt. »Befragung im Rahmen einer laufenden Morduntersuchung«, hatte er gesagt.

»Zu dieser nachtschlafenden Zeit?«

»Polizei von Lothian und Borders, Kollege. Unser Motto: Justitia schläft nie.«

Morris Gerald Cafferty kam wahrscheinlich auch nicht viel zum Schlafen. Rebus stellte sich vor, wie er nachts wach dalag, die Hände hinter dem Kopf verschränkt, und ins Dunkel starrte.

Pläne schmiedete.

Sich alle möglichen Dinge durch den Kopf gehen ließ: Wie er den Untergang seines Imperiums verhindern, wie er Bedrohungen in Gestalt eines Tommy Telford am besten abwehren könne. Rebus wusste, dass Cafferty einen Anwalt beschäftigte – einen Nadelstreifentypen mittleren Alters aus der Neustadt –, um seiner Gang in Edinburgh Anweisungen zukommen zu lassen. Er dachte an Charles Groals, Telfords Anwalt. Groal war jung und gerissen, wie sein Mandant.

»Strawman.«

Er wartete im Vernehmungsraum: Arme verschränkt, Stuhl weit vom Tisch abgerückt. Und natürlich war sein Eröffnungszug der Spitzname, den er Rebus verpasst hatte.

»Eine hübsche Überraschung, zwei Besuche innerhalb einer Woche. Sagen Sie mir jetzt bloß nicht, Sie hätten mir noch was vom Polacken auszurichten.«

Rebus nahm Cafferty gegenüber Platz. »Tarawicz ist kein

Pole.« Er warf einen Blick hinüber zum Wärter, der an der Tür stehen geblieben war, und senkte die Stimme. »Es hat noch einen von Telfords Jungs erwischt.«

»Wie ungeschickt.«

»Man hat ihn so gut wie skalpiert. Sind Sie auf einen Krieg aus?«

Cafferty zog seinen Stuhl an den Tisch heran, beugte sich vor. »Ich hab noch nie vor einem Kampf gekniffen.«

»Meine Tochter ist verletzt worden. Komischer Zufall, so kurz nach unserem Plauderstündchen.«

»Was heißt verletzt?«

»Angefahren.«

Cafferty wurde nachdenklich. »Ich schieß nicht auf Zivilisten.«

Stimmt, dachte Rebus, aber sie war keine Zivilistin, denn *er* hatte sie aufs Schlachtfeld gelockt.

»Überzeugen Sie mich«, sagte Rebus.

»Warum sollte mir was dran liegen?«

»Worüber wir neulich geredet haben ... Worum Sie mich gebeten haben ...«

»Telford?« Ein Flüstern. Cafferty lehnte sich für einen Moment zurück, um nachzudenken. Als er sich wieder vorbeugte, bohrten sich seine Blicke in Rebus' Augen. »Sie haben eines vergessen. Ich habe einen Sohn verloren, wissen Sie noch? Glauben Sie, ich könnte das einem anderen Vater antun? Es gibt einiges, was ich tun würde, Rebus, aber *das* nicht, das niemals.«

Rebus starrte zurück. »Also gut«, sagte er.

»Sie wollen, dass ich rausfinde, wer's getan hat?«

Rebus nickte langsam.

»Das ist Ihr Preis?«

Rhonas Worte: *Ich will ihm ins Gesicht sehen.* Rebus schüttelte den Kopf. »Ich will ihn *haben.* Ich will, dass Sie ihn mir frei Haus liefern, was immer es kosten mag.«

Cafferty legte die Hände auf die Knie, bedächtig, als wollte er, dass sie genau richtig liegen. »Sie wissen, dass es wahrscheinlich Telford ist?«

»Ja. Wenn Sie's nicht sind.«

»Dann werden Sie also Jagd auf ihn machen?«

»Mit allen mir verfügbaren Mitteln.«

Cafferty lächelte. »Aber ich hab noch ein paar zusätzliche Mittel.«

»Kann sein, dass Sie ihn zuerst erwischen. Ich will ihn *lebend*.«

»Und dafür sind Sie mein Mann?«

Rebus starrte ihn an. »Ich bin Ihr Mann«, antwortete er.

15

Am nächsten Morgen bekam Rebus einen Anruf vom CID Leith – Joseph Lintz war tot. Das Unerfreuliche daran war, dass es nach Mord aussah: Die Leiche hatte im Warriston-Friedhof an einem Baum gehangen.

Als Rebus eintraf, war man schon dabei, den Tatort weiträumig abzusperren, nachdem der Arzt zu dem Schluss gelangt war, dass nur wenige Selbstmörder sich die Mühe gemacht hätten, sich einen heftigen Schlag auf den Kopf zu verpassen, ehe sie zum eigentlichen Vorhaben schritten.

Joseph Lintz wurde gerade in einen Leichensack gepackt. Rebus konnte noch sein Gesicht sehen, bevor man den Reißverschluss zuzog. Er hatte schon etliche Seniorenleichen zu Gesicht bekommen, und meist wirkten sie sehr friedvoll. Doch Joseph Lintz sah so aus, als hätte er gelitten, als ruhte er ganz und gar nicht in Frieden.

»Sie sind bestimmt hier, um sich bei uns zu bedanken«, sagte der Mann, der Rebus entgegenkam. Seine Schultern krümmten sich unter einem marineblauen Regenmantel, und er ging mit gesenktem Kopf, die Hände in den Taschen. Sein Haar war dicht, silbergrau und borstig, seine Haut fast hepatitisch gelb – die Reste einer Herbsturlaubsbräune.

»Hi, Bobby«, sagte Rebus.

Bobby Hogan gehörte zum CID Leith.

»Um auf meine einleitende Bemerkung zurückzukommen, John…«

»Wofür sollte ich Ihnen wohl dankbar sein?«

Hogan nickte in Richtung des Leichensacks. »Dass wir Ihnen Mr. Lintz abnehmen. Erzählen Sie mir nur nicht, es hätte Ihnen *Spaß* gemacht, in dem ganzen Dreck zu buddeln!«

»Nicht direkt.«

»Irgendeine Idee, wer ihm an den Kragen gewollt haben könnte?«

Rebus blies die Backen auf. »Wo soll ich anfangen?«

»Ich meine, ich darf das Übliche doch wohl ausschließen, oder?« Hogan reckte drei Finger in die Höhe. »Es war kein Selbstmord, Straßenräuber sind in der Regel nicht so kreativ, und ein Unfall war es mit Sicherheit auch nicht.«

»Jemand wollte etwas klarstellen, gar keine Frage.«

»Aber was?«

Beamte von der Spurensicherung waren eifrig zugange und erfüllten den Tatort mit Lärm und Bewegung. Rebus forderte Hogan mit einer Geste auf, ihn zu begleiten. Sie befanden sich tief im Herzen des Friedhofs, in dem Teil, den Lintz besonders geliebt hatte. Je weiter sie sich davon entfernten, desto wilder, zugewucherter wurde die Umgebung.

»Ich habe ihn gestern Vormittag hier gesprochen«, sagte Rebus. »Ich weiß nicht, ob er es sich zur Regel gemacht hatte, aber er war fast jeden Tag hier.«

»Wir haben eine Tasche mit Gartengeräten gefunden.«

»Er pflanzte Blumen.«

»Wenn jemand wusste, dass er kommen würde, hätte er ihm also auflauern können?«

Rebus nickte. »Ein geplanter Mord.«

Hogan machte ein nachdenkliches Gesicht. »Aber warum hat man ihn *aufgehängt?*«

»Wegen Villefranche. Die Dorfhonoratioren wurden auf dem Marktplatz aufgeknüpft.«

»O Gott.« Hogan blieb stehen. »Ich weiß, dass Sie anderes zu tun haben, aber könnten Sie uns bei dieser Sache hier unter die Arme greifen, John?«

»Soweit es in meiner Macht liegt.«

»Eine Liste von möglichen Tätern wäre für den Anfang schon genug.«

»Wie wär's mit einer alten Frau mit Wohnsitz in Frankreich und einem jüdischen Historiker, der am Stock geht?«

»Ist das alles, was Sie zu bieten haben?«

»Na ja, dann gäb's natürlich auch noch mich. Gestern habe ich ihn praktisch beschuldigt, er hätte versucht, meine Tochter zu töten.« Rebus hielt inne und dachte an Sammy: Gleich nach dem Aufstehen hatte er das Krankenhaus angerufen. Sie war noch immer ohne Bewusstsein; von »Koma« war jedoch nicht die Rede. »Noch was«, sagte er. »Special Branch, ein Typ namens Abernethy. Er war hier, um Lintz zu sprechen.«

»Weshalb?«

»Abernethy koordiniert die verschiedenen Ermittlungen gegen mutmaßliche Kriegsverbrecher. Ist ein Straßenbulle, alles andere als ein typischer Schreibtischhengst.«

»Eine seltsame Wahl für den Job?« Rebus nickte. »Was ihn aber kaum zum Verdächtigen macht.«

»Ich tu, was ich kann, Bobby. Wir könnten uns in Lintz' Haus umsehen, mal gucken, ob wir was von den Pöbelbriefen finden, die er angeblich seit einiger Zeit erhielt.«

»Angeblich‹?«

Rebus zuckte die Achseln. »Bei Lintz wusste man nie genau, woran man war. Haben Sie eine Vorstellung, was passiert sein könnte?«

»Nach dem, was Sie mir erzählt haben, ist er wie gewohnt hier rausgekommen, um ein bisschen zu gärtnern – entsprechend angezogen ist er ja. Jemand wartete auf ihn. Er hat ihm eins über die Rübe gegeben, ihm eine Schlinge um den Hals gelegt und ihn den Baum hochgehievt. Das Ende des Seils wurde an einem Grabstein befestigt.«

»War das Hängen die Todesursache?«

»Der Arzt meint, ja. Blutergüsse in den Augen. Wie heißen die noch mal?«

»Tardieu-Flecken.«

»Genau. Der Schlag auf den Kopf sollte ihn nur bewusstlos machen. Noch was: Schürf- und Platzwunden im Gesicht. Jemand scheint ihn mit Fußtritten traktiert zu haben, als er am Boden lag.«

»K.o. schlagen, Fresse polieren, dann aufknüpfen.«

»Jemand hatte einen ganz schönen Hass auf ihn.«

Rebus sah sich um. »Jemand mit einer Schwäche fürs Theatralische.«

»Und einer ziemlichen Risikobereitschaft. Wie auf dem Hauptbahnhof geht's hier zwar nie zu, aber es ist immerhin ein öffentlicher Ort, und dieser Baum steht völlig frei da. Es hätte ohne weiteres jemand vorbeikommen können.«

»Von welcher Uhrzeit reden wir?«

»Acht, halb neun. Mr. Lintz dürfte sich ja kaum vor Tagesanbruch ans Buddeln gemacht haben.«

»Könnte auch früher gewesen sein«, gab Rebus zu bedenken. »Eine Verabredung.«

»Warum dann das Werkzeug?«

»Weil er *anschließend* arbeiten wollte.«

Hogan machte ein zweifelndes Gesicht.

»Und wenn es ein verabredetes Treffen *war*«, sagte Rebus, »ließe sich bei Lintz zu Hause möglicherweise eine entsprechende Notiz finden.«

Hogan nickte. »Mein Auto oder Ihres?«

»Erst mal sollten wir seine Schlüssel holen.«

»Die Taschen eines Toten durchsuchen«, brummelte Hogan vor sich hin. »Warum sagt einem das keiner vor der Einstellung?«

»Ich war gestern hier«, sagte Rebus. »Er hatte mich zum Tee eingeladen.«

»Keine Angehörigen?«

»Nein.«

Hogan schaute sich im Flur um. »Großes Haus. Was passiert mit dem Geld, wenn's verkauft wird?«

Rebus sah ihn an. »Wir könnten halbe-halbe machen.«

»Oder uns einfach selbst hier einquartieren. Souterrain und Erdgeschoss für mich, Sie können den ersten und zweiten Stock haben.«

Hogan lächelte, öffnete eine der Türen, die vom Flur abgingen. Sie führte in ein Arbeitszimmer. »Das könnte mein Schlafzimmer werden.«

»Wenn ich zu ihm kam, hat er mich immer nach oben geführt.«

»Rauf mit Ihnen. Wir nehmen uns jeder eine Etage vor, dann tauschen wir.«

Rebus stieg die Treppe empor und ließ dabei die Hand über das blanke Geländer gleiten: nicht *ein* Staubkörnchen. Putzfrauen konnten unschätzbare Informantinnen sein.

»Wenn Sie ein Scheckbuch finden«, rief er zu Hogan hinunter, »suchen Sie nach regelmäßigen Zahlungen an eine Mrs. Feudel.«

Vom Korridor im ersten Stock gingen vier Türen ab. Zwei waren Schlafzimmer, eins ein Badezimmer. Die letzte Tür führte in den großen Salon, in dem Rebus seine Fragen gestellt und sich die Geschichten und philosophischen Betrachtungen angehört hatte, die ihm Lintz anstelle von Antworten zu unterbreiten pflegte.

»Glauben Sie, dass Schuldbewusstsein genetisch bedingt ist, Inspector?«, hatte er einmal gefragt. »Oder wird es uns anerzogen?«

»Spielt es irgendeine Rolle, solange es überhaupt vorhanden ist?«, hatte Rebus entgegnet, woraufhin Lintz nickte und lächelte, als hätte der Zögling eine befriedigende Antwort gegeben.

Das Zimmer war groß, mit wenigen Möbeln ausgestattet. Riesige, frisch geputzte Fenster gaben den Blick frei auf die Straße. An den Wänden hingen gerahmte Drucke und Gemälde. Sie konnten ebenso gut teure Originale wie Ramsch aus einem Trödelladen sein – Rebus war kein Experte. Ein Bild gefiel ihm. Es stellte einen zerlumpten weißhaarigen Mann dar, der auf einem Felsblock inmitten einer wüsten Ebene saß. Er hatte ein aufgeklapptes Buch auf dem Schoß, starrte aber, voller Entsetzen oder Ehrfurcht, gen Himmel, an dem ein strahlendes Licht erschienen war und zu ihm herabstrahlte. Die Szene hatte etwas Biblisches, aber Rebus konnte sie nicht recht einordnen. Den Ausdruck im Gesicht des Mannes kannte er allerdings. Er hatte ihn schon mehrfach bei Verdächtigen gesehen, deren sorgfältig konstruiertes Alibi plötzlich wie ein Kartenhaus in sich zusammenfiel.

Über dem marmornen Kamin hing ein großer Spiegel mit vergoldetem Rahmen. Rebus betrachtete sich darin. Hinter sich konnte er das Zimmer sehen. Er wusste, dass er da nicht reinpasste.

Ein Schlafzimmer war für Gäste, im anderen hatte Lintz geschlafen. Ein schwacher Geruch nach Einreibemittel, auf dem Nachttisch ein halbes Dutzend Arzneifläschchen. Und

Bücher, ein ganzer Stapel. Das Bett war gemacht, ein Morgenmantel lag ordentlich darauf ausgebreitet. Lintz war ein Gewohnheitstier; er hatte es am Morgen nicht sonderlich eilig gehabt.

Im nächsten Stock fand Rebus zwei weitere Schlafzimmer und eine Toilette. In einem der Zimmer roch es ein bisschen modrig, und die Decke war fleckig. Rebus konnte sich nicht vorstellen, dass Lintz allzu häufig Gäste gehabt hatte; keine Motivation zum Renovieren. Wieder draußen auf dem Flur, fiel ihm auf, dass im Treppengeländer ein Pfosten fehlte. Er stand an die Wand gelehnt und harrte seiner Reparatur. In einem Haus von der Größe war zwangsläufig immer etwas kaputt.

Er ging wieder nach unten. Hogan befand sich im Souterrain. Von der Küche aus führte eine Tür in den rückwärtigen Garten – steingepflasterte Terrasse, mit verrottendem Laub bedeckter Rasen, eine efeuüberwachsene Mauer, die vor indiskreten Blicken schützte.

»Schauen Sie, was ich gefunden habe«, sagte Hogan, als er aus dem Haushaltsraum herauskam. Er hielt ein Seil hoch, von dem unverkennbar ein Stück abgeschnitten worden war.

»Sie glauben, das passt mit der Schlinge zusammen? Das würde bedeuten, dass der Mörder das Seil von hier hatte.«

»Was wiederum bedeuten würde, dass Lintz ihn kannte.«

»Irgendwas im Arbeitszimmer?«

»Das wird einige Zeit erfordern. Es gibt ein Adressbuch, jede Menge Einträge, aber zum größten Teil scheinen sie älteren Datums zu sein.«

»Woran sehen Sie das?«

»Alte Vorwahlnummern.«

»Computer?«

»Nicht mal 'ne Schreibmaschine. Aber er benutzte immerhin Kohlepapier. Haufenweise Briefe an seinen Anwalt.«

»Wegen der Medienberichte?«

»*Sie* werden auch ein paar Mal erwähnt. Oben irgendwas?«

»Sehen Sie selbst nach. Ich nehm mir das Arbeitszimmer vor.«

Rebus stieg wieder nach oben und blieb an der Schwelle des Arbeitszimmers stehen, sah sich um. Dann setzte er sich an den Schreibtisch und stellte sich vor, das sei sein Zimmer. Was machte er hier? Er erledigte seine Alltagspflichen. Es gab zwei Aktenschränke, aber um an die zu gelangen, hätte er aufstehen müssen. Er war ein alter Mann. Also waren die Schränke für die alte Korrespondenz. Aktuellere Sachen dürfte er näher an seinem Arbeitsplatz abgelegt haben.

Er sah in den Schubladen nach. Fand das Adressbüchlein, von dem Hogan gesprochen hatte. Ein paar Briefe. Eine kleine Schnupftabakdose, Inhalt fest zusammengebacken. Lintz hatte sich nicht einmal dieses kleine Laster gegönnt. In einer der unteren Schubladen befanden sich ein paar Aktenordner. Rebus zog den einen heraus, der mit »Allgemeines/Haushalt« beschriftet war. Er enthielt Rechnungen und Garantien. Auf einem großen braunen Umschlag stand »BT«. Rebus öffnete ihn; in ihm befanden sich die Telefonrechnungen des laufenden Jahres. Die letzte Rechnung lag zuoberst. Wie Rebus enttäuscht feststellte, enthielt sie keine Auflistung der Einzelverbindungen. Alle übrigen jedoch schon. Lintz war sehr penibel gewesen, hatte neben jeder Telefonnummer den Namen des Angerufenen notiert und den Gesamtbetrag am Ende jeder Seite noch einmal nachgerechnet. Das ging das ganze Jahr so... bis auf den letzten Monat. Stirnrunzelnd stellte Rebus fest, dass der vorletzte Bescheid fehlte. Hatte Lintz ihn verlegt? Rebus konnte sich nicht vorstellen, dass er *irgendetwas* verlegte. Eine fehlende Rechnung hätte den Einbruch

216

des Chaos in seine wohlgeordnete Welt bedeutet. Nein, sie musste irgendwo sein.

Aber Rebus konnte sie einfach nicht finden.

Lintz' Korrespondenz war rein geschäftlicher Natur – entweder mit Anwälten oder mit verschiedenen örtlichen Wohltätigkeitsorganisationen und Komitees. Aus Letzteren war er kürzlich ausgeschieden. Rebus fragte sich, ob man Druck auf ihn ausgeübt hatte. Was das anging, konnte Edinburgh grausam und kalt sein.

»Und?«, sagte Hogan und streckte den Kopf durch die Tür.

»Ich frag mich gerade …«

»Was?«

»Ob wir einen Wintergarten anbauen und die Außenwand der Küche durchbrechen sollten.«

»Da würden wir ein Stück Garten einbüßen«, entgegnete Hogan. Er kam herein, lehnte sich an den Schreibtisch. »Was gefunden?«

»Eine fehlende Telefonrechnung und danach keine Auflistung der Einzelverbindungen mehr.«

»Ist einen Anruf wert«, räumte Hogan ein. »Ich habe in seinem Schlafzimmer ein Scheckheft gefunden. Die Abschnitte belegen Zahlungen von monatlich sechzig Pfund an E. Forgan.«

»Wo im Schlafzimmer?«

»Als Lesezeichen in einem Buch.« Hogan griff in die oberste Schreibtischschublade, holte das Adressbüchlein heraus.

Rebus stand auf. »Ziemliche Reicheleutestraße, das hier. Ich frag mich, wie viele der Anwohner ihre Fußböden selber wischen.«

Hogan klappte das Buch wieder zu. »Keine E. Forgan. Meinen Sie, die Nachbarn könnten etwas wissen?«

»In Edinburgh wissen Nachbarn *alles*. Das Problem ist nur, dass sie's meistens für sich behalten.«

16

Joseph Lintz' Nachbarn: auf der einen Seite eine Künstlerin und ihr Ehemann; auf der anderen ein Anwalt im Ruhestand und dessen Frau. Die Künstlerin beschäftigte eine Putzhilfe namens Ella Forgan. Mrs. Forgan wohnte in der East Claremont Street. Die Künstlerin gab ihnen die Telefonnummer.

Resultat der zwei Befragungen: Erschütterung und Entsetzen über Lintz' Tod; uneingeschränktes Lob für den ruhigen, rücksichtsvollen Nachbarn. Jedes Jahr eine Weihnachtskarte, jeden Juli, jeweils sonntagnachmittags, eine Einladung zu Drinks. Schwer zu sagen, wann er jeweils zu Haus gewesen war und wann nicht. Er fuhr in den Urlaub, ohne außer Mrs. Forgan jemandem etwas zu sagen. Gäste hatte er nur selten gehabt – beziehungsweise hatte man nur selten bemerkt, was nicht dasselbe war.

»Männer? Frauen?«, hatte Rebus gefragt. »Oder mal so, mal so?«

»Mal so, mal so, würde ich sagen«, hatte die Künstlerin, ihre Worte abwägend, geantwortet. »Wir wussten wirklich nur wenig von ihm, wenn man bedenkt, dass wir über zwanzig Jahre lang Nachbarn gewesen sind...«

Tja, und auch das war Edinburgh, wie es leibte und lebte – zumindest in dieser Einkommensklasse. Reichtum war in der Stadt eine sehr diskrete Angelegenheit. Er protzte und prunkte nicht und hielt sich friedlich hinter seinen dicken Steinmauern verborgen.

Rebus und Hogan hielten auf der Treppe vor dem Haus eine abschließende Konferenz ab.

»Ich rufe die Putzfrau an und versuche, mich mit ihr zu treffen, nach Möglichkeit hier.« Hogan warf einen Blick zu Lintz' Haustür.

»Ich wüsste zu gern, wo er das Geld herhatte, um dieses Haus zu kaufen«, sagte Rebus.

»Das könnte einige Buddelarbeit erfordern.«

Rebus nickte. »Am besten fangen wir beim Anwalt an. Was ist mit dem Adressbuch? Würd sich's lohnen, ein paar dieser unsichtbaren Freunde aufzuspüren?«

»Wahrscheinlich.« Die Aussicht schien Hogan wenig Freude zu bereiten.

»Ich kümmer mich dafür um die Telefonrechnungen«, schlug Rebus vor. »Falls Ihnen das eine Hilfe ist.«

Hogan nickte. »Und denken Sie daran, mir Kopien Ihrer Akten zuzuschicken. Haben Sie ansonsten viel zu tun?«

»Bobby, wenn Zeit Geld wäre, stünde ich bei jedem Kredithai der Stadt in der Kreide.«

Mae Crumley erreichte Rebus auf dem Handy.

»Ich dachte schon, Sie hätten mich vergessen«, sagte er zu Sammys Chefin.

»Ich geh nur methodisch vor, Inspector. Mit weniger würden Sie sich doch bestimmt nicht zufrieden geben.« Rebus hielt vor einer Ampel. »Ich hab Sammy besucht. Gibt's irgendwelche Neuigkeiten?«

»Nicht viel. Sie haben sich also mit ihren Klienten unterhalten?«

»Ja, und sie wirkten alle aufrichtig bestürzt und überrascht. Tut mir Leid, Sie enttäuschen zu müssen.«

»Wie kommen Sie darauf, dass ich enttäuscht bin?«

»Sammy hat eine gute Beziehung zu ihren Klienten. Keiner von ihnen hätte ihr etwas Böses gewünscht.«

»Wie steht's mit denen, die *nicht* von ihr betreut werden wollten?«

Crumley zögerte. »Es *gab* da einen Mann … Als er erfuhr, Sammys Vater sei Inspector bei der Polizei, wollte er nichts mit ihr zu tun haben.«

»Wie heißt er?«

»Er kann's aber nicht gewesen sein.«

»Warum nicht?«

»Weil er sich umgebracht hat. Er hieß Gavin Tay, verkaufte Eiscreme, mit einem Lieferwagen...«

Rebus dankte ihr für den Anruf. Wenn jemand bewusst versucht hatte, Sammy zu töten, war die Frage: Warum? Rebus hatte gegen Lintz ermittelt; Ned Farlowe war ihm dabei gefolgt. Rebus hatte sich zweimal mit Telford angelegt; Ned arbeitete an einem Buch über das organisierte Verbrechen. Dann war da noch Candice... Konnte sie Sammy etwas *verraten* haben, etwas, das für Telford oder sogar Mr. Pink Eyes eine Gefahr darstellte? Rebus hatte keine Ahnung. Er wusste, dass der wahrscheinlichste Täter – der skrupelloseste Kandidat – Tommy Telford war. Er erinnerte sich an seine erste Begegnung mit ihm und daran, was er ihm gegenüber gesagt hatte: *Das ist das Schöne an Videospielen. Nach einem Unfall kann man immer wieder neu anfangen. Ist im wirklichen Leben nicht so einfach.* In dem Moment hatte es wie pure Aufschneiderei geklungen, eine Schau für seine Mannen. Im Nachhinein aber klang es wie eine offene Drohung.

Und jetzt kam noch Mr. Taystee hinzu, der eine Verbindung zwischen Sammy und Telford herstellte. Mr. Taystee hatte vor Telfords Nachtlokalen gearbeitet; Mr. Taystee hatte Sammy als Betreuerin abgelehnt. Rebus wusste, dass er mit der Witwe würde reden müssen.

Es gab nur das eine Problem: Mr. Pink Eyes hatte angedeutet, dass wenn er Telford nicht in Ruhe ließ, Candice dafür büßen müsse. Ständig hatte er Bilder von Candice vor Augen: aus Heimat und Zuhause herausgerissen; benutzt und misshandelt; sich selbst misshandelnd in der Hoffnung, sich dadurch eine Atempause zu verschaffen; sich an die Beine eines Unbekannten klammernd... Er erinnerte

sich an Levys Worte: *Kann die Zeit Schuld abtragen?* Gerechtigkeit war eine schöne und hehre Sache, aber Rache...
Rachedurst war ein *Gefühl* und weit stärker als ein abstrakter Begriff wie Gerechtigkeit. Er fragte sich, ob Sammy Rache gewollt hätte. Wahrscheinlich nicht. Sie hätte Candice helfen wollen, was bedeutete, sich Telford zu beugen. Rebus glaubte nicht, dass er dazu imstande sein würde.

Und jetzt kam noch der Mord an Lintz hinzu: ohne erkennbaren Zusammenhang, aber irgendwie *mitschwingend*.

»Ich habe mich in der Vergangenheit noch nie zu Hause gefühlt, Inspector«, hatte Lintz einmal gesagt. Komisch, Rebus hätte das Gleiche in Bezug auf die Gegenwart sagen können.

Joanne Tay wohnte in Colinton in einer ziemlich neuen Fünfzimmer-Doppelhaushälfte; der Mercedes stand noch immer in der Auffahrt.

»Es ist für mich zu groß«, erklärte sie Rebus. »Ich werd's verkaufen müssen.«

Wobei nicht klar war, ob sie das Haus oder das Auto meinte. Nachdem er einen Tee dankend abgelehnt hatte, nahm er in einem Wohnzimmer Platz, das von Nippes und Zierrat nur so strotzte. Joanne Tay war noch in Trauer: schwarzer Rock und schwarze Bluse, dunkle Ringe unter den Augen. Er hatte sie schon einmal zu Beginn der Ermittlungen befragt.

»Ich weiß noch immer nicht, warum er das getan hat«, sagte sie jetzt, nicht bereit, den Tod ihres Mannes als etwas anderes als Selbstmord zu betrachten.

Aber Autopsie und kriminaltechnische Untersuchungen hatten diesbezüglich Zweifel aufkommen lassen.

»Haben Sie jemals«, fragte Rebus, »von einem Mann namens Tommy Telford gehört?«

»Er führt doch einen Nachtklub, oder? Gavin war einmal mit mir da.«

»Gavin kannte ihn also?«

»Sah so aus.«

Natürlich: denn Mr. Taystee hätte unmöglich seine Würstchenbude vor Telfords Lokal aufstellen können, ohne vorher Telfords Okay einzuholen. Und Telfords Okay implizierte mit ziemlicher Sicherheit irgendeine Art von Bezahlung. Vielleicht eine prozentuale Beteiligung... oder eine Gefälligkeit.

»Sie hatten gesagt«, fuhr Rebus fort, »dass Gavin in der Woche vor seinem Tod viel zu tun hatte, richtig?«

»Er hat rund um die Uhr gearbeitet.«

»Tag *und* Nacht?« Sie nickte. »Die Woche war ein ziemliches Sauwetter.«

»Ich weiß. Ich hab zu ihm gesagt: ›An so einem Tag kauft dir doch kein Mensch Eis ab.‹ Es schüttete wie aus Kübeln. Aber er ist trotzdem los.«

»Hat er jemals von SWEEP gesprochen, Mrs. Tay?«

»Da gab's so eine Frau, die ihn gelegentlich besuchte... so 'ne Rothaarige.«

»Mae Crumley?«

Sie nickte, ohne die Augen vom künstlichen Kaminfeuer abzuwenden. Sie wiederholte ihre Frage, ob er eine Tasse Tee wolle. Rebus schüttelte den Kopf und stand auf. Schaffte einen ganz ordentlichen Abgang – warf auf dem Weg zur Tür nicht mehr als zwei Nippfiguren um.

Im Krankenhaus war es still. Als er die Tür zu Sammys Zimmer öffnete, stellte er fest, dass man ein zweites Bett hineingestellt hatte, in dem jetzt eine Frau mittleren Alters mit bandagiertem Kopf schlief. Ihre Hände lagen auf der Bettdecke, an einem Handgelenk baumelte ein Namensschildchen. Sie war an irgendein Gerät angeschlossen.

An Sammys Bett saßen, dicht beieinander, zwei Frauen. Rhona und Patience Aitken. Rebus hatte Patience seit einer

Ewigkeit nicht mehr gesehen. Ihre geflüsterte Unterhaltung verstummte in dem Moment, als er eintrat. Er nahm einen Stuhl und ließ sich neben Patience nieder. Sie beugte sich zu ihm und drückte ihm die Hand.

»Hallo, John.«

Er lächelte, fragte Rhona: »Wie geht's ihr?«

»Der Spezialist meint, diese letzten Tests wären sehr positiv gewesen.«

»Was bedeutet das?«

»Dass man Gehirnaktivität festgestellt hat. Sie liegt nicht im Koma.«

»War das *seine* Interpretation?«

»Er glaubt, dass sie wieder zu sich kommt, John.« Ihre Augen waren rot gerändert. Er bemerkte, dass sie in einer Hand ein zusammengeknülltes Taschentuch hielt.

»Das ist gut«, sagte er. »Welcher Arzt war das?«

»Dr. Stafford. Er ist gerade aus dem Urlaub zurück.«

»Ich kann mir die nicht alle merken.« Rebus rieb sich die Stirn.

»Also«, erklärte Patience mit einem Blick auf ihre Uhr, »ich muss jetzt wirklich gehen. Ihr beide habt euch auch bestimmt...«

»Bleib so lange, wie du möchtest«, sagte Rebus.

»Ich hab eine Verabredung und bin schon spät dran.« Sie stand auf. »Hat mich gefreut, Rhona.«

»Danke, Patience.« Die zwei Frauen gaben sich etwas befangen die Hand. Dann stand Rhona auf. Sie umarmten sich, und die Befangenheit war verschwunden. »Danke, dass Sie gekommen sind.«

Patience wandte sich zu Rebus. Er fand, dass sie blendend aussah. Ihre Haut schien buchstäblich zu strahlen. Sie trug ihr gewohntes Parfüm, dazu aber eine neue Frisur.

»Danke, dass du vorbeigeschaut hast«, sagte er.

»Sie wird wieder gesund, John.« Sie nahm seine Hände,

beugte sich zu ihm. Ein Küsschen auf die Wange, ein Kuss unter Freunden. Rebus sah, dass Rhona sie beobachtete.

»John«, sagte sie, »begleite doch Patience hinaus.«

»Nein, es ist –«

»Doch, natürlich«, meinte Rebus.

Sie verließen gemeinsam das Zimmer. Gingen die ersten paar Schritte, ohne ein Wort zu sagen. Patience sprach als Erste.

»Sie ist toll, nicht?«

»Rhona?«

»Ja.«

Rebus wirkte nachdenklich. »Sie ist unglaublich. Hast du ihren Liebhaber kennen gelernt?«

»Er ist nach London zurückgefahren. Ich... ich habe Rhona angeboten, bei mir zu wohnen. Hotels können so...«

Rebus lächelte müde. »Gute Idee. Dann bräuchtest du nur noch meinen Bruder einzuladen, und du hättest die ganze Mischpoke beisammen.«

Sie lächelte verlegen. »Muss wohl ein bisschen den Eindruck vermitteln, als würde ich Rebusse sammeln.«

»Das ideale Blatt im Unglückliche-Familien-Quartett.«

Als sie am Haupteingang des Krankenhauses standen, legte sie ihm eine Hand auf die Schulter. »John, es tut mir wirklich Leid wegen Sammy. Wenn ich irgendetwas tun kann, was auch immer – du brauchst es nur zu sagen.«

»Danke, Patience.«

»Aber um irgendwelche Dinge bitten ist noch nie deine Stärke gewesen, stimmt's? Du sitzt einfach stumm da und hoffst, dass sie von selbst kommen.« Sie seufzte. »Ich kann nicht glauben, dass ich das sage, aber du fehlst mir. Ich vermute, das war der Grund, warum ich Sammy damals bei mir aufgenommen habe. Wenn ich schon dich nicht bei mir haben konnte, dann wenigstens jemanden, der dir nahe stand. Ergibt das irgendwie einen Sinn? Ist das

224

die Stelle, wo du sagst, du würdest mich gar nicht verdienen?«

»Du hast das Drehbuch gelesen.« Er rückte ein Stückchen von ihr ab, so dass er ihr ins Gesicht sehen konnte. »Du fehlst mir auch.«

All die Nächte am Tresen oder zu Hause in seinem Sessel, die langen Autofahrten nach Mitternacht, die ihm helfen sollten, seine Rastlosigkeit wach zu halten. Manchmal ließ er Fernseher und Hi-Fi gleichzeitig laufen, und trotzdem fühlte sich die Wohnung leer an. Bücher, die er zu lesen versuchte und bei denen er sich schon nach zehn Seiten an gar nichts mehr erinnern konnte. Am Fenster stehen und auf die unbeleuchteten Wohnungen auf der anderen Straßenseite starren und sich friedliche Existenzen vorstellen.

Und alles, weil er *sie* nicht hatte.

Sie hielten sich eine Zeit lang schweigend in den Armen. »Du kommst noch zu spät«, sagte er.

»Ach, John, was sollen wir bloß machen?«

»Uns sehen?«

»Klingt wie ein Anfang.«

»Heute Abend? Um acht bei Mario?« Sie nickte, und sie küssten sich wieder. Er drückte ihre Hand. Als sie die Tür öffnete, drehte sie sich um.

Emerson, Lake and Palmer: »Still…You Turn Me On«.

Rebus fühlte sich ein bisschen benommen, als er Sammys Zimmer wieder betrat. Nur, dass es nicht mehr »Sammys Zimmer« war. Jetzt lag da noch eine andere Patientin. Sie hatten ihm gesagt, dass die Möglichkeit immer bestand – Bettenmangel, Etatkürzungen. Die Frau schlief noch immer oder war weiterhin bewusstlos, atmete geräuschvoll. Rebus ignorierte sie und setzte sich auf den Stuhl, auf dem zuvor Patience gesessen hatte.

»Ich soll dir was ausrichten«, sagte Rhona. »Von Dr. Morrison.«

»Wer ist er nach Feierabend?«

»Keine Ahnung. Er hat nur gefragt, ob er sein T-Shirt wiederhaben könnte.«

Der Zombie mit der Sense… Rebus nahm Pa Broon, drehte das Bärchen in den Händen. Sie saßen eine Zeit lang schweigend da, bis Rhona sich ihm zuwandte. »Patience ist wirklich lieb.«

»Habt ihr beide euch nett unterhalten?« Sie nickte. »Und du hast ihr erzählt, was für ein toller Ehemann ich gewesen bin?«

»Du musst verrückt sein, sie zu verlassen.«

»Gesunder Menschenverstand ist noch nie meine Stärke gewesen.«

»Aber früher warst du doch durchaus imstande, etwas Gutes zu erkennen, wenn du es gesehen hast.«

»Leider ist es nie das, was ich sehe, wenn ich in den Spiegel schaue.«

»Was siehst du denn dann?«

»Manchmal überhaupt nichts.«

Später gönnten sie sich eine Kaffeepause, gingen zum Automaten.

»Ich hab sie verloren«, sagte Rhona.

»Wen?«

»Sammy, ich hab sie verloren. Sie kam hierher zurück. Sie kam zu dir zurück.«

»Wir sehen uns alle Jubeljahre einmal, Rhona.«

»Aber sie ist *hier*. Kapierst du das nicht? Sie braucht *dich*, nicht mich.« Sie wandte sich ab, kramte nach ihrem Taschentuch. Rebus blieb dicht hinter ihr stehen, wusste nicht, was er sagen sollte. Jeder tröstende Satz erschien ihm hohl und abgedroschen. Er berührte ihren Nacken, knetete ihn leicht. Sie senkte den Kopf ein wenig, ohne sich zu sträuben. Massage: Zu Beginn ihrer Beziehung hatten sie sich häufig massiert, am Ende reichte seine Zeit nicht einmal mehr für einen Händedruck.

»Ich weiß nicht, warum sie zurückgekommen ist, Rhona«, sagte er dann. »Aber ich glaube nicht, dass sie von dir weglaufen wollte, und ich glaube auch nicht, dass es allzu viel mit mir zu tun hatte.«

Ein paar Schwestern liefen eilig vorüber.

»Ich geh besser zurück«, sagte Rhona und rieb sich mit einer Hand über das Gesicht.

Rebus begleitete sie, sagte dann, er müsse weg. Er beugte sich zu Sammy hinunter, um ihr einen Kuss zu geben, wobei er ihren Atem an seiner Wange spürte,

»Wach auf, Sammy«, flüsterte er. »Du kannst nicht dein Leben lang im Bett liegen bleiben, Zeit aufzustehen.«

Als jede Reaktion ausblieb, wandte er sich ab und verließ den Raum.

17

David Levy war nicht mehr in Edinburgh, zumindest nicht mehr im Roxburghe Hotel. Rebus fiel nur eine einzige Möglichkeit ein, wie er mit ihm in Verbindung treten konnte. Er rief das Holocaust Investigation Bureau in Tel Aviv an und fragte nach Solomon Mayerlink. Mayerlink war nicht da, aber Rebus wies sich aus und sagte, er müsse ihn in einer dringenden Angelegenheit sprechen. Man gab ihm seine Privatnummer.

»Gibt es Neuigkeiten in Sachen Linzstek, Inspector?« Mayerlinks Stimme war ein heiseres Krächzen.

»In gewisser Weise, ja. Er ist tot.«

Schweigen in der Leitung, dann ein langsames Ausatmen. »Das ist schade.«

»Ach ja?«

»Wenn Menschen sterben, stirbt mit ihnen ein Stückchen Geschichte. Wir hätten ihn lieber vor Gericht gesehen, Inspector. Tot nützt er uns nichts.« Nach einer kurzen Pause sagte Mayerlink: »Ich gehe davon aus, dass Ihre Ermittlungen damit abgeschlossen sind?«

»Sie nehmen einen anderen Charakter an. Er wurde ermordet.«

Rauschen in der Leitung. »Was ist passiert?«

»Man hat ihn an einem Baum aufgehängt.«

Längeres Schweigen. »Ich verstehe«, sagte Mayerlink dann. »Gehen Sie davon aus, dass die öffentlichen Anschuldigungen zu seiner Ermordung geführt haben?«

»Was würden *Sie* denn sagen?«

»Ich bin kein Detective.«

Aber Rebus wusste, dass Mayerlink log – das war *genau* die Lebensaufgabe, die sich Mayerlink gestellt hatte: historische Fälle ermitteln. Wie ein Detective.

»Ich muss David Levy sprechen«, sagte Rebus. »Haben Sie seine Adresse und Telefonnummer?«

»Er hat Sie also aufgesucht?«

»Das wissen Sie doch.«

»So einfach ist das mit David nicht. Er arbeitet nicht für das *Bureau*. Er ist selbstmotiviert. Gelegentlich bitte ich ihn um Mithilfe. Manchmal hilft er, manchmal nicht.«

»Aber Sie wissen, wie er zu erreichen ist?«

Es dauerte eine Weile, bis Mayerlink mit den Informationen herausrückte: eine Adresse in Sussex, dazu eine Telefonnummer.

»Ist David Ihr Hauptverdächtiger, Inspector?«

»Warum fragen Sie?«

»Weil ich Ihnen in dem Fall sagen könnte, dass Sie auf dem Holzweg sind.«

»Auf demselben Weg, den Joseph Lintz' Henker gegangen ist?«

»Können Sie sich David Levy wirklich als Mörder vorstellen, Inspector?«

Safarianzug, Spazierstock. »Es gibt solche und solche«, erwiderte Rebus und legte auf.

Er wählte Levys Nummer. Es klingelte und klingelte. Er ließ ein paar Minuten verstreichen, trank einen Kaffee, probierte es noch einmal. Immer noch keine Antwort. Also rief er stattdessen die British Telecom an, erklärte sein Anliegen, wurde schließlich mit der richtigen Person verbunden.

»Mein Name ist Justine Graham, Inspector. Was kann ich für Sie tun?«

Rebus nannte ihr Lintz' Telefon- und Kundennummer. »Er bekam früher immer eine detaillierte Rechnung mit allen Einzelverbindungen, dann war plötzlich Schluss.«

Er hörte ihre Finger auf einer Tastatur hämmern. »Das ist richtig«, sagte sie dann. »Der Teilnehmer beantragte die Umstellung auf nichtdetaillierte Abrechnung.«

»Sagte er auch, warum?«

»Darüber steht hier nichts. Man braucht sich dafür nicht zu rechtfertigen, wissen Sie.«

»Wann war das?«

»Vor zwei Monaten. Die monatliche Rechnungstellung hatte der Kunde schon vor ein paar Jahren beantragt.«

Monatliche Rechnungstellung: weil er so penibel war, ganz exakt Buch führte. Vor zwei Monaten – im September – war die Lintz/Linzstek-Geschichte in die Schlagzeilen gekommen. Und plötzlich hatte er nicht mehr gewollt, dass seine Anrufe dokumentiert würden.

»Verfügen Sie über eine Aufstellung seiner Anrufe – ich meine, auch derjenigen, die in den Rechnungen nicht mehr einzeln aufgeführt wurden?«

»Ja, die Verbindungen müssten vollständig gespeichert sein.«

»Ich bräuchte davon eine Liste. Alles vom ersten nicht einzeln aufgeführten Gespräch bis heute Morgen.«

»Ist das der Zeitpunkt seines Todes – heute Morgen?«

»Ja.«

Sie dachte hörbar nach. »Na ja, ich werde nachsehen müssen.«

»Bitte, tun Sie das. Aber vergessen Sie nicht, Ms. Graham, das ist eine Morduntersuchung.«

»Ja, sicher.«

»Und Ihre Informationen könnten von absolut entscheidender Bedeutung sein.«

»Es ist mir völlig klar, dass –«

»Könnte ich also bis spätestens heute Abend damit rechnen?«

Sie zögerte. »Ich weiß nicht, ob ich Ihnen das versprechen kann.«

»Und noch eine letzte Bitte. Die Rechnung für September ist nicht auffindbar. Ich benötige davon eine Kopie und gebe Ihnen meine Faxnummer, damit's schneller geht.«

Anschließend belohnte sich Rebus mit einer weiteren Tasse Kaffee und einer Zigarette auf dem Parkplatz. Vielleicht würde sie es nicht bis zum Abend schaffen, aber er war zuversichtlich, dass sie ihr Möglichstes tat. Und mehr konnte man von einem Menschen schließlich nicht verlangen.

Noch ein Anruf: Special Branch in London. Er fragte nach Abernethy.

»Ich verbinde.«

Irgendjemand nahm ab: ein Grunzer anstelle eines Namens.

»Abernethy?«, fragte Rebus. Er hörte eine Flüssigkeit eine Gurgel hinuntergluckern. Die Stimme klang jetzt klarer.

»Er ist nicht da. Kann ich Ihnen helfen?«

»Ich müsste ihn unbedingt sprechen.«

»Ich könnte ihn pagen lassen, wenn es dringend ist.«

»Mein Name ist DI Rebus, Polizei Lothian und Borders.«

»Ach so. Ist er Ihnen irgendwie abhanden gekommen?«

Rebus setzte eine verschmitzte Miene auf. Seine Stimme nahm einen gekünstelt humoristischen Ton an. »Sie kennen doch Abernethy.«

Ein Schnauben. »Das können Sie laut sagen.«

»Insofern wäre ich für jede Hilfe dankbar.«

»Ja, klar. Geben Sie mir einfach Ihre Nummer. Ich sorg dafür, dass er Sie zurückruft.«

Ist er Ihnen irgendwie abhanden gekommen? »Sie wissen also nicht, wo er sich zur Zeit aufhält?«

»Es ist *Ihre* Stadt, Mann. Bemühen Sie Ihre Phantasie.« *Er ist hier oben*, dachte Rebus. *Er ist hier.*

»Ich wette, ohne ihn ist es im Büro ziemlich erholsam.«

Lachen am anderen Ende der Leitung, dann das Geräusch einer Zigarette, die angezündet wurde. »Ist der reinste Urlaub. Behalten Sie ihn so lange, wie Sie möchten.«

»Und, wie lang erfreuen Sie sich schon seiner Abwesenheit?«

Eine Pause. Als das Schweigen sich in die Länge zog, spürte Rebus, wie die Atmosphäre umschlug.

»Wie war noch mal Ihr Name?«

»DI Rebus. Ich wollte lediglich wissen, wann er London verlassen hat.«

»Heute Morgen, als er von der Sache erfahren hat. Was habe ich jetzt also gewonnen: das Kabrio oder die Kaffeekanne?«

Jetzt musste Rebus lachen. »Tut mir Leid, ich bin bloß neugierig.«

»Keine Sorge, ich werd's ihm ausrichten.« Ein Klick, und die Leitung war tot.

Am späteren Nachmittag machte Rebus der Telecom ein bisschen Dampf und probierte es dann noch einmal bei Levy. Diesmal nahm eine Frau ab.

»Mrs. Levy? Mein Name ist John Rebus. Ob ich wohl kurz Ihren Mann sprechen könnte?«

»Sie meinen meinen Vater.«

»Verzeihung. Ist Ihr Vater da?«

»Nein.«

»Wissen Sie, wann...?«

»Ich hab nicht die leiseste Ahnung.« Sie klang leicht genervt. »Ich bin bloß seine Köchin und Putzfrau. Als hätte ich kein eigenes Leben.« Sie fing sich wieder. »Tut mir Leid, Mr. ...?«

»Rebus.«

»Er sagt mir einfach nie, wie lang er weg sein wird.«

»Ist er im Augenblick verreist?«

»Schon seit fast zwei Wochen. Er ruft zwei-, dreimal die Woche an, um zu fragen, ob jemand angerufen hat oder Post für ihn gekommen ist. Wenn ich Glück habe, fragt er auch, wie es *mir* geht.«

»Und, wie geht es Ihnen?«

Ein Lächeln in ihrer Stimme. »Ich weiß, ich weiß, ich klinge so, als wäre ich seine Mutter.«

»Ach, wissen Sie, Väter...« – Rebus starrte ins Leere... – »wenn man ihnen nicht ausdrücklich sagt, dass was passiert ist, sind sie heilfroh, annehmen zu dürfen, dass alles in Ordnung ist, und ihren Frieden zu haben.«

»Sprechen Sie aus eigener Erfahrung?«

»Aus langer und leidvoller.«

Sie schien nachzudenken. »Ist es etwas Wichtiges?«

»Sehr.«

»Tja, dann nennen Sie mir Ihren Namen und Ihre Telefonnummer, und wenn er das nächste Mal anruft, sage ich ihm, er möchte sich bei Ihnen melden.«

»Danke.« Rebus gab ihr zwei Nummern: Festnetz privat und Handy.

»Notiert«, sagte sie. »Sonst noch etwas?«

»Nein, bitten Sie ihn nur, mich anzurufen.« Rebus dachte einen Augenblick nach. »Hat es noch andere Anrufe für ihn gegeben?«

»Sie meinen, ob noch andere versucht haben, ihn zu erreichen? Warum fragen Sie?«

»Ach, ich... aus keinem besonderen Grund.« Er wollte ihr nicht verraten, dass er Polizist war; wollte sie nicht erschrecken. »Aus keinem besonderen Grund«, wiederholte er.

Als er auflegte, reichte ihm jemand noch einen Becher Kaffee. »Der Hörer muss ja mittlerweile glühen.«

Er berührte ihn mit den Fingerspitzen. Er war ganz schön warm. Dann klingelte es, und er nahm wieder ab.

»DI Rebus«, meldete er sich.

»John, Siobhan hier.«

»Ach hallo, wie laufen die Geschäfte?«

»John, erinnern Sie sich noch an den Kerl?« Ihr Ton ließ bei ihm die Alarmglocke schrillen.

»Was für einen Kerl?« Seine Stimme klang jetzt ernst.

»Danny Simpson.« Der mit der Klappfrisur; Telfords Laufbursche.

»Ich hab grad erfahren, dass er HIV positiv ist. Sein Hausarzt hat das Krankenhaus angerufen.«

Sein Blut in Rebus' Augen, seinen Ohren, an Hals und Brust...

»Armer Kerl«, sagte er leise.

»Er hätte was sagen sollen.«

»Wann?«

»Als wir ihn ins Krankenhaus gebracht haben.«

»Na ja, da hatte er wohl andere Sorgen. So'n Haarausfall ist ja auch nicht von Pappe.«

»Herrgott, John, können Sie nicht *einmal* ernst sein?« Ihre Stimme klang so laut, dass etliche Leute ringsum von ihren Schreibtischen aufsahen. »Sie müssen einen AIDS-Test machen.«

»Okay, kein Problem. Wie geht's ihm übrigens?«

»Er ist wieder zu Haus, aber ziemlich angeschlagen. Und bleibt bei seiner Geschichte.«

»Täusch ich mich, oder darf ich das auf Telfords Anwalt zurückführen?«

»Charles Groal? Der Typ ist der personifizierte Urschleim.«

»Spart Ihnen die Ausgabe für eine Valentinskarte.«

»Hören Sie, rufen Sie im Krankenhaus an, okay? Verlangen Sie eine Dr. Jones. Die gibt Ihnen einen Termin. Der Test kann sofort gemacht werden. Nicht dass damit die Sache geklärt wäre – die Inkubationszeit beträgt drei Monate.«

»Danke, Siobhan.«

Rebus legte auf, trommelte mit den Fingern auf den Hörer. Wär *das* nicht eine reizende Ironie des Schicksals? Rebus versucht, Telford dranzukriegen, zieht für einen seiner Männer die Samariternummer ab, kriegt AIDS und stirbt. Rebus starrte an die Decke.

Geiler Gag, Alter Mann.

Und wieder klingelte das Telefon. Rebus griff nach dem Hörer.

»Zentrale«, sagte er.

»Bist du es, John?« Patience Aitken.

»Genau der.«

»Wollte nur hören, ob's bei heute Abend bleibt.«

»Um ehrlich zu sein, Patience, kann ich nicht versprechen, besonders unterhaltsam zu sein.«

»Wär's dir lieber, wenn wir's ausfallen lassen?«

»Ganz und gar nicht. Aber ich hab noch was zu erledigen. Im Krankenhaus.«

»Ja, natürlich.«

»Nein, ich glaube, du verstehst nicht. Diesmal geht's nicht um Sammy, es geht um mich.«

»Was ist los?«

Also erzählte er es ihr.

Sie begleitete ihn. Selbes Krankenhaus wie Sammy, andere Abteilung. Das Letzte, was er wollte, wäre gewesen, Rhona über den Weg zu laufen, ihr alles erklären zu müssen. Möglicherweise HIV-infiziert: am Ende hätte sie ihn nicht mehr an Sammys Bett gelassen.

Das Wartezimmer war weiß, sauber. An den Wänden jede Menge Informationen. Broschüren auf jedem Tisch.

»Ich muss schon sagen, für eine Leprakolonie ist es hier sehr nett.«

Patience schwieg. Sie waren allein im Zimmer. Zuerst hatte sich jemand an der Anmeldung mit ihm befasst, dann war eine Schwester herausgekommen und hatte ihm noch ein paar zusätzliche Fragen gestellt. Jetzt öffnete sich eine weitere Tür.

»Mr. Rebus?«

Eine große schmale Frau in weißem Kittel stand in der Tür: Dr. Jones, wie er annahm. Patience hakte sich bei ihm ein, während sie auf die Ärztin zugingen. Auf halbem Weg machte Rebus kehrt und haute ab.

Patience holte ihn draußen wieder ein, fragte, was los sei.

»Ich will's nicht wissen«, antwortete er.

»Aber John…«

»Komm schon, Patience. Ich hab lediglich ein bisschen Blut abbekommen.«

Sie sah nicht überzeugt aus. »Du musst den Test machen.«

Er sah zum Krankenhaus zurück. »In Ordnung.« Marschierte in die entgegengesetzte Richtung los. »Aber ein andermal, okay?«

Es war ein Uhr nachts, als er in die Arden Street einbog. Kein Abendessen mit Patience; stattdessen waren sie wieder ins Krankenhaus gefahren und hatten Rhona Gesellschaft geleistet. Er hatte mit dem Alten Mann ein stillschweigendes Abkommen getroffen: Mach sie wieder gesund, und ich lass die Finger vom Alkohol. Er hatte Patience nach Haus gefahren. Ihre letzten Worte an ihn: »Mach diesen Test. Bring's hinter dich.«

Als er den Wagen abschloss, tauchte eine Gestalt aus dem Dunkel auf.

»Mr. Rebus, lange nicht gesehen.«

Rebus erkannte das Gesicht. Spitzes Kinn, schiefe Zähne, die Atmung eine Serie kleiner Röchellaute. Das Wiesel: einer von Caffertys Männern. Er sah aus wie ein Penner – die ideale Tarnung für die Rolle, die er im Leben spielte. Er war Caffertys Augen und Ohren auf der Straße.

»Wir müssen miteinander reden, Mr. Rebus.« Seine Hände steckten tief in den Taschen eines Tweedmantels, der ihm fünf Nummern zu groß war. Er warf einen Blick zu Rebus' Haustür.

»Nicht in meiner Wohnung«, stellte Rebus klar. Manche Dinge waren sakrosankt.

»Kalt hier draußen.«

Rebus schüttelte den Kopf, und das Wiesel schniefte vernehmlich.

»Sie glauben, es war ein Auftragsgeschäft?«, fragte er.

»Ja«, antwortete Rebus.

»Sie sollte sterben?«

»Ich weiß nicht.«

»Ein Profi hätte es nicht vermasselt.«

»Dann war's eine Warnung.«

»Es wäre nützlich, wenn wir Ihre Notizen lesen könnten.«

»Geht nicht.«

Das Wiesel zuckte die Achseln. »Ich dachte, Mr. Cafferty sollte Ihnen helfen?«

»Ich kann Ihnen meine Notizen nicht geben. Wie wär's mit einer mündlichen Zusammenfassung?«

»Wär ein Anfang.«

»Rover 600, am selben Nachmittag in der George Street gestohlen. Anschließend auf einer Straße am Piershill-Friedhof stehen gelassen. Radio und ein paar Kassetten geklaut – nicht unbedingt vom selben Täter.«

»Penner.«

»Wär möglich.«

Das Wiesel dachte nach. »Eine Warnung... Das bedeutet, ein professioneller Fahrer.«

»Ja.«

»Und keiner von unseren... Bleiben nicht allzu viele Kandidaten übrig. Rover 600... welche Farbe?«

»Sherwood-Grün.«

»Und parkte auf der George Street?«

Rebus nickte.

»Danke.« Das Wiesel wandte sich ab, hielt dann in der Bewegung inne. »Nett, wieder mal mit Ihnen Geschäfte zu machen, Mr. Rebus.«

Rebus wollte etwas entgegnen, als ihm einfiel, dass er das Wiesel mehr brauchte als es ihn. Er fragte sich, wie viel Scheiße er sich von Cafferty noch bieten lassen würde... wie lange er sie sich würde bieten lassen *müssen*. Sein Leben lang? Hatte er einen Pakt mit dem Teufel geschlossen?

Für Sammy hätte er noch viel, viel Schlimmeres getan...

In seiner Wohnung legte er die CD-Fassung von *Rock 'n' Roll Circus* auf und zappte gleich zu den Stones-Stücken vor. Sein Anrufbeantworter blinkte. Drei Nachrichten. Die erste: Hogan.

»Hallo, John. Wollte nur hören, ob sich die Telecom gemeldet hat.«

Jedenfalls nicht so lange Rebus im Büro gewesen war. Zweite Nachricht: Abernethy.

»Ich schon wieder, wer sonst. Wie ich höre, haben Sie versucht, mich zu erreichen. Ich ruf Sie morgen an. Tschüs.«

Rebus starrte den AB an, damit Abernethy noch etwas mehr sagte, irgendeinen Hinweis auf seinen Aufenthaltsort gab. Aber schon spielte das Gerät die letzte Nachricht ab. Bill Pryde.

»John, ich hab versucht, Sie im Büro zu erreichen, hab eine Nachricht hinterlassen. Aber ich dachte, Sie wollen es so schnell wie möglich erfahren. Wegen der Fingerabdrücke: Wir haben jetzt den abschließenden Bericht. Wenn Sie mich zu Hause anrufen wollen, erreichen Sie mich unter...«

Rebus notierte sich die Nummer. Zwei Uhr nachts, aber Bill würde das verstehen.

Nach einer guten Minute nahm eine Frau ab. Sie klang verschlafen.

»Tut mir Leid«, sagte Rebus. »Ist Bill da?«

»Ich hol ihn.«

Er hörte Stimmen im Hintergrund, dann nahm jemand den Hörer auf.

»Also, was ist mit den Abdrücken?«, fragte er.

»Herrgott, John, als ich sagte, Sie könnten anrufen, meinte ich doch nicht mitten in der Nacht!«

»Es ist wichtig.«

»Ja, ich weiß. Apropos, wie geht's ihr?«

»Noch immer bewusstlos.«

Pryde gähnte. »Also, die meisten Abdrücke im Wageninneren stammen vom Besitzer und dessen Frau. Aber wir haben noch einen weiteren Satz gefunden. Das Problem ist, die scheinen von einem Kind zu stammen.«

»Was macht Sie so sicher?«

»Die Größe.«

»Es gibt auch 'ne Menge Erwachsene mit kleinen Händen.«

»Stimmt schon...«

»Sie klingen skeptisch.«

»Wahrscheinlicher ist, dass wir es mit zwei verschiedenen Szenarien zu tun haben. Erstens wurde Sammy von einem Joy-rider angefahren. Ich weiß, was Sie denken, aber das kommt vor. Zweitens gehören die Abdrücke der Person, die das Auto geplündert hat, nachdem es am Friedhof abgestellt wurde.«

»Dem Jugendlichen, der Kassettenspieler und Kassetten mitgenommen hat?«

»Genau.«

»Keine weiteren Spuren? Nicht mal Teilabdrücke?«

»Der Wagen war sauber, John.«

»Und außen?«

»Dieselben drei Sätze an den Türen, dazu Sammys Hand auf der Kühlerhaube.« Pryde gähnte noch einmal. »Was ist also mit Ihrer Rachetheorie?«

»Gilt noch immer. Ein Profi würde ja wohl Handschuhe tragen.«

»Das war auch meine Überlegung. Aber es gibt nicht allzu viele Profis in der Stadt.«

»Nein.« Rebus dachte an das Wiesel: *Ich wate durch Jauche, um ein Stück Scheiße herauszufischen.* Nichts Ungewohntes für ihn, bloß dass er es diesmal aus persönlichen Motiven tat.

Und er nicht glaubte, dass es zu einer Gerichtsverhandlung kommen würde.

Das Frühstück ging auf Hogan: mit Speck belegte Brötchen aus einer braunen Papiertüte. Sie verspeisten sie im CID-Raum von St. Leonard's. In Leith war ein »Mord-Zimmer« eingerichtet worden, und dort hätte Hogan jetzt eigentlich sein müssen.

Aber er wollte Rebus' Akten haben und war nicht so dumm zu glauben, dass Rebus sie ihm freiwillig geschickt hätte.

»Ich dachte, ich erspar Ihnen die Mühe.«

»Sie sind ein echter Gentleman«, antwortete Rebus, während er den Belag seines Brötchens inspizierte. »Sagen Sie, stehen Schweine neuerdings auf der Liste der bedrohten Tierarten?«

»Ich hab Ihnen eine halbe Scheibe geklaut.« Hogan zog sich einen dünnen Fettrand aus dem Mund und warf ihn in den Papierkorb. »Ich dachte, ich tu Ihnen einen Gefallen: Cholesterin und so.«

Rebus legte das Brötchen beiseite und nahm einen pappsüßen Schluck aus der Dose Irn-Bru – Hogans Vorstellung von einem Frühstücksgetränk. Was war Zucker schon im Vergleich zu HIV? »Was haben Sie der Putzfrau entlockt?«

»Tränen. Kaum hatte sie erfahren, dass ihr Arbeitgeber tot war, taten sich sämtliche Schleusen auf.« Hogan wischte sich Mehl von den Fingern: Mahlzeit beendet. »Sie hat nie einen seiner Freunde zu Gesicht gekriegt, ist nie in die Verlegenheit gekommen, bei ihm einen Anruf entgegenzunehmen, hatte in letzter Zeit keinerlei Veränderung bei ihm bemerkt und glaubt nicht, dass er ein Massenmörder war. Zitat: ›Wenn er so viele Menschen getötet hätte, dann hätte ich's gewusst.‹«

»Ist sie Hellseherin oder was?«

Hogan zuckte die Achseln. »So ziemlich alles, was ich aus ihr herausbekommen habe, war ein glänzendes Leumundszeugnis und die Information, dass sie, da sie im Voraus bezahlt wurde, seinen Erben etwas Geld schulde.«

»Da haben Sie Ihr Motiv.«

Hogan lächelte. »Apropos Motive…«

»Haben Sie was?«

»Lintz' Anwalt hat von der Bank des Verblichenen einen Brief erhalten.« Er reichte Rebus eine Fotokopie. »Offenbar hat unser Mann vor zehn Tagen fünf Riesen in bar abgehoben.«

»*In bar?*«

»Wir haben bei ihm zehn Pfund gefunden und rund weitere dreißig im Haus. Von fünf Riesen keine Spur. Ich denke allmählich Erpressung.«

Rebus nickte. »Wie sieht's mit seinem Adressbuch aus?«

»Zieht sich hin. Haufenweise alte Nummern, Leute, die inzwischen umgezogen oder gestorben sind. Dazu ein paar Wohltätigkeitsorganisationen, Museen… ein, zwei Kunstgalerien…« Hogan schwieg einen Moment. »Und Sie?«

Rebus öffnete seine Schublade, holte die gefaxten Seiten heraus. »Lagen heute Morgen auf meinem Schreibtisch. Die Anrufe, die Lintz geheim halten wollte.«

Hogan überflog die Liste. »Anru-*fe* oder ein bestimmter?«

»Ich hab gerade erst angefangen, sie zu überprüfen. Mein Tipp: Etliche davon dürften Leute sein, mit denen er regelmäßig telefonierte. Die entsprechenden Nummern werden also auch auf den anderen Rechnungen erscheinen. Wir suchen nach Anomalien, einmaligen Vorkommnissen.«

»Klingt einleuchtend.« Hogan sah auf seine Uhr. »Sonst noch etwas, das ich wissen müsste?«

»Zweierlei. Erinnern Sie sich, dass ich Ihnen vom Interesse des Special Branch erzählt hatte?«

»Abernethy?«

Rebus nickte. »Ich hab gestern versucht, ihn in seinem Büro zu erreichen.«

»Und?«

»Offenbar war er unterwegs hierher. Er hatte von der Sache schon erfahren.«

»Also schnüffelt Abernethy in meinem Revier herum, und Sie trauen ihm nicht? Echt Spitze. Und was ist die andere Sache?«

»David Levy. Ich hab mit seiner Tochter gesprochen. Sie weiß nicht, wo er ist. Er könnte überall sein.«

»Und was gegen Lintz gehabt haben?«

»Möglich.«

»Wie ist seine Telefonnummer?«

Rebus klopfte mit der flachen Hand auf die oberste Akte auf seinem Schreibtisch. »Fertig zum Mitnehmen.«

Hogan bedachte den gut dreißig Zentimeter hohen Stapel mit einem entmutigten Blick.

»Ich hab alles weggelassen, was nicht absolut notwendig war«, erklärte Rebus.

»Da steckt Lektüre für einen Monat drin.«

Rebus zuckte die Achseln. »Mein Fall ist Ihr Fall, Bobby.«

Als Hogan gegangen war, nahm sich Rebus wieder die Aufstellung der British Telecom vor. Sie war so detailliert, wie man es sich nur wünschen konnte. Viele Anrufe bei Lintz' Anwalt, ein paar bei verschiedenen Taxifirmen. Rebus wählte ein paar Nummern – Wohltätigkeitsorganisationen: Lintz hatte wahrscheinlich angerufen, um sein Ausscheiden bekannt zu geben. Ein paar Anrufe stachen aus der Menge heraus: Roxburghe Hotel – Dauer vier Minuten; Edinburgh University – sechsundzwanzig Minuten. Das Roxburghe musste Levy bedeuten. Rebus wusste, dass Levy mit Lintz gesprochen hatte – Lintz hatte das selbst zugegeben. Mit ihm reden – von ihm zur Rede gestellt werden – war eine Sache, ihn in seinem Hotel anrufen eine ganz andere.

Als Rebus die Nummer der Universität wählte, landete er in der Zentrale. Er ließ sich mit Lintz' früherem Institut verbinden. Die Sekretärin war sehr hilfsbereit. Sie arbeitete seit über zwanzig Jahren auf dem Posten, stand kurz vor der Pensionierung. Ja, sie erinnerte sich an Professor Lintz, aber er hatte das Institut in letzter Zeit nicht angerufen.

»Jeder Anruf geht über mein Büro, ich wüsste davon.«

»Aber könnte er nicht einen der Mitarbeiter direkt angewählt haben?«, schlug Rebus vor.

»Niemand hat erwähnt, mit ihm gesprochen zu haben. Und von Professor Lintz' früheren Kollegen ist keiner mehr da.«

»Hält er also keinen Kontakt zum Institut?«

»Ich habe ihn schon seit Jahren nicht mehr gesprochen, Inspector. Ich weiß nicht einmal mehr, seit *wie* vielen Jahren...«

Mit wem hatte er also über zwanzig Minuten lang telefoniert? Rebus bedankte sich bei der Sekretärin und legte auf. Er ging die übrigen Telefonnummern durch: zwei Restaurants, eine Weinhandlung und der örtliche Radiosender. Rebus erklärte der Frau in der Zentrale, was er wissen wollte, und sie sagte, sie würde ihr Bestes tun. Dann rief er noch einmal die Restaurants an und bat nachzusehen, ob Lintz einen Tisch bestellt hatte.

Eine halbe Stunde später kamen die Rückrufe. Erstes Restaurant: ein Tisch zum Abendessen, für eine Person. Der Radiosender: Man hatte Lintz um seine Teilnahme an einer Sendung gebeten. Er wollte es sich überlegen, hatte dann zurückgerufen und abgesagt. Zweites Restaurant: eine Reservierung zum Lunch für zwei Personen.

»Zwei?«

»Mr. Lintz und jemand anders.«

»Irgendeine Idee, wer ›jemand anders‹ gewesen sein könnte?«

»Ein zweiter Herr, ziemlich alt, glaube ich... Tut mir Leid, ich erinnere mich nicht

»Ging er am Stock?«

»Ich wäre Ihnen gern behilflich, aber mittags geht es hier wie im Irrenhaus zu.«

»Aber an Lintz erinnern Sie sich?«

»Mr. Lintz ist Stammgast... war Stammgast.«

»Aß er normalerweise allein oder in Gesellschaft?«

»Meist allein. Es schien ihm nichts auszumachen. Er hatte immer ein Buch dabei.«

»Erinnern Sie sich zufällig an irgendeinen seiner sonstigen Gäste?«

»Ich erinnere mich an eine junge Frau... vielleicht seine Tochter? Oder Enkelin?«

»Mit ›jung‹ meinen Sie also...?«

»Jünger als er.« Eine Pause. »Möglicherweise viel jünger.«

»Wann war das?«

»Das weiß ich wirklich nicht mehr«, sagte die Stimme, allmählich ungeduldig.

»Ich weiß Ihre Hilfsbereitschaft zu schätzen, Sir. Wenn Sie mir nur noch eine Minute schenken könnten... Diese Frau – hat er mehr als einmal mit ihr gegessen?«

»Es tut mir Leid, Inspector. Ich werde in der Küche verlangt.«

»Gut, wenn Ihnen noch etwas einfallen sollte...«

»Natürlich. Auf Wiederhören.«

Rebus legte auf, machte sich ein paar Notizen. Jetzt die letzte Nummer. Er wartete.

»Ja?« Eine feindselige Stimme.

»Wer spricht da?«

»Hier spricht Malky. Und wer zum Teufel sind Sie?«

244

Eine Stimme im Hintergrund: »Tommy sagt, die neue Maschine wär verreckt.« Rebus legte auf. Seine Hand zitterte. *Die neue Maschine...* Tommy Telford auf seinem Videospiel-Motorrad. Er erinnerte sich an die Fotos der »Familien«-Mitglieder: Malky Jordan. Winzige Nase und ebensolche Augen in einem Kopf wie ein Luftballon. *Joseph Lintz hatte mit einem von Telfords Männern gesprochen? In Telfords Büro angerufen?* Rebus suchte Hogans Handynummer raus.

»Bobby«, sagte er. »Wenn Sie gerade im Auto sitzen, gehen Sie jetzt besser vom Gas runter...«

Hogans Überlegung: Fünf in bar war exakt Telfords Stil. Erpressung? Aber wo war die Verbindung? Etwas anderes...?

Hogans Plan: Er würde mit Telford reden.

Rebus' Überlegung: Fünf war für einen Killer ein bisschen teuer. Trotzdem fragte er sich, ob Lintz Telford fünftausend gezahlt haben konnte, damit der den »Unfall« inszenierte. Zweck der Übung: Rebus Angst einzujagen, ihn von weiteren Nachforschungen abzuschrecken? Es ließ Lintz wieder verdächtig erscheinen; potentiell zumindest.

Rebus hatte noch eine weitere Verabredung getroffen – eine, von der niemand etwas wissen sollte. Haymarket Station war ein netter, anonymer Treffpunkt. Die Bank auf Bahnsteig eins. Ned Farlowe wartete schon. Er sah müde aus: die Sorge um Sammy. Sie redeten ein paar Minuten über sie. Dann ging Rebus zum Geschäftlichen über.

»Sie wissen, dass Lintz ermordet worden ist?«

»Ich hatte nicht angenommen, dass Sie nur mit mir plaudern wollten.«

»Wir denken an Erpressung.«

Farlowe machte ein interessiertes Gesicht. »Und er zahlte nicht?«

Oh, bezahlt hat er, dachte Rebus. Und trotzdem hat ihn jemand aus dem Verkehr gezogen.

»Hören Sie, Ned, das bleibt jetzt *alles* unter uns. Von Rechts wegen sollte ich Sie zur Vernehmung aufs Revier zitieren.«

»Weil ich ihn ein paar Tage lang beschattet habe?«

»Ja.«

»Und das macht mich zum Verdächtigen?«

»Das macht Sie zu einem möglichen Zeugen.«

Farlowe ließ sich das durch den Kopf gehen. »Eines Abends, Lintz ist aus dem Haus gegangen, die Straße lang zur nächsten Telefonzelle, hat irgendwen angerufen, ist dann schnurstracks wieder nach Haus.«

Wollte sein eigenes Telefon nicht benutzen... aus Angst, es werde abgehört? Telefone abhören: beim Special Branch äußerst beliebt.

»Und noch was«, fuhr Farlowe fort. »Direkt vor seiner Haustür hat er eine Frau getroffen. Als hätte sie auf ihn gewartet. Sie haben ein paar Worte gewechselt. Als sie ging, hat sie, glaube ich, geweint.«

»Wie sah sie aus?«

»Groß, kurzes dunkles Haar, gut angezogen. Sie hatte einen Aktenkoffer dabei.«

»Wie angezogen?«

Farlowe zuckte die Schultern. »Rock und Jacke... zusammenpassend. Schwarz-weiß kariert. Sie wissen schon... elegant.«

Er beschrieb Kirstin Mede. Ihre Mitteilung auf Rebus' Anrufbeantworter: *Ich kann das nicht mehr machen...*

»Jetzt möchte ich *Sie* was fragen«, sagte Farlowe. »Diese Candice.«

»Was ist mit ihr?«

»Sie haben mich doch gefragt, ob direkt vor Sammys Unfall irgendetwas Ungewöhnliches passiert wäre.«

»Ja?«

»Na, *sie* ist doch ›passiert‹, oder?« Farlowes Augen verengten sich. »Hat sie etwas mit der Sache zu tun?«

Rebus nickte.

»Danke für die Bestätigung. Wer war sie?«

»Eins von Telfords Mädchen.«

Farlowe sprang auf, lief auf dem Bahnsteig hin und her. Rebus wartete, dass er sich wieder setzte. Als er es tat, bestand kein Zweifel daran, dass er vor Wut schäumte.

»Sie haben eins von Telfords Mädchen *bei Ihrer eigenen Tochter versteckt?*«

»Ich hatte keine andere Wahl. Telford weiß, wo ich wohne. Ich…«

»Sie haben uns benutzt!« Er hielt kurz inne. »Das war Telford, stimmt's?«

»Ich weiß es nicht«, erwiderte Rebus. Farlowe sprang wieder von der Bank auf. »Hören Sie, Ned, ich möchte nicht, dass Sie –«

»Ganz ehrlich, *Inspector*, ich finde, es steht Ihnen nicht zu, Ratschläge zu geben.« Er marschierte los, und obwohl Rebus ihm mehrmals hinterherrief, drehte er sich nicht mehr um.

Als Rebus das Büro des Crime Squad betrat, segelte ein Papierflieger an ihm vorbei und knallte gegen die Wand. Ormiston hatte die Füße auf dem Schreibtisch. Im Hintergrund dudelte leise Country-and-Western-Musik aus einem Kassettenrekorder, der auf der Fensterbank hinter Claverhouse' Schreibtisch stand. Siobhan Clarke hatte ihren Stuhl neben Claverhouse gerückt. Sie brüteten über irgendeinem Bericht.

»Nicht gerade das ›A-Team‹ hier drin, was?« Rebus hob den Flieger auf, zupfte dessen zerknüllte Nase wieder gerade und warf ihn Ormiston zu, der ihn fragte, was er bei ihnen wolle.

»Kontakte pflegen«, antwortete Rebus. »Mein Chef möchte gern wissen, wie weit Sie inzwischen sind.«

Ormiston sah zu Claverhouse, der seinen Stuhl leicht nach hinten gekippt und die Hände hinter dem Kopf verschränkt hatte.

»Wollen Sie mal raten, wie wir vorankommen?«

Rebus nahm Claverhouse gegenüber Platz und nickte Siobhan einen Gruß zu.

»Wie geht's Sammy?«, erkundigte sie sich.

»Unverändert«, antwortete Rebus. Claverhouse machte ein betretenes Gesicht, und Rebus ging plötzlich auf, dass er Sammy als Druckmittel einsetzen, das Mitgefühl der Leute ausnutzen konnte. Warum auch nicht? Hatte er sie nicht schon zu anderen Gelegenheiten benutzt? Hatte Ned Farlowe nicht diesbezüglich absolut Recht?

»Wir haben die Observierung abgeblasen«, sagte Claverhouse.

»Warum?«

Ormiston schnaubte, aber es war Claverhouse, der antwortete.

»Hohe Investitionen, geringe Rendite.«

»Befehl von oben?«

»Ist ja nicht so, dass wir kurz vor einem Durchbruch gestanden hätten.«

»Also lassen wir ihn einfach weitermachen?«

Claverhouse zuckte die Schultern. Rebus fragte sich, ob man in Newcastle von der Sache Wind bekommen würde, Jake Tarawicz zur Freude. Candice hätte nichts zu befürchten. Vielleicht.

»Was Neues über diesen Nachtklubmord?«

»Nichts, was die Sache mit Ihrem Spezi Cafferty in Verbindung brächte.«

»Er ist *nicht* mein Spezi.«

»Ganz wie Sie meinen. Schmeißen Sie den Kocher an,

Ormie.« Ormiston warf Clarke einen Blick zu, stand dann widerwillig auf. Rebus hatte gedacht, die angespannte Atmosphäre im Büro gehe ausschließlich auf Telfords Rechnung. Weit gefehlt. Claverhouse und Clarke Seite an Seite, *Schulter an Schulter*. Ormiston abseits und allein, ein kleiner Junge, der Papierflieger bastelte, um sich Aufmerksamkeit zu verschaffen. Ein alter Song von Status quo: »Paper Plane«. Aber hier war der Status Quo gestört worden: Clarke hatte Ormiston verdrängt. Die Neue brauchte nicht mehr Tee zu kochen.

Rebus konnte es Ormiston nachfühlen, dass er sauer war.

»Wie man hört, gab es einem bestimmten Baum, an dem *Herr* Lintz hing«, sagte Claverhouse.

»Endlich mal ein Witz, den ich noch nicht kannte.« Rebus' Pager piepte. Auf dem Display erschien die Nummer, die er anrufen sollte.

Er benutzte dazu Claverhouse' Telefon. Es klang so, als sei er mit einer Telefonzelle verbunden. Straßengeräusche, dichter Verkehr ganz in der Nähe.

»Mr. Rebus?« Er erkannte die Stimme sofort: das Wiesel.

»Was gibt's?«

»Ein paar Fragen. Der Kassettenrekorder aus dem Auto – hätten Sie zufällig die Marke?«

»Sony.«

»Mit abnehmbarer Frontblende?«

»Genau.«

»So dass der Dieb nur das Frontteil hat?«

»Ja.« Claverhouse und Clark wieder an ihrem Bericht, demonstrativ weghörend.

»Was ist mit den Kassetten? Sie sagten doch, ein paar wären gestohlen worden?«

»Opernmusik – *Figaros Hochzeit* und Verdis *Macbeth*.« Rebus kniff die Augen zusammen, dachte nach. »Und dann noch eine Kassette mit Filmmusik, berühmte Themen. Plus Roy Orbisons *Greatest Hits.*« Letztere von der Ehefrau. Rebus wusste, was das Wiesel dachte: Wer immer das Zeug geklaut hatte, würde versuchen, es in Pubs oder im Rahmen eines Kofferraum-Flohmarkts zu verscherbeln. Solche Flohmärkte waren Clearingstellen für Geklautes. Aber denjenigen zu finden, der das Auto ausgeräumt hatte, bedeutete noch lange nicht, den Fahrer zu erwischen... Es sei denn, der Junge, derjenige, der das Zeug hatte mitgehen lassen, dessen Abdrücke am Auto waren, hatte jemanden *gesehen:* hatte auf der Straße rumgelungert, beobachtet, wie das Auto mit kreischenden Reifen hielt, ein Mann heraussprang und das Weite suchte...

Ein Augenzeuge, jemand, der den Fahrer beschreiben könnte.

»Die einzigen Abdrücke, die wir gefunden haben, waren zu klein, vielleicht von einem Kind.«

»Das ist interessant.«

»Wenn ich sonst noch was für Sie tun kann«, sagte Rebus, »ein Wort genügt.«

Das Wiesel legte auf.

»Sony ist eine gute Marke«, meinte Claverhouse diplomatisch-neugierig.

»Zeug aus einem geklauten Auto«, erklärte Rebus. »Könnte inzwischen irgendwo aufgetaucht sein.«

Ormiston hatte den Tee fertig. Rebus ging sich einen Stuhl holen, sah jemanden an der offenen Tür vorbeigehen, ließ den Stuhl fallen und rannte auf den Korridor, packte einen Arm.

Abernethy wirbelte herum, erkannte, wer es war, und entspannte sich.

»Netter Trick, Jungchen«, sagte er. »Um ein Haar hätten Sie Ihre Zähne verschluckt.« Er mahlte an einem Kaugummi.

»Was machen Sie denn hier?«

»'n Höflichkeitsbesuch.« Abernethy blickte zurück zur offenen Tür, ging darauf zu. »Und Sie?«

»Arbeiten.«

Abernethy las das Schild an der Tür. »Crime Squad«, sagte er in amüsiertem Ton, während er das Büro und die Leute darin musterte. Die Hände in den Taschen, stolzierte er hinein. Rebus folgte ihm.

»Abernethy, Special Branch«, stellte sich der Londoner vor. »Diese Musik ist eine gute Idee: ideal bei Verhören, um den Willen des Verdächtigen zu brechen.« Er lächelte, sah sich im Raum um, als trage er sich mit dem Gedanken, dort einzuziehen. Der Becher, der für Rebus bestimmt war, stand vorn an der Ecke des Schreibtischs. Abernethy nahm einen schlürfenden Schluck, verzog dann das Gesicht und fing wieder an zu kauen. Die drei Beamten vom Crime Squad waren zu einem Tableaux erstarrt. Plötzlich sahen sie wie ein richtiges Team aus: Es hatte Abernethys Anwesenheit bedurft, um das zu bewerkstelligen.

Er hatte dafür ganze zehn Sekunden gebraucht.

»Woran arbeiten Sie?« Niemand antwortete. »Muss mich an der Tür verlesen haben«, sagte Abernethy. »Richtig heißt es wohl ›Stumme Squad‹.«

»Können wir etwas für Sie tun?«, fragte Claverhouse mit ruhiger Stimme und feindseligem Blick.

»Ich weiß nicht. John hat mich hier reingeschleift.«

»Und jetzt schleife ich Sie wieder raus«, sagte Rebus und packte ihn am Arm. Abernethy schüttelte ihn ab, ballte die Fäuste. »Zwei Worte auf dem Korridor... bitte.«

Abernethy lächelte. »Manieren machen den Mann, John.«

»Was sagt das über *Sie* aus?«

Abernethy drehte sich langsam um, musterte Siobhan Clarke, die gerade gesprochen hatte.

»Ich bin bloß ein netter Typ mit einem Herz aus Gold und dreißig dicken Zentimetern Überzeugungskraft.« Er grinste sie an.

»Passend zu ihrem ebenso dicken IQ von 30«, sagte sie und wandte sich wieder dem Bericht zu. Ormiston und Claverhouse gaben sich keine allzu große Mühe, ihr Lachen zu verbergen, als Abernethy aus dem Büro stürmte. Rebus konnte noch sehen, wie Ormiston Clarke auf die Schulter klopfte, bevor er dem Special-Branch-Mann nach draußen folgte.

»Was'n Miststück«, schimpfte Abernethy. Er war unterwegs zum Ausgang.

»Sie ist eine Freundin von mir.«

»Und da heißt es immer, man könne sich seine Freunde aussuchen …« Abernethy schüttelte den Kopf.

»Was führt Sie erneut hierher?«

»Da fragen Sie noch?«

»Lintz ist tot. Was Sie betrifft, ist der Fall damit abgeschlossen.«

Sie verließen das Gebäude.

»Und?«

»Und«, beharrte Rebus, »Sie fahren trotzdem den ganzen Weg hier rauf. Was gibt es so Wichtiges, das sich nicht mit einem Anruf oder Fax hätte erledigen lassen?«

Abernethy blieb stehen. »Offene Fragen.«

»Was für offene Fragen?«

»Es gibt keine.« Abernethy rang sich ein freudloses Lächeln ab und zog einen Schlüssel aus der Tasche. Als sie sich seinem Wagen näherten, betätigte er die Fernbedienung, um ihn aufzuschließen und die Alarmanlage auszuschalten.

»Was geht ab, Abernethy?«

»Nichts, worüber Sie sich Ihren hübschen Kopf zerbrechen müssten.« Er öffnete die Fahrertür.

»Sind Sie froh, dass er tot ist?«

»Was?«

»Lintz. Was bereitet es Ihnen für ein Gefühl zu wissen, dass er ermordet wurde?«

»Keinerlei Gefühle, weder so noch so. Er ist tot, was heißt, dass ich ihn von meiner Liste streichen kann.«

»Als Sie das letzte Mal hier waren, haben Sie ihn gewarnt.«

»Stimmt nicht.«

»Wurde sein Telefon abgehört?« Abernethy schnaubte. »Wussten Sie, dass er möglicherweise in Lebensgefahr schwebte?«

Abernethy wandte sich zu Rebus. »Was geht Sie das an? Ich werd's Ihnen sagen: gar nichts. Das CID Leith untersucht den Mord, und Sie sind aus der Sache raus. Ende der Geschichte.«

»Geht's um die Rattenlinie? Wär's zu peinlich, wenn alles rauskäme?«

»Scheiße, was geht *Sie* das an? Geben Sie endlich Ruhe.« Abernethy stieg ins Auto, schloss die Tür. Rebus rührte sich nicht von der Stelle. Der Motor sprang an, Abernethys Fenster glitt herunter, Rebus war bereit.

»Man hat Sie sechshundertfünfzig Kilometer weit geschickt, nur damit Sie sich vergewissern, dass es keine offenen Fragen mehr gibt.«

»Und?«

»Und es gibt eine *ziemlich große* offene Frage. Habe ich Recht?« Rebus schwieg kurz. »Es sei denn, Sie wissen, wer Lintz ermordet hat.«

»Damit könnt Ihr Jungs euch befassen.«

»Und jetzt rauf nach Leith?«

»Ich muss mit Hogan reden.« Abernethy starrte Rebus an. »Sie sind ein sturer Bock, stimmt's? Vielleicht sogar ein bisschen egoistisch.«

»Wieso?«

»Wenn *meine* Tochter im Krankenhaus läge, wäre Polizeiarbeit das Letzte, woran ich denken würde.«

Abernethys Auto fuhr abrupt los, und Rebus' Faust schlug ins Leere. Schritte von hinten: Siobhan Clarke.

»Den wären wir glücklich los«, sagte sie, während das Auto sich mit Vollgas entfernte. Aus Abernethys Fenster tauchte ein gereckter Mittelfinger auf. Sie antwortete ihm mit zweien. »Ich wollte im Büro nichts sagen…«, begann sie.

»Ich hab gestern den Test machen lassen«, log Rebus.

»Er wird bestimmt negativ sein.«

»Wissen Sie das positiv?«

Sie lächelte ein bisschen länger, als es der müde Witz verdient hätte. »Ormiston hat Ihren Tee weggekippt, meinte, er würde den Becher desinfizieren.«

»Ja, Abernethy bringt die Leute auf solche Gedanken.« Er sah sie an. »Vergessen Sie nicht, Ormiston und Claverhouse sind langjährige Partner.«

»Ich weiß. Ich glaube, Claverhouse hat sich in mich verknallt. Geht bestimmt wieder vorbei, aber bis es so weit ist…«

»Seien Sie vorsichtig.« Sie gingen zurück zum Haupteingang. »Und lassen Sie sich nicht von ihm in den Besenschrank locken.«

19

Wieder in St. Leonard's, stellte Rebus fest, dass das Büro ganz gut ohne ihn zurechtkam, und fuhr ins Krankenhaus mit Dr. Morrisons Iron-Maiden-T-Shirt in einer Plastiktüte. Inzwischen hatte man in Sammys Zimmer noch ein drittes Bett gestellt, in dem eine ältere Frau lag. Sie war

254

zwar wach, starrte aber unentwegt an die Zimmerdecke. Rhona saß an Sammys Bett und las ein Buch.

Rebus strich seiner Tochter über das Haar. »Wie geht's ihr?«

»Unverändert.«

»Sind weitere Tests geplant?«

»Nicht dass ich wüsste.«

»Dann war's das also? Sie bleibt einfach in diesem Zustand?«

Er zog sich einen Stuhl heran, setzte sich. Es war mittlerweile zu einer Art Ritual geworden, dieses Wachen am Krankenbett. Es war fast… das Wort, das ihm auf der Zunge lag, war »gemütlich«. Er drückte Rhonas Hand, saß zwanzig Minuten lang schweigend da und machte sich dann auf den Weg zu Kirstin Mede.

Sie befand sich in ihrem Zimmer im Romanistischen Institut und korrigierte Hausarbeiten. Sie saß an einem großen Schreibtisch am Fenster, stand jetzt aber auf und ging zu einem niedrigen Tisch, um den ein halbes Dutzend Stühle gruppiert waren.

»Nehmen Sie Platz«, sagte sie. Rebus tat, wie ihm geheißen.

»Ich habe Ihre Nachricht bekommen«, begann er.

»Spielt doch jetzt auch keine Rolle mehr, oder? Der Mann ist tot.«

»Ich weiß, dass Sie mit ihm gesprochen haben, Kirstin.«

Sie warf ihm einen kurzen Blick zu. »Wie bitte?«

»Sie haben ihn vor seiner Haustür abgepasst. Hatten Sie beide einen netten Plausch?«

Ihre Wangen hatten sich gerötet. Sie schlug die Beine übereinander, zog den Rocksaum so weit es ging zum Knie. »Ja«, sagte sie schließlich, »ich bin zu seinem Haus gegangen.«

»Warum?«

»Weil ich ihn von Nahem sehen wollte.« Sie fixierte ihn jetzt herausfordernd. »Ich dachte, vielleicht könnte ich es ihm vom Gesicht ablesen... vom Ausdruck seiner Augen. Vielleicht vom Ton seiner Stimme.«

»Und, konnten Sie es?«

Sie schüttelte den Kopf. »Rein gar nichts. Kein Fenster der Seele.«

»Was haben Sie zu ihm gesagt?«

»Wer ich bin.«

»Irgendeine Reaktion?«

»Ja.« Sie verschränkte die Arme. »Seine Worte: ›Gnädige Frau, wären Sie so freundlich, sich zu verpissen?‹«

»Und, haben Sie sich?«

»Ja. Weil ich in dem Moment Bescheid wusste. Nicht, ob er Linzstek war oder nicht, aber etwas anderes.«

»Was?«

»Dass er fix und fertig war.« Sie nickte. »Absolut am Ende mit den Nerven.« Sie sah Rebus wieder an. »Und zu allem imstande.«

Das Problem mit der Observierung der Flint Street war die Offenheit gewesen, mit der sie durchgeführt worden war. Eine verdeckte Operation – under-undercover – wäre das Richtige gewesen. Rebus hatte beschlossen, das Gelände auszukundschaften.

Die Mietwohnungen gegenüber von Telfords Café und Spielhalle hatten eine einzige gemeinsame Haustür. Die war abgeschlossen, also drückte Rebus wahllos auf einen Klingelkopf – mit dem Namensschild HETHERINGTON. Wartete, drückte noch einmal. Eine ältliche Stimme meldete sich über die Sprechanlage.

»Wer ist da, bitte?«

»Mrs. Hetherington? Detective Inspector Rebus. Ich bin

der für Ihr Stadtviertel zuständige Kriminalbeamte. Könnte ich mich mit Ihnen über Haussicherheit unterhalten? In letzter Zeit hat es in dieser Gegend einige Einbrüche gegeben, vor allem bei älteren Mitbürgern.«

»Grundgütiger, da kommen Sie besser herauf!«

»Welcher Stock?«

»Der erste.« Die Tür summte, und Rebus drückte sie auf.

Mrs. Hetherington erwartete ihn schon an ihrer Wohnungstür. Sie war winzig und sah gebrechlich aus, aber ihre Augen waren lebhaft und ihre Bewegungen entschlossen. Die kleine Wohnung wirkte gepflegt. Im Wohnzimmer glühte ein Elektroofen mit zwei Stäben. Rebus ging zum Fenster und stellte fest, dass er direkt auf die Spielhalle sehen konnte. Idealer Ort für eine Observierung. Er tat so, als überprüfte er die Fenster.

»Die scheinen in Ordnung zu sein«, sagte er. »Sind die immer verriegelt?«

»Im Sommer mache ich sie ein Stückchen auf«, antwortete Mrs. Hetherington, »und natürlich, wenn ich sie putze. Aber anschließend verriegle ich sie gleich wieder.«

»Vor einem sollte ich Sie noch warnen: vor angeblichen Beamten. Leuten, die an ihre Tür kommen und behaupten, sie seien der und der. Bestehen Sie darauf, dass sie sich ausweisen, und öffnen Sie erst, wenn Sie sich von deren Identität überzeugt haben.«

»Wie kann ich den Ausweis sehen, ohne die Tür zu öffnen?«

»Bitten Sie die Leute, ihn durch den Briefkastenschlitz zu schieben.«

»*Ihren* Ausweis habe ich noch nicht gesehen, oder?«

Rebus lächelte. »Ja, das stimmt.« Er holte ihn heraus und zeigte ihn ihr. »Manchmal können gefälschte Ausweise ziemlich echt aussehen. Wenn Sie sich nicht sicher sind, lassen Sie die Tür zu und rufen die Polizei.« Er sah sich um. »Haben Sie Telefon?«

»Im Schlafzimmer.«

»Gibt es dort Fenster?«

»Ja.«

»Darf ich mich da kurz umsehen?«

Das Schlafzimmerfenster ging ebenfalls auf die Flint Street. Rebus bemerkte ein paar Reisebroschüren auf der Frisierkommode, einen kleinen Koffer neben der Tür.

»Geht's in den Urlaub?« Wenn die Wohnung leer stand, ließ sich vielleicht eine Überwachung einrichten.

»Bloß ein verlängertes Wochenende«, sagte sie.

»Wohin soll's gehen?«

»Nach Holland. Ist zwar nicht die richtige Jahreszeit für die Tulpenfelder, aber ich habe da schon immer hingewollt. Es ist ziemlich umständlich, von Inverness aus zu fliegen, aber sehr viel billiger. Seit dem Tod meines Mannes… na ja, da reise ich ein bisschen.«

»Ob Sie mich wohl mitnehmen würden?« Rebus lächelte. »Dieses Fenster ist auch in Ordnung. Ich sehe mir nur noch Ihre Tür an, ob ein paar zusätzliche Schlösser sinnvoll wären.« Sie gingen in den schmalen Flur.

»Wissen Sie«, sagte sie, »wir haben hier bisher immer Glück gehabt, nie irgendwelche Einbrüche oder sonst was in der Art.«

Kaum verwunderlich in einem Haus, das Tommy Telford gehörte.

»Und dann natürlich mit dem Panikknopf…«

Rebus sah auf die Wand neben der Wohnungstür. Ein großer roter Knopf. Er hatte angenommen, dass er dazu diente, die Treppenhausbeleuchtung einzuschalten oder so.

»Wann immer jemand kommt, wer es auch sein mag, soll ich darauf drücken.«

Rebus öffnete die Tür. »Und tun Sie das auch?«

Zwei sehr breitschultrige Männer standen auf der Fußmatte.

»O ja«, antwortete Mrs. Hetherington. »Das tu ich immer.«

Für Schläger waren sie sehr höflich. Rebus zeigte ihnen seinen Dienstausweis und erklärte den Grund seines Besuchs. Er fragte sie, wer sie seien, woraufhin sie erklärten, sie wären »Repräsentanten des Hauseigentümers.« Aber die Gesichter kannte er: Kenny Houston, Ally Cornwell. Houston – der Hässliche von beiden – war für Telfords Türsteher zuständig; Cornwell, der mit der Catcher-Figur, war Muskelmann ohne Portefeuille. Die kleine Farce ging mit Humor und guter Laune von Seiten aller Beteiligen über die Bühne. Sie begleiteten ihn nach unten. Auf der anderen Straßenseite stand Tommy Telford in der offenen Tür des Cafés und drohte scherzhaft mit dem Finger. Ein Passant durchquerte Rebus' Gesichtsfeld. Rebus erkannte zu spät, wer es war. Riss den Mund auf, um etwas zu rufen, sah dann, wie Telford den Kopf hängen ließ, sich mit beiden Händen ins Gesicht griff. Kreischte.

Rebus rannte über die Straße, riss den Passanten herum: Ned Farlowe. Eine Flasche fiel Farlowe aus der Hand. Telfords Männer rückten von allen Seiten näher. Rebus ließ Telford nicht los.

»Ich nehme diesen Mann fest«, sagte er. »Er gehört *mir*, kapiert?«

Ein Dutzend Gesichter, die ihn böse anstarrten. Und Tommy Telford zusammengeklappt, auf dem Boden kniend.

»Schaffen Sie Ihren Boss ins Krankenhaus«, forderte Rebus die Männer auf. »Den hier nehme ich mit aufs Revier...«

Ned Farlowe saß auf der Pritsche in einer der Zellen. Die Wände waren blau gestrichen, in der Umgebung der Kloschüssel braun verschmiert. Farlowe wirkte ausgesprochen selbstzufrieden.

»Säure?«, sagte Rebus, in der Zelle auf und ab gehend. *»Säure?* Diese ganzen Recherchen müssen Ihnen zu Kopf gestiegen sein.«

»Er hat bekommen, was er verdiente.«

Rebus funkelte ihn an. »Sie haben keine Ahnung, was Sie getan haben.«

»Ich weiß *genau*, was ich getan habe.«

»Er wird Sie umbringen.«

Farlowe zuckte die Achseln. »Bin ich verhaftet?«

»Da können Sie Gift drauf nehmen, Jungchen. Ich will Sie aus der Schusslinie halten. Wenn ich nicht da gewesen wäre…« Aber daran wollte er gar nicht denken. Er starrte Farlowe an, Sammys Freund, der gerade einen Frontalangriff auf Telford inszeniert hatte, die Art Angriff, die, wie Rebus wusste, sinnlos war.

Jetzt würde Rebus seine Anstrengungen verdoppeln müssen, sonst war Ned Farlowe ein toter Mann… und wenn Sammy wieder zu sich kam, wollte er sie nicht mit derartigen Neuigkeiten begrüßen.

Er fuhr zurück in Richtung Fleet Street, parkte in einiger Entfernung und ging das letzte Stück zu Fuß. Telford hatte die Straße fest im Griff, da bestand kein Zweifel. Seine Wohnungen an alte Leute zu vermieten mochte ein Akt der Mildtätigkeit gewesen sein, aber er hatte weiß Gott dafür gesorgt, dass es auch seinen Interessen diente. Rebus fragte sich, ob Cafferty unter den gleichen Umständen clever genug gewesen wäre, an »Panikknöpfe« zu denken. Er vermutete, eher nicht. Cafferty war nicht blöd, aber das meiste, was er tat, tat er instinktiv. Rebus bezweifelte, dass Tommy Telford in seinem ganzen Leben je etwas Unüberlegtes gemacht hatte.

Er überwachte die Fleet Street, weil er einen Angriffspunkt brauchte, das schwächste Glied in der Kette finden musste, die Telford umgab. Nach zehn Minuten im eisigen Wind kam ihm eine bessere Idee. Er rief mit seinem Handy eines der Taxiunternehmen an. Wies sich aus und fragte, ob Henry Wilson gerade Schicht habe. Hatte er. Rebus bat die Funkzentrale, ihm Henry zu schicken. So einfach war das.

Zehn Minuten später fuhr Wilson vor. Er trank gelegentlich ein Glas oder zwei im Ox, und gerade das war sein Problem. Betrunken am Steuer eines Taxis. Zum Glück war Rebus gerade vor Ort gewesen und hatte die Sache ausbügeln können; mit dem Resultat, dass Wilson ihm was schuldete. *Etliches* schuldete. Er war groß, kräftig gebaut, hatte kurzes schwarzes Haar und einen langen schwarzen Bart, dazu eine gesunde rote Gesichtsfarbe, und er trug immer karierte Hemden. Für Rebus war er »der Holzfäller«.

»Müssen Sie irgendwohin?«, fragte Wilson, als Rebus sich neben ihn setzte.

»Zuallererst muss ich wieder auftauen.« Also drehte Wilson die Heizung auf. »Zweitens muss ich Ihr Taxi als Deckung benutzen.«

»Sie meinen, hier sitzen?«

»Genau das meine ich.«

»Bei laufendem Taxameter?«

»Sie haben einen Motorschaden, Henry. Ihr Taxi ist für den Rest des Nachmittags aus dem Verkehr.«

»Ich spare für Weihnachten«, maulte Wilson. Rebus starrte ihn an. Der Schrank von einem Mann seufzte und holte eine Zeitung aus dem Ablagefach neben seinem Sitz. »Helfen Sie mir dann wenigstens, ein paar Gewinner zu finden«, sagte er und blätterte nach hinten zum Rennteil.

Sie standen über eine Stunde lang am Ende der Fleet Street, und Rebus blieb vorn im Wagen sitzen. Seine Überlegung: Ein parkendes Taxi mit einem Passagier im Fond sah verdächtig aus. Ein parkendes Taxi mit zwei Typen vorne – da würde man einfach denken, dass die Pause machten oder ihre Schicht beendet hatten: zwei Taxifahrer, die bei einer Thermoskanne Tee Geschichten austauschten.

Rebus nahm einen Schluck aus dem Plastikbecher und zuckte zusammen: Da war mindestens ein halbes Pfund Zucker drin.

»Ich bin schon immer für Süßes gewesen«, erklärte Wilson. Auf dem Schoß hielt er eine offene Tüte Kartoffelchips. Mit Zwiebel-und-Essiggeschmack.

Endlich sah Rebus zwei Range Rover in die Flint Street einbiegen. Sean Haddow – Telfords Mann für die Finanzen – saß am Lenkrad des ersten Autos. Er stieg aus und ging in die Spielhalle. Auf dem Beifahrersitz hockte ein riesiger gelber Teddybär. Haddow kam zusammen mit Telford wieder heraus. Telford: bereits aus dem Krankenhaus zurück, mit bandagierten Händen und Mullflicken im Gesicht, als hätte er eine besonders grobe Rasur hinter sich, aber nicht bereit, sich von einer Kleinigkeit wie einem Säureattentat von seinen Geschäften abhalten zu lassen. Haddow hielt die hintere Tür auf, und Telford stieg ein.

»Jetzt geht's los, Henry«, sagte Rebus. »Sie werden diesen zwei Range Rovern folgen. Halten Sie so viel Abstand, wie Sie möchten. Die Kästen sind so hochbeinig, dass schon ein Doppeldecker dazwischenkommen müsste, um sie aus den Augen zu verlieren.«

Die zwei Range Rover verließen die Fleet Street. Im zweiten Wagen saßen drei von Telfords »Soldaten«. Rebus erkannte Pretty-Boy. Die beiden anderen waren jüngere Rekruten, gut angezogen und ordentlich frisiert. Geschäftsleute durch und durch.

Der Konvoi fuhr Richtung Zentrum, hielt vor einem Hotel. Telford wechselte ein paar Worte mit seinen Männern, betrat das Gebäude aber allein. Die Autos blieben da, wo sie waren.

»Gehen Sie rein?«, fragte Wilson.

»Ich glaube, man würde mich bemerken«, antwortete Rebus. Die Fahrer beider Range Rover waren ausgestiegen und rauchten eine Zigarette, behielten dabei aber jeden im Auge, der das Hotel betrat oder verließ. Ein paar potenzielle Fahrgäste sahen ins Taxi, aber Wilson schüttelte den Kopf.

»Ich könnt mir hier eine goldene Nase verdienen«, brummelte er. Rebus bot ihm zum Trost einen Pfefferminzbonbon an. Wilson steckte es sich mit einem Grunzlaut in den Mund.

»Ausgezeichnet«, sagte Rebus. Wilson sah hinüber zum Hotel. Eine Politesse redete mit Haddow und Pretty-Boy. Sie hatte schon ihren Knöllchenblock gezückt. Die beiden tippten auf ihre Armbanduhren, versuchten es mit Charme. Sie standen im absoluten Halteverbot.

Haddow und Pretty-Boy hoben die Hände, wie um sich zu ergeben, wechselten rasch ein paar Worte miteinander und stiegen dann in die Autos. Pretty-Boy vollführte mit einer Hand kreisende Bewegungen, womit er seinen Fahrgästen zu verstehen gab, dass sie rund um den Block fahren würden. Die Politesse wich nicht von der Stelle, bis sie den Straßenrand geräumt hatten. Haddow hatte das Handy am Ohr und setzte zweifellos den Boss ins Bild.

Interessant: Sie hatten nicht versucht, die Politesse einzuschüchtern oder sie zu bestechen. Gesetzestreue Bürger. Telfords Anweisung, keine Frage. Wieder konnte sich Rebus nicht vorstellen, dass auch nur einer von Caffertys Männern so schnell nachgegeben hätte.

»Gehen Sie dann jetzt rein?«, fragte Wilson.

»Hätte kaum Sinn, Henry. Telford dürfte inzwischen längst in einem Zimmer oder einer Suite sein. Wenn er Geschäfte macht, dann bestimmt hinter verschlossenen Türen.«

»Das war also Tommy Telford?«

»Haben Sie schon von ihm gehört?«

»Ich bin Taxifahrer, da hört man so manches. Er hat's auf Big Gers Taxiunternehmen abgesehen.« Wilson hielt inne. »Nicht dass Big Ger ein Taxiunternehmen *hätte*, nur dass wir uns verstehen.«

»Haben Sie eine Ahnung, *wie* Telford es Cafferty abzunehmen gedenkt?«

»Den Fahrern Angst einjagen, dass sie das Feld räumen, oder sie dazu bringen, die Seiten zu wechseln.«

»Wie steht's mit Ihrer Firma, Henry?«

»Ehrlich, legal und anständig, Mr. Rebus.«

»Telford hat ihr also keine Avancen gemacht?«

»Noch nicht.«

»Da kommen sie wieder.« Die zwei Range Rover bogen in die Straße ein. Von der Politesse war weit und breit nichts zu sehen. Ein paar Minuten später trat Telford aus dem Hotel, mit ihm ein Japaner mit modischer Igelfrisur und einem schimmernden aquamarinblauen Anzug. Er trug einen Aktenkoffer, sah aber nicht wie ein Geschäftsmann aus. Vielleicht lag es an der Sonnenbrille, die nicht recht zum dämmrigen Spätnachmittagslicht passte; vielleicht auch an der Zigarette, die ihm aus einem der heruntergezogenen Mundwinkel hing. Die zwei Männer setzten sich in den Fond des vorderen Wagens. Der Japaner beugte sich nach vorn und zog mit irgendeiner scherzhaften Bemerkung den Teddybären an den Ohren. Telford wirkte nicht gerade begeistert.

»Folgen wir ihnen?«, fragte Wilson. Er sah den Ausdruck in Rebus' Gesicht und drehte den Zündschlüssel herum.

Sie fuhren in westlicher Richtung stadtauswärts. Rebus ahnte, wohin sie wollten, war aber gespannt, welche Route sie wählen würden. Wie sich herausstellte, war es mehr oder weniger dieselbe, die er mit Candice genommen hatte. Ihr war nichts bekannt vorgekommen, bis sie Juniper Green erreicht hatten, aber entlang der Straße gab es nicht allzu viel wiederzuerkennen. Auf der Slateford Road blinkte das hintere der beiden Autos und fuhr an den Straßenrand.

»Was soll ich tun?«, fragte Wilson.

»Fahren Sie weiter. Biegen Sie bei der nächsten Gelegenheit links ab, und wenden Sie. Dann warten wir, bis sie wieder an uns vorbeifahren.«

Haddow war in einen Zeitungsladen gegangen. Gleiche Geschichte wie seinerzeit mit Candice. Merkwürdig, dass Telford während einer offensichtlich geschäftlichen Fahrt einen solchen Zwischenstopp erlaubte. Und was war mit dem Gebäude, für das er sich laut Candice anscheinend so interessiert hatte? Da war es: ein unauffälliges Backsteingebäude. Vielleicht eine Lagerhalle? Rebus konnte sich schon ein paar Gründe denken, warum Tommy Telford sich für eine Lagerhalle interessieren sollte. In dem Laden blieb Haddow drei Minuten – Rebus stoppte die Zeit. Währenddessen kam niemand heraus, er hatte also nicht etwa anstehen müssen. Zurück ins Auto, und weiter ging's. Sie fuhren in Richtung Juniper Green, und von da aus würde es mit Sicherheit zum Poyntinghame Country Club gehen. Kaum nötig, ihnen weiter zu folgen. Je mehr sie sich von der Stadt entfernten, desto mehr würde das Taxi auffallen. Rebus sagte Henry, dass er wenden sollte.

Er ließ sich vor der Oxford Bar absetzen. Als er sich dem Eingang zuwandte, kurbelte Wilson sein Fenster herunter.

»Sind wir jetzt quitt?«, rief er ihm nach.

»Bis zum nächsten Mal, Henry.« Rebus drückte die Tür auf und verschwand im Lokal.

Auf einem Barhocker thronend, mit Nachmittagsfernsehen und Bardame Margaret als Gesellschaft, bestellte Rebus einen Becher Kaffee und ein Cornedbeef-und-Rote-Bete-Brötchen. Als Hauptgang empfahl ihm Margaret ein *bridie*.

»Ausgezeichneter Vorschlag«, pflichtete ihr Rebus bei. Er dachte über den japanischen Geschäftsmann nach, der nicht im mindesten wie ein Geschäftsmann ausgesehen hatte. Er war ganz Ecken und Kanten gewesen, ein Gesicht wie aus Stein gemeißelt. Gestärkt, schlenderte Rebus vom Ox zurück zum Hotel und bezog seinen Beobachtungsposten in einer überteuerten Bar gegenüber dem Haupteingang. Er vertrieb sich die Zeit mit Telefonaten auf dem Handy. Als der Akku endlich seinen Geist aufgab, hatte er mit Hogan, Bill Pryde, Siobhan Clarke, Rhona und Patience gesprochen und wollte gerade die Revierwache Torphichen anrufen für den Fall, dass jemand das Backsteingebäude auf der Slateford Road kannte. Zwei Stunden krochen dahin. Er brach seinen persönlichen Rekord in Langsamtrinken: zwei Colas. Die Bar war nicht direkt überfüllt; es schien also keinen zu stören. Im Hintergrund lief immer wieder dasselbe Band ab. Beim dritten Durchgang von »Psycho Killer« hielten die Range Rover endlich vor dem Hotel. Telford und der Japse gaben sich die Hand, verneigten sich andeutungsweise voreinander. Telford und seine Männer fuhren weiter.

Rebus verließ die Bar, überquerte die Straße und betrat das Hotel. Die Fahrstuhltür schloss sich gerade hinter Mr. Aquamarinblau. Rebus ging an die Rezeption, zeigte seine Dienstmarke vor.

»Der Gast, der gerade hereingekommen ist. Ich brauche seinen Namen.«

Die Empfangsdame musste nachsehen. »Mr. Matsumoto.«

»Vorname?«

»Takeshi.«

»Wann hat er eingecheckt?«

Wieder sah sie im Gästebuch nach. »Gestern.«

»Wie lange bleibt er?«

»Noch drei Tage. Hören Sie, ich sollte vielleicht besser meinen Vorgesetzten rufen…«

Rebus schüttelte den Kopf. »Mehr wollte ich gar nicht wissen, danke. Was dagegen, wenn ich mich für eine Weile ins Foyer setze?«

Sie schüttelte den Kopf, also ging Rebus in die Gästelounge. Er machte es sich auf einem Sofa bequem – hervorragende Aussicht auf den Empfangsbereich, von dem ihn lediglich eine Glastür trennte – und nahm sich eine Zeitung. Matsumoto war in Sachen Poyntinghame Club in der Stadt, aber Rebus witterte etwas weit weniger Gesellschaftsfähiges. Hugh Malahide hatte erzählt, ein Unternehmen wolle den Klub kaufen, aber Matsumoto sah nicht danach aus, als befasse er sich mit irgendwelchen legalen Geschäften. Als er endlich an der Rezeption erschien, trug er einen weißen Anzug, ein schwarzes Hemd mit offenem Kragen und einen Burberry-Trenchcoat, dazu einen tartangemusterten Wollschal. Er hatte eine Zigarette im Mund, zündete sie aber erst an, als er das Hotel verlassen hatte. Er klappte den Mantelkragen hoch und marschierte los. Rebus folgte ihm knapp anderthalb Kilometer weit, vergewisserte sich dabei immer wieder, dass niemand *ihm* folgte. Es war schließlich möglich, dass Telford Matsumoto im Auge behalten wollte. Aber wenn ihn jemand beschattete, dann wirklich ein Meister seines Fachs. Matsumoto machte nicht einen auf Tourist, trödelte nicht. Er hielt den Kopf gesenkt, um das Gesicht vor dem Wind zu schützen, und schien ein bestimmtes Ziel zu haben.

Als er in einem Gebäude verschwand, blieb Rebus stehen und betrachtete die Glastür, hinter der eine mit einem roten Läufer belegte Treppe zu erkennen war. Er wusste, wo er war, brauchte dazu nicht das Schild über der Tür zu lesen. Er stand vor dem Morvena Casino. Der Laden hatte früher einem stadtbekannten Verbrecher namens Topper Hamilton gehört und unter der Leitung eines gewissen Mandelson gestanden. Aber Hamilton war in den Ruhestand gegangen, und Mandelson hatte sich in Luft aufgelöst. Der neue Besitzer war noch immer eine unbekannte Größe – oder war es zumindest bislang gewesen. Jetzt vermutete Rebus, dass er wohl nicht allzu schief lag, wenn er auf Tommy Telford und dessen japanische Freunde tippte. Er sah sich um, musterte die parkenden Autos: keine Range Rover in Sicht.

»Was soll's«, sagte er halblaut, öffnete die Tür und stieg die Treppe empor.

Im Foyer im ersten Stock wurde er von den Sicherheitsleuten taxiert, Typen, die sich in ihren schwarzen Anzügen und weißen Hemden mit den schwarzen Fliegen sichtlich unwohl fühlten. Einer war mager – vermutlich flink und tückisch –, der andere ein echtes Schwergewicht – träge Muskelmasse zur Unterfütterung der schnellen Bewegungen. Rebus schien den Test zu bestehen, was immer auch die Prüfungskriterien gewesen sein mochten. Er besorgte sich für einen Zwanziger Chips und betrat den Spielsaal.

Früher einmal mochte er der Salon eines georgianischen Hauses gewesen sein: zwei riesige Erkerfenster und verschnörkelte Stuckgesimse, die die sechs Meter hohen cremefarbenen Wände mit der pastellrosa Decke verbanden. Jetzt beherbergte er verschiedene Spieltische: Blackjack, Würfel, Roulette. Hostessen stöckelten zwischen den Tischen umher und nahmen Bestellungen für Drinks entgegen. Es war kaum ein Wort zu hören: Die Spieler nahmen ihre Arbeit ernst. Rebus hätte den Klub nicht gerade als überfüllt bezeichnet, aber was an Klientel da war, stellte eine veritable UNO dar. Matsumoto hatte seinen Trenchcoat an der Garderobe abgegeben und saß jetzt am Roulettetisch. Rebus setzte sich neben zwei Frauen am Blackjacktisch, nickte zum Gruß. Der Kartengeber – jung, aber sehr selbstsicher – lächelte. Rebus gewann das erste Spiel. Verlor das zweite und dritte. Gewann wieder das vierte. Direkt hinter seinem rechten Ohr ließ sich eine Stimme vernehmen.

»Möchten Sie etwas trinken, Sir?«

Die Hostess hatte sich weit vorgebeugt und zeigte eine Menge Dekolleté.

»Coke«, sagte er. »Mit Eis und Zitrone.« Er tat so, als sehe er ihr nach. In Wirklichkeit ließ er den Blick durch den Raum schweifen. Er hatte sich nach dem Hereinkommen schnell an den Spieltisch gesetzt: Wäre er erst im Raum herumgewandert, hätte er die Leute auf sich aufmerksam gemacht, und er konnte nicht wissen, ob es nicht jemanden gab, der ihn kannte.

Doch die Sorge war unnötig. Die einzige Person, die er kannte, war Matsumoto, der sich gerade die Hände rieb, als der Croupier ihm einen Stapel Chips zuschob. Rebus hörte bei achtzehn auf. Der Geber hatte zwanzig. Rebus war nie ein großer Spieler gewesen. Er hatte es im Fußballtoto versucht, manchmal bei den Pferderennen und neuerdings gelegentlich im Lotto. Aber Spielautomaten interessierten ihn nicht; ebenso wenig die Pokersessions, die im Büro organisiert wurden. Er kannte andere Methoden, sein Geld zu verlieren.

Matsumoto verlor und stieß – dem Klang nach zu urteilen – einen Fluch aus, der ein bisschen lauter ausfiel, als es sich für die Örtlichkeit schickte. Der magere Sicherheitstyp streckte den Kopf durch die Tür, aber Matsumoto ignorierte ihn, und als Mr. Mager sah, wer da krakeelte, zog er sich rasch wieder zurück. Matsumoto lachte: Seine Englischkenntnisse mochten bescheiden sein, aber er wusste, dass er in diesem Klub etwas zu melden hatte. Er erzählte der Tischrunde ausführlich etwas auf Japanisch, nickte dazu und bemühte sich um Blickkontakt. Dann brachte ihm eine Hostess einen großen Tumbler Whisky on the Rocks. Er gab ihr ein paar Chips als Trinkgeld. Der Croupier bat die Spieler um ihre Einsätze. Matsumoto verstummte und machte sich wieder an die Arbeit.

Rebus' Bestellung brauchte etwas länger; Coke war nicht gerade das typische Zockergetränk. Er hatte ein paar Spiele gewonnen, fühlte sich ein bisschen besser. Stand auf, um seinen Drink entgegenzunehmen. Er hatte der Bank gesagt, dass er das nächste Spiel aussetzen würde.

»Wo kommen Sie her?«, fragte er die Hostess. »Ich kann Ihren Akzent nicht einordnen.«

»Ich bin aus Ukraine.«

»Sie sprechen gut Englisch.«

»Danke.« Sie wandte sich ab. Konversationmachen gehörte nicht zu den Aufgaben des Personals; es lenkte die Gäste vom Spielen ab. Ukraine: Rebus fragte sich, ob sie auch einer von Tarawicz' Importen war. Wie Candice … Ein paar Dinge schienen ihm klar zu sein. Matsumoto fühlte sich hier wie zu Hause, war also bekannt. Und die Angestellten behandelten ihn wie ein rohes Ei, folglich besaß er Einfluss, hatte Telford hinter sich. Telford wollte, dass man ihn bei Laune hielt. Das war keine allzu interessante Erkenntnis für all die Zeit und Mühe, die Rebus investiert hatte, aber immerhin etwas.

Dann betrat jemand den Raum. Jemand, den Rebus kannte. Dr. Colquhoun. Er bemerkte Rebus sofort, und die Angst in seiner Miene war nicht zu übersehen. Colquhoun: in seinem Institut krankgemeldet, beurlaubt, ohne Nachsendeadresse verschwunden. Colquhoun: der gewusst hatte, dass Rebus Candice zu den Petrecs brachte.

Rebus beobachtete, wie er rückwärts zur Tür ging, kehrtmachte und floh.

Optionen: ihm nachlaufen oder bei Matsumoto bleiben. Wer war ihm momentan wichtiger, Candice oder Telford? Rebus blieb. Aber jetzt, wo Colquhoun sich wieder in der Stadt aufhielt, würde er ihn aufspüren.

So viel war sicher.

Nach eineinviertel Stunden Blackjack überlegte er sich, ob er nicht einen Scheck für weitere Chips ausstellen sollte. In wenig mehr als einer Stunde zwanzig Pfund verpulvert, und dazu Candice, die in seinem übervollen Kopf um ein bisschen Platz kämpfte. Er legte eine Pause ein, schlenderte zu einer Reihe von Geldautomaten, aber die Lichter und Knöpfe machten ihn ganz wirr. Er drückte dreimal daneben und überzog einmal das Zeitlimit. Wieder zwei Pfund zum Teufel – diesmal in ein paar Minuten. Kein Wunder, dass Klubs und Pubs so heiß auf Geldautomaten waren. Tommy Telford hatte sich die richtige Branche ausgesucht. Die Hostess von vorhin kam wieder auf ihn zu, fragte, ob er noch was trinken wolle.

»Nein, danke«, sagte er. »Nicht viel los heute Abend.«

»Es ist noch früh«, erklärte sie. »Warten Sie bis nach Mitternacht…«

Er dachte nicht im Traum daran, noch so lang zu bleiben. Aber Matsumoto überraschte ihn. Er warf die Hände in die Höhe, gab wieder einen Schwall Japanisch von sich, nickte und grinste, sammelte seine Chips zusammen, löste sie ein und verließ das Kasino. Rebus wartete dreißig Sekunden, bevor er ihm folgte. Verabschiedete sich forschfröhlich von den Securityleuten, spürte bis ins Parterre hinunter deren Blicke in seinem Rücken.

Matsumoto knöpfte sich gerade den Mantel zu und

wickelte sich den Schal fest um den Hals. Er ging in Richtung Hotel. Plötzlich hundemüde, blieb Rebus stehen. Er dachte an Sammy und Lintz und das Wiesel, dachte an all die Zeit, die er zu vergeuden schien.

»Scheiß drauf.«

Machte auf der Stelle kehrt und ging zurück zu seinem Auto. Ten Years After: »Goin' Home«.

Zur Flint Street waren es zwanzig Minuten zu laufen, ein Gutteil davon bergauf und mit einem Wind, der sich bei niemandem beliebt zu machen versuchte. In der Stadt war wenig los: Leute drängten sich an Bushaltestellen zusammen; Studenten mampften gebackene Kartoffeln und Pommes mit Currysauce. Vereinzelte Gestalten stapften mit der konzentrierten Miene des Besoffenen heimwärts. Rebus blieb stehen, runzelte die Stirn, sah sich um. Hier hatte er den Saab geparkt. Das war positiv... nein, nicht »positiv« – *das* Wort besaß neuerdings eine unheilvolle Nebenbedeutung. Er war sich *sicher*, ja, sicher, dass er den Saab genau da abgestellt hatte, wo jetzt ein schwarzer Ford Sierra parkte und dahinter ein Mini. Aber von Rebus' Auto keine Spur.

»Verdammte Scheiße!« Am Straßenrand waren keinerlei Glassplitter zu sehen, was bedeutete, dass die Diebe kein Fenster eingeschlagen hatten. Aber im Büro würde es jede Menge Witze geben, ob er das Auto nun zurückbekam oder nicht. Ein Taxi kam die Straße entlang, und er winkte es heran. Dann erinnerte er sich, dass er keinen Penny mehr in der Tasche hatte, und signalisierte ihm innerlich fluchend weiterzufahren.

20

Er schlief in seinem Sessel am Wohnzimmerfenster, die Steppdecke bis zum Kinn hochgezogen, als der Summer losging. Er konnte sich nicht erinnern, den Wecker gestellt zu haben. Mit zunehmender Munterkeit wurde ihm bewusst, dass es seine Tür war. Er stand taumelnd auf, fand seine Hose und zog sie an.

»Ist ja gut, ist ja gut«, rief er auf dem Weg in den Flur. »Nur nicht ins Hemd machen!«

Er öffnete die Tür und sah Bill Pryde.

»Herrgott, Bill, ist das irgendeine abartige Racheaktion?« Rebus sah auf seine Uhr: Viertel nach zwei.

»Leider nein, John«, antwortete Pryde. Seine Miene und Stimme verrieten Rebus, dass etwas Übles passiert war.

Etwas sehr Übles.

»Ich bin seit Wochen trocken.«

»Ganz sicher?«

»Absolut.« Rebus' Blicke bohrten sich in DCI Gill Templers Augen. Sie waren in ihrem Büro in St. Leonard's. Pryde hatte sein Jackett ausgezogen und die Hemdsärmel hochgekrempelt. Gill Templer sah so aus, als habe man sie aus dem Schlaf gerissen. Außerstande, sitzen zu bleiben, ging Rebus, soweit es die räumlichen Verhältnisse zuließen, im Zimmer auf und ab.

»Ich hab den ganzen Tag nichts anderes getrunken als Kaffee und Cola.«

»Wirklich?«

Rebus fuhr sich mit den Händen durch die Haare. Er war völlig groggy, und er hatte hämmernde Kopfschmerzen. Aber er konnte nicht um Paracetamol und ein Glas Wasser bitten: Sie würden denken, dass er einen Kater hatte.

»Komm schon, Gill«, sagte er, »man versucht mich hier fertig zu machen.«

»Wer hatte die Überwachung genehmigt?«

»Niemand. Das habe ich in meiner Freizeit gemacht.«

»Wie das?«

»Der Chief Super hatte gesagt, ich könnte mir ein bisschen freinehmen.«

»Er meinte, um Ihre Tochter zu besuchen.« Sie schwieg kurz. »Ging's *darum* bei der ganzen Sache?«

»Vielleicht.«

»Dieser Mr. ...« Sie sah in ihren Aufzeichnungen nach »...Matsumoto, der hatte mit Thomas Telford zu tun. Und Ihre Theorie lautet doch, dass Telford hinter dem Angriff auf Ihre Tochter steckte...?«

Rebus hämmerte mit den Fäusten gegen die Wand. »Das ist eine abgekartete Sache, der älteste Trick der Welt. Es muss am Tatort irgendwas zu finden sein... etwas, das nicht stimmt.« Er wandte sich zu seinen Kollegen. »Sie müssen mich da hinlassen, dass ich mich umsehen kann.«

Templer sah Bill Pryde an, der die Arme verschränkte, und die Schultern zuckte: von ihm aus. Aber die Entscheidung lag bei Templer, sie war die ranghöchste Beamtin im Raum. Sie tippte sich mit ihrem Stift an die Zähne, dann ließ sie ihn auf den Schreibtisch fallen.

»Erklären Sie sich zu einer Blutuntersuchung bereit?«

Rebus schluckte. »Warum nicht?«, antwortete er.

»Na dann los«, sagte sie und stand auf.

Die Geschichte: Matsumoto war auf dem Rückweg in sein Hotel gewesen. Beim Überqueren der Straße war er von einem Auto, das mit überhöhter Geschwindigkeit fuhr, erfasst worden. Der Fahrer hatte nicht angehalten, jedenfalls nicht sofort. Das Auto war allerdings nur ein paar hundert Meter weitergekommen, bevor es mit den Vorderrädern auf den Bürgersteig geriet. Dort hatte man es, mit offener Fahrertür, gefunden.

Ein Saab 900, dessen Identität der Hälfte der Polizei von Lothian und Borders bekannt war.

Der Innenraum stank nach Whisky, auf dem Beifahrersitz lag der Schraubverschluss einer Flasche. Von der Flasche selbst und vom Fahrer keine Spur. Nur das Auto, und zweihundert Meter weiter zurück die Leiche des japanischen Geschäftsmannes.

Niemand hatte irgendwas gesehen. Niemand hatte irgendwas gehört. Rebus konnte sich das durchaus vorstellen: Ohnehin nie stark befahren, lag diese Straße in der Innenstadt zu dieser Uhrzeit wie ausgestorben da.

»Als ich ihm von seinem Hotel aus gefolgt bin, ist er nicht hier langgegangen«, erklärte Rebus Templer. Sie stand mit gekrümmten Schultern da, die Hände in den Manteltaschen, igelte sich gegen die Kälte ein.

»Und?«

»Ziemlicher Umweg für eine Abkürzung.«

»Vielleicht wollte er sich die Sehenswürdigkeiten ansehen«, schlug Pryde vor.

»Um wie viel Uhr ist die Sache vermutlich passiert?«, fragte Rebus.

Templer zögerte. »So genau lässt sich das nicht mit Sicherheit sagen.«

»Gill, ich weiß, dass das eine blöde Situation ist. Du hättest mich nicht herbringen dürfen, du hättest meine Fragen nicht beantworten dürfen. Schließlich bin ich der Hauptverdächtige.« Rebus wusste, wie viel sie zu verlieren hatte. In Schottland gab es über zweihundert männliche Chief Inspectors; nur *fünf* weibliche. Schlechte Ausgangslage, und eine Menge Leute wartete nur darauf, dass sie Mist baute. Er hob die Hände. »Hör mal, wenn ich sturzbesoffen wäre und jemanden anfahren würde, glaubst du, ich würde das Auto einfach am Unfallort stehen lassen?«

»Du könntest nicht bemerkt haben, dass du jemanden angefahren hast. Du hörst einen Bums, verlierst die Kontrolle über den Wagen und knallst auf den Bordstein, und ein Überlebensinstinkt sagt dir, es wär angebracht auszusteigen und zu Fuß zu verschwinden.«

»Bloß dass ich nichts getrunken hatte. Ich habe das Auto in der Nähe der Flint Street stehen lassen, und da wurde es auch gestohlen. Irgendwelche Anzeichen dafür, dass man es aufgebrochen hat?«

Sie schwieg.

»Kaum anzunehmen«, fuhr Rebus fort. »Denn Profis hinterlassen keine Spuren. Aber um es in Gang zu bringen, müssen sie es kurzgeschlossen oder die Verkleidung der Lenksäule entfernt haben. Danach solltest du schauen.«

Der Wagen war abgeschleppt worden. Gleich am nächsten Morgen würde die Spurensicherung jeden Quadratzentimeter davon unter die Lupe nehmen.

Rebus lachte kopfschüttelnd. »Aber es ist reizend, nicht? Zuerst sorgen sie dafür, dass es bei Sammy wie ein Unfall mit Fahrerflucht aussieht, und jetzt versuchen sie, mir die gleiche Sache anzuhängen.«

»Wer sind ›sie‹?«

»Telford und seine Männer.«

»Ich dachte, du hättest gesagt, dass sie mit Matsumoto Geschäfte machten?«

»Das sind alles Gangster, Gill. Gangster haben gelegentlich Meinungsverschiedenheiten.«

»Was ist mit Cafferty?«

Rebus runzelte die Stirn. »Was soll mit ihm sein?«

»Er hat eine alte Rechnung mit dir zu begleichen. Auf die Art zahlt er's dir heim *und* pinkelt Telford ans Bein.«

»Also glaubst du auch, dass man mir was anzuhängen versucht?«

»Ich entscheide mich im Zweifelsfall für den Angeklagten.« Sie schwieg einen Moment. »Nicht alle werden das tun. Was hatte Matsumoto für Geschäfte mit Telford laufen?«

»Irgendwas mit einem Country Club – jedenfalls nach außen hin. Irgendwelche Japaner waren daran interessiert, und Telford ebnete ihnen den Weg.« Er fröstelte – hätte besser einen Mantel anziehen sollen – und rieb sich den Arm an der Stelle, wo ihm die Blutprobe für den Alkoholtest abgenommen worden war. »Natürlich könnte eine Durchsuchung des Hotelzimmers des Toten irgendetwas ergeben.«

»Wir waren schon da«, warf Pryde ein. »Nichts Auffälliges.«

»Welchen Penner haben Sie damit beauftragt?«

»Ich bin selbst hin«, sagte Gill Templer mit einer Stimme, die so eisig wie der Wind war. Rebus entschuldigte sich mit einer leichten Verbeugung. Aber da war was dran: Matsumoto und Telford hatten miteinander Geschäfte gemacht. Als sie sich voneinander verabschiedeten, hatte nichts auf einen Streit hingedeutet, und Matsumoto hatte im Spielkasino vergnügt und selbstsicher gewirkt. Was hätte es Telford schon eingebracht, ihn über den Haufen zu fahren?

Außer vielleicht, dass er sich dadurch Rebus vom Hals schaffte?

Templer hatte von Cafferty gesprochen: War Big Ger zu solch einem Schachzug fähig? Was hatte *er* zu gewinnen? Außer, dass er dadurch eine sehr alte Rechnung mit Rebus begleichen, Telford ans Bein pinkeln und vielleicht Poyntinghame und das japanische Geschäft für sich einsacken konnte?

Wägte man die zwei – Telford und Cafferty – gegeneinander ab, senkte sich Caffertys Waagschale, sie knallte regelrecht mit einem Bums auf den Boden.

»Fahren wir ins Revier zurück«, sagte Templer. »Ich spüre schon die ersten Frostbeulen.«

»Heißt das, ich kann nach Hause?«

»Wir sind mit dir noch nicht fertig, John«, erwiderte sie, als sie ins Auto stieg. »Noch lange nicht.«

Aber schließlich mussten sie ihn doch laufen lassen. Es wurde keine Anklage gegen ihn erhoben – noch nicht. Es gab noch einiges zu erledigen. Er wusste, dass sie, wenn sie wollten, ihm durchaus was am Zeug hätten flicken können, wusste es nur zu gut. *Er* war Matsumoto vom Klub aus gefolgt. *Er* war derjenige, der mit Telford eine Rechnung begleichen wollte. *Er* war derjenige, der es als eine Form von ausgleichender Gerechtigkeit angesehen hätte, ihm dadurch zu antworten, dass er einen seiner Geschäftspartner überfuhr.

Er, John, war ohne Zweifel verdächtig. Die Falle, die sie ihm gestellt hatten, war solide gebaut und in ihrer Art durchaus elegant. Das Zünglein an der Waage schlug plötzlich wieder nach Telfords Seite aus, des weitaus listigeren von beiden.

Telford.

Rebus besuchte Farlowe in seiner Zelle. Der Reporter war wach.

»Wie lang muss ich noch hier bleiben?«, fragte er.

»So lang wie möglich.«

»Wie geht's Telford?«

»Leichtere Verätzungen. Rechnen Sie nicht damit, dass er Anzeige erstattet. Er will Sie draußen haben.«

»Dann werden Sie mich gehen lassen müssen.«

»Ich wäre an Ihrer Stelle nicht so sicher, Ned. *Wir* können Anzeige erstatten. Dazu brauchen wir Telford nicht.«

Farlowe starrte ihn an. »Sie wollen mich anklagen?«

»Ich habe alles beobachtet. Unmotivierter tätlicher Angriff auf einen unbescholtenen Bürger.«

Farlowe schnaubte verächtlich, lächelte dann. »Ist das nicht absurd? Ich werde zu meiner eigenen Sicherheit unter Anklage gestellt.« Er verstummte. »Sammy werde ich wohl nicht besuchen dürfen, oder?«

Rebus schüttelte den Kopf.

»Daran hatte ich nicht gedacht. Tatsache ist, ich habe *überhaupt* nicht nachgedacht.« Er sah von seiner Pritsche auf. »Ich habe es einfach getan. Und bis zu dem Moment, wo ich es getan habe, kam es mir… genial vor.«

»Und hinterher?«

Farlowe zuckte die Achseln. »Was spielt hinterher schon für eine Rolle? Ist ja bloß der Rest meines Lebens.«

Rebus ging nicht nach Hause, er hätte ohnehin nicht schlafen können. Und er hatte kein Auto, konnte also auch nicht ziellos durch die Gegend gondeln. Also machte er sich auf den Weg ins Krankenhaus, setzte sich an Sammys Bett. Er nahm ihre Hand, legte sie sich an die Wange.

Als eine Schwester hereinkam und fragte, ob er etwas brauche, fragte er, ob sie wohl Paracetamol habe.

»In einem Krankenhaus?«, sagte sie lächelnd. »Mal sehen, was sich machen lässt.«

21

Rebus sollte sich zu weiterer Befragung um zehn Uhr in St. Leonard's einfinden; als deshalb sein Pager um Viertel nach acht piepste, nahm er an, man wolle ihn lediglich an den Termin erinnern. Aber die Nummer, die er zurückrufen sollte, war die Leichenhalle in der Cowgate. Er rief vom

279

Münztelefon des Krankenhauses aus an und wurde mit Dr. Curt verbunden.

»Sieht so aus, als hätte ich den schwarzen Peter gezogen«, sagte Dr. Curt.

»Sie nehmen sich jetzt also Matsumoto vor?«

»Strafe für meine Sünden. Ich hab die Geschichten gehört... ich nehm nicht an, dass irgendetwas davon stimmt?«

»Ich habe ihn nicht getötet.«

»Freut mich, das zu hören, John.« Curt schien ihm etwas mitteilen zu wollen und nicht recht zu wissen, wie. »Es gibt natürlich gewisse ethische Bedenken, deswegen kann ich nicht vorschlagen, dass Sie herkommen...«

»Gibt es etwas, das ich Ihrer Meinung nach sehen sollte?«

»Das kann ich nicht sagen.« Curt räusperte sich. »Aber wenn Sie *rein zufällig* hier wären... und zu dieser Uhrzeit ist ja hier so gut wie nichts los...«

»Bin schon unterwegs.«

Vom Krankenhaus zum Totenhaus: ein Spaziergang von zehn Minuten. Curt erwartete Rebus, um ihn persönlich zur Leiche zu führen.

Ein großer Raum, weiße Kacheln, strahlendes Licht und rostfreier Stahl. Zwei der Seziertische waren unbesetzt, auf dem dritten lag Matsumotos nackter Körper. Rebus ging darum herum, verblüfft von dem, was er sah.

Tätowierungen.

Und nicht lediglich der übliche, bei Matrosen so beliebte Dudelsackspieler im Kilt. Das waren echte Kunstwerke, und zwar riesige. Ein grünschuppiger, rosa und rotes Feuer speiender Drache bedeckte eine Schulter und schlängelte seinen Schwanz den Arm hinab bis knapp zum Handgelenk. Seine Hinterbeine krümmten sich um den Nacken des Toten, während die Vorderbeine sich auf dessen Brust stützten. Dann gab es noch weitere, kleinere Drachen und eine Landschaft: der Fudschijama, sich im Wasser spiegelnd. Es gab japanische Symbole und das hinter einer Schutzmaske verborgene Gesicht eines Kendo-Kämpfers. Curt streifte sich Latexhandschuhe über und forderte Rebus auf, das Gleiche zu tun. Dann drehten sie gemeinsam die Leiche auf den Bauch, worauf eine zweite Bildergalerie sichtbar wurde. Ein maskierter Schauspieler, irgendwas aus einem No-Stück, und ein Krieger in voller Rüstung. Ein paar zarte Blumen. Der Gesamteindruck war überwältigend.

»Toll, nicht?«, meinte Curt.

»Unglaublich.«

»Ich war beruflich ein paar Mal in Japan, auf Kongressen.«

»Sie erkennen also die Motive wieder?«

»Ein paar, ja. Die Sache ist die, dass Tätowierungen – besonders in solchem Umfang – in der Regel bedeuten, dass man zu einer Gang gehört.«

»Wie die Triaden?«

»Die japanischen heißen Yakuza. Sehen Sie hier.« Curt hielt die linke Hand des Toten hoch. Vom kleinen Finger war das erste Glied abgetrennt worden, die Haut narbig verheilt.

»Das passiert, wenn sie was vermasseln, stimmt's?«, sagte Rebus, dem das Wort »Yakuza« wie ein Gummiball im Kopf herumsauste. »Jedes Mal wird ein Finger abgeschnitten.«

»Ich glaube, ja«, erwiderte Curt. »Ich dachte, das könnte Sie interessieren.«

Rebus nickte, ohne die Augen von der Leiche zu wenden. »Sonst noch was?«

»Na ja, richtig vorgenommen habe ich ihn mir ja noch nicht. Auf den ersten Blick sieht alles ziemlich normal aus: Anzeichen eines Zusammenstoßes mit einem fahrenden Fahrzeug. Eingedrückter Brustkorb, Frakturen an Armen und Beinen.« Rebus bemerkte, dass aus einer Wade ein

Knochen herausragte, obszön weiß im Kontrast zur Haut. »Mit Sicherheit jede Menge innere Verletzungen. Gestorben ist er wahrscheinlich am Schock.« Curt machte ein nachdenkliches Gesicht. »Ich muss Professor Gates benachrichtigen. Ich glaube kaum, dass er jemals so etwas gesehen hat.«

»Kann ich Ihr Telefon benutzen?«, fragte Rebus.

Er kannte eine einzige Person, die vielleicht etwas über die Yakuza wusste – sie hatte den Eindruck erweckt, als wüsste sie in Sachen weltweite Bandenkriminalität *ziemlich* gut Bescheid. Also rief er Miriam Kenworthy in Newcastle an.

»Tätowierungen und fehlende Finger?«, erkundigte sie sich.

»Bingo.«

»Dann Yakuza.«

»Genau genommen fehlt nur das letzte Stück von einem kleinen Finger. Das macht man dann, wenn einer aus der Reihe tanzt, oder?«

»Nicht ganz. Das machen sie *selbst*, als eine Art Buße. Viel mehr als das weiß ich allerdings auch nicht.« Man hörte Papierrascheln. »Ich such eben nach meinen Notizen.«

»Was für Notizen?«

»Als ich all diese Banden und verschiedenen Kulturen miteinander in Verbindung zu bringen versuchte, habe ich natürlich Recherchen angestellt. Da könnte auch was über die Yakuza dabei sein… Hören Sie, kann ich Sie zurückrufen?«

»Wann?«

»In fünf Minuten.«

Rebus gab ihr Curts Nummer und wartete. Curts Arbeitszimmer war eigentlich eher ein begehbarer Schrank. Auf dem Schreibtisch stapelten sich die Akten, und zuoberst lag ein Diktiergerät samt einer Packung neuer Kassetten.

Der Raum stank nach Zigarettenrauch und abgestandener Luft. An den Wänden Zettel mit Terminen, Ansichtskarten, ein paar gerahmte Drucke. Der Raum war ein Notbehelf; die meiste Zeit verbrachte Curt anderswo.

Rebus holte Colquhouns Visitenkarte hervor, wählte erst seine Privat-, dann seine Büronummer. Seine Sekretärin teilte ihm mit, Dr. Colquhoun sei noch immer krankgemeldet.

Vielleicht, aber es ging ihm immerhin so gut, dass er ins Spielkasino gehen konnte. In eines von Telfords Kasinos. Was sicher kein Zufall war...

Auf Kenworthy war Verlass.

»Yakuza«, sagte sie, und es klang so, als lese sie von einem Spickzettel ab. »Neunzigtausend Mitglieder, in knapp zweieinhalbtausend Gruppierungen eingeteilt. Vollkommen skrupellos, aber auch sehr klug und raffiniert. Streng hierarchische Struktur, für Außenstehende praktisch nicht zu durchschauen. Wie eine Geheimgesellschaft. Sie haben sogar etwas wie eine mittlere Managementebene, die so genannte Sokaiya.«

Rebus machte sich eifrig Notizen. »Wie schreibt man das?«

Sie buchstabierte es ihm. »In Japan kontrollieren sie die Pachinko-Hallen – das sind so eine Art Glücksspielautomaten – und haben ihre Finger in so ziemlich jedem anderen illegalen Geschäft.«

»Es sei denn, sie werden ihnen abgehackt. Und außerhalb von Japan?«

»Das Einzige, was ich hier stehen habe, ist, dass sie teure Designerware für den schwarzen Markt ins Land schmuggeln, auch gestohlene Kunstgegenstände, mit denen sie reiche Sammler beliefern...«

»Moment mal, Sie hatten mir doch gesagt, Jake Tarawicz hätte anfangs Ikonen aus Russland geschmuggelt.«

»Wollen Sie damit sagen, dass Mr. Pink Eyes Verbindungen zu den Yakuza haben könnte?«

»Tommy Telford hat in letzter Zeit Chauffeur für sie gespielt. Es gibt ein Lagerhaus, für das sich alle zu interessieren scheinen, *und* einen Country Club.«

»Was ist in dem Lagerhaus?«

»Das weiß ich noch nicht.«

»Vielleicht sollten Sie das herausfinden.«

»Steht auf meiner Liste. Was anderes, diese Pachinko-Hallen... könnte man die mit unseren Spielhallen vergleichen?«

»Durchaus.«

»Eine weitere Verbindung zu Telford: Er beliefert die Hälfte der Pubs und Klubs der Ostküste mit Spielautomaten.«

»Sie glauben, die Yakuza könnten in ihm einen möglichen Geschäftspartner gesehen haben?«

»Keine Ahnung.« Er versuchte, ein Gähnen zu unterdrücken.

»Zu früh am Morgen für so schwierige Fragen?«

Er lächelte. »So ähnlich. Danke für Ihre Hilfe, Miriam.«

»Keine Ursache. Halten Sie mich auf dem Laufenden.«

»Klar. Was Neues in Sachen Tarawicz?«

»Nicht dass ich wüsste. Auch keine Spur von Candice, tut mir Leid.«

»Danke noch einmal.«

»Bis dann.«

Curt stand in der offenen Tür. Er hatte Laborkittel und Handschuhe ausgezogen, und seine Hände rochen nach Seife.

»Bis meine Assistenten eintrudeln, kann ich nicht viel machen.« Er warf einen Blick auf seine Uhr. »Wie wär's mit Frühstück?«

»Sie können sich doch selbst denken, wie das aussieht, John. Die Medien könnten uns in der Luft zerreißen. Mir fallen auf Anhieb gleich mehrere Journalisten ein, die ihren rechten Arm dafür hergeben würden, Sie ans Kreuz zu nageln.«

Chief Superintendant Watson war in seinem Element. Hinter seinem Schreibtisch thronend, die Hände gefaltet, strahlte er die heitere Gelassenheit eines großen steinernen Buddha aus. Die gelegentlichen Krisen, mit denen ihn John Rebus konfrontierte, hatten den Farmer für die kleineren Widrigkeiten des Lebens gestählt und ihn Ruhe gelehrt.

»Sie werden mich suspendieren«, erklärte Rebus mit Überzeugung – er befand sich nicht zum ersten Mal in einer solchen Situation. Er leerte den Becher Kaffee, den sein Chef ihm gegeben hatte, hielt ihn aber weiter mit beiden Händen umklammert. »Anschließend leiten Sie eine Untersuchung ein.«

»Nicht sofort«, sagte er zu Rebus' Überraschung. »Zunächst will ich Ihre Aussage – und ich meine damit eine erschöpfende und ehrliche Erklärung Ihrer jüngsten Aktivitäten, Ihres Interesses an Mr. Matsumoto und Thomas Telford. Gehen Sie so ausführlich, wie Sie möchten, auf den Unfall Ihrer Tochter und Ihre etwaigen diesbezüglichen Verdachtsmomente ein – und vor allen Dingen auf deren *Stichhaltigkeit*. Telford hat uns schon einen Anwalt auf den Hals gehetzt, der unbequeme Fragen über das vorzeitige Ableben unseres japanischen Freundes stellt. Der Anwalt…« Watson sah Gill Templer an, die mit schmalem Mund neben der Tür saß.

»Charles Groal«, sagte sie ausdruckslos.

»Groal, ja. Er hat sich im Spielkasino umgehört, wo man ihm einen Mann beschrieb, der unmittelbar nach Matsumoto angekommen und unmittelbar nach ihm gegangen sein soll. Er scheint zu glauben, dass es sich dabei um Sie handelte.«

»Werden Sie ihm das auszureden versuchen?«, fragte Rebus.

»Wir sagen ihm überhaupt nichts, nicht bevor unsere eigenen Ermittlungen... Sie wissen schon. Aber ewig kann ich ihn nicht hinhalten, John.«

»Haben Sie sich bei irgendwem erkundigt, was Matsumoto hier eigentlich wollte?«

»Er arbeitet für eine Unternehmensberatungsfirma und war im Auftrag eines Klienten hier, um die Übernahme eines Country Clubs unter Dach und Fach zu bringen.«

»Mit Tommy Telford im Schlepptau.«

»John, wir sollten uns nicht verrennen...«

»Matsumoto war Mitglied der Yakuza, Sir. Bislang kannte ich die Typen bestenfalls aus dem Fernsehen. Jetzt sind die plötzlich in Edinburgh.« Er schwieg einen Moment. »Finden Sie das nicht ein *klitzekleines* bisschen merkwürdig? Ich meine, beunruhigt Sie das überhaupt nicht? Ich weiß nicht, vielleicht setze ich meine Prioritäten falsch, aber es kommt mir vor, als würden wir in Pfützen herumplanschen, während uns ein Tsunami ins Haus steht!«

Seine Hände hatten sich immer fester um den Becher gekrampft. Jetzt zerbrach das Ding, ein Stück fiel zu Boden, während Rebus zusammenzuckte. Er zog sich einen Keramiksplitter aus dem Handteller. Blut tropfte auf den Teppich. Gill Templer war aufgestanden, griff nach seiner Hand.

»Lassen Sie mich sehen.«

Er wandte sich abrupt ab. »Nein!« Viel zu laut. Kramte nach einem Taschentuch.

»Ich hab Kleenex in meiner Handtasche.«

»Ist schon in Ordnung.« Watson erzählte irgendwas von einem Sprung, den der Becher gehabt haben müsse; Templer starrte ihn an. Rebus wickelte sich weiße Baumwolle um die verletzte Hand.

»Ich geh das eben abwaschen«, sagte er. »Mit Ihrer Erlaubnis, Sir?«

»Nur zu, John. Sind Sie sicher, dass alles in Ordnung ist?«

»Ich werd's überleben.«

Es war kein schlimmer Schnitt. Kaltes Wasser half. Er trocknete sich mit Papierhandtüchern ab und warf sie dann ins Klo; spülte und wartete, bis sie wirklich weg waren. Dann der Erste-Hilfe-Kasten: ein halbes Dutzend Pflaster, die kleine Wunde ordentlich abdecken. Er ballte die Faust, keine undichten Stellen zu sehen. Das musste genügen.

Er ging in sein Büro, nahm – wie von Watson befohlen – seine Memoiren in Angriff. Gill Templer kam herein, war offenbar der Meinung, er brauche ein paar nette Worte.

»Keiner von uns glaubt, dass du das getan hast, John. Aber bei so einer Geschichte… der japanische Konsul stellt Fragen… da muss man sich einfach strikt an die Regeln halten.«

»Letzten Endes geht's immer nur um Politik, was?« Er musste an Joseph Lintz denken.

Um Mittag schaute er bei Ned Farlowe vorbei, fragte, ob er etwas brauche. Farlowe wollte Sandwiches, Bücher, Zeitungen, ein bisschen Gesellschaft. Er sah abgespannt aus, gefängnismüde. Vielleicht würde er bald auf die Idee verfallen, nach einem Anwalt zu verlangen. Ein Anwalt – *jeder* Anwalt – hätte ihn da schnell rausgeholt.

Rebus gab seinen Bericht bei Watsons Sekretärin ab und verließ die Wache. Er war keine fünfzig Meter weit gekommen, als ein Wagen neben ihm am Bordstein hielt. Range Rover. Pretty-Boy am Steuer, der ihn aufforderte einzusteigen. Rebus warf einen Blick in den Fond.

Telford. Salbe im verätzten Gesicht. Eine Schmalspurversion Jake Tarawicz'…

Rebus zögerte. Bis zur Wache war es nur ein kurzer Spurt.

»Steigen Sie ein«, wiederholte Pretty-Boy. Immer für eine Einladung dankbar, tat er wie ihm geheißen.

Pretty-Boy wendete. Der riesige gelbe Teddy saß brav angeschnallt auf dem Beifahrersitz.

»Es hat wohl nicht viel Sinn«, begann Rebus, »Sie zu bitten, Ned Farlowe in Frieden zu lassen?«

Telford hatte andere Dinge im Kopf. »Er will Krieg, den kann er haben.«

»Wer?«

»Ihr Boss.«

»Ich arbeite nicht für Cafferty.«

»Erzählen Sie mir keine Märchen.«

»Ich habe ihn schließlich eingebuchtet.«

»Und halten seitdem mit ihm Händchen.«

»Ich habe Matsumoto nicht umgebracht.«

Telford sah ihn jetzt zum ersten Mal an, und Rebus blieb nicht verborgen, dass es ihn in den Fingern juckte, handgreiflich zu werden.

»Sie wissen selbst, dass ich es nicht war«, fuhr Rebus fort.

»Was soll das heißen?«

»Dass *Sie* es waren, und jetzt wollen Sie mir –«

Telfords Hände krallten sich um Rebus' Kehle. Rebus schüttelte sie ab, versuchte, Telford niederzuringen. Unmöglich im fahrenden Auto, im engen Fond eingeklemmt. Pretty-Boy bremste und stieg aus, öffnete Rebus' Tür und zerrte ihn auf den Bürgersteig. Telford stürzte hinterher, das Gesicht rot wie eine Tomate, die Augen aus den Höhlen quellend.

»*Das* hängen Sie mir nicht an!«, brüllte er. Vorbeifahrende Autos verlangsamten neugierig ihr Tempo. Passanten brachten sich auf der anderen Straßenseite in Sicherheit.

»Wem dann?«, fragte Rebus mit zittriger Stimme.

»Cafferty!«, schrie Telford. »Sie und Cafferty versuchen, mich fertig zu machen!«

»Ich sag Ihnen doch, ich war's nicht.«

»Boss«, meinte Pretty-Boy, »lass uns die Kurve kratzen, okay?« Er blickte sich um, beunruhigt wegen der Aufmerksamkeit, die sie erregten. Telford sah es ein und entspannte die Schultern ein wenig.

»Steigen Sie ins Auto«, forderte er Rebus auf. Rebus starrte ihn nur an. »Ist schon okay. Steigen Sie ein. Ich will Ihnen ein paar Dinge zeigen.«

Rebus, der verrückteste Bulle der Welt, stieg wieder ein.

Ein paar Minuten herrschte Schweigen. Telford brachte die Verbände an seinen Fingern, die sich während des Kampfes gelockert hatten, wieder in Ordnung.

»Ich glaube nicht, dass Cafferty einen Krieg will«, erklärte Rebus.

»Was macht Sie da so sicher?«

Die Tatsache, dass ich einen Deal mit ihm habe – ich *werde dich zur Strecke bringen.* Sie fuhren in westlicher Richtung. Rebus versuchte, sich keine möglichen Ziele vorzustellen.

»Sie waren in der Army, stimmt's?«, fragte Telford.

Rebus nickte.

»Fallschirmtruppe, dann SAS.«

»Ich bin über die Grundausbildung nicht hinausgekommen.« *Er ist gut informiert,* dachte Rebus.

»Also haben Sie beschlossen, stattdessen Bulle zu werden.« Telford war wieder vollkommen ruhig. Er hatte sich den Anzug glatt gestrichen und den Krawattenknoten zurechtgerückt. »Das Problem ist, wenn man bei solchen Vereinen arbeitet – Army, Polizei –, muss man Befehlen gehorchen. Wie ich höre, scheint das nicht gerade Ihre Stärke zu sein. Bei *mir* würden Sie nicht alt werden.« Er sah aus dem Fenster. »Was hat Cafferty vor?«

»Keine Ahnung.«

»Warum haben Sie Matsumoto beobachtet?«

»Weil er mit Ihnen zu tun hatte.«

»Das Crime Squad hat seine Observierung abgeblasen.«
Rebus schwieg. »Aber Sie haben weitergemacht. Warum?«

»Weil Sie versucht haben, meine Tochter zu töten.«

Telford starrte ihn an, ohne zu blinzeln. »Darum geht's also?«

»Deswegen hat Ned Farlowe Sie attackiert. Er ist der Freund meiner Tochter.«

Telford unterdrückte ein ungläubiges Lachen, schüttelte den Kopf. »Ich hab Ihrer Tochter nichts getan. Was hätte ich für einen Grund gehabt?«

»Um mich zu treffen. Weil sie mir bei Candice geholfen hat.«

Telford überlegte. »Okay«, sagte er nickend, »ich kann Ihren Gedankengang nachvollziehen, und ich nehme nicht an, dass Sie viel auf mein Wort geben werden, aber ob Sie's glauben oder nicht: Ich weiß von der Sache mit Ihrer Tochter gar nichts.« Er schwieg kurz. Rebus hörte Sirenen in der Nähe. »Haben Sie sich deswegen an Cafferty gewandt?«

Rebus gab keine Antwort, was Telford als eine Bestätigung seiner Vermutungen aufzufassen schien. Er lächelte wieder.

»Fahr links ran«, befahl Telford. Pretty-Boy bremste und hielt. Ein Stück weiter war die Straße ohnehin gesperrt, Polizisten leiteten den Verkehr über Seitenstraßen um. Rebus wurde bewusst, dass er schon seit einiger Zeit Rauch gerochen hatte. Die Mietshäuser hatten bislang die Sicht versperrt, aber jetzt sah er das Feuer. Es kam von dem Grundstück, auf dem Cafferty seine Taxis abstellte. Der Schuppen, der als Büro diente, war nur noch ein Haufen Asche. Die Werkstatt dahinter, in der die Fahrzeuge gewartet und gereinigt wurden, stand kurz davor, ihr Wellblechdach zu verlieren. Etliche in einer Reihe geparkte Taxis brannten munter vor sich hin.

»Wir hätten Eintrittskarten verkaufen sollen«, meinte

Pretty-Boy. Telford wandte sich von dem Spektakel ab und fixierte Rebus.

»Die Feuerwehr wird alle Hände voll zu tun haben. Zwei von Caffertys Büros gehen…« er sah auf seine Uhr, »…gerade in diesem Moment durch Selbstentzündung in Flammen auf, genau wie sein schönes Haus. Keine Sorge, wir haben gewartet, bis seine Frau einkaufen ging. Seinen Männern ist ein letztes Ultimatum gestellt worden: Sie können die Stadt – oder dieses Jammertal – verlassen.« Er zuckte die Achseln. »Mir ist das egal. Richten Sie Cafferty aus: Er hat in Edinburgh nichts mehr zu melden.«

Rebus leckte sich die Lippen. »Sie haben gerade gesagt, ich würde Ihretwegen schief liegen, Sie hätten nichts mit meiner Tochter zu tun. Was, wenn *Sie* wegen Cafferty schief liegen würden?«

»Wachen Sie endlich auf! Die Messerstecherei vor dem Megan's, dann Danny Simpson… Cafferty geht nicht gerade subtil vor.«

»Hat Danny gesagt, es wären Caffertys Männer gewesen?«

»Er weiß es, und ich weiß es auch.« Telford klopfte Pretty-Boy auf die Schulter. »Zurück zur Basis.« Zu Rebus: »Noch eine Botschaft, die Sie nach Barlinnie überbringen können – was ich Caffertys Männern gesagt habe: Wer sich von ihnen nach Mitternacht noch in der Stadt blicken lässt, ist Freiwild… und ich mache keine Gefangenen.« Er schniefte, wirkte mit sich zufrieden, lehnte sich im Sitz zurück. »Was dagegen, wenn ich Sie in der Flint Street absetze? Ich hab in einer Viertelstunde eine geschäftliche Verabredung.«

»Mit Matsumotos Bossen?«

»Wenn sie Poyntinghame haben wollen, werden sie weiter mit mir verhandeln.« Er starrte Rebus an. »Und *Sie* täten das besser auch. Denken Sie doch mal nach: Wer hätte wohl ein Interesse daran, dass Sie einen Hass auf mich haben? Alles deutet auf Cafferty hin: Ihre Tochter anfahren, Matsumoto platt machen ... Das geht *alles* eindeutig auf Caffertys Konto. Denken Sie darüber nach, dann können wir uns vielleicht noch mal unterhalten.«

Kurzes Schweigen, dann fragte Rebus: »Kennen Sie einen Mann namens Joseph Lintz?«

»Bobby Hogan hat ihn mal erwähnt.«

»Er hat Ihr Büro in der Flint Street angerufen.«

Telford zuckte die Achseln. »Ich sag Ihnen das Gleiche, was ich Hogan gesagt habe. Vielleicht hatte er sich verwählt. Was auch immer, *ich* hab jedenfalls mit keinem alten Nazi gesprochen.«

»Aber Sie sind auch nicht der Einzige, der dieses Büro benutzt.« Rebus bemerkte, dass Pretty-Boy ihn im Rückspiegel beobachtete. »Wie steht's mit Ihnen?«

»Nie gehört von dem Typ.«

In der Flint Street parkte ein Auto – eine riesige weiße Limousine mit verdunkelten Scheiben und einer TV-Antenne auf dem Kofferraum. Die Radkappen waren rosa lackiert.

»O Gott«, sagte Telford amüsiert, »guckt euch bloß sein neuestes Spielzeug an!« Er schien Rebus völlig vergessen zu haben, sprang aus dem Wagen und lief auf den Mann zu, der gerade aus dem Fond der Limousine stieg. Weißer Anzug, Panamahut, dicke Zigarre und ein knallrotes Paisley-Hemd – wovon nichts den Betrachter von der blau getönten Brille und dem narbenübersäten Gesicht abzulenken vermochte. Telford machte Bemerkungen über seine Aufmachung, seinen Wagen, seine Kühnheit, die Mr. Pink wie Öl runtergingen. Er legte einen Arm um Telfords Schultern und dirigierte ihn in Richtung Spielhalle. Dann aber blieb er stehen, schnippte mit den Fingern, wandte sich wieder zur Limousine und streckte eine Hand aus.

Und jetzt kam eine Frau zum Vorschein. Kurzes schwarzes Kleid und schwarze Strumpfhose, ein Pelzjäckchen, damit sie sich nicht verkühlte. Tarawicz tätschelte ihr den Hintern, Telford küsste sie auf den Hals. Sie lächelte mit leicht glasigem Blick. Dann drehten sich Tarawicz und Telford zum Range Rover um und starrten Rebus an.

»Endstation, Inspector«, erklärte Pretty-Boy, damit Rebus endlich ausstieg. Er tat es, ohne die Augen von Candice zu wenden. Aber sie schaute ihn nicht an. Sie schmiegte sich an Mr. Pink Eyes, drückte den Kopf an seine Brust. Er streichelte immer noch ihren Po, so dass sich der Kleidersaum hob und senkte. Er beobachtete Rebus mit glühendem Blick, das Gesicht eine grinsende Latexmaske. Rebus ging auf die drei zu, und jetzt endlich entdeckte Candice ihn und erschrak.

»Inspector«, sagte Tarawicz, »schön, Sie wiederzusehen. Sind Sie hier, um die Prinzessin zu retten und in Sicherheit zu bringen?«

Rebus achtete nicht auf ihn. »Komm mit, Candice.« Und streckte ihr eine – nicht ganz ruhige – Hand entgegen.

Sie sah ihn an und schüttelte den Kopf. »Warum?«, sagte sie und wurde dafür mit einem weiteren Kuss belohnt, diesmal von Tarawicz.

»Du bist entführt wurden. Du kannst Anzeige erstatten.«

Tarawicz lachte und ging voran ins Café.

»Candice.« Rebus packte sie am Arm, aber sie machte sich los und folgte ihrem Herrn und Gebieter ins Lokal.

Zwei von Telfords Männern versperrten den Eingang. Pretty-Boy stand hinter Rebus.

»Na, nicht zu Heldentaten aufgelegt?«, fragte er, während er an ihm vorbeiging.

In St. Leonard's brachte Rebus Farlowe sein Essen und Zeitungen und ließ sich dann von einem Streifenwagen zur Torphichen-Wache fahren. Der Mann, den er sprechen wollte, war DI »Shug« Davidson, und der saß im CID-Büro und sah ziemlich fertig aus.

»Jemand hat ein Taxiunternehmen abgefackelt«, sagte er zu Rebus.

»Irgendeine Ahnung, wer?«

Davidsons Augen verengten sich. »Der Betrieb gehörte Jock Scallow. Wollen Sie auf etwas Bestimmtes hinaus?«

»Wem gehörte der Laden *wirklich*, Shug?«

»Das wissen Sie verdammt genau.«

»Und wer versucht zur Zeit, sich in Caffertys Revier breit zu machen?«

»Ich hab da was munkeln hören.«

Rebus lehnte sich an Davidsons Schreibtisch. »Wenn wir ihn nicht aufhalten, geht Tommy Telford auf die Matratzen.«

»›Wir‹?«

»Ich möchte, dass Sie eine Spritztour mit mir machen.«

Shug Davidson war mit einer verständnisvollen Frau glücklich verheiratet und hatte Kinder, die ihn nicht so häufig zu Gesicht bekamen, wie sie es verdient hätten. Ein Jahr zuvor hatte er vierzig Riesen in der Lotterie gewonnen und jedem auf seiner Wache einen ausgegeben. Der Rest des Geldes war auf die hohe Kante gelegt worden.

Rebus hatte schon früher mal mit ihm zusammengearbeitet. Er war kein schlechter Bulle, höchstens ein bisschen phantasielos. Sie mussten die Brandstelle umfahren. Knapp zwei Kilometer weiter bat Rebus ihn zu halten.

»Was ist hier?«, fragte Davidson.

»Das will ich ja gerade von Ihnen wissen.« Rebus sah hinüber zum Backsteingebäude, das Tommy Telford so interessierte.

»Das da ist Maclean's«, erklärte Davidson.

»Und was bitte ist Maclean's?«

Davidsons lächelte. »Das wissen Sie wirklich nicht?« Er öffnete die Tür des Autos. »Kommen Sie mit, ich zeig's Ihnen.«

Am Haupteingang mussten sie sich ausweisen. Rebus bemerkte jede Menge – wenngleich unauffällige – Sicherheitseinrichtungen: An den Ecken des Gebäudes waren Videokameras angebracht, die jeden möglichen Zugangsweg überwachten. Ein Telefonanruf, und ein Mann in weißem Kittel kam herunter, um sie in Empfang zu nehmen. Man steckte ihnen Besucherausweise ans Jackett, und die Führung konnte beginnen.

»Ich bin schon mal hier gewesen«, vertraute ihm Davidson an. »Wenn Sie mich fragen, ist das das bestgehütete Geheimnis in der ganzen Stadt.«

Sie stiegen Treppen hinauf, gingen Korridore entlang. Überall Sicherheitsvorkehrungen: Wachpersonal überprüfte ihre Ausweise; Türen mussten aufgeschlossen werden; Kameras zeichneten jeden ihrer Schritte auf. Was Rebus wunderte, denn von außen sah das Gebäude wirklich unscheinbar aus. Und innen passierte auch nichts weiter Aufsehenerregendes.

»Was ist das hier, Fort Knox?«, fragte Rebus. Dann aber reichte ihnen ihr Führer weiße Kittel, die sie anziehen sollten, ehe er die Tür zu einem Labor öffnete – und Rebus begann zu begreifen.

Leute arbeiteten mit Chemikalien, betrachteten Reagenzgläser, machten sich Notizen. Es standen alle möglichen seltsamen Apparate herum, aber im Prinzip war das ein Chemielabor wie in der Schule, nur ein wenig größer.

»Willkommen«, sagte Davidson, »in der größten Drogenküche der Welt.«

Was nicht ganz korrekt war, denn wie der Führer erklärte, war Maclean's lediglich der weltgrößte *legale* Produzent von Heroin und Kokain.

»Wir haben eine Lizenz von der Regierung. 1961 wurde ein internationales Abkommen getroffen: Jeder Staat der Welt durfte lediglich *eine* Fabrik haben, und wir sind die für Großbritannien.«

»Und was stellen Sie nun her?« Rebus starrte auf die Reihen abgeschlossener Kühlschränke.

»Alles Mögliche: Methadon für Heroinabhängige, Pethidin für Frauen in den Wehen. Diamorphin zur Schmerzlinderung bei unheilbaren Krankheiten und Kokain für verschiedene medizinische Anwendungen. Angefangen hat die Firma damit, dass sie Königin Victorias Untertanen mit Laudanum versorgte.«

»Und heutzutage?«

»Wir produzieren jährlich um die siebzig Tonnen Opiate«, erklärte der Führer. »Und reines Kokain im Wert von rund zwei Millionen Pfund.«

Rebus rieb sich die Stirn. »Allmählich begreife ich, warum Sie es mit der Sicherheit so genau nehmen.«

Der Mann lächelte. »Das Verteidigungsministerium lässt sich von uns beraten – *so* gut sind unsere Sicherheitssysteme.«

»Keine Einbrüche?«

»Ein paar Versuche, nichts, womit wir nicht selbst fertig geworden wären.«

Klar, dachte Rebus, *aber ihr hattet es ja auch nicht mit Tommy Telford und der Yakuza zu tun… noch nicht.*

Rebus schlenderte durch das Labor, lächelte und nickte einer Frau zu, die untätig herumzustehen schien.

»Wer ist das?«, fragte er den Führer.

»Unsere Krankenschwester. Sie steht auf Abruf bereit.«

»Wozu?«

Der Führer deutete mit einer Kopfbewegung auf einen Mann, der eine der Maschinen bediente. »Etorphin«, sagte er. »Vierzigtausend Pfund das Kilo und äußerst wirksam. Die Schwester hat das Gegengift, für alle Fälle.«

»Und wozu benutzt man dieses Etorphin?«

»Um Nashörner zu betäuben«, sagte der Führer, als verstehe sich das eigentlich von selbst.

Das Kokain wurde aus Kokablättern gewonnen, die man aus Peru bezog. Das Opium kam aus Plantagen in Tasmanien und Australien. Das reine Heroin und Kokain wurden in einem Panzerraum gelagert. Jedes Labor besaß eigene Schließfächer. Der Lagerraum war durch Infrarotkameras und Bewegungssensoren gesichert. Fünf Minuten in dem Raum, und Rebus wusste ganz genau, warum sich Tommy Telford so für Maclean's interessierte. Und die Yakuza hatte er zum Mitspielen eingeladen, entweder weil er ihre Hilfe brauchte – was wenig wahrscheinlich war –, oder um vor den japanischen Kollegen zu prahlen.

Als sie wieder im Auto saßen, stellte Davidson die nahe liegende Frage.

»Also, worum geht's, John?«

Rebus kniff sich in den Nasenrücken. »Ich glaube, Telford plant, den Laden auszuräumen.«

Davidson schnaubte. »Er würde nie reinkommen. Wie Sie selbst gesagt haben, das ist das reinste Fort Knox.«

»Es ist für ihn eine Prestigefrage, Shug. Wenn er es schafft, ist er die Nummer eins. Dann hat er Cafferty aus dem Feld geschlagen, ohne ihm auch nur ein Haar zu krümmen.« Das Gleiche galt für die Brandanschläge: Sie waren nicht lediglich eine Botschaft an Cafferty, sondern auch eine Art »roter Teppich« für Mr. Pink Eyes – willkommen in Edinburgh, und schau, was ich so alles kann.

»Ich sag Ihnen doch«, entgegnete Davidson, »man *kommt* da nicht rein. Mann, ist das billig!« Davidsons Aufmerksamkeit war von den Schildern im Schaufenster des Tante-Emma-Ladens abgelenkt worden. Zigaretten zu Schleuderpreisen. Spottbillige Sandwiches und heiße Brötchen. Plus fünf Pence Rabatt auf jede Morgenzeitung.

»Der Wettbewerb muss hier in der Gegend ganz schön hart sein«, meinte Davidson. »Lust auf ein Brötchen?«

Rebus beobachtete die Arbeiter, die das Maclean's-Gebäude verließen. Nachmittagspause vielleicht. Sah sie die Straße überqueren, sich zwischen den vorbeifahrenden Autos hindurchschlängeln. Kleingeld aus der Tasche holen und abzählen, während sie die Tür des Ladens öffneten.

»Ja«, sagte Rebus leise, »warum nicht?«

Der kleine Laden war gerammelt voll. Davidson stellte sich in die Schlange, während Rebus den Zeitungs- und Illustriertenstand in Augenschein nahm. Die Arbeiter tauschten Scherze und Klatsch aus. Hinter dem Ladentisch bedienten zwei Verkäufer – junge Männer, die leutseliges Geplänkel mit wenig effizientem Service zu verbinden wussten.

»Was möchten Sie, John? Bacon?«

»Prima«, antwortete Rebus. Dann fiel ihm ein, dass er nichts zu Mittag gegessen hatte. »Zwei, bitte.«

Zwei Bacon-Brötchen kosteten exakt ein Pfund. Die zwei Polizisten setzten sich zum Essen ins Auto.

»Wissen Sie, Shug, die Strategie solcher Geschäfte besteht darin, ein, zwei Dinge des täglichen Bedarfs besonders günstig anzubieten, um damit Kunden anzulocken.« Davidson nickte, biss in sein Brötchen. »Aber in dem Laden kriegt man ja *alles* nachgeschmissen.« Rebus hatte aufgehört zu essen. »Tun Sie uns beiden einen Gefallen: Nehmen Sie das Geschäft unter die Lupe, finden Sie raus, wem es gehört, wer die zwei Typen hinterm Tresen sind.«

Davidson kaute zunehmend langsamer. »Sie glauben …?«

»Überprüfen Sie das einfach, okay?«

22

Als er wieder in St. Leonard's ankam, klingelte gerade sein Telefon. Er setzte sich und pulte den Deckel von einem Becher Kaffee ab. Während der Rückfahrt hatte er an Candice gedacht. Zwei Schlucke Kaffee, und er nahm den Hörer ab.

»DI Rebus«, meldete er sich.

»Was zum Teufel treibt der kleine Scheißer?« Die Stimme Big Ger Caffertys.

»Wo sind Sie?«

»Was meinen Sie wohl, wo ich bin?«

»Klingt wie ein Handy.«

»Erstaunlich, was sich in Barlinnie nicht alles so auftreiben lässt. Jetzt sagen Sie, was läuft da eigentlich ab?«

»Sie haben also davon gehört.«

»Er hat mein Haus abgefackelt! Mein *Haus*! Soll ich ihm das etwa durchgehen lassen?«

»Hören Sie, ich glaube, ich hab einen Weg gefunden, wie ich ihn drankriegen kann.«

Cafferty beruhigte sich ein wenig. »Ich höre.«

»Noch nicht, ich will –«

»Und alle meine Taxis!«, explodierte Cafferty wieder. »Der kleine Scheißer!«

»Hören Sie, die Frage ist doch: Was für eine Reaktion erwartet er von Ihnen? Er rechnet mit sofortigen Vergeltungsmaßnahmen.«

»Und die soll er haben.«

»Dann ist er darauf vorbereitet. Wäre es nicht besser, ihn unvorbereitet zu erwischen?«

»Der kleine Scheißer ist nicht mehr unvorbereitet gewesen, seit er aus den Windeln raus ist.«

»Soll ich Ihnen verraten, warum er das getan hat?«

Caffertys Wut ebbte wieder ab. »Warum?«

»Weil er meint, Sie hätten Matsumoto getötet.«

»Wen?«

»Einen seiner Geschäftsfreunde. Wer immer es war, er hat es so eingefädelt, dass es so aussah, als hätte *ich* am Lenkrad gesessen.«

»Ich war's nicht.«

»Versuchen Sie mal, das Telford zu erzählen. Er glaubt, Sie hätten mir den Auftrag dazu gegeben.«

»Wir wissen, dass es nicht so war.«

»Stimmt. *Wir* wissen, dass jemand mir was anhängen wollte, um mich nach Möglichkeit aus dem Weg zu räumen.«

»Wie hieß der noch mal, der Tote?«

»Matsumoto.«

»Ist das japanisch?«

Rebus wünschte sich, er hätte Caffertys Augen sehen können. Aber selbst dann wäre es schwierig gewesen zu erkennen, ob der Mann Spielchen spielte.

»Er war Japaner«, erklärte Rebus.

»Was zum Teufel hatte er mit Telford zu schaffen?«

»Klingt so, als ob Ihr Nachrichtendienst nicht mehr besonders doll funktioniert.«

Stille in der Leitung. »Wegen Ihrer Tochter...«

Rebus erstarrte. »Was ist mit ihr?«

»Ein Secondhandladen in Porty.« Also Portobello, einem Vorort an der Küste. »Der Besitzer hat jemandem ein paar Sachen abgekauft. Darunter Kassetten mit Opern und Roy Orbison. Das hat er sich gemerkt. Ist ja keine übliche Kombination.«

Rebus' Hand krampfte sich um den Hörer. »Welcher Laden? Wie sah der Anbieter aus?«

Höhnisches Lachen. »Wir arbeiten daran, Strawman, überlassen Sie nur alles uns. Wie war das jetzt mit diesem Japsen...?«

»Ich hab gesagt, *ich* zieh Telford aus dem Verkehr. So war's abgemacht.«

»Bis jetzt hab ich noch nicht viel gemerkt.«

»Ich arbeite daran!«

»Ich will trotzdem was über ihn wissen.«

Rebus schwieg.

»Wie geht's eigentlich Samantha?«, fragte Cafferty. »So heißt sie doch, oder?«

»Sie ist…«

»Denn es sieht ganz so aus, als wär's nur eine Frage von Tagen, bis ich *meinen* Teil unserer Abmachung erfüllt habe. Während Sie…«

»Matsumoto war Yakuza. Schon mal von denen gehört?«

Kurzes Schweigen. »Ja, hab ich.«

»Telford hilft denen, einen Country Club zu kaufen.«

»Was in Gottes Namen wollen die denn *damit*?«

»Weiß ich auch nicht genau.«

Cafferty schwieg wieder. Rebus glaubte schon, seinem Handy sei der Saft ausgegangen, als er schließlich sagte: »Er hat große Pläne, was?« Und man meinte, eine Spur von Hochachtung herauszuhören, die gegen den verletzten Stolz des angegriffenen Platzhirsches ankämpfte.

»Wir haben beide schon erlebt, was passiert, wenn Leute sich übernehmen.« In Rebus' Kopf nahm eine Idee Gestalt an, eine plötzliche Vorstellung dessen, worauf das alles zusteuerte.

»Sieht aber so aus, als hätte Telford noch allerhand in der Hinterhand«, entgegnete Cafferty. »Und ich, ich hab *meine* Reserven noch nicht mal ernsthaft angegriffen.«

»Hören Sie, Cafferty? Jedes Mal, wenn Sie so klingen, als wären Sie am Ende, weiß ich, dass Sie erst zu Ihrer vollen Form auflaufen.«

»Ihnen ist doch klar, dass ich früher oder später zurückschlagen muss, ob ich will oder nicht. Ist ein kleines Ritual, das wir hinter uns bringen müssen, wie Händeschütteln.«

»Wie viele Männer haben Sie?«

»Mehr als genug.«

»Noch eine letzte Sache …« Rebus konnte gar nicht glauben, dass er *das* seinem Erzfeind erzählte. »Jake Tarawicz ist gestern hier angekommen. Ich glaube, der Feuerzauber hatte den Zweck, ihn zu beeindrucken.«

»Telford hat mein Haus abgefackelt, nur damit er diesem hässlichen russischen Dreckschwein was zu zeigen hätte?«

Wie ein Kind, das vor Älteren angeben will, dachte Rebus. Und sich übernimmt …

»Das war's, Strawman!« Cafferty schäumte wieder vor Wut. »Alle Abmachungen sind hinfällig. Die beiden wollen Morris Gerald Cafferty ans Bein pissen? Ich mach die alle. Ich verpass denen die Schweinepest. Wenn ich mit ihnen fertig bin, werden sie glauben, sie hätten AIDS im Endstadium!«

Was so ziemlich das Letzte war, was Rebus im Augenblick hören wollte. Er legte auf, trank seinen kalten Kaffee aus, sah die Liste der eingegangenen Anrufe durch. Patience wollte wissen, ob ein gemeinsames Abendessen im Bereich des Möglichen läge. Rhona teilte mit, die Ärzte hätten einen weiteren Scan gemacht. Bobby Hogan wollte kurz mit ihm reden.

Als Erstes rief er das Krankenhaus an. Rhona sagte was von einer neuen Tomographie, die das Ausmaß der Schäden am Gehirn ermitteln sollte.

»Warum zum Teufel haben die das dann nicht sofort gemacht?«

»Keine Ahnung.«

»Hast du nachgefragt?«

»Warum kommst *du* nicht her? Warum fragst *du* nicht? Wenn ich nicht da bin, kannst du problemlos stundenlang

302

bei Sammy sitzen, sogar auf dem Stuhl schlafen. Was ist denn, schrecke ich dich ab?«

»Tut mir Leid, Rhona. Es war ein harter Tag.«

»Nicht nur für dich.«

»Ich weiß. Ich bin ein egoistischer Mistkerl.«

Der Rest ihres Gesprächs verlief wie üblich, so dass es für beide eine Erleichterung war, sich voneinander verabschieden zu können. Er probierte es bei Patience, bekam ihren AB an die Strippe und sprach darauf, er nehme die Einladung gern an. Dann rief er Bobby Hogan an.

»Hallo, Bobby, was gibt's?«

»Nicht viel. Ich hab mich mit Telford unterhalten.«

»Ich weiß, er hat's mir gesagt.«

»Sie haben mit ihm geredet?«

»Er meint, er hätte nie was mit Lintz zu tun gehabt. Haben Sie auch mit der ›Familie‹ geredet?«

»Jedenfalls mit denen, die das Büro frequentieren. Gleiches Ergebnis.«

»Haben Sie die fünf Riesen erwähnt?«

»Bin ich blöd? Hören Sie, ich dachte, Sie könnten mir vielleicht helfen.«

»Schießen Sie los.«

»In Lintz' Adressbuch habe ich ein paar Adressen eines gewissen Dr. Colquhoun gefunden. Ich dachte zuerst, das wär sein Hausarzt.«

»Er ist Dozent für Slawistik.«

»Komisch ist nur, dass Lintz ihn im Auge behalten zu haben scheint. Drei verschiedene Adressen, die erste von vor zwanzig Jahren. Bei den ersten zwei stehen auch Telefonnummern dabei, bei der letzten nicht. Ich hab's überprüft, dort wohnt er erst seit drei Jahren.«

»Und?«

»Lintz kannte also seine Privatnummer nicht. Wenn er ihn sprechen wollte ...«

303

Rebus kapierte. »Dann musste er in der Uni anrufen.«
Das Gespräch auf Lintz' Rechnung: so um die zwanzig
Minuten. Rebus erinnerte sich, was Colquhoun über Lintz
geäußert hatte.

*Ich habe ihn auf ein paar Empfängen gesehen... unsere Insti-
tute hatten nicht viel miteinander zu tun...*

»Sie waren nicht am selben Institut«, erklärte Rebus.
»Colquhoun hat mir erzählt, sie hätten sich höchstens ein
paar Mal gesehen...«

»Wie kommt's also dann, dass Lintz Colquhouns verschiedene Wohnungswechsel so eifrig mitverfolgt hat?«

»Da bin ich überfragt, Bobby. Haben Sie *ihn* gefragt?«

»Nein, aber das habe ich vor.«

»Er ist untergetaucht. Ich versuch schon seit einer Woche
mit ihm zu reden.« Zuletzt im Morvena Club gesichtet:
Stellte Colquhoun eine Verbindung zwischen Telford und
Lintz her?

»Tja, aber jetzt ist er wieder da.«

»*Was?*«

»Ich bin mit ihm in seinem Institut verabredet.«

»Da komme ich mit«, sagte Rebus und stand auf.

Als Rebus auf dem Buccleuch Place parkte – er saß in
einem nicht gekennzeichneten Astra, den er sich in St. Leonard's ausgeliehen hatte –, setzte der Wagen in der nächsten Parkbucht gerade zurück. Er winkte, aber Kirstin Mede
sah ihn nicht, und als er endlich die Hupe gefunden hatte,
war sie schon losgefahren. Er fragte sich, wie gut sie Colquhoun wohl kannte. Schließlich war sie es gewesen, die
ihn als Dolmetscher empfohlen hatte...

Hogan, der am Geländer stand, hatte Rebus' erfolglose
Kommunikationsversuche mitbekommen.

»Jemand, den Sie kennen?«

»Kirstin Mede.«

Hogan konnte den Namen unterbringen. »Die, die Ihnen diese Übersetzungen gemacht hat?«

Rebus blickte an der Fassade des Slawistischen Instituts empor. »Haben Sie David Levy ausfindig gemacht?«

»Die Tochter hat noch immer nichts von ihm gehört.«

»Wie lang geht das jetzt schon so?«

»Lang genug, um für sich genommen verdächtig zu wirken; sie scheint sich allerdings keine allzu großen Sorgen zu machen.«

»Wie wollen Sie die Sache jetzt angehen?«

»Hängt davon ab, wie er drauf ist.«

»Stellen Sie nur Ihre Fragen. Ich möchte bloß dabei sein.«

Hogan zuckte die Achseln und drückte die Tür auf. Sie begannen, die abgetretenen Steinstufen hinaufzusteigen. »Hoffentlich residiert er nicht im Penthouse.«

Im zweiten Stock stand an einer Tür, auf ein Stück Pappe gekritzelt, Colquhouns Name. Sie traten ein und befanden sich in einem kurzen Flur, von dem weitere fünf oder sechs Türen abgingen. Colquhouns Arbeitszimmer war das erste auf der rechten Seite, und er stand bereits in der Tür.

»Ich meinte, Sie gehört zu haben. Das Haus ist ziemlich schalldurchlässig. Nur herein, nur herein.« Er war davon ausgegangen, dass Hogan allein kommen würde. Als er Rebus sah, versiegte sein Redefluss. Er ging ins Zimmer zurück, forderte die zwei Beamten mit einer Handbewegung auf, Platz zu nehmen. Er rückte umständlich ihre Stühle zurecht, so dass sie dem Schreibtisch zugewandt standen.

»Furchtbares Durcheinander«, sagte er und stieß mit dem Fuß einen Stapel Bücher um.

»Ich kenne das, Sir«, stimmte Hogan ihm zu.

Colquhoun spähte in Rebus' Richtung. »Meine Sekretärin sagte, Sie hätten die Bibliothek benutzt.«

»Nur ein paar Wissenslücken gefüllt, Sir.« Rebus sprach mit betont ruhiger Stimme.

»Ja, Candice...«, sagte Colquhoun nachdenklich. »Ist sie...? Ich meine, hat sie...?«

»Heute allerdings«, unterbrach ihn Hogan, »möchten wir uns mit Ihnen über Joseph Lintz unterhalten, Sir.«

Colquhoun ließ sich schwerfällig auf seinem Holzstuhl nieder, der unter der Belastung ächzte. Dann sprang er wieder auf. »Tee, Kaffee? Sie müssen die Unordnung verzeihen. Normalerweise sieht's hier nicht so chaotisch aus...«

»Nicht für uns, danke«, antwortete Hogan. »Wenn Sie sich einfach setzen würden...?«

»Natürlich, natürlich.« Colquhoun ließ sich wieder auf seinen Stuhl sacken.

»Joseph Lintz, Sir«, soufflierte Hogan.

»Schreckliche Tragödie... schrecklich. Es soll ja Mord gewesen sein, wissen Sie...«

»Ja, Sir, das ist uns bekannt.«

»Ja, natürlich. Bitte um Entschuldigung.«

Der Schreibtisch, an dem Colquhoun saß, war ebenso museumsreif wie wurmstichig. Die Regalbretter bogen sich unter der Last von Fachbüchern. An den Wänden hingen gerahmte alte Drucke und eine Schiefertafel, auf der das Wort CHARAKTER geschrieben stand. Auf der Fensterbank stapelten sich Seminararbeiten und sonstiger Papierkram so hoch, dass sie die zwei unteren Scheiben fast völlig verdeckten. Der ganze Raum roch nach ranzig gewordenem Intellekt.

»Es geht nur darum, dass Ihr Name in Mr. Lintz' Adressbuch stand, Sir«, fuhr Hogan fort. »Und wir unterhalten uns mit allen seinen Freunden.«

»Freunden?« Colquhoun blickte auf. »Ich hätte uns nicht gerade als ›Freunde‹ bezeichnet. Wir waren Kollegen, aber ich glaube nicht, dass wir uns im Laufe der letzten zwanzig Jahre häufiger als drei- oder viermal außerhalb von Lehrveranstaltungen gesehen haben.«

»Seltsam, er scheint sich für Sie interessiert zu haben, Sir.« Hogan schlug seinen Notizblock auf. »Seit der Zeit, als sie an der Warrender Park Terrace wohnten.«

»Das war ja noch in den Siebzigerjahren.«

»Er hatte auch Ihre Telefonnummer. Danach ist es eine Adresse in Currie.«

»Ich dachte damals, ich sei jetzt reif für das Landleben...«

»In Currie?« Hogan klang skeptisch.

Colquhoun tippte sich an die Schläfe. »Schließlich habe ich meinen Irrtum erkannt.«

»Und sind nach Duddingston gezogen.«

»Nicht sofort. Ich habe noch hier und da zur Miete gewohnt, während ich nach einem geeigneten Kaufobjekt suchte.«

»Mr. Lintz kannte Ihre Telefonnummer in Currie, aber nicht die in Duddingston.«

»Interessant. Als ich da einzog, habe ich mir eine Geheimnummer geben lassen.«

»Hatten Sie dafür einen besonderen Grund, Sir?«

Colquhoun pendelte auf seinem Stuhl hin und her. »Tja, ich fürchte, das werden Sie jetzt nicht verstehen...«

»Lassen wir's doch auf einen Versuch ankommen.«

»Ich wollte nicht von meinen Studenten belästigt werden.«

»Haben sie das denn getan?«

»O ja, riefen ständig an, um irgendwas zu fragen, mich um Ratschläge zu bitten. Machten sich Sorgen wegen irgendwelcher Examensarbeiten oder wollten, dass ich Abgabefristen für Referate verlängerte.«

»Können Sie sich daran erinnern, Mr. Lintz Ihre Adresse gegeben zu haben, Sir?«

»Nein, tut mir Leid.«

»Sind Sie sich da sicher?«

»Ja, aber es dürfte kein Problem für ihn gewesen sein, sie auf anderem Weg herauszufinden. Ich meine, er hätte nur eine der Sekretärinnen zu fragen brauchen.«

Colquhoun wirkte zunehmend unruhiger. Es hielt ihn kaum noch auf dem Stuhl.

»Sir«, sagte Hogan, »gibt es irgendetwas, das Sie uns über Mr. Lintz sagen möchten – egal, was?«

Colquhoun schüttelte lediglich den Kopf, die Augen starr auf die Schreibtischplatte gerichtet.

Rebus beschloss, den Joker auszuspielen. »Mr. Lintz hat hier angerufen. Das Gespräch dauerte über zwanzig Minuten.«

»Das ist... einfach nicht wahr.« Colquhoun wischte sich mit einem Taschentuch übers Gesicht. »Hören Sie, Gentlemen, ich würde Ihnen ja gern helfen, aber Tatsache ist, dass ich Joseph Lintz so gut wie gar nicht kannte.«

»Und er hat Sie nicht angerufen?«

»Nein.«

»Und Sie können sich auch nicht vorstellen, warum er sich ihre verschiedenen Edinburgher Adressen der letzten drei Jahrzehnte notiert haben sollte?«

»Nein.«

Hogan seufzte theatralisch. »Dann stehlen wir Ihnen nur die Zeit – und vergeuden unsere.« Er stand auf. »Wir danken Ihnen, Dr. Colquhoun.«

Die Erleichterung in der Miene des alten Universitätsmannes verriet den zwei Detectives alles, was sie wissen wollten.

Sie stiegen die Treppe schweigend hinunter – wie Colquhoun gesagt hatte, war das Gebäude hellhörig. Hogans Auto stand am nächsten. Sie lehnten sich dagegen und tauschten ihre Eindrücke aus.

»Er war nervös«, sagte Rebus.

»Er verheimlicht etwas. Meinen Sie, wir sollten wieder raufgehen?«

Rebus schüttelte den Kopf. »Lassen wir ihn ein, zwei Tage schmoren, dann schlagen wir zu.«

»Es hat ihm gar nicht gepasst, dass Sie dabei waren.«

»Ist mir aufgefallen.«

»Dieses Restaurant... wo Lintz zusammen mit einem älteren Mann gegessen hat...«

»Wir könnten ihm erzählen, wir hätten von den Kellnern eine Personenbeschreibung bekommen.«

»Ohne ins Detail zu gehen?«

Rebus nickte. »Mal sehen, ob ihn das aus der Reserve lockt.«

»Was ist mit Lintz' anderem Gast, der jungen Frau?«

»Keine Ahnung.«

»Schickes Restaurant, alter Mann, junge Frau...«

»Ein Callgirl?«

Hogan lächelte. »Heißen die immer noch so?«

Rebus dachte nach. »Könnte den Anruf bei Telford erklären. Nur bezweifle ich, dass Telford so dämlich wäre, derartige Geschäfte von seinem Büro aus zu regeln. Außerdem sitzt die Zentrale seiner Hostessenagentur ganz woanders.«

»Tatsache aber ist, dass er Telfords Büro angerufen hat.«

»Und dass niemand zugegeben hat, mit ihm gesprochen zu haben.«

»Hostessenservice... das könnte andererseits auch völlig harmlos sein. Er hat keine Lust, allein zu essen, mietet sich nette Gesellschaft. Anschließend ein Küsschen auf die Wange und getrennte Taxis.« Hogan stieß deutlich hörbar die Luft aus. »Ich dreh mich nur im Kreis.«

»Ich kenn das Gefühl, Bobby.«

Sie sahen hinauf zum zweiten Stock. Colquhoun stand

am Fenster, das Taschentuch am Gesicht, und starrte zu ihnen hinunter.

»Lassen wir ihn erst mal«, meinte Hogan und schloss sein Auto auf.

»Was ich Sie noch hatte fragen wollen: Wie sind Sie mit Abernethy klargekommen?«

»Er hat nicht allzu viel Ärger gemacht.« Hogan wich Rebus' Blick aus.

»Dann ist er also weg?«

Hogan saß inzwischen im Auto. »Er ist weg. Bis dann, John.« Und ließ Rebus stehen. Der sah ihm mit gerunzelter Stirn nach, bis sein Auto um die Ecke gebogen war. Dann ging er zurück ins Gebäude und stieg wieder die Treppe hinauf.

Die Tür von Colquhouns Arbeitszimmer stand offen, der alte Mann zappelte hinter seinem Schreibtisch herum. Rebus nahm ihm gegenüber Platz und schwieg.

»Ich war krank«, sagte Colquhoun.

»Sie sind auf Tauchstation gegangen.« Colquhoun schüttelte den Kopf. »Sie haben denen gesagt, wo sie Candice finden würden.« Neuerliches Kopfschütteln. »Dann haben Sie es mit der Angst zu tun bekommen, also haben die Sie irgendwo versteckt, vielleicht im Spielkasino.« Rebus schwieg einen Moment. »Wie mache ich mich bis jetzt?«

»Ich habe dazu nichts zu sagen«, zischte Colquhoun.

»Wie wär's, wenn ich dann einfach weiterrede?«

»Ich möchte, dass Sie jetzt gehen. Wenn Sie das nicht tun, werde ich meinen Anwalt anrufen müssen.«

»Heißt er zufällig Charles Groal?« Rebus lächelte. »Mag sein, dass die Sie in den letzten paar Tagen präpariert haben, aber das, was Sie getan haben, können die nicht ungeschehen machen.« Rebus stand auf. »*Sie* haben Candice zu denen zurückgeschickt. *Sie* haben es getan.« Er beugte sich über den Schreibtisch. »Sie wussten die ganze Zeit, wer

sie war, stimmt's? Deswegen waren Sie so nervös. Wie
kommt's, dass Sie wussten, wer sie war, Dr. Colquhoun?
Wie kommt's, dass Sie mit einem Scheißkerl wie Tommy
Telford so dicke sind?«

Colquhoun nahm den Hörer ab, aber seine Hände zitterten so sehr, dass er die Tasten ständig verfehlte.

»Schon gut«, sagte Rebus. »Ich gehe. Aber wir sprechen
uns wieder. Und Sie *werden* reden. Sie werden reden, weil
Sie ein Feigling sind, Dr. Colquhoun. Und früher oder
später reden Feiglinge immer…«

23

Das Büro des Crime Squad in Fettes: Heimat des Country
and Western; Claverhouse beendete gerade ein Telefonat.
Von Ormiston und Clarke weit und breit nichts zu sehen.

»Die sind im Einsatz«, sagte Claverhouse.

»Irgendwelche Fortschritte bei der Messerstecherei?«

»Na, was glauben Sie?«

»Ich glaube, es gibt etwas, das Sie wissen sollten.« Rebus
setzte sich an Siobhans Schreibtisch und nahm bewun-
dernd zur Kenntnis, wie aufgeräumt er war. Er zog eine
Schublade auf: Sie war ebenso aufgeräumt. Fächer, dachte
er. Clarke beherrschte wirklich die Kunst, ihr Leben in
säuberlich voneinander getrennte Fächer zu unterteilen.
»Jake Tarawicz ist in der Stadt. Er fährt so eine protzige weiße Limousine, ist nicht zu übersehen.« Rebus hielt inne.
»Und er hat Candice bei sich.«

»Was hat er hier zu suchen?«

»Ich glaube, er will sich die Show ansehen.«

»Welche Show?«

»Cafferty gegen Telford, fünfzehn Runden ohne Handschuhe und Schiedsrichter.« Rebus beugte sich vor, die Un-

terarme auf der Schreibtischplatte. »Und ich hab so eine Ahnung, worauf es hinauslaufen wird.«

Rebus fuhr nach Haus, rief Patience an und sagte ihr, dass er sich möglicherweise verspäten würde.

»Wie sehr?«, fragte sie.

»Wie sehr darf ich, ohne dass wir Krach kriegen?«

Sie überlegte. »Halb neun.«

»Dann bis dann.«

Er hörte seinen AB ab: David Levy teilte ihm mit, er sei zu Hause zu erreichen.

»Wo zum Teufel haben Sie gesteckt?«, fragte Rebus, als Levys Tochter ihren Vater an den Apparat geholt hatte.

»Ich war anderweitig beschäftigt.«

»Ihre Tochter hat sich ziemliche Sorgen gemacht. Sie hätten sie ja auch anrufen können.«

»Sind Sie neuerdings als Familienberater tätig?«

»Und meine fachkundigen Ratschläge kosten Sie nichts, wenn Sie mir ein paar Fragen beantworten. Sie wissen, dass Lintz tot ist?«

»Ich habe davon gehört.«

»Wo befanden Sie sich gerade, als Sie davon *gehört* haben?«

»Ich sagte Ihnen doch, ich war beschäftigt … Inspector, zähle etwa ich zu den Verdächtigen?«

»Sie sind praktisch der einzige, den wir haben.«

Levy stieß ein kurzes, bitteres Lachen aus. »Das ist absurd. Ich bin kein …« Er konnte das Wort nicht aussprechen. Rebus vermutete, dass seine Tochter sich in Hörweite befand. »Warten Sie bitte einen Moment.« Eine Hand legte sich auf die Sprechmuschel: Levy schickte seine Tochter aus dem Zimmer. Als er sich wieder meldete, sprach er leiser.

»Inspector, jetzt zum Mitschreiben: Sie machen sich keinen Begriff davon, wie *wütend* ich war, als ich davon erfahren habe. Mag sein, dass damit der Gerechtigkeit Genüge getan wurde – mit diesem Aspekt kann ich mich im Moment nicht auseinander setzen –, aber sicher, *absolut sicher* ist, dass die Geschichte um ihr Recht betrogen wurde!«

»Um den Prozess?«

»Natürlich! Und ebenso um die ›Rattenlinie‹. Mit jedem Verdächtigen, der stirbt, verringern sich die Chancen, deren Existenz nachzuweisen. Lintz ist nämlich keineswegs der Erste, der abtritt. Ein Mann hat sich tot gefahren – Bremsversagen. Ein anderer ist aus dem Fenster gefallen. Dann gab es zwei angebliche Selbstmorde und sechs weitere Fälle, die nach natürlichen Ursachen aussahen.«

»Bekomme ich jetzt die ganze Verschwörungstheorie aufgetischt?«

»Das ist kein Witz, Inspector.«

»Habe ich vielleicht gelacht? Was ist mit Ihnen, Mr. Levy? Wann haben Sie Edinburgh verlassen?«

»Vor Lintz' Tod.«

»Haben Sie ihn gesprochen?« Rebus wusste, dass dem so war, rechnete aber mit einer Lüge.

Levy schwieg kurz. »*Zur Rede gestellt* wäre wohl der treffendere Ausdruck.«

»Nur das eine Mal?«

»Dreimal. Er war nicht sehr darauf erpicht, über sich zu reden, aber ich habe meinen Standpunkt trotzdem dargestellt.«

»Und das Telefonat?«

Levy schwieg kurz. »Was für ein Telefonat?«

»Als er Sie im Roxburghe angerufen hat.«

»Ich wünschte, ich hätte es für die Nachwelt aufgezeichnet. Wut, Inspector. Nackte Wut. Er war wahnsinnig, ohne jeden Zweifel.«

»Wahnsinnig?«

»Sie haben ihn nicht gehört. Er beherrschte es sehr gut,

vollkommen normal zu wirken – muss er ja auch, sonst wäre er nicht so lange unentdeckt geblieben. Aber der Mann ist... war... wahnsinnig. Buchstäblich wahnsinnig.«

Rebus dachte an den gebeugten alten Mann auf dem Friedhof und wie er plötzlich auf einen vorbeilaufenden Hund losgegangen war. Von Gelassenheit zu schäumender Wut und abermaliger Gelassenheit.

»Die Geschichte, die er mir erzählte...« Levy seufzte.

»War das im Restaurant?«

»Was für einem Restaurant?«

»Verzeihung, ich dachte, Sie seien miteinander essen gewesen.«

»Ich kann Ihnen versichern, dass das nicht der Fall war.«

»Und, wie lautete nun seine Geschichte?«

»Diese Männer, Inspector, schaffen es früher oder später immer, ihre Taten zu rechtfertigen, indem sie sie aus ihrem Bewusstsein streichen, oder aber durch Übertragung. Übertragung ist die häufigere Strategie.«

»Sie reden sich ein, jemand anders hätte es getan?.«

»Ja.«

»Und das war also Lintz' Geschichte?«

»Noch unglaubwürdiger als alles andere. Er sagte, es sei alles nur eine Verwechslung.«

»Und mit wem meinte er, dass Sie ihn verwechselten?«

»Mit einem Kollegen an der Universität... einem Dr. Colquhoun.«

Rebus rief Hogan an, gab ihm die Neuigkeiten durch.

»Ich hab Levy gesagt, dass Sie sich wahrscheinlich bei ihm melden würden.«

»Ich rufe ihn gleich an.«

»Was halten Sie von der Geschichte?«

»Colquhoun ein Kriegsverbrecher?« Hogan schnaubte verächtlich.

314

»Meine ich auch«, sagte Rebus. »Ich hab Levy gefragt, warum er es nicht für nötig gehalten hatte, uns das mitzuteilen.«

»Und?«

»Da er selbst nicht daran glaubte, hielt er es für unnötig.«

»Trotzdem sollten wir uns noch einmal mit Colquhoun unterhalten. Heute Abend.«

»Heute Abend habe ich was anderes vor, Bobby.«

»Ihr gutes Recht, John. Hören Sie, ich bin Ihnen wirklich dankbar für all Ihre Hilfe.«

»Werden Sie also allein mit ihm reden?«

»Ich nehme jemand mit.«

Rebus mochte es nicht, ausgeschlossen zu werden. Angenommen, er sagte dieses Abendessen ab ...

»Halten Sie mich auf dem Laufenden.« Rebus legte auf. Aus den Lautsprecherboxen: Eddie Harris, fröhlich und melodisch. Er legte sich in die Wanne und gönnte sich ein heißes Bad. Waschlappen auf dem Gesicht. Jeder Mensch schien in verschiedenen kleinen Schachteln zu leben und zu verschiedenen Gelegenheiten jeweils die eine oder andere zu öffnen. Niemand gab je seine vollständige Persönlichkeit preis. Bei Bullen traf das mit Sicherheit zu – jede Schachtel ein Sicherheitsmechanismus. Von den meisten Menschen, denen man im Lauf seines Lebens begegnete, erfuhr man nicht einmal den Namen. Jeder war von allen anderen abgeschottet, abgeschachtelt. Das nannte man dann »Gesellschaft«.

Er musste an Joseph Lintz denken, der ständig alles hinterfragt, jedes Gespräch in eine Philosophievorlesung verwandelt hatte. In seiner eigenen kleinen Schachtel eingeschlossen, seine Identität anderswo weggesperrt, seine Vergangenheit notwendigerweise ein Geheimnis ... Joseph Lintz, wütend, wenn in die Enge getrieben, möglicherweise geistesgestört, in den Irrsinn getrieben durch ... was? Er-

315

innerungen? Oder deren Fehlen? Von anderen Menschen dahin getrieben?

Als er aus dem Badezimmer kam, lief das letzte Stück der Eddie-Harris-CD. Er zog die Sachen an, die er sich für den Abend mit Patience zurechtgelegt hatte. Vorher standen allerdings noch zwei Zwischenstopps an: im Krankenhaus, um nach Sammy zu sehen, und anschließend in Torphichen zu einer Besprechung.

»Die Bande ist vollzählig«, sagte er, als er den CID-Raum betrat.

Shug Davidson, Claverhouse, Ormiston und Siobhan Clarke saßen um den einzigen, großen Schreibtisch und tranken Kaffee aus identischen Rangers-Bechern. Rebus zog sich einen Stuhl heran.

»Haben Sie sie ins Bild gesetzt, Shug?«

Davidson nickte.

»Über den Laden auch?«

»Damit wollte ich gerade anfangen.« Davidson nahm einen Stift, spielte damit herum. »Der letzte Besitzer hat dichtgemacht, nicht genug Laufkundschaft. Das Geschäft blieb fast ein Jahr lang geschlossen, dann hat es plötzlich wieder geöffnet – unter neuer Führung und mit absolut konkurrenzlosen Preisen.«

»Mit denen es auch die Mitarbeiter von Maclean's geködert hat«, fügte Rebus hinzu. »Wie lang läuft das jetzt also schon?«

»Seit fünf Wochen. Sie verkaufen alles zu Dumpingpreisen.«

»Es geht ihnen also nicht um Profit.« Rebus sah in die Runde. Letztere Bemerkung war vor allem für Ormiston und Clarke gedacht; Claverhouse hatte er schon vorher informiert.

»Und der Eigentümer?«, fragte Clarke.

»Na ja, *geführt* wird das Geschäft von zwei jungen Typen namens Declan Delaney und Ken Wilkinson. Und jetzt raten Sie mal, wo die her sind?«

»Paisley«, antwortete Claverhouse, der keine Zeit verlieren wollte.

»Dann gehören sie also zu Telfords Gang?«, fragte Ormiston.

»Nicht offiziell, aber sie haben ohne Frage was mit ihm zu tun.« Davidson schneuzte sich lautstark. »Und klar, Dec und Ken führen den Laden, aber natürlich gehört er ihnen nicht.«

»Sondern Telford«, erklärte Rebus.

»Okay«, erklärte Claverhouse. »Wir wissen also, dass Telford einen Laden besitzt, der rote Zahlen schreibt, ihm aber Informationen einbringen soll.«

»Ich glaube, da steckt mehr dahinter«, sagte Rebus. »Die Ohren offen halten, wenn die Kundschaft schwatzt, ist eine Sache, aber ich kann mir nicht vorstellen, dass die Maclean's-Leute sich da hinstellen und über die verschiedenen Sicherheitssysteme plaudern und wie man sie am besten austricksen kann. Dec und Ken sind geschwätzig, ideal für den Job, für den Telford sie ausgesucht hat. Aber wenn sie anfangen sollten, zu viele Fragen zu stellen, würden sich die Leute wundern.«

»Also worauf ist Telford dann aus?«, fragte Ormiston.

»Auf einen Maulwurf«, warf Siobhan Clarke ein.

»Klingt einleuchtend«, fuhr Davidson fort. »Das Gebäude *ist* gut geschützt, aber nicht uneinnehmbar. Und wie wir alle wissen, lässt sich jeder Einbruch erheblich leichter bewerkstelligen, wenn man einen Mann drin hat.«

»Also, was machen wir?«, fragte Clarke.

»Wir gehen auf Telfords Spiel ein, aber nach unseren Regeln«, erklärte Rebus. »Er will einen Maulwurf, *wir* liefern ihm einen.«

»Ich treffe mich später mit dem Chef von Maclean's«, sagte Davidson.

»Ich bin dabei«, meinte Claverhouse, der nicht außen vor bleiben wollte.

»Wir platzieren also einen von unseren Leuten in der Fabrik.« Clarke dachte schon weiter. »Und er reißt im Geschäft das Maul auf und macht denen einen attraktiven Vorschlag. Und wir sitzen hier und beten darum, dass Telford ausgerechnet *unseren* Mann zu rekrutieren versucht?«

»Je weniger wir dem Zufall überlassen, desto besser«, sagte Claverhouse. »Wir müssen es möglichst geschickt anstellen.«

»Weswegen wir es folgendermaßen machen«, sagte Rebus. »Es gibt da einen Buchmacher namens Marty Jones. Der schuldet mir eine ziemlich große Gefälligkeit. Sagen wir mal, unser Mann ist gerade in Telfords Laden gewesen. Wie er rauskommt, hält ein Auto am Straßenrand. Marty und ein paar seiner Männer. Marty will Wettschulden eintreiben. Großes Geschrei, dann zur Warnung einen voll in die Wampe.«

Clarke begriff. »Er torkelt zurück in den Laden, setzt sich hin, um wieder zu Atem zu kommen. Dec und Ken fragen ihn, was los ist.«

»Und er verklickert ihnen die ganze Geschichte: Spielschulden, Ehe im Eimer, das ganze Pipapo.«

»Und um ihn noch attraktiver zu machen«, sagte Davidson, »versetzen wir ihn zum Sicherheitsdienst.«

Ormiston sah ihn an. »Und Sie meinen, die von Maclean's steigen darauf ein?«

»Wir werden schon überzeugende Argumente finden«, antwortete Claverhouse ruhig.

»Die wichtigere Frage ist«, warf Clarke ein, »steigt *Telford* darauf ein?«

»Hängt davon ab, wie wichtig ihm die Sache ist«, antwortete Rebus.

»Ein Maulwurf…« Ormistons Augen leuchteten. »Unser Mann bei Telford – das ist genau das, was wir uns die ganze Zeit gewünscht haben.«

Claverhouse nickte. »Es gibt nur ein Problem. Wer soll es sein? Telford kennt uns.«

»Wir nehmen jemand von außerhalb«, erklärte Rebus. »Jemanden, mit dem ich schon früher zusammengearbeitet habe. Telford dürfte noch nie was von ihm gehört haben. Er ist ein guter Mann.«

»Und macht er mit?«

Schweigen in der Runde.

»Hängt davon ab, wer ihn fragt«, sagte eine Stimme von der Tür her. Ein stämmiger Mann mit dichtem, gepflegtem Haar und schmalen Augen. Rebus stand auf, gab Jack Morton die Hand, machte ihn mit den anderen bekannt.

»Ich werde eine Legende brauchen«, sagte Morton, gleich bei der Sache. John hat mir die Idee erklärt, und sie gefällt mir, aber ich benötige eine Unterkunft, entsprechend gammelig und möglichst in der Nähe.«

»Gleich morgen früh«, erwiderte Claverhouse. »Aber wir müssen mit unseren Chefs reden, sicherstellen, dass wir auch ihren Segen haben.« Er schaute Morton an. »Was haben *Sie* denn Ihrem Boss gesagt?«

»Ich hatte noch ein paar Tage Urlaub gut, da kann ich mir Erklärungen sparen.«

Claverhouse nickte. »Ich red mit ihm, sobald wir grünes Licht haben.«

»Grünes Licht brauchen wir *heute Abend*«, sagte Rebus. »Telfords Männer könnten sich schon jemanden ausgesucht haben. Wenn wir Zeit verlieren, könnten wir den Anschluss verpassen.«

»Stimmt«, sagte Claverhouse mit einem Blick auf die

Uhr. »Ich werd ein paar Anrufe machen, ein paar Verdau-
ungswhiskys unterbrechen.«

»Wenn Sie Hilfe brauchen…«, meinte Davidson.

Rebus sah Jack Morton – seinen Freund – an und formte
lautlos das Wort »danke«. Morton zuckte nur wegwerfend
die Achseln. Dann stand Rebus auf.

»Ich muss Sie jetzt leider sich selbst überlassen«, sagte er
der versammelten Mannschaft. »Sie haben ja meine Pager-
und Handynummer, falls was sein sollte.«

Siobhan Clarke holte ihn auf dem Flur ein.

»Ich wollte mich nur bedanken.«

Rebus blinzelte. »Wofür?«

»Seit Sie Claverhouse aus seinem Tran geholt haben, ist
der Rekorder stumm geblieben.«

24

Das Abendessen lief gut. Er redete mit Patience über
Sammy, Rhona, seine zwanghafte Vorliebe für die Musik
der Sechziger, seine Ahnungslosigkeit in Sachen Mode. Sie
redete über ihre Arbeit, einen experimentellen Kochkurs,
an dem sie teilgenommen hatte, einen Kurzurlaub auf den
Orkneys, den sie sich demnächst genehmigen wollte. Sie
aßen frische Pasta mit einer selbst gemachten Muschel-
und Krabbensauce und teilten sich eine Flasche Highland-
Quellwasser. Rebus bemühte sich nach Kräften, alles zu
vergessen, was ihn beschäftigte: die verdeckte Operation,
Tarawicz, Candice, Lintz… Patience sah ihm an, dass er
nicht ganz bei der Sache war; bemühte sich, ihm das nicht
übel zu nehmen. Sie fragte ihn, ob er vorhabe, zu Hause zu
schlafen.

»Ist das eine Einladung?«

»Ich weiß nicht genau… wahrscheinlich, ja.«

»Tun wir einfach so, als wäre es keine, dann brauche ich mich nicht wie ein totales Arschloch zu fühlen, wenn ich sie ausschlage.«

»Klingt vernünftig. Hast du viel um die Ohren?«

»Ich dachte eigentlich, das sieht man mir an.«

»Möchtest du darüber reden? Ich meine, vielleicht ist es dir nicht aufgefallen, aber wir haben heute Abend über praktisch alles gesprochen – außer über *uns*.«

»Ich glaub nicht, dass darüber reden etwas nützen würde.«

»Aber in sich hineinfressen, ja?« Sie streckte einen Arm aus. »Sehet den schottischen Mann: am glücklichsten, wenn er verdrängt!«

»Was verdränge ich denn?«

»Na, zunächst einmal *mich* aus deinem Leben – ja du lässt mich gar nicht erst rein!«

»Tut mir Leid.«

»Herrgott, John, lass dir das auf ein T-Shirt drucken.«

»Danke, vielleicht mach ich das.« Er stand auf.

»Ach, verdammt, tut mir Leid.« Sie lächelte. »Siehst du, jetzt fange ich auch schon damit an.«

»Ja, ja, es ist ansteckend.«

Sie erhob sich ebenfalls, legte ihm eine Hand auf den Arm. »Machst du dir Sorgen wegen des Tests?«

»Glaub's oder nicht, aber im Augenblick ist *das* noch meine geringste Sorge.«

»Richtig so. Du wirst schon sehen, es ist alles in Ordnung.«

»*Hunky dory*«, sagte er, »alles bestens.«

»*Hunky dory*«, wiederholte sie, wieder lächelnd. Sie gab ihm einen Kuss auf die Wange. »Weißt du, früher habe ich nie so richtig gewusst, was das bedeutet.«

»*Hunky Dory*?«

Sie nickte.

»Das ist ein Album von David Bowie.« Er küsste sie auf die Stirn.

Es würde ihm immer ein Rätsel bleiben, was ihn dazu trieb, den Umweg zu machen. Doch er war froh, dass er sich dazu entschlossen hatte, denn vor dem Morvena Casino parkte die weiße Stretchlimousine. Der Fahrer stand an sie gelehnt, rauchte eine Zigarette und langweilte sich. Von Zeit zu Zeit zog er ein Handy aus der Tasche und führte ein kurzes Gespräch. Rebus starrte das Morvena an und dachte nach: Telford gehörte ein Stück von dem Kuchen; die Hostessen kamen aus Osteuropa, von Mr. Pink Eyes importiert. Rebus fragte sich, wie eng Telfords und Tarawicz' Imperien tatsächlich miteinander verflochten waren. Und dann kam noch ein dritter Strang hinzu: die Yakuza. Irgendetwas ergab keinen Sinn.

Was fiel dabei für Tarawicz ab?

Miriam Kenworthy hatte gemeint, vielleicht Muskelkraft: schottische Männer fürs Grobe, in Telfords Organisation ausgebildet und dann nach Süden verfrachtet. Aber das war nicht gerade ein *fettes* Geschäft. Es musste mehr drin sein für ihn. Sollte Mr. Pink Eyes einen Anteil am Maclean's-Einbruch bekommen? Machte ihm Telford mit irgendeiner Yakuza-Aktion den Mund wässrig? Und was war mit der Theorie, dass Telford Tarawicz mit Stoff belieferte?

Um Viertel vor zwölf riss ein weiterer Anruf den Fahrer aus seiner Lethargie. Er schnippte seine Zigarette auf die Straße, begann Türen zu öffnen. Und schon rauschte Tarawicz samt Gefolge aus dem Kasino, ganz als ob ihnen die Welt gehörte. Candice trug einen langen schwarzen Mantel über einem schimmernden pinkfarbenen Kleid, das ihr nicht ganz bis zu den Knien reichte. Sie hielt eine Flasche Champagner in der Hand. Rebus zählte drei von Tarawicz'

Männern, die er vom Autofriedhof her kannte. Zwei, die durch Abwesenheit glänzten, waren der Anwalt und »die Krabbe«. Telford hatte ebenfalls ein paar Aufpasser dabei, darunter Pretty-Boy. Der vergewisserte sich gerade, ob sein Jackett auch richtig saß, und war sich sichtlich nicht schlüssig, ob es zugeknöpft besser ausgesehen hätte. Aber seine Augen suchten die dunkle Straße ab. Rebus hatte in einiger Entfernung von den Straßenlaternen geparkt und war sicher, unsichtbar zu sein. Jetzt stiegen sie alle in die Limousine ein. Rebus beobachtete, wie sie wegfuhr und um die Ecke bog, ehe er die Scheinwerfer einschaltete und den Motor anließ.

Sie fuhren zu demselben Hotel, in dem Matsumoto gewohnt hatte. Telfords Range Rover parkte davor. Passanten – Pärchen, die vom Pub nach Hause eilten – drehten sich nach der Limousine um. Sahen die Passagiere aussteigen, hielten sie wahrscheinlich für Popstars oder Leute vom Film. Rebus als Casting Director: Starlet Candice wurde vom schmierigen Produzenten Tarawicz betatscht. Telford war ein aalglatter junger Macher auf dem Weg nach oben, der möglichst viel vom Produzenten zu lernen versuchte, ehe er ihn vom Thron stieß. Die anderen waren lediglich Nebendarsteller, außer vielleicht Pretty-Boy, der ständig an den Rockschößen seines Bosses hing und sich möglicherweise auf seinen eigenen großen Durchbruch vorbereitete ...

Wenn Tarawicz eine Suite bewohnte, konnten sie unter Umständen alle reinpassen. Andernfalls würden sie wohl in die Bar gehen. Rebus parkte und folgte ihnen ins Hotel.

Das Licht tat ihm in den Augen weh. Der Rezeptionsbereich war ganz in Spiegelglas und Kiefer, Messing und Topfpflanzen gehalten. Er versuchte den Eindruck zu erwecken, als habe ihn die muntere Gesellschaft lediglich ein Stück abgehängt. Sie machten sich gerade in der Bar breit, die verglaste Doppeltür schwang noch hinter ihnen aus. Rebus zögerte. In der menschenleeren Rezeption würde er wie auf dem Präsentierteller sitzen; in der Bar erst recht. Rückzug ins Auto? Jemand stand gerade auf, ließ sich einen langen schwarzen Mantel von den Schultern gleiten. Candice. Lächelte jetzt, sagte etwas zu Tarawicz, der nickte. Er nahm ihre Hand und drückte ihr einen Kuss auf die Innenfläche. Arbeitete sich langsam mit der Zunge über den Handteller und weiter zum Handgelenk. Allgemeines Gelächter und Gejohle. Candice wie betäubt. Tarawicz leckte bis zu ihrer Armbeuge hinauf und biss dann hinein. Sie quiekte auf, riss sich los, rieb sich den Arm. Tarawicz ließ die Zunge heraushängen, markierte den Lustmolch. Aber das musste man Tommy Telford lassen: Er schloss sich dem allgemeinen Gefeixe nicht an.

Candice stand reglos da – eine bloße Requisite für die Nummer, die ihr Besitzer abzog. Dann entließ er sie mit einer knappen Handbewegung. Erlaubnis erhalten, wandte sie sich zur Tür. Rebus zog sich in eine Nische zurück, in der sich die öffentlichen Fernsprecher befanden. Candice bog direkt hinter der Tür ab und verschwand in der Damentoilette. In der Bar bestellten sie derweil weiteren Champagner – und einen Orangensaft für Pretty-Boy.

Rebus schaute sich um, atmete tief durch und spazierte in die Damentoilette, als sei es das Normalste von der Welt.

Sie spritzte sich gerade Wasser ins Gesicht. Neben dem Waschbecken stand ein kleines braunes Fläschchen. Drei Tabletten lagen schon bereit. Rebus fegte sie auf den Boden.

»He!« Sie drehte sich um, erkannte ihn, schlug eine Hand vor den Mund. Sie versuchte zurückzuweichen, aber sie saß in der Falle.

»Ist es das, was du willst, Dunja?« Setzte ihren wirklichen Namen wie eine Waffe ein: *friendly fire*.

Sie runzelte die Stirn, schüttelte den Kopf, Verständnislosigkeit im Blick. Er packte sie an den Schultern, drückte.

»Sammy«, zischte er. »Sammy liegt im Krankenhaus. Sehr krank.« Er deutete in Richtung Hotelbar. »*Die* haben versucht, sie zu töten.«

Candice verstand mehr oder weniger, was er meinte. Sie schüttelte den Kopf. Tränen ließen ihre Mascara zerlaufen.

»Hast du Sammy irgendwas erzählt?«

Sie zog erneut die Stirn in Falten.

»Irgendwas über Telford oder Tarawicz? Hast du mit Sammy über sie geredet?«

Ein langsames, entschiedenes Kopfschütteln. »Sammy… Krankenhaus?«

Er nickte. Schloss die Hände um ein imaginäres Lenkrad, machte Motorgeräusche, knallte dann mit der Faust in die offene Hand. Candice wandte sich ab, klammerte sich an das Waschbecken. Sie weinte, ihre Schultern bebten. Sie fummelte weitere Tabletten aus dem Fläschchen. Rebus riss sie ihr aus der Hand.

»Du willst dir das alles aus dem Kopf dröhnen? Vergiss es!« Er warf die Tabletten auf den Boden, zertrat sie mit dem Schuhabsatz. Sie kauerte sich hin, leckte sich einen Finger an und tupfte das Pulver auf. Rebus zerrte sie wieder hoch. Ihre Knie knickten ein; er musste sie mit Gewalt aufrecht halten. Sie wich seinem Blick aus.

»Ist komisch, wir haben uns in einer Toilette kennen gelernt, weißt du noch? Du hattest Angst. Dein Leben kotzte dich so an, dass du dir die Arme aufgeschnitten hast.« Er berührte ihre vernarbten Handgelenke. »So sehr hat dich dein Leben angekotzt. Und jetzt läuft alles wieder wie gehabt.«

Ihr Gesicht ruhte an seinem Jackett, Tränen tropften auf sein Hemd.

»Erinnerst du dich noch an den Japaner?«, sagte er sanft. »An Juniper Green, den Golfklub?«

Sie machte einen Schritt zurück, wischte sich die Nase am Handgelenk ab. »Juniper Green«, wiederholte sie.

»Genau. Und eine große Fabrik... das Auto hat gehalten, und alle haben sich die Fabrik angesehen.«

Sie nickte.

»Hat irgendjemand darüber geredet? Haben die *irgendwas* gesagt?«

Sie schüttelte den Kopf. »John...« Ihre Hände an seinem Revers. Sie schniefte, wischte sich wieder die Nase ab, rutschte an seinem Jackett nach unten. Kniete am Boden, sah zu ihm auf, blinzelte Tränen aus den Augen, während ihre feuchten Finger weißes Pulver von den Kacheln auftupften. Rebus kauerte sich nieder.

»Komm mit«, sagte er. »Ich helfe dir.« Er deutete auf die Tür, auf die Welt da draußen, aber sie war jetzt mit ihrer eigenen Welt beschäftigt, führte sich die Finger an den Mund, lutschte sie ab. Jemand öffnete die Tür. Rebus schaute hoch.

Eine Frau: jung, betrunken, Haare, die ihr in die Augen fielen. Sie blieb stehen und betrachtete die zwei auf dem Fußboden, lächelte dann und ging in eine Kabine.

»Lass mir was übrig«, sagte sie und schloss die Tür hinter sich.

»Geh weg, John.« Candice hatte Pulverreste in den Mundwinkeln. Ein Stückchen Tablette steckte zwischen ihren oberen Schneidezähnen. »Bitte, jetzt geh.«

»Ich möchte nicht, dass man dir wehtut.« Er griff nach ihren Händen, drückte sie.

»Tut nicht mehr weh.«

Sie stand auf und wandte sich von ihm ab. Überprüfte ihr Gesicht im Spiegel, wischte sich das Pulver und die Mascaraschlieren weg. Putzte sich die Nase und atmete tief durch.

Verließ die Toilette.

Rebus wartete einen Moment, ließ ihr Zeit, den Tisch zu

erreichen. Dann öffnete er die Tür und ging zurück zu
seinem Wagen, auf Beinen, die nicht ihm zu gehören schienen.

Fuhr nach Haus, ohne direkt zu weinen.

Aber auch irgendwo schon.

25

Um vier Uhr früh riss ihn das Telefon dankenswerterweise
aus einem Albtraum.

KZ-Huren mit spitz gefeilten Zähnen knieten vor ihm
auf dem Boden. Jake Tarawicz, in voller SS-Montur, hielt
ihn von hinten fest und erklärte ihm, Widerstand sei zweck-
los. Durch das vergitterte Fenster sah er schwarze Basken-
mützen: Der Maquis war dabei, das Lager zu befreien,
sparte sich aber seine Baracke bis zuletzt auf. Alarm-
glocken schrillten, alles sagte ihm, dass die Befreiung unmittelbar bevorstand...

...und aus dem Alarmsignal wurde sein Telefon... er
hievte sich torkelnd aus seinem Sessel hoch, nahm ab.

»Ja?«

»John?« Die Stimme des Chief Super: Aberdeen pur, sofort zu erkennen.

»Ja, Sir?«

»Wir haben etwas Ärger. Kommen Sie her.«

»Was für Ärger?«

»Ich sag's Ihnen, wenn Sie hier sind. Jetzt *marsch!*«

Nachtmarsch, um genau zu sein. Die Stadt in Morpheus'
Armen. St. Leonard's war hell erleuchtet, die Mietshäuser
drumherum dunkel. Vom »etwas Ärger« des Farmers war
nichts zu sehen. Im Büro des Chief Super: der Farmer in
Konferenz mit Gill Templer.

327

»Setzen Sie sich, John. Kaffee?«

»Nein, danke, Sir.«

Während Templer und der Chief Super sich darüber einig zu werden versuchten, wer von ihnen reden sollte, sprang Rebus ein.

»Es hat Tommy Telfords Läden erwischt.«

Templer blinzelte. »Gedankenübertragung?«

»Auf Caffertys Taxizentrale ist ein Brandanschlag verübt worden. Auf sein Haus ebenfalls.« Rebus zuckte die Achseln. »Wir wussten, dass der Gegenschlag kommen würde.«

»Tatsächlich?«

Was konnte er schon sagen? *Ich wusste es, weil Cafferty es mir gesagt hat?* Er glaubte nicht, dass es den beiden gefallen hätte. »Ich habe einfach zwei und zwei zusammengezählt.«

Der Farmer goss sich einen Becher Kaffee ein. »Dann haben wir jetzt also Krieg.«

»Was genau hat es erwischt?«

»Die Spielhalle in der Flint Street«, antwortete Templer. »Der Schaden hält sich in Grenzen: Die Räume sind mit einer Sprinkleranlage ausgerüstet.« Sie lächelte: eine Spielhalle mit Sprinkleranlage – vorsichtig war Telford wirklich gar nicht...

»Plus ein paar Nachtklubs«, fügte der Farmer hinzu. »Und ein Spielkasino.«

»Welches?«

Der Chief Super sah Templer an, die daraufhin antwortete: »Das Morvena.«

»Irgendwelche Verletzte?«

»Der Geschäftsführer und ein paar Freunde: Gehirnerschütterung und Blutergüsse.«

»Verursacht durch...?«

»Übereinanderpurzeln, als sie die Treppen runterlaufen wollten.«

Rebus nickte. »Komisch, was für Probleme manche

328

Leute mit Treppen haben.« Er lehnte sich auf dem Stuhl zurück. »Und was hat das alles jetzt mit mir zu tun? Erzählen Sie mir bloß nicht: Nachdem ich Telfords japanischen Geschäftsfreund aus dem Weg geräumt hatte, habe ich beschlossen, mich auf Brandstiftung zu verlegen.«

»John…« Der Farmer stand auf, lehnte sich mit dem Hintern an den Schreibtisch. »Wir drei wissen doch, dass Sie nichts mit der Sache zu tun haben. Sagen Sie, wir haben unter dem Fahrersitz Ihres Autos eine ungeöffnete Halbflasche Malt gefunden…«

Rebus nickte. »Die gehört mir.« Noch eine von seinen kleinen Selbstmordbomben.

»Warum hätten Sie dann irgend so einen Verschnitt aus dem Supermarkt trinken sollen?«

»Von so was stammte also der Schraubverschluss? Die knickrigen Scheißkerle.«

»Alkohol haben wir in Ihrem Blut auch nicht gefunden. Und wie Sie selbst angedeutet haben, ist Cafferty zunächst einmal der Hauptverdächtige. Und Cafferty und Sie…«

»Möchten Sie, dass ich mit ihm rede?«

Gill Templer lehnte sich nach vorn. »Wir wollen keinen Krieg.«

»Zu einem Waffenstillstand gehören immer noch zwei.«

»Ich rede mit Telford«, sagte sie.

»Er ist ein cleverer kleiner Mistkerl, nehmen Sie sich vor ihm in Acht.«

Sie nickte. »Werden Sie mit Cafferty reden?«

Rebus wollte keinen Krieg. Der hätte Telford von der Maclean's-Sache abgelenkt. Er würde jeden Mann brauchen, den er überhaupt mobilisieren konnte, und vielleicht sogar den Tante-Emma-Laden schließen müssen. Nein, Rebus wollte keinen Krieg.

»Ich red mit ihm«, sagte er.

Frühstückszeit in Barlinnie.

Rebus war ganz aufgedreht nach der Autofahrt; ein Whisky hätte ihn sicher beruhigt. Cafferty erwartete ihn schon, selbes Zimmer wie letztes Mal.

»Einen wunderschönen guten Morgen, Strawman.« Die Arme verschränkt, der Gesichtsausdruck die pure Selbstzufriedenheit.

»Heute Nacht war bei Ihnen ja viel los.«

»Im Gegenteil, ich hab noch nie so gut geschlafen, seit ich hier bin. Wie steht's mit Ihnen?«

»Ich musste um vier raus, Schadensmeldungen sichten. Und auf die Fahrt hierher hätte ich auch verzichten können. Wenn Sie mir vielleicht Ihre Handynummer geben könnten…?«

Cafferty grinste. »Wie ich gehört habe, sind die Nachtklubs ausgebrannt.«

»Ich fürchte, Ihre Jungs beschönigen die Sache ein wenig.« Caffertys Grinsen gefror. »Telfords Lokale scheinen, was Brandverhütung angeht, mit den neuesten Errungenschaften der Technik ausgestattet zu sein. Rauchsensoren, Sprinkler, Brandschutztüren. Die Schäden waren minimal.«

»Das war nur der Anfang«, sagte Cafferty. »Ich krieg diesen kleinen Scheißer schon noch dran.«

»Ich dachte, das wär *mein* Job.«

»Von Ihrer Seite habe ich bislang herzlich wenig gesehen, Strawman.«

»Ich hab was in der Mache. Wenn's erst mal losgeht, werden Sie zufrieden sein.«

Caffertys Augen verengten sich. »Geben Sie mir ein paar Details. Tun Sie was, dass ich Ihnen glauben kann.«

Aber Rebus schüttelte den Kopf. »Manchmal muss man einfach vertrauen können.« Kurze Pause. »Abgemacht?«

»Ich hab offenbar irgendwas nicht mitbekommen.«

330

Rebus sprach es aus. »Ziehen Sie sich zurück. Überlassen Sie Telford mir.«

»Das Thema hatten wir schon. Wenn er mir ans Bein pinkelt und ich tu nix, stehe ich wie ein beschissener Fußabtreter da.«

»Wir reden mit ihm, sorgen dafür, dass er aufhört.«

»Und bis dahin soll ich darauf vertrauen, dass Sie Ihren Job schon erledigen?«

»Wir haben uns darauf die Hand gegeben.«

Cafferty schnaubte verächtlich. »Mir haben schon ein Haufen Arschlöcher die Hand gegeben.«

»Und jetzt haben Sie eine Ausnahme von der Regel gemacht.«

»Sie sind die Ausnahme von einer ganzen Menge Regeln, Strawman.« Cafferty überlegte. »Das Kasino, die Nachtklubs, die Spielhalle... da ist also nicht viel passiert?«

»Ich schätze, dass die Sprinkleranlage noch den größten Schaden angerichtet hat.«

Caffertys Backenmuskeln spannten sich an. »Da stehe ich ja erst recht als Vollidiot da.«

Rebus schwieg und wartete darauf, dass das Schachspiel, das in Caffertys Kopf abzulaufen schien, zu einem Ende käme.

»Okay«, sagte der Gangster schließlich, »ich pfeife die Truppen zurück. Vielleicht wär's sowieso an der Zeit, ein paar Rekruten anzuwerben.« Er sah Rebus an. »Zeit für frisches Blut.«

Was Rebus an eine andere Aufgabe erinnerte, die er schon die ganze Zeit vor sich herschob.

Danny Simpson wohnte bei seiner Mutter in einem Reihenhaus in Wester Hailes.

Diese trostlose Wohnsiedlung – von Sadisten entworfen, die nie gezwungen gewesen waren, auch nur in deren weiterer Umgebung zu wohnen – besaß ein Herz, das fast völlig geschrumpft war, sich aber weigerte, sein Pumpen einzustellen. Rebus brachte dem Viertel eine tiefe Hochachtung entgegen. Tommy Smith war hier aufgewachsen und hatte Socken in sein Saxophon gestopft, um beim Üben die Nachbarn hinter den papierdünnen Wänden des Hochhauses nicht zu stören. Tommy Smith war einer der besten Saxophonspieler, die Rebus je gehört hatte.

In gewissem Sinn war Wester Hailes kein Teil der realen Welt: Es lag auf keiner Route von A nach B oder auch nur Y nach Z. Rebus hatte nie Veranlassung gehabt, da *durch*zufahren – er fuhr nur hin, wenn er dort etwas zu erledigen hatte. Die Umgehungsstraße führte daran vorbei und verhalf vielen Autofahrern zu ihrer einzigen Begegnung mit diesem Ort. Was sie sahen: Hochhäuser, Reihenhäuser, brachliegende primitive Sportplätze. Was sie nicht sahen: Menschen. Nicht so sehr Asphaltdschungel als Betonwüste.

Rebus klopfte an Danny Simpsons Tür. Er wusste nicht, was er dem jungen Mann sagen würde, wollte ihn nur wiedersehen. Er wollte ihn ohne das Blut und den Schmerz sehen. Wollte ihn gesund und heil sehen.

Wollte ihn einfach sehen.

Aber Danny Simpson war nicht da, ebenso wenig seine Mutter. Eine Nachbarin, der das obere Teil des Gebisses fehlte, kam heraus und erklärte ihm die Situation.

Die Situation führte Rebus ins Krankenhaus, wo Danny, auf einer kleinen, düsteren Station, die nicht leicht zu finden gewesen war, mit bandagiertem Kopf im Bett lag und schwitzte, als habe er gerade volle neunzig Minuten gespielt. Er war nicht bei Bewusstsein. Seine Mutter saß bei ihm und streichelte ihm das Handgelenk. Eine Krankenschwester erklärte Rebus, dass Danny in einem Hospiz am besten aufgehoben gewesen wäre – vorausgesetzt, sie konnten ihm ein Bett besorgen.

»Was ist passiert?«

»Wir glauben, dass es zu einer Infektion gekommen ist. Wenn man seine Abwehrkräfte verliert... wird die Welt zu einem lebensgefährlichen Ort.« Sie zuckte die Achseln, sah so aus, als habe sie das alles schon ein paar Mal zu oft erlebt. Dannys Mutter hatte beobachtet, wie sie miteinander geredet hatten. Vielleicht dachte sie, Rebus sei Arzt. Sie stand auf und kam auf ihn zu. Dann blieb sie einfach stehen und wartete darauf, dass er sie ansprach.

»Ich wollte Danny besuchen«, sagte er.

»Ja?«

»In der Nacht, als er... in der Nacht seines Unfalls, da war ich es, der ihn hergebracht hat. Ich wollte bloß wissen, wie es ihm geht.«

»Sehen Sie selbst.« Ihre Stimme versagte.

Rebus dachte: Ein Spaziergang von fünf Minuten, und er wäre in Sammys Zimmer. Er hatte geglaubt, ihre Situation sei etwas Besonderes, Einzigartiges, weil sie für *ihn* einzigartig war. Jetzt stellte er fest, dass gar nicht weit von Sammys Bett auch andere Eltern weinten und ihren Kindern die Hand hielten und fragten, warum.

»Es tut mir wirklich Leid«, sagte er. »Ich wünschte...«

»Ich auch«, sagte die Frau. »Wissen Sie, er ist nie ein schlechter Junge gewesen. Frech, aber nicht schlecht. Sein Problem war, dass er immer auf etwas Neues aus war, alles, damit es nur nicht langweilig wurde. Wir wissen alle, wohin das führen kann.«

Rebus nickte und wollte plötzlich ganz woanders sein, sich Danny Simpsons Lebensgeschichte nicht anhören müssen. Er hatte schon so genug Gespenster, deren er sich erwehren musste. Er drückte der Frau den Arm.

»Hören Sie«, sagte er, »es tut mir Leid, aber ich muss jetzt gehen.«

Sie nickte geistesabwesend, wandte sich wieder zum Bett

ihres Sohnes, ließ ihn stehen. Rebus hätte Danny Simpson wegen der bloßen *Möglichkeit*, dass er ihm das Virus angehängt hatte, verfluchen mögen. Jetzt wurde ihm bewusst, dass er, wenn er ihn zu Hause angetroffen hätte, genau das getan hätte – und dass es vielleicht gar nicht bei bloßen Worten geblieben wäre.

Er wollte ihn verfluchen... aber er konnte nicht. Es wäre genau so sinnvoll gewesen, wie den Alten Mann da oben zu verfluchen. Eine reine Zeitvergeudung. Also ging er stattdessen zu Sammy und stellte fest, dass sie wieder allein war. Keine anderen Patientinnen, keine Schwester, keine Rhona. Er küsste sie auf die Stirn. Sie schmeckte salzig. Schweiß: Man hätte sie waschen müssen. Er roch etwas, das ihm bislang nicht aufgefallen war. Talkumpuder. Er setzte sich, hielt ihre warme Hand fest.

»Wie geht's dir, Sammy? Ich nehm mir immer wieder vor, dir was von Oasis mitzubringen, dass du davon vielleicht aufwachst. Deine Mama hört sich Klassik an, wenn sie hier ist. Ich frag mich, ob du das mitbekommst. Ich weiß nicht mal, ob du auf so was stehst. Es gibt so viel, worüber wir noch nie geredet haben.«

Er sah etwas. Stand auf, um sich zu vergewissern. Etwas bewegte sich hinter ihren Augenlidern.

»Sammy? Sammy?«

Er drückte auf den Knopf neben ihrem Bett. Wartete darauf, dass eine Schwester käme. Drückte noch einmal.

»Komm schon, komm schon.«

Liderflattern... dann nichts mehr.

»Sammy!«

Die Schwester erschien.

»Was ist los?«

»Ich meinte gesehen zu haben... sie hat sich bewegt.«

»Bewegt?«

»Bloß die Augen, als ob sie versuchte, sie zu öffnen.«

»Ich hole einen Arzt.«

»Komm schon, Sammy, versuch's noch mal. Aufwachen, Süße.« Tätschelte ihr die Handgelenke, dann die Wangen.

Der Arzt kam. Er war derselbe, den Rebus am ersten Tag angeschnauzt hatte. Hob ihre Lider an, leuchtete ihr mit einer dünnen Taschenlampe in die Augen, näher, dann weiter entfernt, prüfte die Pupillenreaktion.

»Wenn Sie es gesehen haben, dann war es bestimmt so.«

»Ja, aber hat das irgendeine Bedeutung?«

»Schwer zu sagen.«

»Versuchen Sie es trotzdem.«

»Sie schläft, träumt. Manchmal kommt es beim Träumen zu schnellen Augenbewegungen: REM, *rapid eye movement*.«

»Also könnte es…« – Rebus suchte nach dem richtigen Wort – »…unwillkürlich sein?«

»Wie gesagt, es ist schwer zu sagen. Die jüngsten Scans zeigen eine eindeutige Besserung.« Er schwieg kurz. »*Geringfügig*, aber eindeutig.«

Rebus nickte, zitterte. Der Arzt bemerkte es, fragte, ob er etwas bräuchte. Rebus schüttelte den Kopf. Der Arzt sah auf die Uhr, hatte anderweitig zu tun. Füßescharren von Seiten der Schwester. Rebus dankte ihnen beiden und verließ das Zimmer.

HOGAN: Sie sind damit einverstanden, dass diese Befragung auf Band aufgezeichnet wird, Dr. Colquhoun?

COLQUHOUN: Ich habe keine Einwände.

HOGAN: Es ist ebenso in Ihrem eigenen wie in unserem Interesse.

COLQUHOUN: Ich habe nichts zu verbergen, Inspector Hogan. (*Hustet*)

HOGAN: Also gut, Sir. Vielleicht könnten wir dann einfach beginnen?

COLQUHOUN: Dürfte ich vorher noch etwas fragen? Nur der Ordnung halber: Sie wollen mich zu Joseph Lintz befragen... und sonst nichts – richtig?

HOGAN: Was sollte sonst noch sein, Sir?

COLQUHOUN: Ich wollte mich nur vergewissern.

HOGAN: Wünschen Sie die Anwesenheit eines Anwalts?

COLQUHOUN: Nein.

HOGAN: Gut so, Sir. Also, wenn ich jetzt anfangen kann... Es geht eigentlich wirklich nur um Ihre Beziehung zu Professor Lintz.

COLQUHOUN: Ja.

HOGAN: Als wir uns zu einer früheren Gelegenheit unterhalten haben, sagten Sie, Sie würden Professor Lintz nicht kennen.

COLQUHOUN: Ich glaube, ich sagte lediglich, ich würde ihn nicht *besonders gut* kennen.

HOGAN: In Ordnung, Sir. Wenn das Ihre Worte waren...

COLQUHOUN: Soweit ich mich erinnern kann, ja.

HOGAN: Nur verfügen wir inzwischen über neue Informationen...

COLQUHOUN: Ja?

HOGAN: Dass Sie Professor Lintz doch schon ein wenig besser kannten.

COLQUHOUN: Und wie kommen Sie darauf?

HOGAN: Aufgrund gewisser neuer Informationen, über die wir verfügen. Der Informant gab an, Joseph Lintz habe Sie beschuldigt, ein Kriegsverbrecher zu sein. Haben Sie dazu etwas zu sagen, Sir?

COLQUHOUN: Nur, dass es eine Lüge ist. Eine ungeheuerliche Lüge.

HOGAN: Er glaubte also nicht, Sie seien ein Kriegsverbrecher?

COLQUHOUN: Oh, und ob er das glaubte! Er hat es mir zu mehr als einer Gelegenheit ins Gesicht gesagt.

HOGAN: Wann?

COLQUHOUN: Schon vor Jahren. Das ist bei ihm zur fixen Idee geworden… Der Mann war verrückt, Inspector. Das war nicht zu verkennen. Von Dämonen besessen.

HOGAN: Was waren seine genauen Worte?

COLQUHOUN: Ich kann mich kaum noch erinnern. Es ist ja lange her, Anfang der Siebzigerjahre, würde ich sagen.

HOGAN: Es wäre uns eine große Hilfe, wenn es Ihnen doch gelänge…

COLQUHOUN: Er kam damit während einer Feier an. Ich glaube, es war ein Empfang für irgendeinen Gastdozenten. Wie auch immer, Joseph bestand darauf, mich unter vier Augen zu sprechen. Er sah wie im Fieber aus. Dann faselte er drauflos: Ich sei ein Nazi, und ich sei auf irgendwelchen Schleichwegen in dieses Land gelangt. Das ging immer so weiter.

HOGAN: Und was war Ihre Reaktion?

COLQUHOUN: Ich sagte zu ihm, er sei betrunken, rede wirres Zeug.

HOGAN: Und?

COLQUHOUN: Und so war es auch. Musste mit einem Taxi nach Hause verfrachtet werden. Ich verlor kein weiteres Wort darüber. In akademischen Kreisen gewöhnt man sich mit der Zeit an ein gewisses Maß an… Exzentrik. Wir sind alle mehr oder weniger Zwangsneurotiker, da kann man nichts machen.

HOGAN: Aber Lintz ließ nicht locker?

COLQUHOUN: Kann man so nicht sagen, nein. Aber alle paar Jahre… kam… sagte er irgendetwas, unterstellte er mir irgendeine Gräueltat…

HOGAN: Sprach er Sie außerhalb der Universität an?

COLQUHOUN: Eine Zeit lang rief er mich zu Hause an.

HOGAN: Woraufhin Sie umgezogen sind?

COLQUHOUN: Ja.

HOGAN: Und eine Geheimnummer beantragten?

COLQUHOUN: Zuletzt, ja.

HOGAN: Damit er Sie nicht mehr anrufen konnte?

COLQUHOUN: Zum Teil auch deswegen, ja.

HOGAN: Haben Sie mit jemandem über Lintz gesprochen?

COLQUHOUN: Sie meinen, mit der Polizei oder so? Nein, mit niemandem. Er war eine Nervensäge, das ist alles.

HOGAN: Und was passierte dann?

COLQUHOUN: Dann begannen diese Berichte in den Zeitungen zu erscheinen, in denen es hieß, Joseph sei möglicherweise ein Nazi, ein Kriegsverbrecher. Und plötzlich fing er wieder an.

HOGAN: Er rief Sie im Institut an?

COLQUHOUN: Ja.

HOGAN: Sie haben uns diesbezüglich also angelogen?

COLQUHOUN: Es tut mir Leid. Ich bin in Panik geraten.

HOGAN: Was für einen Grund hatten Sie, in Panik zu geraten?

COLQUHOUN: Einfach ... Ich weiß es nicht.

HOGAN: Also haben Sie sich mit ihm getroffen? Um die Sache in Ordnung zu bringen?

COLQUHOUN: Wir haben zusammen zu Mittag gegessen. Er wirkte ... normal. Nur, was er sagte, war der reine Wahnsinn. Er hatte eine akribisch recherchierte Geschichte parat, nur war es nicht *meine* Geschichte. Ich sagte ihm immer wieder: ›Joseph, bei Kriegsende war ich doch noch ein Junge.‹ Außerdem bin ich hier geboren und aufgewachsen. Das lässt sich alles durch amtliche Dokumente belegen.

HOGAN: Und was sagte er dazu?

COLQUHOUN: Er sagte, Dokumente ließen sich fälschen.

HOGAN: Gefälschte Dokumente ... eine Möglichkeit, wie Josef Linzstek unentdeckt geblieben sein könnte.

COLQUHOUN: Ich weiß.

HOGAN: Glauben Sie, dass Joseph Lintz Josef Linzstek war?

COLQUHOUN: Ich habe keine Ahnung. Vielleicht sind ihm die Berichte aufs Gemüt geschlagen... bis er sich einzubilden begann... Ich weiß auch nicht.

HOGAN: Ja, aber diese Anschuldigungen fingen doch schon vor dem ganzen Medienzirkus an – Jahrzehnte vorher.

COLQUHOUN: Das stimmt.

HOGAN: Er hat Sie also verfolgt. Sagte er, er würde sich mit seiner Version der Ereignisse an die Medien wenden?

COLQUHOUN: Kann sein... ich erinnere mich nicht.

HOGAN: Hmm.

COLQUHOUN: Sie suchen nach einem Motiv, stimmt's? Sie suchen nach Gründen, warum ich mir seinen Tod gewünscht haben könnte.

HOGAN: Haben Sie ihn getötet, Dr. Colquhoun?

COLQUHOUN: Mit aller Entschiedenheit: nein.

HOGAN: Eine Ahnung, wer es getan haben könnte?

COLQUHOUN: Nein.

HOGAN: Warum haben Sie es uns nicht gesagt? Warum haben Sie gelogen?

COLQUHOUN: Weil ich wusste, dass es so kommen würde. Diese Verdächtigungen. Ich war so dumm zu glauben, ich könnte sie umgehen.

HOGAN: *Umgehen?*

COLQUHOUN: Ja.

HOGAN: Lintz wurde im selben Restaurant, in das er Sie eingeladen hatte, auch mit einer jungen Frau gesehen. Irgendeine Ahnung, wer das gewesen sein könnte?

COLQUHOUN: Nicht die leiseste.

HOGAN: Sie haben Professor Lintz über viele Jahre gekannt... was waren Ihrer Meinung nach seine sexuellen Vorlieben?

COLQUHOUN: Ich habe nie darüber nachgedacht.

HOGAN: Nein?

COLQUHOUN: Nein.

HOGAN: Und wie steht es mit Ihnen selbst, Sir?

COLQUHOUN: Ich wüsste nicht, was das… also gut, fürs
Protokoll, Inspector, ich bin monogam und heterosexuell.

HOGAN: Danke, Sir. Ich weiß Ihre Offenheit zu schätzen.

Rebus schaltete das Band ab.

»Das kann ich mir bildlich vorstellen.«

»Was halten Sie von der Sache?«, fragte Bobby Hogan.

»Ich würde sagen, das ›haben Sie ihn getötet?‹ war falsch
getimt. Ansonsten, nicht schlecht.« Rebus klopfte mit dem
Finger auf das Kassettengerät. »Kommt noch viel?«

»Nein, nicht viel.«

Rebus schaltete wieder ein.

HOGAN: Als Sie sich im Restaurant trafen – lief es da wie
gewohnt ab?

COLQUHOUN: Ja, durchaus. Namen, Daten… Länder,
durch die ich auf dem Weg vom Kontinent nach Großbritannien angeblich geschleust worden war.

COLQUHOUN: Hat er Ihnen gesagt, wie man das bewerk-
stelligt hatte?

COLQUHOUN: Er sprach von einer »Rattenlinie«. Er meinte, sie werde vom Vatikan organisiert – ausgerechnet!
Und die westlichen Regierungen würden alle unter einer
Decke stecken und gemeinsam versuchen, hochrangige
Nazis – Wissenschaftler und Intellektuelle – dem Zugriff
der Russen zu entziehen. Ich meine, ehrlich… das ist
doch Ian Fleming plus John Le Carré hoch zwei, oder?

HOGAN: Aber er ging dabei sehr ins Detail?

COLQUHOUN: Schon, aber das ist bei Zwangsneurotikern
häufig zu beobachten.

HOGAN: Es gibt Bücher, die die gleichen Theorien vertreten, an die Professor Lintz glaubte.

COLQUHOUN: Ach ja?

HOGAN: Nazis wären heimlich nach Übersee geschafft worden... Kriegsverbrecher vom Galgen gerettet...

COLQUHOUN: Na gut, ja, aber das sind doch bloß Geschichten. Sie glauben doch nicht ernsthaft...?

HOGAN: Ich trage lediglich Informationen zusammen, Dr. Colquhoun. In meinem Beruf werfen wir nichts weg.

COLQUHOUN: Ja, das ist mir klar. Das Problem ist, die Spreu vom Weizen zu trennen.

HOGAN: Sie meinen, die Lügen von der Wahrheit? Ja, das ist ein Problem.

COLQUHOUN: Ich meine, die Geschichten, die man über Bosnien und Kroatien so hört... Schlächtereien, systematische Folterungen, Schuldige, die auf unerklärliche Weise verschwinden... Es ist schwer zu sagen, was davon *stimmt*.

HOGAN: Nur noch eins, bevor wir Schluss machen... Haben Sie eine Ahnung, was aus dem Geld geworden ist?

COLQUHOUN: Was für Geld?

HOGAN: Das Lintz von seiner Bank abgehoben hat. Fünftausend Pfund in bar.

COLQUHOUN: Davon höre ich zum ersten Mal. Ein weiteres Motiv?

HOGAN: Danke, dass Sie sich die Zeit genommen haben, Dr. Colquhoun. Kann sein, dass sich ein weiteres Gespräch als notwendig erweisen wird. Es tut mir Leid, aber Sie hätten uns nicht anlügen dürfen, das erschwert unsere Arbeit beträchtlich.

COLQUHOUN: Es tut mir Leid, Inspector Hogan. Das verstehe ich durchaus, aber ich hoffe, Sie können nachvollziehen, warum ich es getan habe.

HOGAN: Meine Mama hat mir immer eingeschärft, nie zu lügen, Sir. Danke noch einmal.

Rebus sah Hogan an. »Ihre Mama?«

Hogan zuckte die Achseln. »Vielleicht war's auch meine Oma.«

Rebus trank seinen Kaffee aus. »Wir kennen also eine der Personen, mit denen Lintz im Restaurant war.«

»Und wir wissen, dass er Colquhoun verfolgte.«

»Steht er unter Verdacht?«

»Ist nicht gerade so, dass ich mich vor Verdächtigen nicht retten könnte.«

»Gutes Argument, aber trotzdem…«

»Sie glauben, er ist sauber?«

»Ich weiß nicht, Bobby. Es klang so, als habe er alles auswendig gelernt. Und am Schluss war er erleichtert.«

»Sie meinen, ich hab noch nicht alles aus ihm rausgeholt? Ich könnte ihn noch einmal herbestellen.«

Rebus dachte nach: *die Geschichten, die man so hört… Schuldige, die auf unerklärliche Weise verschwinden.* Nicht Geschichten, die man *liest*, sondern solche, die man *hört*… Von wem konnte er sie gehört haben? Von Candice? Jake Tarawicz?

Hogan rieb sich die Nase. »Ich brauche einen Drink.«

Rebus ließ seinen Becher in einen Papierkorb fallen. »Mitteilung empfangen und verstanden. Apropos, was Neues von Abernethy?«

»Er nervt gewaltig«, sagte Hogan und wandte sich ab.

26

»Er ist auf seinem Posten«, sagte Claverhouse, als Rebus ihn anrief, um nach Jack Morton zu fragen. »Wir haben ihm eine verwanzte Ein-Zimmer-Bleibe in Polwarth besorgt. Für seine Uniform Maß genommen, und jetzt gehört er offiziell zum hauseigenen Sicherheitsdienst.«

»Weiß sonst noch jemand Bescheid?«

»Nur der Oberboss. Er heißt Livingstone. Wir haben gestern Nacht eine lange Session mit ihm gehabt.«

»Werden es die übrigen Sicherheitsleute nicht seltsam finden, dass da ein wildfremder Typ bei ihnen auftaucht?«

»Die zu beruhigen ist Jacks Sache. Er war da ganz zuversichtlich.«

»Wie lautet seine Legende?«

»Heimlicher Trinker, erklärter Zocker, Ehe im Eimer.«

»Er trinkt gar nicht.«

»Ja, hat er mir gesagt. Ist aber egal, solange alle glauben, *dass* er's tut.«

»Hat er sich eingespielt?«

»Ist dabei. Er wird Doppelschichten fahren. Auf die Art kann er häufiger in den Laden, zum Teil abends, wenn da weniger los ist. Da hat er eher die Chance, mit Ken und Dec ins Gespräch zu kommen. Tagsüber haben wir keinen Kontakt zu ihm. Bericht erstattet er erst, wenn er wieder zu Hause ist. Nur telefonisch, wir können nicht riskieren, uns mit ihm sehen zu lassen.«

»Sie rechnen damit, dass die ihn beobachten werden?«

»Wenn sie ihre Sache gründlich machen… Und *wenn* sie auf den Plan reinfallen.«

»Haben Sie mit Marty Jones geredet?«

»Das steigt morgen. Er bringt ein paar Schläger mit, aber sie werden Jack nicht zu hart anfassen.«

»Ist morgen nicht ein bisschen früh?«

»Können wir es uns leisten zu warten? Sie könnten schon jemand anders im Auge haben.«

»Wir verlangen ziemlich viel von ihm.«

»Das war *Ihre* Idee.«

»Ich weiß.«

»Sie glauben, er ist der Sache nicht gewachsen?«

»Doch, schon … aber er wagt sich mitten in einen Krieg.«

»Dann sorgen Sie endlich für den Waffenstillstand.«

»Schon erledigt.«

»Da habe ich aber was anderes gehört …«

Rebus hörte es auch, als er aufgelegt hatte. Er klopfte an die Tür des Chief Super. Der Farmer konferierte gerade mit Gill Templer.

»Haben Sie mit ihm geredet?«, fragte der Farmer.

»Er ist mit einem Waffenstillstand einverstanden«, antwortete Rebus. Er sah zu Templer . »Wie sieht's bei Ihnen aus?«

Sie holte tief Luft. »Ich habe mit Mr. Telford gesprochen – sein Rechtsanwalt war die ganze Zeit dabei. Ich erklärte ihm immer wieder, was wir wollten, und der Anwalt erklärte mir immer wieder, ich würde seinen Mandanten verleumden.«

»Und Telford?«

»Saß einfach nur mit verschränkten Armen da und lächelte die Wand an.« Ihre Wangen röteten sich. »Ich glaube nicht, dass er mich auch nur ein einziges Mal angesehen hat.«

»Aber die Botschaft haben Sie ihm ausgerichtet?«

»Ja.«

»Und ihm gesagt, dass Cafferty einverstanden ist?«

Sie nickte.

»Was zum Teufel ist dann los?«

»Wir können nicht zulassen, dass die Situation außer Kontrolle gerät«, warf der Farmer ein.

344

»Sieht mir ganz danach aus, als wär das schon passiert.«

Der aktuellste Stand der Dinge: Zwei von Caffertys Männern war das Gesicht zu Brei geprügelt worden.

»Können von Glück reden, dass sie's überlebt haben«, fuhr der Farmer fort.

»Wissen Sie, was los ist?«, fragte Rebus. »Es ist Tarawicz, *er* ist das Problem. Tommy will ihn beeindrucken.«

»Das sind genau die Gelegenheiten, wo man sich die nationale Unabhängigkeit wünscht«, pflichtete ihm der Farmer bei. »Dann könnten wir den Dreckskerl einfach ausweisen.«

»Warum tun wir das nicht?«, schlug Rebus vor. »Sagen Sie ihm, seine Anwesenheit sei hier nicht länger erwünscht.«

»Und wenn er trotzdem bleibt?«

»Beschatten wir ihn rund um die Uhr und sorgen dafür, dass jeder weiß, dass wir es tun. Wir werden ihm möglichst *lästig.*«

»Und Sie glauben, das würde funktionieren?« Gill Templer klang skeptisch.

»Wahrscheinlich nicht«, gab Rebus zu und ließ sich in einen Sessel sinken.

»Wir haben keinerlei echtes Druckmittel«, sagte der Farmer und warf dabei einen Blick auf seine Uhr. »Was den Chief Constable nicht erfreuen wird. Ich soll in einer halben Stunde in seinem Büro sein.« Er nahm den Hörer ab, forderte einen Wagen an, stand auf.

»Vielleicht können Sie beide ja was miteinander ausknobeln.«

Rebus und Templer tauschten einen Blick.

»Ich bin in ein bis zwei Stunden zurück.« Der Farmer schaute sich um, als wisse er plötzlich nicht mehr weiter. »Schließen Sie die Tür ab, wenn Sie gehen.« Ein kurzes Winken, und er war verschwunden. Schweigen im Zimmer.

»Er muss sein Büro zusperren«, sagte Rebus schließlich,

»damit ihm niemand das Geheimnis seines abscheulichen Kaffees rauben kann.«

»In letzter Zeit ist er eigentlich etwas besser geworden.«

»Vielleicht sind auch nur deine Geschmacksknospen verbildet. So, Chief Inspector…« Er drehte seinen Sessel herum, so dass er ihr zugewandt war. »Wie wär's also mit ein bisschen knobeln?«

Sie lächelte. »Er hat das Gefühl, dass es ihm über den Kopf wächst.«

»Bekommt er jetzt einen Anschiss?«

»Wahrscheinlich.«

»Also müssen wir zur Rettung eilen?«

»Ich seh uns nicht direkt als Batman und Robin, das Dynamische Duo – du etwa?«

»Nein.«

»Und dann ist da immer dieser Teil von einem, der sagt: Sollen die sich doch ruhig gegenseitig umlegen. Solange keine Unbeteiligten ins Kreuzfeuer geraten.«

Rebus dachte an Sammy, an Candice. »Das Problem ist«, erklärte er, »dass da *immer* welche reingeraten.«

Sie musterte ihn. »Wie geht's dir zur Zeit?«

»Wie immer.«

»*So* schlimm?«

»Ist meine Bestimmung.«

»Aber Lintz hast du doch vom Hals, oder?«

Rebus schüttelte den Kopf. »Es besteht die vage Möglichkeit, dass er was mit Telford zu tun hatte.«

»Du glaubst immer noch, dass Telford hinter Sammys Unfall steckt?«

»Telford oder Cafferty.«

»Cafferty?«

»Um es Telford anzuhängen, genau so wie jemand versucht hat, *mir* Matsumoto anzuhängen.«

346

»Du weißt, dass du noch nicht aus dem Schneider bist, oder?«

Er sah sie an. »Eine interne Untersuchung? Die Männer mit den Gummisohlen?« Sie nickte. »Lass sie nur kommen.« Er beugte sich vor, rieb sich die Schläfen. »Kein Grund, warum man sie von der Party ausschließen sollte.«

»Welcher Party?«

»Der in meinem Kopf. Der Party, die niemals aufhört.« Das Telefon klingelte, und Rebus streckte sich hinüber zum Schreibtisch, um abzunehmen. »Nein, er ist nicht da. Kann ich ihm etwas ausrichten? Hier ist DI Rebus.« Eine Pause; er sah Gill Templer an. »Ja, ich bearbeite den Fall.« Er fand Stift und Papier, fing an zu schreiben. »Hmm, ich verstehe. Ja, klingt ganz danach. Ich sag's ihm, sobald er wieder zurück ist.« Augen, die sich in ihre *bohrten*. Dann die Auflösung: »Wie viele, sagten Sie noch mal, sind tot?«

Bloß der eine. Ein anderer war entkommen, in der Hand den Arm, den man ihm fast abgehackt hatte. Später war er in einem Krankenhaus gelandet, wo man ihn mit einer Operation und einigen Litern Blutkonserven notversorgt hatte.

Am helllichten Tag. Nicht in Edinburgh, sondern in Paisley. Telfords Heimatstadt, der Stadt, die er noch immer regierte. Vier Männer, wie städtische Straßenbauarbeiter gekleidet. Aber anstelle von Spitzhacken und Schaufeln waren sie mit Macheten und einem großkalibrigen Revolver bewaffnet. Sie hatten zwei Männer in eine Siedlung hineingehetzt. Kinder, die auf Dreirädern spielten; einen Ball die Straße langkickten. Frauen, die sich aus ihren Fenstern lehnten. Und erwachsene Männer, die es in den Fingern juckte, sich gegenseitig wehzutun. Eine Machete schwang nach oben, sauste hinunter. Der Verletzte rannte weiter. Sein Freund versuchte, über einen Zaun zu springen, war nicht sportlich genug. Eine Handbreit höher, und er hätte es geschafft. So blieb er mit einem Fuß hängen und stürzte. Er stemmte sich gerade wieder hoch, als der Lauf des Revolvers seinen Hinterkopf berührte. Zwei Schüsse, ein feiner Sprühregen von Blut und Hirnmasse. Die Kinder spielten nicht mehr, die Frauen schrien, sie sollten weglaufen. Aber etwas Positives hatten diese zwei Schüsse bewirkt. Die Jagd war vorüber. Die vier Männer machten kehrt und trotteten die Straße entlang auf einen wartenden Lieferwagen zu.

Eine öffentliche Hinrichtung, mitten in Tommy Telfords Heimatrevier.

Die zwei Opfer: stadtbekannte Geldverleiher. Der im Krankenhaus hieß »Wee« Stevie Murray, zweiundzwanzig Jahre alt. Der in der Leichenhalle war Donny Draper – seit seiner Kindheit als »Curtains«, »Vorhang« – bekannt. Man würde Witze darüber reißen. Curtains wäre in zwei Wochen fünfundzwanzig Jahre alt geworden. Rebus hoffte, dass er das Beste aus seinem kurzen Erdenleben gemacht hatte.

Die Polizei von Paisley wusste von Telfords Umzug nach Edinburgh, wusste, dass es dort gewisse Probleme gab. Also war Chief Superintendent Watson höflichkeitshalber informiert worden.

Der Anrufer hatte gesagt: Die Männer waren zwei von Telfords aufgewecktesten und besten.

Der Anrufer hatte gesagt: Von den Tätern hatte man nur sehr vage Personenbeschreibungen.

Der Anrufer hatte gesagt: Die Kinder machten den Mund nicht auf. Ihre Eltern schirmten sie aus Angst vor Vergeltungsmaßnahmen ab. Nun, mag sein, dass sie mit der *Polizei* nicht redeten, aber Rebus bezweifelte, dass sie sich noch weiter zieren würden, wenn Tommy Telford ihnen einen Besuch abstattete.

Das war übel. Das bedeutete *Eskalation*. Brände und zusammengeschlagene Männer ließen sich wieder ausbügeln. Aber Mord… Mord katapultierte den Hasspegel auf ein weit höheres Niveau.

»Hat es einen Sinn, noch mal mit ihnen zu reden?«, fragte Gill Templer. Sie saßen in der Kantine, vor nicht angerührten Sandwiches.

»Was glaubst du?«

Er wusste, was sie dachte. Sie redete, weil sie glaubte, Reden sei immer noch besser als Nichtstun. Er hätte ihr den Rat geben können, sich die Mühe zu sparen.

»Sie haben eine Machete benutzt«, erklärte er.

»Genau wie bei Danny Simpsons Skalp.« Rebus nickte. »Ich muss dir jetzt eine Frage stellen…«, sagte sie.

»Was?«

»Das mit Lintz… was hattest du vorhin gemeint?«

Er trank den letzten Rest seines kalten Kaffees aus. »Willst du noch einen?«

»John…«

Er sah sie an. »Lintz hatte ein paar Telefonate geführt, die er zu verheimlichen suchte. Eins davon war mit Tommy Telfords Büro in der Flint Street. Wir wissen nicht, wie das mit dem Ganzen zusammenhängt, aber wir glauben, dass es das tut.«

»Was könnte Lintz und Telford miteinander verbinden?«

»Vielleicht hat Lintz ihn um Hilfe gebeten. Vielleicht ließ er sich von ihm mit Nutten beliefern. Wie gesagt, wir *wissen* es nicht. Deswegen behalten wir das auch erst mal für uns.«

»Du bist richtig drauf versessen, Telford zu kriegen, stimmt's?«

Rebus starrte sie an, dachte darüber nach. »Nicht mehr so sehr wie am Anfang. Mittlerweile reicht er mir nicht mehr.«

»Du willst auch Cafferty?«

»Und Tarawicz… und die Yakuza… und jeden anderen, der mit von der Partie ist.«

Sie nickte. »Ist das die ›Party‹, von der du geredet hattest?«

Er tippte sich an die Stirn. »Die sind alle hier drin, Gill. Ich hab versucht, sie rauszuschmeißen, aber sie gehen und gehen einfach nicht.«

»Vielleicht, wenn du es mal mit Musik versuchen würdest, auf die sie *nicht* so stehen?«

Er lächelte müde. »Glänzende Idee. Was meinst du: ELP? The Enid? Wie wär's mit einem Tripelalbum von Yes?«

»Ist deine Sparte, nicht meine, Gott sei Dank.«

»Du weißt nicht, was dir entgeht.«

»Doch, weiß ich: Ich hab's ja damals erlebt.«

Altes schottisches Sprichwort: Wer eins auf die Finger gekriegt hat, gibt es gern weiter. Was der Grund dafür war, dass Rebus jetzt wieder in Watsons Büro stand. Die Wangen des Farmers glühten noch immer von der Besprechung mit dem Chief Constable. Als Rebus Anstalten machte, sich zu setzen, befahl ihm Watson, wieder aufzustehen.

»Sie werden sich erst setzen, wenn Sie dazu aufgefordert werden, und nicht eher.«

»Danke, Sir.«

»Was zum Teufel läuft eigentlich ab, John?«

»Bitte um Verzeihung, Sir?«

Der Farmer sah auf den Zettel, den Rebus auf seinen Schreibtisch gelegt hatte. »Was ist das?«

»Ein Toter, ein Schwerverletzter in Paisley, Sir. Telfords Männer. Cafferty trifft ihn da, wo es wehtut. Überlegt sich wahrscheinlich, dass Telfords Territorium ziemlich locker gestrickt ist. Mit weiten Maschen, durch die man gut stochern kann.«

»Paisley.« Der Farmer stopfte den Zettel in seine Schublade. »Nicht unser Problem.«

»Wird's aber werden, Sir. Wenn Telford zurückschlägt, dann genau hier.«

»Zerbrechen Sie sich darüber nicht den Kopf, Inspector. Reden wir lieber über Maclean's Pharmaceuticals.«

Rebus blinzelte, entspannte seine Schultern. »Ich hätte es Ihnen schon noch gesagt, Sir.«

»Stattdessen erfahre ich davon aber vom Chief Constable?«

»Ist nicht eigentlich *mein* Baby, Sir. Den Kinderwagen schiebt das Crime Squad.«

»Aber wer hat das Baby in den Kinderwagen *gelegt*?«

»Ich hätte es Ihnen noch gesagt, Sir.«

»Wissen Sie, wie ich jetzt dastehe? Ich komme nach Fettes und weiß nicht, was einer meiner Untergebenen weiß? Ich stehe da wie ein Vollidiot.«

»Bei allem Respekt, Sir, ich bin sicher, dass das nicht der Fall ist.«

»Ich stehe da wie ein *Vollidiot*!« Der Farmer schlug mit beiden Handflächen auf den Schreibtisch. »Und das passiert auch nicht etwa zum ersten Mal! Ich habe schon immer versucht, Ihnen nach Kräften zu helfen, das wissen Sie.«

»Ja, Sir.«

»Bin immer fair gewesen.«

»Absolut, Sir.«

»Und das ist der Dank?«

»Es wird nicht wieder vorkommen, Sir.«

Der Farmer starrte ihn an; Rebus hielt dem Blick stand, erwiderte ihn.

»Das will ich verdammt noch mal hoffen.« Der Farmer lehnte sich zurück. Er hatte sich ein bisschen beruhigt. Zusammenstauchen als Therapie. »Gibt es sonst noch etwas, das Sie mir sagen möchten – wenn Sie schon mal da sind?«

»Nein, Sir. Außer… na ja…«

»Reden Sie weiter.« Der Farmer saß wieder aufrecht.

»Es geht um den Mann in der Wohnung über mir, Sir«, sagte Rebus. »Könnte Elvis sein.«

27

Leonard Cohen: »There is a War«.

Sie warteten auf Telfords Vergeltungsschlag. Die Idee des Chief Constable: »Abschreckung durch wahrnehmbare Präsenz«. Sie war für Rebus nicht weiter überraschend; wahrscheinlich sogar noch weniger für Telford, dessen Anwalt Charles Groal schon in den Startlöchern stand und in derselben Minute, als die Streifenwagen in die Flint Street einbogen, Beschwerden abzufeuern begann. Wie sollte sein Mandant unter dem Druck unbegründeter und störender polizeilicher Überwachung noch seine legitimen und nicht unerheblichen Geschäftsinteressen wahrnehmen und seine zahlreichen sozialen Projekte fördern können? Wobei mit den »sozialen Projekten« die Rentner und ihre mietfreien Wohnungen gemeint waren: Telford würde nicht zögern, sie als Druckmittel einzusetzen. Die Medien würden sich mit Begeisterung darauf stürzen.

Man würde die Streifenwagen wieder abziehen, es war nur eine Frage der Zeit. Und anschließend: die ganze Nacht Feuerwerk, wie gehabt. Darauf warteten jetzt alle.

Rebus fuhr ins Krankenhaus, setzte sich neben Rhona ans Bett. Das ihm mittlerweile so vertraute Zimmer war eine Oase der Ruhe und Ordnung, in der jede Stunde des Tages ihre tröstlichen Rituale mit sich brachte.

»Sie haben ihr die Haare gewaschen«, stellte er fest.

»Und noch einen Scan mit ihr gemacht«, erklärte Rhona. »Anschließend musste der Dreck runter.« Rebus nickte. »Sie sagten, du hast gesehen, wie sie die Augen bewegte?«

»Kam mir jedenfalls so vor.«

352

Rhona berührte seinen Arm. »Jackie meint, dass er es vielleicht schafft, am Wochenende wieder zu kommen. Nimm das als freundliche Vorwarnung auf.«

»Verstanden.«

»Du siehst müde aus.«

Er lächelte. »Demnächst wird mir noch jemand sagen, dass ich umwerfend aussehe.«

»Aber nicht heute«, erwiderte Rhona.

»Muss am Saufen, Durch-die-Häuser-Ziehen und den vielen Frauen liegen.«

Und dachte: Coke, das Morvena Casino und Candice.

Und dachte: Warum habe ich eigentlich das Gefühl, zwischen zwei Stühlen zu sitzen? Treiben Cafferty und Telford *beide* mit mir Spielchen?

Und dachte: Hoffentlich kommt Jack Morton klar.

Als er die Wohnung betrat, klingelte das Telefon offenbar schon eine Weile. Er nahm gleichzeitig mit dem Anrufbeantworter ab.

»Warten Sie eben, bis ich das Ding abgestellt habe.« Er fand schließlich den Knopf und drückte.

»Ja, ja, die Technik, was, Strawman?«

Cafferty.

»Was wollen Sie?«

»Ich hab von Paisley gehört.«

»Sie meinen, Sie haben Selbstgespräche geführt?«

»Ich habe nichts damit zu tun.«

Rebus lachte laut los.

»Wenn ich's Ihnen sage.«

Rebus ließ sich in den Sessel fallen. »Und das soll ich Ihnen glauben?« *Spielchen*, dachte er.

»Glauben Sie's oder auch nicht – ich wollte jedenfalls, dass Sie es wissen.«

»Danke, jetzt werde ich bestimmt viel ruhiger schlafen.«

»Man versucht mir was anzuhängen, Strawman.«

»Telford hat's gar nicht *nötig*, Ihnen was anzuhängen.« Rebus seufzte, dehnte den Nacken nach links und nach rechts. »Haben Sie denn keine andere Möglichkeit in Betracht gezogen?«

»Was?«

»Ihre Männer haben sich abgeseilt. Sie arbeiten hinter Ihrem Rücken auf eigene Rechnung.«

»Das wüsste ich.«

»Sie wissen das, was Ihre Leutnants Ihnen erzählen. Was, wenn die lügen? Ich behaupte nicht, dass es die ganze Gang ist, könnten ja einfach zwei, drei faule Äpfel sein.«

»Das wüsste ich.« Caffertys Stimme war jetzt völlig ausdruckslos. Er dachte nach.

»Schön, klar, Sie wüssten es: Wer würde es Ihnen als Erster erzählen? Cafferty, Sie sitzen auf der anderen Seite des Landes. Sie sitzen im *Gefängnis*. Wie schwer dürfte es wohl sein, Ihnen etwas zu verheimlichen?«

»Das sind Männer, denen ich mein Leben anvertrauen würde.« Cafferty schwieg kurz. »Sie würden es mir sagen.«

»*Wenn* sie es wüssten. *Wenn* man sie nicht davor gewarnt hätte, es Ihnen zu sagen. Verstehen Sie, was ich meine?«

»Zwei, drei faule Äpfel…«, wiederholte Cafferty.

»Sie müssen doch mögliche Kandidaten haben…«

»Jeffries wird's wissen.«

»Jeffries? Ist das der Name des Wiesels?«

»Lassen Sie ihn bloß nicht hören, dass Sie ihn so nennen.«

»Geben Sie mir seine Nummer. Ich red mit ihm.«

»Nein, aber ich sorg dafür, dass er *Sie* anruft.«

»Und was, wenn er selbst zu den faulen Äpfeln gehört?«

»Wir wissen noch gar nicht, ob es welche gibt.«

»Aber Sie geben zu, dass es plausibel klingt?«

»Ich gebe zu, dass Tommy Telford versucht, mich ins Grab zu bringen.«

Rebus starrte aus dem Fenster. »Sie meinen, im wörtlichen Sinn?«

»Ich hab was von einem Auftrag läuten hören.«

»Aber Sie verfügen doch über Leibwächter, oder?«

Cafferty schmunzelte. »Strawman, Sie klingen ja fast so, als ob Sie sich um mich Sorgen machten!«

»Das bilden Sie sich nur ein.«

»Hören Sie, es gibt nur zwei mögliche Lösungen des Problems. Entweder *Sie* kümmern sich um Telford. Oder *ich* kümmer mich um ihn. Sind wir uns darin einig? Ich meine, ich bin nicht derjenige, der sich auf fremdem Territorium breit gemacht und mit der Gewalt angefangen hat.«

»Vielleicht ist er nur ehrgeiziger als Sie. Vielleicht erinnert er Sie daran, wie Sie früher mal waren.«

»Wollen Sie damit sagen, dass ich weich geworden bin?«

»Ich will damit sagen: Wer sich nicht anpasst, geht vor die Hunde.«

»Haben *Sie* sich angepasst, Strawman?«

»Vielleicht ein bisschen.«

»Klar, das Schwarze unterm Fingernagel, wenn's hoch kommt.«

»Aber es geht ja hier auch nicht um mich.«

»Sie hängen in der Sache genau so mit drin wie jeder andere auch. Vergessen Sie das nicht, Strawman. Und träumen Sie was Schönes.«

Rebus legte auf. Er war erschöpft und deprimiert. Die Kinder von gegenüber lagen im Bett, Fensterläden zu. Er sah sich im Zimmer um. Jack Morton hatte ihm geholfen, es zu streichen, damals, als Rebus mit dem Gedanken gespielt hatte, zu verkaufen. Vom Saufen weggeholfen hatte er ihm auch…

Er wusste, dass er nicht würde schlafen können. Setzte

sich wieder ins Auto und fuhr in die Young Street. In der Oxford Bar war wenig los. Ein paar Philosophen in der Ecke, und im Nebenzimmer drei Musiker, die ihre Fiedeln schon eingepackt hatten. Er trank ein paar Tassen schwarzen Kaffee, fuhr dann zur Oxford Terrace. Parkte vor Patience' Wohnung, schaltete den Motor aus und blieb eine Weile so sitzen. Jazz aus dem Radio. Eine Glückssträhne: Astrud Gilberto, Stan Getz, Art Pepper, Duke Ellington. Nahm sich vor zu warten, bis ein schlechtes Stück käme, und dann bei Patience anzuklopfen.

Aber dann war es zu spät. Er wollte nicht unangemeldet aufkreuzen. Das wäre... das hätte nicht gut ausgesehen. Dass es nach Verzweiflung roch, wäre ihm egal gewesen, aber er wollte nicht, dass sie den Eindruck gewann, er dränge sich auf. Er ließ den Motor wieder an und verzog sich, fuhr durch die Neustadt und dann nach Granton. Hielt am Ufer des Forth und lauschte bei heruntergekurbeltem Fenster dem Wasser und dem nächtlichen Lkw-Verkehr.

Selbst wenn er die Augen schloss, schaffte er es nicht, die Welt auszusperren. Ja, in diesen letzten Augenblicken, bevor der Schlaf kam, waren seine Visionen am deutlichsten. Er fragte sich, was Sammy wohl träumte, ja ob sie überhaupt träumte. Rhona hatte gesagt, Sammy sei hierher gekommen, um in seiner Nähe zu sein. Er konnte sich beim besten Willen nicht vorstellen, wodurch er sie verdient haben sollte.

Zurück in die Stadt auf einen Espresso in Gordon's Trattoria, dann zum Krankenhaus; zu dieser nachtschlafenden Zeit kein Problem, einen Parkplatz zu finden. Vor dem Eingang stand ein Taxi. Er ging die Korridore entlang bis zu Sammys Zimmer, stellte zu seiner Überraschung fest, dass sie nicht allein war. Sein erster Gedanke: Rhona. Das Zimmer war nur von dem wenigen Licht erhellt, das von draußen durch die Vorhänge drang. Eine Frau kniete am Bett, den Kopf auf der Decke. Er ging auf sie zu. Sie drehte sich um, das Gesicht nass von Tränen.

Candice.

Ihre Augen weiteten sich. Sie stand taumelnd auf.

»Ich wollte sehen sie«, sagte sie leise.

Rebus nickte. Im Halbdunkel ähnelte sie Sammy mehr denn je: gleiche Figur, ähnliches Haar, ähnliche Gesichtsform. Sie trug einen langen roten Mantel, kramte in der Tasche nach einem Papiertaschentuch.

»Ich mag sie«, sagte sie. Wieder nickte er.

»Weiß Tarawicz, dass du hier bist?«, fragte er.

Sie schüttelte den Kopf.

»Das Taxi draußen?«, riet er.

Sie nickte. »Sie gegangen Kasino. Ich gesagt Kopfweh.« Sie sprach stockend, als wägte sie jedes Wort ab, bevor sie es aussprach.

»Wird er merken, dass du weg bist?«

Sie dachte darüber nach, schüttelte den Kopf.

»Schlaft ihr im selben Zimmer?«, fragte Rebus.

Sie schüttelte erneut den Kopf, lächelte. »Jake nicht mag Frauen.«

Das war Rebus neu. Miriam Kenworthy hatte was davon gesagt, er habe eine Engländerin geheiratet… aber das konnte lediglich für die Aufenthaltsgenehmigung gewesen sein. Er erinnerte sich, wie Tarawicz Candice betatscht hatte, und begriff jetzt, dass das nur eine Schau für *Telford* gewesen war. Er wollte Telford zeigen, dass er seine Frauen im Griff hatte, während Telford zugelassen hatte, dass sie verhaftet und dann vom Crime Squad vereinnahmt wurde. Ein kleiner Hinweis auf Rivalität zwischen den Partnern. Ob sich da was draus machen ließ…?

»Ist sie… wird sie…?«

Rebus zuckte die Achseln. »Das hoffen wir, Candice.«

Sie sah zu Boden. »Mein Name Dunja.«

»Dunja«, wiederholte er.

»Sarajevo war...« – sie sah zu ihm auf – »weißt du, *echt*. Ich auf Flucht... Glück. Alle zu mir sagen: ›Du Glück, du Glück.‹« Sie tippte sich mit einem Finger auf die Brust. »Glück. Überleben.« Sie sackte in sich zusammen, und diesmal hielt er sie fest.

Die Stones: »Soul Survivor«. Nur dass es manchmal nur der Körper war, der überlebte, während die Seele von den Erlebnissen zerfressen, zermalmt wurde.

»Dunja«, sagte er, wiederholte ihren Namen, bestätigte ihre wahre Identität, versuchte zu dem Teil von ihr durchzudringen, den sie seit Sarajevo verborgen gehalten hatte. »Dunja, schhh. Es wird alles gut. Schhh.« Strich ihr über das Haar, das Gesicht, spürte, wie sie zitterte. Blinzelte seinerseits Tränen weg und betrachtete Sammy. Die Atmosphäre im Zimmer war geladen, und er fragte sich, ob ein Teil davon Sammys Gehirn erreichte.

»Dunja, Dunja, Dunja...«

Sie riss sich los, wandte sich von ihm ab. Er wollte sie zurückhalten. Trat von hinten an sie heran und legte ihr die Hände auf die Schultern.

»Dunja«, begann er, »wie hat Tarawicz dich gefunden?« Sie schien nicht zu verstehen. »In Lower Largo, seine Männer haben dich gefunden.«

»Brian«, sagte sie leise.

Rebus runzelte die Stirn. »Brian Summers?« Pretty-Boy...

»Er Jake sagen.«

»Er hat Tarawicz gesagt, wo du warst?« Aber warum hatte er sie nicht einfach wieder mit nach Edinburgh genommen? Rebus glaubte zu wissen, warum: Sie war zu gefährlich; sie hatte zu viel mit der Polizei zu tun gehabt. Besser, sie aus dem Weg zu räumen. Umlegen war nicht drin, der Verdacht wäre sofort auf sie gefallen. Aber Tarawicz konnte mit ihr fertig werden. Und wieder einmal half Mr. Pink Eyes seinem Freund aus dem Schlamassel...

»Er hat dich hierher mitgenommen, um sich vor Telford zu brüsten«, sagte Rebus nachdenklich. Wie konnte er sie schützen? Wo wäre sie sicher gewesen? Sie schien seine Gedanken zu erraten, drückte seine Hand.

»Weißt du, ich haben ein...« Sie machte eine wiegende Bewegung mit den Händen.

»Einen Jungen«, sagte Rebus. Sie nickte. »Und Tarawicz weiß, wo er ist?«

Sie schüttelte den Kopf. »Laster... sie ihn mitnehmen.«

»Tarawicz' Flüchtlingslaster?« Wieder nickte sie. »Und du weißt nicht, wo er ist?«

»Jake wissen. Er sagen, sein Mann...« – sie vollführte krabbelnde Bewegungen mit den Händen – »töten mein Junge, wenn...«

Krabbelnde Bewegungen: die Krabbe. Rebus stutzte. »Warum ist die Krabbe nicht hier mit Tarawicz?« Sie schaute ihn an. »Tarawicz hier«, sagte er. »Krabbe in Newcastle. Warum?«

Sie zuckte die Achseln, machte ein nachdenkliches Gesicht. »Er nicht kommen.« Sie erinnerte sich an irgendeinen Gesprächsfetzen. »Gefahr.«

»Gefährlich?« Rebus runzelte die Stirn. »Für wen?«

Sie zuckte wieder die Achseln. Rebus fasste sie bei den Händen.

»Du kannst ihm nicht trauen, Dunja. Du musst weg von ihm.«

Sie lächelte. »Ich versuchen früher.«

Sie hielten sich eine Zeit lang fest. Später begleitete er sie hinaus zu ihrem Taxi.

28

Am nächsten Morgen rief er im Krankenhaus an, erfuhr, wie es mit Sammy stand, ließ sich dann mit einer anderen Station verbinden.

»Wie geht's Danny Simpson?«

»Tut mir Leid, sind Sie ein Angehöriger?«

Womit er Bescheid wusste. Er wies sich aus, fragte, wann es passiert sei.

»Während der Nacht«, antwortete die Schwester.

Die auffälligste Zeit des Körpers, die Stunden des Sterbens. Rebus rief die Mutter an, sagte wieder, wer er sei.

»Tut mir Leid, davon zu hören«, sagte er. »Ist die Beerdigung...?«

»Nur Angehörige, bitte. Keine Blumen. Wir bitten stattdessen um Spenden an ein... eine wohltätige Organisation. Danny war beliebt, wissen Sie.«

»Das kann ich mir denken.«

Rebus schrieb sich Namen und Adresse der Organisation auf. Ein AIDS-Hospiz; die Mutter hatte es nicht über sich gebracht, das Wort auszusprechen. Legte auf. Nahm ein Kuvert und steckte zehn Pfund hinein, dazu einen Zettel: »Zum Andenken an Danny Simpson«. Er fragte sich, ob er zum Test gehen sollte... Das Telefon klingelte, und er nahm ab.

»Hallo?«

Jede Menge Rauschen und Motorgeräusch: Autotelefon, bei fahrendem, und zwar schnell fahrendem Wagen.

»Das dürfte eine ganz neue Qualität der Polizeischikane darstellen.« *Telford.*

»Was meinen Sie damit?« Rebus versuchte, die Fassung zu wahren.

»Danny Simpson ist gerade mal sechs Stunden tot, und schon rufen Sie seine Mutter an.«

»Woher wissen Sie das?«

»Ich war *da*. Um mein Beileid auszusprechen.«

»Dann hatten wir ja dieselben Gründe. Wissen Sie was, Telford? Ich glaube, *Sie* bringen den Verfolgungswahn auf ein ganz neues Niveau.«

»Ja, und Cafferty ist nicht darauf aus, meinen Laden dichtzumachen.«

»Er sagt, er hätte mit Paisley nichts zu tun.«

»Ich wette, als Kind haben Sie an den Weihnachtsmann geglaubt.«

»Tu ich immer noch.«

»Der Weihnachtsmann wird Ihnen auch nicht helfen, wenn Sie sich auf Caffertys Seite schlagen.«

»Ist das eine Drohung? Sagen Sie nichts: Tarawicz sitzt neben Ihnen im Auto?« Schweigen. Bingo, dachte Rebus. »Sie bilden sich ein, Tarawicz wird Sie respektieren, weil Sie Bullen anpöbeln? Er respektiert Sie nicht im Mindesten – sehen Sie sich doch an, wie er Ihnen mit Candice vor der Nase rumwedelt!«

Leichtsinn kombiniert mit Wut: »Hey, Rebus, Sie und Candice in dem Hotel – wie war sie? Jake meint, sie wäre scharf wie Chili.« Gelächter im Hintergrund: Mr. Pink Eyes, der Candice, ihrer eigenen Aussage zufolge, noch nie angefasst hatte. Für »Gelächter« lies »Imponiergehabe«. Telford und Tarawicz, die miteinander und mit der Welt Spielchen trieben.

Rebus fand den richtigen Ton. »Ich hab versucht, ihr zu helfen. Wenn sie zu dämlich ist, um das zu kapieren, dann verdient sie es nicht besser, als bei Typen wie Ihnen und Tarawicz zu landen.« Damit die beiden kapierten, dass er kein weiteres Interesse an ihr hatte. »Aber wie auch immer, Tarawicz hatte ja keinerlei Schwierigkeiten damit, sie *Ihnen* abzunehmen«, stichelte Rebus, auf der Suche nach etwaigen Haarrissen im Panzer der Telford-Tarawicz-Beziehung.

»Was, wenn Cafferty *nicht* hinter der Paisley-Sache steckte?«, fragte er in das Schweigen hinein.

»Es waren seine Männer.«

»Die sich selbstständig gemacht hatten.«

»Wenn er sie nicht im Griff hat, dann ist es *sein* Problem. Er ist ein *Witz*, Rebus. Er ist fertig.«

Rebus schwieg; lauschte stattdessen auf eine gedämpft geführte Unterhaltung. Dann wieder Telford: »Mr. Tarawicz möchte Sie kurz sprechen.« Das Telefon wurde weitergereicht.

»Rebus? Ich dachte, wir wären zivilisierte Männer?«

»In welcher Hinsicht?«

»Als wir uns in Newcastle getroffen haben … Ich dachte, wir hätten uns da verstanden?«

Die unausgesprochene Vereinbarung: Lass Telford in Ruhe, brich alle Kontakte zu Cafferty ab, dann haben Candice und ihr Sohn nichts mehr zu befürchten. Worauf wollte Tarawicz hinaus?

»Meinen Teil der Abmachung habe ich gehalten.«

Ein gezwungenes Lachen. »Wissen Sie, was Paisley bedeutet?«

»Was?«

»Den Anfang vom Ende von Morris Gerald Cafferty.«

»Und ich wette, Sie würden Blumen ans Grab schicken.« Und zwar tote. *Dead flowers*.

Rebus fuhr nach St. Leonard's, setzte sich vor seinen Bildschirm und nahm die Krabbe einmal näher unter die Lupe.

The Crab: William Andrew Colton. Jede Menge Vorstrafen. Rebus entschloss sich, die Akten zu lesen. Rief durch und forderte sie an, schickte dann noch eine schriftliche Anforderung nach. Anruf von unten; ein Mann, der ihn sprechen wollte. Beschreibung: das Wiesel.

Rebus ging nach unten.

Das Wiesel stand draußen und rauchte eine Zigarette. Er trug eine grüne Wachstuchjacke, die an beiden Taschen eingerissen war. Eine Holzfällermütze mit heruntergelassenen Klappen schützte seine Ohren vor dem Wind.

»Gehen wir ein Stück«, sagte Rebus. Sie spazierten durch eine neue Wohnsiedlung: Satellitenschüsseln und Fenster wie aus dem Lego-Baukasten. Hinter den Häusern erhoben sich die Salisbury Crags.

»Keine Sorge«, sagte Rebus, »ich bin nicht in Bergsteigerlaune.«

»Ich wäre für ein Dach über dem Kopf.« Das Wiesel steckte das Kinn in den hochgeklappten Kragen seiner Jacke.

»Was gibt's Neues im Hinblick auf meine Tochter?«

»Wir sind dicht dran, hab ich Ihnen doch gesagt.«

»Wie dicht?«

Das Wiesel wägte seine Antwort ab. »Wir haben die Kassetten aus dem Auto und den Typen, der sie verkauft hat. Er sagt, er hätte sie von jemand anderem.«

»Und der heißt…?«

Ein listiges Lächeln: Das Wiesel wusste, dass er Rebus in der Hand hatte. Er würde sein Spielchen so weit wie möglich in die Länge ziehen.

»Sie werden ihn schon bald kennen lernen.«

»Selbst wenn… angenommen, die Kassetten wurden aus dem Wagen gestohlen, nachdem man ihn abgestellt hatte?«

Das Wiesel schüttelte den Kopf. »So war es nicht.«

»Wie war es dann?« Er hätte seinem Peiniger am liebsten den Schädel auf das Pflaster geknallt.

»Lassen Sie uns ein, zwei Tage Zeit. Dann haben wir alles, was Sie brauchen.« Eine Windbö blies ihnen feinen Kies ins Gesicht. Sie wandten sich ab. Rebus entdeckte einen stämmigen Mann, der fünfzig Meter hinter ihnen herumlungerte.

»Keine Sorge«, sagte das Wiesel, »der gehört zu mir.«

»Werden Sie langsam nervös?«

»Nach der Paisley-Sache will Telford Blut sehen.«

»Was wissen Sie von der Sache?«

Die Augen des Wiesels verengten sich. »Nichts.«

»Nein? Cafferty hat allmählich den Verdacht, dass ein paar seiner Männer sich selbstständig gemacht haben könnten.« Das Wiesel schüttelte den Kopf.

»Ich weiß von der Sache gar nichts.«

»Wer ist die rechte Hand Ihres Bosses?«

»Fragen Sie Mr. Cafferty.« Das Wiesel sah sich um, als langweile ihn das Gespräch. Er gab dem Aufpasser ein Zeichen, das dieser nach hinten weitergab. Sekunden später hielt ein ziemlich neuer Jaguar – blutrot lackiert – schwungvoll neben ihnen am Straßenrand. Rebus sah: einen Fahrer, den es nach einer weniger sitzenden Beschäftigung juckte; ein cremefarbenes Lederinterieur; den Aufpasser, der angetrottet kam, um dem Wiesel die Tür zu öffnen.

»Das sind *Sie*«, sagte Rebus. Das Wiesel: Caffertys Augen und Ohren auf der Straße; der Mann mit dem Aussehen und dem Outfit eines Penners. Das Wiesel schmiss den Laden. All die Leutnants auf den verschiedenen Außenposten ... all die maßgeschneiderten Anzüge ... das Kollektiv, das polizeilichen Erkenntnissen zufolge in des Herrn und Meisters Abwesenheit Caffertys Reich regierte – nichts als blauer Dunst. Der Mann mit den krummen Schultern, der gerade seine Holzfällermütze abnahm, der Mann mit den schadhaften Zähnen und dem stumpfen Rasierer, *er* hielt die Fäden in der Hand.

Rebus musste tatsächlich lachen. Der Leibwächter nahm auf dem Beifahrersitz Platz, nachdem er sich vergewissert hatte, dass sein Boss es im Fond bequem hatte. Rebus klopfte an das Fenster. Das Wiesel ließ es herunter.

»Sagen Sie mir eins«, fragte Rebus, »haben Sie den Nerv, ihm den Laden abzuknöpfen?«

»Mr. Cafferty vertraut mir. Er weiß, dass er sich auf mich verlassen kann.«

»Was ist mit Telford?«

Das Wiesel starrte ihn an. »Telford geht mich nichts an.«

»Wer dann?«

Aber das Fenster glitt schon wieder hinauf, und das Wiesel – Cafferty hatte ihn Jeffries genannt – hatte sich abgewandt.

Rebus sah dem Wagen nach. Hatte Cafferty einen Fehler begangen, als er dem Wiesel das Kommando übergab? War es einfach so, dass sein bester Mann sich selbstständig gemacht hatte – oder zur anderen Seite übergelaufen war?

Oder war das Wiesel genau so verschlagen, schlau und hinterlistig wie sein Namensvetter?

Wieder in der Wache, ging Rebus zu Bill Pryde. Pryde zuckte schon die Achseln, bevor Rebus überhaupt an seinem Schreibtisch angelangt war.

»Tut mir Leid, John, nichts Neues.«

»Überhaupt nichts? Was ist mit den gestohlenen Kassetten?« Pryde schüttelte den Kopf. »Das ist komisch, ich hab grad mit jemandem geredet, der behauptet zu wissen, wer sie weiterverkauft und von wem *er* sie selbst hat.«

Pryde lehnte sich zurück. »Ich hatte mich schon gefragt, warum Sie mir eigentlich keinen Dampf machen. Was ist los, haben Sie einen Privatschnüffler angeheuert?« Das Blut stieg ihm langsam in die Wangen. »Ich hab mir wegen dieser Sache den Arsch aufgerissen, John, und das wissen Sie. Trauen Sie mir jetzt nicht zu, dass ich den Job ordentlich erledige?«

»Das ist es nicht, Bill.« Rebus sah sich plötzlich in die Defensive gedrängt.

»Wen haben Sie auf die Sache angesetzt, John?«

»Einfach Leute von der Straße.«

»Leute mit guten Beziehungen, wie es aussieht.« Er schwieg kurz. »Reden wir von Ganoven?«

»Meine Tochter liegt im Koma, Bill.«

»Das ist mir bekannt. Jetzt beantworten Sie meine Frage!«

Die Leute sahen schon zu ihnen herüber. Rebus senkte die Stimme. »Bloß ein paar meiner Spitzel.«

»Dann nennen Sie mir ihre Namen.«

»Kommen Sie schon, Bill...«

Prydes Hände klammerten sich an die Schreibtischplatte. »In den letzten Tagen kam es mir schon so vor, als hätten Sie das Interesse verloren. Als *wollten* Sie vielleicht die Antwort gar nicht wissen.« Er sah ihn nachdenklich an. »Zu Telford würden Sie kaum gehen... Cafferty?« Seine Augen weiteten sich. »Ist es das, John?«

Rebus wandte das Gesicht ab.

»Herrgott, John... was ist Ihr Deal? Er liefert Ihnen den Fahrer – und was liefern *Sie ihm* dafür?«

»So ist es nicht.«

»Ich kann einfach nicht glauben, dass Sie Cafferty vertrauen. Sie haben ihn *eingelocht*, in Herrgotts Namen!«

»Es ist keine Frage des Vertrauens.«

Aber Bill Pryde schüttelte nur den Kopf. »Es gibt eine Grenze, die wir einfach nicht überschreiten.«

»Nun machen Sie die Augen auf, Bill! Es gibt keine Grenze.« Rebus breitete die Arme aus. »Wenn es sie gibt, dann zeigen Sie sie mir.«

Pryde tippte sich an die Stirn. »Hier drin ist sie.«

»Dann ist sie ein Hirngespinst.«

»Glauben Sie das wirklich?«

Rebus suchte nach einer Antwort, lehnte sich an den Schreibtisch, fuhr sich mit den Händen über den Kopf. Er erinnerte sich an etwas, das Lintz einmal gesagt hatte: *Wenn wir aufhören, an Gott zu glauben, fangen wir nicht automatisch an, an »nichts« zu glauben... wir glauben dann an* alles.

»John?«, rief jemand. »Telefon für Sie.«

Rebus starrte Pryde an. »Später«, sagte er. Er ging an einen anderen Schreibtisch, nahm den Anruf entgegen.

»Rebus.«

»Bobby hier.« Bobby Hogan.

»Was kann ich für Sie tun, Bobby?«

»Für den Anfang könnten Sie mir dieses Arschloch vom Special Branch vom Hals schaffen.«

»Abernethy?«

»Der rückt mir nicht von der Pelle.«

»Ruft er Sie dauernd an?«

»Mann, John, hören Sie nicht zu? Er ist *hier*.«

»Wann ist er angekommen?«

»Er war überhaupt nicht weg.«

»Ich glaub's nicht.«

»Und er treibt mich zum Wahnsinn. Er sagt, er würde Sie von früher her kennen, also, wie wär's, wenn Sie ein paar Takte mit ihm reden würden?«

»Sind Sie in Leith?«

»Wo sonst?«

»Ich bin in zwanzig Minuten da.«

»Mir hat's schließlich so gestunken, dass ich zu meinem Boss bin – etwas, wozu ich mich eher selten bemüßigt fühle.« Bobby Hogan trank Kaffee mit einer Miene, als wäre ihm eine intravenöse Verabreichung lieber gewesen. Sein oberster Hemdknopf stand offen, sein Schlips hing ihm lose um den Hals.

»Doch dann«, fuhr er fort, »hat *sein* Boss ein Wörtchen mit dem *Boss meines Bosses* geredet, und das Ende der Geschichte war eine Warnung: entweder ich kooperiere, oder...«

»Im Klartext?«

»Ich durfte niemandem sagen, dass er noch immer da war.«

»Danke, Kumpel. Also, was tut er nun konkret?«

»Was tut er *nicht*? Er will bei jeder Vernehmung dabei sein. Er will Kopien von allen Bandaufnahmen und Abschriften. Er will Einsicht in sämtliche Akten und Aufzeichnungen, will wissen, was ich als Nächstes vorhabe, was ich zum Frühstück gegessen habe …«

»Ich nehme nicht an, dass er sich zum Ausgleich in irgendeiner Art und Weise nützlich macht?«

Hogans Blick war Antwort genug.

»Ich habe ja nichts dagegen, dass er sich für die Sache interessiert, aber *das* grenzt schon an Blockade. Er bremst so sehr, dass die Untersuchung fast gar nicht mehr vorankommt.«

»Vielleicht ist genau das seine Absicht.«

Hogan sah von seiner Tasse auf. »Kapier ich nicht.«

»Ich auch nicht. Aber bitte, wenn er den Bremser spielen will, dann ziehen wir doch eine Schau für ihn ab und sehen, wie er reagiert.«

»Was für eine Schau?«

»Wann erwarten Sie ihn?«

Hogan sah auf seine Uhr. »In einer knappen halben Stunde. Da bin ich mit der heutigen Arbeit fertig und erstatte ihm Bericht.«

»Halbe Stunde reicht. Darf ich Ihr Telefon benutzen?«

29

Als Abernethy eintraf, schaffte er es nicht, seine Überraschung zu überspielen. In dem für die Ermittlung bestimmten Raum – Hogans Arbeitsplatz – saßen jetzt drei Personen, und sie arbeiteten auf Teufel komm raus.

Hogan telefonierte gerade mit einer Bibliothekarin. Er bat um eine Aufstellung von Büchern und Artikeln über die »Rattenlinie«. Rebus arbeitete einen Stoß Papiere durch, ordnete sie, notierte Querverweise, sortierte aus, was ihm nicht nützlich erschien. Und Siobhan Clarke war ebenfalls da. Sie schien mit irgendeiner jüdischen Organisation zu telefonieren und fragte gerade nach Listen von Kriegsverbrechern. Rebus nickte Abernethy zu, ohne seine Arbeit zu unterbrechen.

»Was ist denn hier los?«, fragte Abernethy, während er seinen Regenmantel auszog.

»Helfen ein bisschen mit. Bobby hat so viele Spuren zu verfolgen…« Er nickte in Siobhans Richtung. »Und das Crime Squad ist ebenfalls interessiert.«

»Seit wann?«

Rebus wedelte mit einem Blatt Papier. »Das könnte eine größere Sache sein, als wir gedacht hatten.«

Abernethy wollte mit Hogan sprechen, aber der hing noch immer am Telefon. Rebus war der Einzige, der Zeit zum Reden erübrigen konnte.

Was genau Rebus' Plan entsprach.

Er hatte nur fünf Minuten Zeit gehabt, um Siobhan zu instruieren, aber sie war eine geborene Schauspielerin, selbst wenn es galt, mit dem Freizeichen ein Gespräch zu führen. Hogans inexistente Bibliothekarin stellte derweil alle richtigen Gegenfragen. Und Abernethy guckte wie der Ochs vorm Berg.

»Wie meinen Sie das?«

»Überhaupt«, sagte Rebus und legte eine Akte vor Abernethy, »könnten Sie uns auch behilflich sein.«

»Wie bitte?«

»Sie gehören zum Special Branch, und der hat doch Zugang zu den Archiven der Geheimdienste, stimmt's?«

Abernethy leckte sich über die Lippen und zuckte die Achseln.

»Sehen Sie«, fuhr Rebus fort, »wir sind irgendwie stutzig

geworden. Es wären ein Dutzend Gründe denkbar, warum jemand den Wunsch haben könnte, Joseph Lintz zu töten, aber der eine, den wir bislang praktisch ignoriert haben,« (Hogans Auskunft zufolge auf Abernethys Anraten hin) »ist genau derjenige, der uns die Antwort liefern könnte. Ich spreche von der Rattenlinie. Was, wenn Lintz' Ermordung *damit* zusammenhinge?«

»Wie denn?«

Jetzt war es Rebus, der die Achseln zuckte. »Deswegen benötigen wir ja Ihre Hilfe. Wir brauchen jede Information, die wir über die Rattenlinie kriegen können.«

»Aber die hat's doch nie gegeben.«

»Komisch, eine Menge Bücher scheinen das Gegenteil zu behaupten.«

»Die irren sich.«

»Dann gibt es all diese Überlebenden... nur, dass die nicht überlebt *haben*. Selbstmorde, Verkehrsunfälle, ein Sturz aus dem Fenster. Lintz ist lediglich der vorerst Letzte einer langen Reihe von Toten.«

Siobhan Clarke und Bobby Hogan hatten ihre Telefonate beendet und verfolgten jetzt das Gespräch.

»Sie sind auf dem Holzweg«, sagte Abernethy.

»Ach, wissen Sie, wenn man im Wald herumirrt, ist jeder Holzweg besser als gar nichts.«

»Es gibt keine Rattenlinie.«

»Sind Sie Experte auf dem Gebiet?«

»Ich trage schon lange alle –«

»Ja, ja, Sie tragen alle Ermittlungsergebnisse zusammen. Und, wie weit sind Sie damit gekommen? Wird auch nur einer dieser Fälle vor Gericht verhandelt werden?«

»Es ist noch zu früh, um irgendwelche Aussagen zu machen.«

»Und schon bald könnte es zu spät sein. Diese Männer werden schließlich nicht jünger. Das Spiel habe ich schon überall in Europa beobachtet: Verhandlungen so lange hinauszögern, bis die Angeklagten so alt sind, dass sie abkratzen oder debil werden. So oder so ist das Resultat dasselbe: kein Prozess.«

»Hören Sie, das hat nichts damit –«

»Warum sind Sie hier, Abernethy? Warum wollten Sie voriges Mal unbedingt Lintz sprechen?«

»Hören Sie, Rebus, das ist nicht –«

»Wenn *Sie* es uns nicht sagen können, reden Sie eben mit Ihrem Chef. Dann soll *er* es uns sagen. Denn bei dem Tempo, das wir hier vorlegen, ist es andernfalls eine Frage der Zeit, bis wir einen alten Knochen ausbuddeln.«

Abernethy trat einen Schritt zurück. »Ich glaube, ich verstehe«, sagte er und lächelte. »Sie versuchen, mich unter Druck zu setzen.« Er sah dabei Hogan an. »Das ist es.«

»Ganz und gar nicht«, entgegnete Rebus. »Ich sage lediglich: Wir werden unsere Anstrengungen verdoppeln, werden selbst noch in der letzten Ecke schnüffeln. Rattenlinie, Vatikan, zu Westspionen und kalten Kriegern umfunktionierte Nazis … alles könnte als Beweis zählen. Die anderen Männer auf Ihrer Liste, die anderen Verdächtigen … Wir werden mit ihnen allen reden müssen, feststellen, ob sie Joseph Lintz kannten. Vielleicht haben sie ihn während der Reise hierher kennen gelernt.«

Abernethy schüttelte immer wieder den Kopf. »Ich werde das nicht zulassen.«

»Sie wollen also die Ermittlungen behindern?«

»Das habe ich nicht gesagt.«

»Nein, aber *tun* werden Sie's.« Rebus schwieg einen Moment. »Wenn Sie meinen, wir wären auf dem Holzweg, dann los, beweisen Sie es. Geben Sie uns alles, was Sie über Lintz' Vergangenheit haben.«

Abernethy starrte ihn böse an.

»Oder wir buddeln und schnüffeln weiter.« Rebus öffnete

den nächsten Aktendeckel, zog das erste Blatt heraus. Hogan nahm den Telefonhörer wieder auf, wählte. Siobhan sah auf eine Liste von Telefonnummern und tippte eine davon ein.

»Hallo, spreche ich mit der Synagoge von Edinburgh?«, sagte Hogan. »Ja, hier ist Detective Inspector Hogan, CID Leith. Haben Sie zufällig irgendwelche Informationen über einen gewissen Joseph Lintz?«

Abernethy nahm seinen Mantel, wandte sich ab und verschwand. Sie warteten dreißig Sekunden, dann legte Hogan wieder auf.

»Er sah verärgert aus.«

»Das wäre also ein Weihnachtswunsch, den ich von meiner Liste streichen kann«, bemerkte Siobhan Clarke.

»Danke fürs Mitmachen, Siobhan«, sagte Rebus.

»War mir ein Vergnügen. Aber warum musste es ausgerechnet ich sein?«

»Weil er weiß, dass Sie beim Crime Squad sind. Er sollte glauben, dass die Sache weitere Kreise zieht. Und weil Sie beide bei Ihrer ersten Begegnung nicht gerade harmoniert haben. Ein bisschen Antagonismus ist immer von Vorteil.«

»Und was haben wir nun erreicht?«, fragte Bobby Hogan, während er anfing, die Akten – die größtenteils zu ganz anderen Fällen gehörten – wieder einzusammeln.

»Wir haben ihn nervös gemacht«, sagte Rebus. »Er ist nicht zu seinem Vergnügen hier – ebenso wenig wie zu Ihrem, was das angeht. Er ist hier, weil der Special Branch in London alles über den Stand der Ermittlungen wissen will. Und für meine Begriffe bedeutet das, dass denen irgendetwas Bauchschmerzen bereitet.«

»Die Rattenlinie?«

»Darauf würde ich jedenfalls tippen. Abernethy behält seit einiger Zeit alle neuen Fälle im Auge. Irgendwelche Leute in London kommen allmählich ins Schwitzen.«

»Weil sie befürchten, dass sich zwischen Lintz' Mörder und dieser Rattenlinie eine Verbindung herstellen ließe?«

»Ich weiß nicht, ob das so weit geht«, erwiderte Rebus.

»Was bedeutet?«

Er sah Clarke an. »Was bedeutet, dass ich nicht weiß, ob das so weit geht.«

»Tja«, meinte Hogan, »sieht so aus, als hätte ich ihn ein Weilchen vom Hals, und dafür bin ich Ihnen dankbar.« Er stand auf. »Will jemand einen Kaffee?«

Clarke warf einen Blick auf ihre Uhr. »Na, dann los!«

Rebus wartete, bis Hogan aus der Tür war, dann dankte er Siobhan noch einmal. »Ich war mir nicht sicher, ob Sie dafür Zeit haben würden.«

»Wir halten von Jack Morton möglichst Abstand«, erklärte sie. »Haben nichts zu tun, als zu warten. Wie steht's mit Ihnen, was treiben Sie so im Moment?«

»Ich bleib sauber.«

Sie lächelte. »Das wüsste ich.«

Hogan kam mit drei Bechern Kaffee zurück. »Nur Trockenmilch, tut mir Leid.«

Clarke rümpfte die Nase. »Wird für mich sowieso langsam Zeit.« Sie stand auf und zog ihren Mantel an.

»Sie haben was gut bei mir«, sagte Hogan und schüttelte ihr die Hand.

»Ich werd dafür sorgen, dass Sie's nicht vergessen.« Sie wandte sich zu Rebus. »Bis die Tage.«

»Bye, Siobhan.«

Hogan stellte ihre Tasse neben seine. »Jetzt bin ich Abernethy also vorerst los, aber haben wir sonst noch was erreicht?«

»Wir werden sehen, Bobby. Ich hatte nicht gerade viel Zeit, um mir eine Strategie auszudenken.«

Das Telefon klingelte, gerade als Hogan einen Mund voll brühheißen Kaffee genommen hatte. Rebus nahm ab.

»Hallo?«

»Sind Sie das, John?« Im Hintergrund Country-and-Western-Gedudel: Claverhouse.

»Sie haben sie haarscharf verpasst«, teilte ihm Rebus mit.

»Ich wollte nicht Clarke, sondern Sie sprechen.«

»Aha?«

»Etwas, was Sie vielleicht interessieren könnte. Ist gerade vom National Crime Investigation Service durchgesickert.« Rebus hörte, wie Claverhouse ein Blatt Papier aufhob. »Sakiji Shoda... ich glaube, so spricht man das aus. Ist gestern in Heathrow gelandet, vom Kansai Airport aus. South-East Regional Crime Squad ist in Kenntnis gesetzt worden.«

»Wahnsinnig spannend.«

»Ist aber sofort weiter, Anschlussflug nach Inverness. Hat dort in einem Hotel übernachtet, und jetzt ist er allem Anschein nach in Edinburgh.«

Rebus sah aus dem Fenster. »Nicht gerade Golfwetter.«

»Ich glaube nicht, dass er zum Golfen hier ist. Laut dem ursprünglichen Bericht ist Mr. Shoda ein hochrangiges Mitglied des oder der... kann's im Fax nicht erkennen. Socky irgendwas.«

»Sokaiya?« Rebus richtete sich auf.

»Könnte hinkommen.«

»Wo hält er sich jetzt auf?«

»Ich hab ein paar Hotels angerufen. Er ist im Caledonian abgestiegen. Was ist die Sokaiya?«

»Das sind die höheren Ränge der Yakuza.«

»Wie klingt das für Sie?«

»Ich hätte darauf getippt, dass er der Ersatz für Matsumoto ist, aber jetzt klingt's so, als würde er ein paar Stufen höher rangieren.«

»Matsumotos Boss?«

»Was bedeutet, dass er wahrscheinlich hier ist, um rauszufinden, was mit seinem Mann passiert ist.« Rebus klopfte sich mit einem Stift gegen die Zähne. Hogan hörte zu, wusste aber nicht, worum es ging. »Warum Inverness? Warum nicht direkt nach Edinburgh?«

»Das habe ich mich auch schon gefragt.« Claverhouse nieste. »Wie stinkig dürfte er wohl sein?«

»Irgendwas zwischen ›leicht‹ und ›sehr‹. Aber weit wichtiger: Wie werden Telford und Mr. Pink Eyes darauf reagieren?«

»Sie glauben, Telford lässt Maclean's sausen?«

»Im Gegenteil, ich glaube, Telford wird Mr. Shoda zeigen wollen, dass er nicht *alles* vermasselt.« Rebus erinnerte sich an etwas, das Claverhouse gesagt hatte. »South-East Crime Squad?«

»Ja.«

»Und nicht Scotland Yard?«

»Vielleicht sind die beiden ein und dasselbe?«

»Vielleicht. Haben Sie eine Kontaktnummer?«

Claverhouse gab sie ihm durch.

»Sie sprechen heute Abend mit Jack Morton?«, fragte Rebus.

»Ja.«

»Dann erzählen Sie ihm besser von der Sache.«

»Wir hören voneinander.«

Rebus legte auf, nahm wieder ab, besorgte sich eine Amtsleitung und wählte dann die Nummer. Erklärte sein Anliegen und fragte, ob es jemanden gebe, der ihm helfen könne.

Man bat ihn, einen Augenblick zu warten.

»Hat das was mit Telford zu tun?«, fragte Hogan. Rebus nickte.

»Hey, Bobby, haben Sie sich noch mal mit Telford unterhalten?«

»Ich hab's ein paar Mal versucht, aber er hat bloß immer wieder gesagt: ›Er muss sich verwählt haben‹.«

»Und seine Mitarbeiter haben das Gleiche gesagt?«

Hogan nickte, lächelte. »Ich erzähl Ihnen jetzt was Komisches. Ich geh also in Telfords Büro, und jemand sitzt vor seinem Schreibtisch, mit dem Rücken zu mir. Ich entschuldige mich, sage, ich würde wiederkommen, wenn er mit der Dame fertig ist. Na, und die ›Dame‹ dreht sich um, ein Gesicht wie eine Furie ...«

»Pretty-Boy?«

Hogan nickte. »Und scheißwütend, als er sich von mir verabschiedet hat.« Hogan lachte.

»Ich verbinde«, sagte die Zentrale zu Rebus.

»Wie kann ich Ihnen helfen?« Die Stimme klang walisisch.

»Mein Name ist DI Rebus, Scottish Crime Squad.« Rebus zwinkerte Hogan zu. Die Lüge würde seiner Anfrage mehr Nachdruck verleihen.

»Ja, Inspector?«

»Und ich spreche mit ...?«

»DI Morgan.«

»Wir haben heute früh eine Mitteilung hereinbekommen ...«

»Ja?«

»Betraf Sakiji Shoda.«

»Dann dürfte sie Ihnen mein Chef geschickt haben.«

»Was ich wissen wollte, ist – wieso interessieren Sie sich für ihn?«

»Tja, Inspector, ich bin eher Spezialist für *wary w sakonje.*«

»Das erklärt natürlich alles.«

Morgan kicherte in sich hinein. »›Gesetzestreue Diebe‹. Im Klartext *mafiya.*«

»Die russische Mafia?«

»Exakt.«

»Da müssen Sie mir jetzt helfen. Was hat das mit ...?«

»Warum möchten Sie das wissen?«

Rebus nahm einen Schluck Kaffee. »Wir haben hier ein bisschen Ärger mit der Yakuza. Bislang ein Toter. Ich schätze, dass Shoda der Boss des Opfers ist.«

»Und bei Ihnen ist er zu einer Art inoffizieller Vorabprüfung der Beweislage?«

»Bei uns in Schottland findet eine Vorabprüfung der Beweislage nicht statt, DI Morgan.«

»Oha, Verzeihung, dass ich was gesagt habe.«

»Das Problem ist: Wir haben zur Zeit auch einen russischen Gangster hier. Ich sage, er ist Russe – nach dem, was man hört, soll er Tschetschene sein.«

»Meinen Sie Jake Tarawicz?«

»Sie haben von ihm gehört?«

»Das ist mein Job, Sonnyboy.«

»Na, wie auch immer, mit Yakuza und Tschetschenen in der Stadt...«

»Haben Sie einen ausgewachsenen Albtraum am Hals. Alles klar. Gut, hören Sie... Wie wär's, wenn Sie mir Ihre Nummer geben, und ich rufe Sie in fünf Minuten zurück? Ich müsste zuerst ein paar Fakten checken.«

Rebus gab ihm die Telefonnummer und wartete dann zehn Minuten lang auf den Rückruf.

»Sie haben mich überprüft«, sagte er zum Waliser.

»Man muss schließlich vorsichtig sein. Ein bisschen dreist von Ihnen zu behaupten, Sie wären beim Crime Squad.«

»Sagen wir, *mein* Verein kommt direkt danach. Also, haben Sie was für mich?«

Morgan atmete tief durch. »Wir folgen seit einer ganzen Weile einem Haufen Schwarzgeld rund um die Welt.«

Rebus konnte kein sauberes Blatt Papier zum Mitschreiben finden. Hogan reichte ihm einen Block.

»Wissen Sie«, redete Morgan inzwischen weiter, »der asiatische Teil der ehemaligen Sowjetunion ist mittlerweile der weltweit größte Produzent von Rohopium. Und überall, wo es Drogen gibt, gibt's Geld, das gewaschen werden muss.«

»Und dieses Geld landet in Großbritannien?«

»Macht hier Zwischenstation. Londoner Firmen, Privatbanken auf Guernsey... Das Geld wird mehrfach gefiltert und dabei immer sauberer. Alle sind scharf darauf, Geschäfte mit Russland zu machen.«

»Warum?«

»Weil sie alle Geld dabei verdienen. Russland ist ein einziger riesiger Basar. Sie wollen Waffen, Fälschungen aller Art – Luxusgüter, Geld, Pässe –, oder auch nur eine Schönheitsoperation? Was immer Ihr Herz begehrt, in Russland kriegen Sie es. Das Land hat offene Grenzen, Flughäfen, von deren Existenz niemand weiß... es ist ideal.«

»Wenn man ein international operierender Gangster ist.«

»Genau. Und die *mafiya* hat Kontakte mit ihrer sizilianischen Schwesterorganisation geknüpft, mit der Camorra, den Kalabriern... ich könnte stundenlang weiterreden. Britische Kriminelle gehen da shoppen. Alle lieben die Russen.«

»Und jetzt sind sie hier?«

»Na, und ob sie das sind. Machen in Schutzgeldern und Nutten, Drogen...«

Prostituierte, Drogen: Mr. Pink Eyes' Branche.

»Bekannte Connections zu der Yakuza?«

»Nicht dass ich wüsste.«

»Aber wenn die Japaner nach Großbritannien kämen...?«

»Dann würden sie versuchen, Drogenhandel und Prostitution unter ihre Kontrolle zu bringen. Und Geld waschen.«

Möglichkeiten, Geld zu waschen: durch legale Unternehmen wie Country Clubs und dergleichen; durch Eintausch von Schwarzgeld gegen Spielchips in einem Etablissement wie dem Morvena.

Rebus wusste bereits, dass die Yakuza gern Kunstgegenstände nach Japan einschmuggelte. Dass Mr. Pink sein erstes Geld mit dem Schmuggel von Ikonen aus Russland verdient hatte. Jetzt eins und eins zusammenzählen ...

Und zu der Summe noch Tommy Telford hinzuaddieren.

Brauchten sie wirklich die Beute aus dem Maclean's-Bruch? Rebus meinte, nein. Warum wollte Telford ihn dann überhaupt durchziehen? Zwei mögliche Gründe: einmal, um anzugeben; zweitens, *weil man es ihm befohlen hatte.* Etwas wie ein Initiationsritus ... Wenn er mit den großen Jungs spielen wollte, musste er beweisen, was er drauf hatte. Er musste Cafferty vernichten und das bis dato größte Ding in der Geschichte Schottlands durchziehen.

Da fiel es Rebus wie Schuppen von den Augen.

Telford *sollte* es gar nicht schaffen. Er sollte baden gehen.

Tarawicz und die Yakuza wollten Telford auf die Schnauze fallen lassen.

Weil er etwas hatte, was *sie* wollten: einen regelmäßigen Zufluss von Drogen; ein Königreich, das nur darauf wartete, ihm abgeknöpft zu werden. Miriam Kenworthy hatte was in der Richtung gesagt: Es hieß, die Drogen kämen von Schottland aus in den Süden. Was bedeutete, dass Telford eine Quelle hatte ... von der *niemand* etwas wusste.

Ohne Cafferty hätte es keine Konkurrenz mehr gegeben. Die Yakuza hätte ihre britische Filiale gehabt – solide, anständig, verlässlich. Die Elektronikfabrik würde die ideale Deckung abgeben, wer weiß, vielleicht sogar eine effektive Geldwaschanlage. Wie Rebus es auch drehte und wendete: Telford war in der Gleichung überflüssig, wie eine Null, die man problemlos streichen können.

Was der Grund war, weswegen Rebus Telford haben wollte ... nur nicht zu dem verlangten Preis.

»Danke für Ihre Hilfe«, sagte er. Er bemerkte, dass Hogan aufgehört hatte zuzuhören und ins Leere starrte. Rebus legte auf.

»Tut mir Leid, wenn ich Sie gelangweilt habe.«

Hogan blinzelte. »Nein, gar nicht. Mir war nur was eingefallen.«

»Was?«

»Pretty-Boy. Ich hab ihn für eine Frau gehalten.«

»Da waren Sie wahrscheinlich nicht der Erste.«

»Eben.«

»Ich kann Ihnen nicht ganz folgen.«

»Im Restaurant… Lintz und eine junge Frau.« Hogan zuckte die Achseln. »Wär immerhin möglich.«

Rebus begriff. »Geschäftliche Besprechung?«

Hogan nickte. »Pretty-Boy hütet Telfords Pferdchen.«

»Und nimmt sich der kostspieligeren Modelle persönlich an. Wär einen Versuch wert, Bobby.«

»Was meinen Sie – vorladen?«

»Unbedingt. Blasen Sie die Restaurantgeschichte auf. Behaupten Sie, Sie hätten eine eindeutige Personenbeschreibung. Sehen Sie, was er dazu sagt.«

»Selber Dreh wie mit Colquhoun? Pretty-Boy wird alles abstreiten.«

»Was nicht heißt, dass es nicht stimmt.« Rebus klopfte Hogan auf die Schulter.

»Was war mit Ihrem Anruf?«

»Meinem Anruf?« Rebus warf einen Blick auf seine hingekritzelten Notizen. Gangster bereiteten sich darauf vor, Schottland unter sich aufzuteilen. »Ich hab schon Schlimmeres gehört.«

»Und das will was heißen?«

»Ich fürchte, nein, Bobby«, sagte Rebus, während er sein Jackett anzog. »Ich fürchte, nein.«

30

Abpfiff, und Rebus war noch immer nicht im Besitz der Akten über die »Krabbe«, dafür hatte er einen offen unflätigen Anruf von Abernethy erfolgreich abgewehrt, der ihm von Blockade (was in Anbetracht der Sachlage recht amüsant war) bis hin zu Rassismus (was Rebus auf reizende Weise paradox fand) so ziemlich alles vorwarf.

Er hatte sein Auto zurückbekommen. Jemand hatte mit dem Finger zwei Botschaften in die Schmutzschicht auf der Kofferraumhaube geschrieben: SCHROTTREIF und GEWASCHEN VON STEVIE WONDER. Bei seiner Ehre gepackt, sprang der Saab gleich beim ersten Versuch an und schien sich auch einiges von seinem chronischen Geklapper und Geschepper abgewöhnt zu haben. Während der Fahrt nach Haus ließ Rebus die Fenster offen, um den Whisky nicht riechen zu müssen, mit dem die Sitzpolster durchtränkt waren.

Zum Abend hin war es noch schön geworden: klarer Himmel, plötzlicher Temperatursturz. Die tief stehende rote Sonne, der Fluch der Edinburgher Autofahrer, war hinter den Hausdächern verschwunden. Rebus ließ den Mantel offen, als er zum Chipsladen um die Ecke ging. Er besorgte sich zum Abendessen Fish and Chips, zwei Butterbrötchen und ein paar Dosen Irn-Bru und ging dann wieder nach Haus. Im Fernsehen lief nichts, also legte er eine Platte auf. Van Morrison: *Astral Weeks*. Die Scheibe hatte mehr Kratzer als ein räudiger Hund.

Der Refrain des ersten Stücks lautete »*To be born again*«. Wiedergeboren zu werden... Rebus dachte an Pater Leary mit seinem Hilfsaggregat in Form eines Kühlschranks voll von »Medizin«. Dann dachte er an Sammy mit ihrer Krone aus Elektroden, flankiert von allerlei Maschinenmolochen, als sollte sie ihnen zum Opfer dargebracht werden. Leary redete häufig vom Glauben, aber es war schwer, an eine Menschheit zu glauben, die niemals dazulernte, die bereit zu sein schien, Folter, Mord, Zerstörung widerspruchslos hinzunehmen. Er schlug die Zeitung auf: Kosovo, Zaire, Ruanda. Mit Baseballschlägern bewaffnete Prügelkommandos in Nordirland. Ein junges Mädchen in England ermordet, das Verschwinden eines weiteren Mädchens für »Besorgnis erregend« erklärt. Kein Zweifel, die Raubtiere waren unterwegs. Kratzte man ein bisschen am Lack, hatte die Welt die Neandertalerhöhle gerade mal ein paar Schritte weit hinter sich gelassen.

Wiedergeboren zu werden... Aber manchmal erst nach einer Feuertaufe.

Belfast 1970. Die Kugel eines Heckenschützen hatte einem britischen Soldaten den halben Kopf weggerissen. Das Opfer war neunzehn, kam aus Glasgow. In der Kaserne war es kaum zu Trauerkundgebungen gekommen, lediglich zu einem großen Wutausbruch. Der Attentäter würde niemals gefasst werden. Er hatte sich sofort in den Schatten eines Hochhauses zurückgezogen und von dort ins Herz der katholischen Wohnsiedlung.

Womit nichts als eine weitere Zeitungsmeldung blieb, ein bisschen Material für eine Statistik der »Unruhen«.

Und Wut.

Der Rädelsführer hörte auf den Spitznamen »Mean Machine«. Er war Obergefreiter und kam aus irgendeinem Kaff in Ayrshire, südlich von Glasgow. Kurz geschorenes blondes Haar, sah aus, als ob er früher Rugby gespielt hätte, hielt sich gern in Form, auch wenn's in der Kaserne nur zu Liegestützen und Sit-ups reichte. Er organisierte den Vergeltungsschlag. Es musste eine verdeckte Aktion werden – das heißt, hinter dem Rücken der Offiziere ablaufen. Es sollte ein Ventil für die Frustration werden, den Druck,

der sich innerhalb der beengten Mannschaftsquartiere auf-
baute. Die Außenwelt war Feindesland, jeder darin ein po-
tenzieller Gegner. Da er wusste, dass es keine Möglichkeit
gab, den Heckenschützen zu bestrafen, hatte Mean Machine beschlossen, die ganze katholische Gemeinde zur Re-
chenschaft zu ziehen: kollektive Verantwortung, die eine
kollektive Bestrafung nach sich ziehen würde.

Der Plan: eine Razzia auf eine bekannte IRA-Bar, ein
Lokal, in dem Sympathisanten sich zum Trinken und Kons-
pirieren trafen. Der Vorwand: ein Bewaffneter, den man angeblich bis zur Bar verfolgt hatte, was eine Durchsuchung
erforderlich machte. Mit voller Härte durchgreifen und am
Schluss den örtlichen IRA-Spendensammler zusammen-
schlagen.

Und Rebus machte mit… denn es *war* eine kollektive
Angelegenheit. Entweder man gehörte zum Team, oder
man war der Arsch. Und Rebus war nicht scharf darauf,
den Paria zu geben.

Dennoch wusste er, dass sich die Grenze zwischen den
»Guten« und den »Bösen« verwischt hatte. Und während
des Überfalls löste sie sich vollends in Luft auf.

Mean Machine stürmte wie ein Berserker hinein, mit ge-
bleckten Zähnen, fanatischem Blick. Er schlug mit dem Gewehr um sich, knackste Schädel an. Tische fielen um, Pint-
Gläser gingen in Scherben. Anfangs wirkten die anderen
Soldaten wie geschockt durch diesen plötzlichen Gewalt-
ausbruch. Sie sahen sich ratlos, Hilfe suchend an. Dann
holte einer von ihnen aus, und die Übrigen schlossen sich
ihm an. Ein Spiegel zerbarst in einem Regen glitzernder
Sterne, Stout und Lager schwappten über die Bodendielen.
Männer schrien, flehten, krochen auf allen vieren durch
das Scherbenfeld. Mean Machine hatte den IRA-Mann an
eine Wand gepresst und rammte ihm das Knie in den
Unterleib. Er riss ihn nach vorn, schleuderte ihn zu Boden

und fing an, mit dem Gewehrkolben auf ihn einzuschlagen. Weitere Soldaten kamen hereingestürmt: Panzerspähwagen fuhren vor der Bar vor. Ein Stuhl krachte in das Flaschenregal hinter dem Tresen. Der Whiskygeruch war überwältigend.

Rebus versuchte, ihn zu ignorieren. Er litt Seelenqualen. Dann richtete er sein Gewehr an die Decke und gab einen einzelnen Schuss ab, und alle erstarrten… ein letzter Tritt gegen die blutüberströmte Gestalt am Boden, und Mean Machine machte kehrt und marschierte aus dem Lokal. Wieder zögerten die anderen, dann folgten sie ihm. Er hatte den anderen Männern etwas bewiesen: Trotz seines niederen Dienstgrades war er zu deren Anführer geworden.

An dem Abend machten sie in der Kaserne einen drauf, spöttelten über Rebus, dass ihm der Abzugsfinger ausgerutscht war. Sie rissen Bierdosen auf und erzählten sich Geschichten. Geschichten, die schon da übertrieben waren, das Ereignis in einen Mythos verwandelten, ihm eine Großartigkeit verliehen, die es nicht besaß.

Es in eine Lüge verwandelten.

Ein paar Wochen später wurde derselbe IRA-Mann südlich der Stadt, auf einem Feldweg inmitten von Hügeln und Weiden, in einem gestohlenen Wagen erschossen aufgefunden. Protestantische Paramilitärs übernahmen die Verantwortung, aber wann immer der Zwischenfall zur Sprache kam, zwinkerte und grinste Mean Machine, auch wenn er niemals etwas zugab. Aufschneiderei oder implizites Geständnis – Rebus zweifelte bis zuletzt. Er wusste nur eins: Er wollte raus, weg von Mean Machines neu geschaffenem Moralkodex. Also tat er das, was ihm möglich war: bewarb sich beim SAS. Niemand würde ihn für einen Feigling oder einen Abtrünnigen halten, wenn er sich bei der Elitetruppe bewarb.

Um wiedergeboren zu werden.

Die erste Seite war zu Ende; Rebus drehte die Platte um, schaltete alle Lichter aus und setzte sich in seinen Sessel. Er spürte, wie es ihn schauderte. Denn er *wusste*, wie Ereignisse wie das Massaker von Villefranche zustande kommen konnten. Weil er *wusste*, wie auch noch am Ende des zwanzigsten Jahrhunderts solche Gräueltaten begangen werden konnten. Er wusste, dass die Menschheit von primitiven Instinkten geleitet wurde, dass Tapferkeit und Güte durch Barbarei aufgewogen wurde.

Und er hatte den Verdacht, dass er – wäre das Opfer des Heckenschützen seine Tochter gewesen – bereits mit dem Finger am Abzug in die Bar gestürmt wäre.

Auch Telfords Gang war eine Horde, die blindlings seinem Anführer folgte. Doch jetzt wollte *der* sich einer noch größeren Gang anschließen …

Das Telefon klingelte, und er nahm ab.

»John Rebus«, sagte er.

»John, Jack hier.« Jack Morton. Rebus stellte seine Dose ab.

»Hallo, Jack. Wo bist du?«

»In der verwanzten Einzimmerbude, die mir unsere Freunde in Fettes freundlicherweise zur Verfügung gestellt haben.«

»Musste realistisch aussehen.«

»Ja, so ist das wohl. Telefon habe ich allerdings. So eins zum Münzenreinstecken, aber man kann schließlich nicht alles haben.« Er schwieg kurz. »Mit dir alles klar, John? Du klingst … nicht ganz da.«

»Das trifft den Nagel ziemlich genau auf den Kopf, Jack. Wie ist es so als Securitymann?«

»Lauer Lenz, Kumpel. Ich hätt schon vor Jahren umsatteln sollen.«

»Warte, bis dir deine Pension sicher ist.«

»Klar, mach ich.«

»Und das mit Marty Jones hat geklappt?«

»Oscars für alle Mitwirkenden. Sie haben gerade eben fest genug zugelangt. Ich bin wieder in den Laden getorkelt und hab gesagt, ich müsste mich setzen. Das Dreckige Duo war äußerst zuvorkommend und hat dann angefangen, mir alle möglichen Fragen zu stellen... Nicht sonderlich subtil.«

»Du glaubst nicht, dass sie Lunte gerochen haben?«

»Ich hatte genauso wie du Bedenken, so schnell loszulegen, aber ich vermute, sie haben es geschluckt. Ob ihr Boss mitzieht, ist eine andere Frage.«

»Na ja, er steht ziemlich unter Druck.«

»Wegen des Bandenkriegs?«

»Ich bin nicht der Meinung, dass das alles ist, Jack. Ich glaube, seine Partner machen ihm Druck.«

»Die Russen und die Japsen?«

»Ich denke, sie wollen ihm ein Bein stellen, und das Pflaster, auf dem er sich die Fresse einschlagen soll, ist Maclean's.«

»Beweise?«

»Intuition.«

Jack überlegte. »Also, was soll ich machen?«

»Sei bloß vorsichtig, Jack.«

»Darauf wär ich nie gekommen.«

Rebus lachte. »Was glaubst du, wann sie Kontakt aufnehmen werden?«

»Sie sind mir bis hierher gefolgt, so verzweifelt sind sie. Momentan hocken sie draußen vorm Haus.«

»Sie meinen offenbar, sie haben mit dir das große Los gezogen.«

Rebus begriff, wie die Sache stand. Dec und Ken gerieten allmählich in Panik, brauchten ein schnelles Resultat – fühlten sich so weit ab von der Flint Street schutzlos, wussten nicht, ob sie nicht Caffertys nächste Opfer sein würden. Telford wurde von Tarawicz unter Druck gesetzt, und jetzt, wo sich der Oberyakuza in der Stadt befand... brauchte er ebenfalls ein Resultat, etwas, durch das er zeigen konnte, dass er die Nummer eins war.

»Was ist mit dir, John? Wir haben uns schon länger nicht gesprochen.«

»Ja.«

»Wie läuft's denn so?«

»Ich bin nach wie vor trocken, falls du das meinst.« Was man vom Saab nicht behaupten konnte ... Rebus roch mit jedem Atemzug noch immer die Whiskydünste.

»Moment«, sagte Jack, »da ist jemand an der Tür. Ich ruf dich zurück.«

»Sei bloß vorsichtig.«

Die Verbindung wurde unterbrochen.

Rebus wartete eine Stunde. Als Jack sich dann immer noch nicht gemeldet hatte, rief er Claverhouse an.

»Ist alles in Ordnung«, teilte ihm Claverhouse mit. »Tweedledum und Tweedledee haben ihm einen Besuch abgestattet und ihn mitgenommen.«

»Sie observieren die Wohnung?«

»Parkender Lieferwagen, Malerfirma, ein Stück die Straße runter.«

»Sie haben also keine Ahnung, wo die ihn hingebracht haben?«

»Ich vermute, er ist in der Flint Street.«

»Ohne Rückendeckung?«

»So war es doch geplant, oder?«

»Herrgott, ich weiß nicht ...«

»Danke für das Vertrauensvotum.«

»*Sie* stehen schließlich nicht in der Schusslinie. Und ich bin derjenige, der ihn dafür angeworben hat.«

»Er kennt die Spielregeln, John.«

»Das heißt, Sie warten jetzt darauf, dass er entweder heimkommt oder auf einem Seziertisch landet?«

»Herrgott, John, verglichen mit Ihnen war Calvin ja der

reinste Mr. Bean!« Claverhouse hatte endgültig die Geduld verloren. Rebus versuchte, sich eine schlagfertige Erwiderung zu überlegen, knallte stattdessen aber den Hörer auf die Gabel.

Plötzlich konnte er Van the Man nicht mehr hören; legte stattdessen Bowie auf, das schön disharmonische *Aladdin Sane*, mit Mike Garsons Klavier, das exakt die Tonlage seiner Gedanken traf.

Leere Limodosen und ein leeres Päckchen Zigaretten starrten ihn von unten an. Er kannte Jacks Adresse nicht. Der Einzige, der sie ihm hätte geben können, war Claverhouse, aber er hatte keine Lust, das Gespräch wieder aufzunehmen. Er unterbrach Bowie, legte dafür *Quadrophenia* auf. Auf dem Cover: »Schizophrenic? I'm bleeding Quadrophenic«. Was den Nagel ziemlich genau auf den Kopf traf.

Um Viertel nach zwölf klingelte das Telefon. Es war Jack Morton.

»Na, wieder gesund zurück?«, fragte Rebus.

»Putzmunter.«

»Hast du mit Claverhouse gesprochen?«

»Er kann warten, bis er dran ist. Ich hatte dir gesagt, ich würde zurückrufen.«

»Also was war?«

»Eine hochnotpeinliche Befragung, könnte man sagen. Irgendso'n Typ mit schwarz gefärbten Haaren, lockig… knackenge Jeans.«

»Pretty-Boy.«

»Trägt Mascara.«

»Sieht so aus. Was kam unterm Strich raus?«

»Zweite Hürde genommen. Bislang hat mir noch keiner verraten, worin der Job besteht. Heute Abend war erst so eine Art Vorspiel. Wollte alles über mich wissen, meinte, mit meinen Geldsorgen wäre es bald vorbei, wenn ich ihnen bei der Lösung eines ›kleinen Problems‹ helfen könnte – so Pretty-Boys Worte.«

»Hast du gefragt, was das Problem ist?«

»Er wollte es mir nicht sagen. Wenn du mich fragst, geht er zu Telford, bespricht die Sache mit ihm. Dann gibt's ein zweites Treffen, und da erfahre ich, um was es geht.«

»Und dann bist du verkabelt?«

»Ja.«

»Und was, wenn sie dich filzen?«

»Claverhouse kommt an Miniaturgeräte ran, in Manschettenknöpfen und so.«

»Wobei Manschettenknöpfe genau zu deinem momentanen Outfit passen dürften.«

»Stimmt. Vielleicht lässt sich ein Sender in einen Buchmacher-Kuli einbauen.«

»Schon besser.«

»Ja, satte Leistung, dafür, dass ich fix und fertig bin.«

»Wie war die Stimmung?«

»Gespannt.«

»Von Tarawicz oder Shoda was gesehen?«

»Nein, bloß Pretty-Boy und das Dreckige Duo.«

»Claverhouse nennt sie Tweedledum und Tweedledee.«

»Du hast also mit ihm gesprochen?«

»Als du dich nicht gemeldet hast.«

»Ich bin gerührt. Glaubst du, er packt's?«

»Claverhouse?« Rebus dachte nach. »Mir wär wohler, wenn *ich* an seiner Stelle wäre. Aber damit bin ich wahrscheinlich in der Minderheit.«

»Ich hab das nicht gesagt.«

»Du bist ja auch ein Freund, Jack.«

»Sie checken mich durch. Aber es ist alles geregelt. Mit etwas Glück bestehe ich den Test.«

»Was haben die zu deinem plötzlichen Auftauchen bei Maclean's gesagt?«

»Man hat mich aus einem anderen Werk dorthin versetzt. Sollten sie sich vergewissern wollen, stehe ich in den Personalakten.« Morton schwieg einen Moment. »Eins wüsste ich gern…«

»Was?«

»Pretty-Boy hat mir einen Hunderter als Anzahlung gegeben. Was soll ich tun?«

»Das musst du mit deinem Gewissen abmachen, Jack. Bis bald.«

»Nacht, John.«

Zum ersten Mal seit längerem schaffte es Rebus tatsächlich bis ins Bett. Sein Schlaf war tief und traumlos.

31

Als Rebus am nächsten Morgen im Krankenhaus ankam, waren Ärzte in weißen Kitteln gerade mit Sammy beschäftigt: maßen ihren Puls, leuchteten in ihre Pupillen. Sie schlossen sie an einen weiteren Apparat an; eine Schwester kämpfte mit den ineinander verhedderten dünnen bunten Kabeln. Rhona sah etwas müde aus. Sie sprang auf und lief ihm entgegen.

»Sie ist aufgewacht!«

Er brauchte eine Sekunde, um es zu verarbeiten. Rhona schüttelte ihn.

»Sie ist *auf*gewacht, John!«

Er drängte sich an ihr vorbei ans Bett.

»Wann?«

»Heute Nacht.«

»Warum hast du mich nicht angerufen?«

»Ich hab's drei-, viermal versucht. Es war immer besetzt. Ich hab's auch bei Patience versucht, aber da hat niemand abgenommen.«

»Was ist passiert?« Für ihn sah Sammy genauso aus wie immer.

»Sie hat einfach die Augen geöffnet... Nein, zuerst war es so, als würde sie die Augen bewegen. Unter den Lidern, du weißt schon. Dann hat sie die Augen aufgemacht.«

Rebus sah, dass sich das medizinische Personal bei seiner Arbeit behindert fühlte. Ein Teil von ihm hätte am liebsten losgebrüllt – *Wir sind ihre Eltern, verdammte Scheiße!* Die andere Hälfte wollte, dass sie alles in ihrer Macht Stehende taten, um sie wieder ins Leben zurückzuholen. Er fasste Rhona bei der Schulter und führte sie hinaus auf den Flur.

»Hat sie... hat sie dich angesehen? Hat sie irgendwas gesagt?«

»Sie hat einfach an die Decke gestarrt, auf die Neonröhren. Dann dachte ich, sie würde gleich blinzeln, aber sie hat die Augen einfach wieder geschlossen.« Rhona brach in Tränen aus. »Es war so... als hätte ich sie ein zweites Mal verloren!«

Rebus nahm sie in die Arme.

»Sie hat es einmal getan«, flüsterte er ihr ins Ohr, »sie wird es noch einmal tun.«

»Genau das hat auch einer der Ärzte gesagt. Er meinte, sie wären alle ›sehr optimistisch‹. Ach John, ich wollte es dir sagen! Ich wollte es *jedem* sagen!«

Und er hatte währenddessen nur an die Arbeit gedacht. Hatte mit Claverhouse und Jack Morton telefoniert. Dabei war er es ja, der Sammy das alles eingebrockt hatte. Sammy und Candice – in einen Teich geworfene Steinchen. Und jetzt hatten sich die kleinen Wellen so weit ausgebreitet, dass er das Zentrum, den Ausgangspunkt fast nicht mehr erkennen konnte. Genauso wie damals in ihrer Ehe, als die Arbeit ihn völlig vereinnahmt hatte, zum reinen Selbstzweck geworden war. Und Rhonas Worte: *Du hast jede Beziehung ausgenutzt, die du je gehabt hast.*

Wiedergeboren zu werden...

»Tut mir Leid, Rhona«, sagte er.

»Kannst du es Ned sagen?« Sie fing wieder an zu weinen.

»Komm«, sagte er, »gehen wir was frühstücken. Bist du die ganze Nacht hier gewesen?«

»Ich konnte nicht weg.«

»Ich weiß.« Er küsste sie auf die Wange.

»Der Fahrer...«

»Was?«

Sie sah ihn an. »Es ist mir inzwischen egal, wer sie angefahren hat oder ob er erwischt wird. Ich will nur, dass sie wieder aufwacht.«

Rebus nickte, sagte ihr, dass er verstand, hielt die Konversation in Gang, war mit den Gedanken aber nicht so recht bei der Sache. Ihm gingen fortwährend ihre Worte durch den Kopf: *Es ist mir egal, wer sie angefahren hat oder ob er erwischt wird...*

Wie immer er den Satz auch betonte, er schaffte es einfach nicht, ihn wie eine Kapitulation klingen zu lassen.

In St. Leonard's teilte er Ned Farlowe die Neuigkeit mit. Farlowe wollte unbedingt ins Krankenhaus, aber Rebus ließ es nicht zu. Und als er die Zelle verließ, weinte Farlowe. Auf dem Schreibtisch lag endlich die Crab-Akte.

The Crab: mit bürgerlichem Namen William Andrew Colton. Seine erste Haftstrafe hatte er als Jugendlicher abgesessen. Am 5. November, dem *Guy Fawkes Day*, hatte er seinen vierzigsten Geburtstag gefeiert. Während seiner Zeit in Edinburgh hatte Rebus nicht viel mit ihm zu tun gehabt. Die Krabbe schien Anfang der Achtziger ein paar Jahre in der Stadt gewohnt zu haben, dann erst wieder in den frühen Neunzigern. 1982 hatte Rebus in einem Prozess wegen Verabredung zu einer Straftat gegen ihn ausgesagt. Die Anklage wurde fallen gelassen. 1983 geriet die Krabbe wieder in Schwierigkeiten – Kneipenschlägerei, Resultat: ein Mann im Koma und dessen Freundin mit einem Gesicht, das nur mit sechzig Stichen wiederhergestellt werden konnte.

Die Krabbe war in verschiedenen Berufen tätig gewesen: als Rausschmeißer, Leibwächter, Hilfsarbeiter. 1986 hatte das Finanzamt versucht, ihn dranzukriegen. 1988 hielt er sich an der Westküste auf, wo Tommy Telford ihn und seine Muskelkraft wahrscheinlich entdeckt hatte und vor die Tür seines Klubs in Paisley stellte. Weiteres Blutvergießen, weitere Anschuldigungen, die zu nichts führten. Die Krabbe hatte einen Schutzengel gehabt – etwas, was Bullen auf der ganzen Welt zum Wahnsinn treibt: verängstigte Zeugen, die ihre Aussagen widerriefen oder gar nicht erst machten. Von innen bekam die Krabbe Gerichtsgebäude nur selten zu sehen. Er hatte seit Erreichen der Volljährigkeit drei Haftstrafen – insgesamt siebenundzwanzig Monate – verbüßt, und das bei einer beruflichen Laufbahn, die mittlerweile ins vierte Jahrzehnt ging. Rebus blätterte die Unterlagen noch einmal durch, nahm den Hörer ab und wählte die Nummer des CID in Paisley. Der Mann, den er sprechen wollte, war inzwischen nach Motherwell versetzt worden. Rebus rief dort an, ließ sich mit Detective Sergeant Ronnie Hannigan verbinden und erklärte ihm sein Anliegen.

»Es ist einfach so, wenn man zwischen den Zeilen liest, scheinen Sie die Krabbe einer Menge Dinge mehr zu verdächtigen, als je zu Papier gebracht worden ist.«

»Das stimmt.« Hannigan räusperte sich. »Hab ihm aber nie auch nur ansatzweise etwas nachweisen können. Sie sagen, er hält sich jetzt südlich der Grenze auf?«

»Telford hat ihn bei einem Gangster in Newcastle untergebracht.«

»Mit entsprechender krimineller Energie kommt man eben weit herum. Tja, hoffen wir, dass die ihn da unten behalten. Er war ein Einmann-Terrorkommando, und das ist keine Übertreibung. Was wohl der Grund ist, warum ihn Telford jemand anderem aufs Auge gedrückt hat: Crab geriet allmählich außer Kontrolle. Meine Theorie ist, dass Telford ihn als Killer einzusetzen versuchte. Da die Krabbe sich aber als untauglich erwies, musste er ihn abstoßen.«

»Was war der Auftrag?«

»Unten in Ayr. Muss vor... na, so vier Jahren gewesen sein. Waren jede Menge Drogen im Umlauf, größtenteils in einer Diskothek... weiß nicht mehr, wie die hieß. Keine Ahnung, was passierte. Vielleicht platzte ein Deal, oder jemand sahnte heimlich ab. Wie auch immer, es gab einen Mord vor dem Klub. Einem Typen wurde das halbe Gesicht mit einem Tranchiermesser abgetrennt«

»Und Sie verdächtigen die Krabbe?«

»Er hatte natürlich ein Alibi, und die Augenzeugen schienen allesamt mit plötzlicher Blindheit geschlagen zu sein. Man hätte daraus glatt eine Folge von *Akte X* drehen können.«

Eine Messerattacke vor einem Nachtklub... Rebus klopfte mit einem Stift auf den Schreibtisch. »Wissen Sie, wie der Täter entkam?«

»Auf einem Motorrad. Crab steht auf Motorräder. Ein Integralhelm gibt eine gute Tarnung ab.«

»Wir hatten erst kürzlich einen fast identischen Fall. Ein Typ auf einem Motorrad wollte sich vor einem von Tommy Telfords Nachtklubs einen Drogendealer vornehmen. Hat stattdessen einen Rausschmeißer abgestochen.«

Und Cafferty bestritt jede Beteiligung...

»Na ja, wie Sie selbst sagten, die Krabbe ist in Newcastle.«

Ja, und macht keinen Mucks... aus *Angst*, nach Norden zu kommen. Und weil Tarawicz ihn gewarnt hatte. Weil Edinburgh zu gefährlich war... Jemand hätte sich an ihn *erinnern* können.

»Wissen Sie, wie weit es nach Newcastle ist?«

»Ein paar Stunden?«

»Mit dem Motorrad ist es ein Katzensprung. Noch etwas, das ich wissen sollte?«

»Na ja, Telford setzte die Krabbe probeweise im Lieferwagen ein, aber das war wohl nichts.«

»Was für einem Lieferwagen?«

»Dem Eiscremewagen.«

Rebus ließ fast den Hörer fallen. »Erklären Sie's mir.«

»Ganz einfach: Telfords Knaben verkauften Stoff von einem Eiscremewagen aus. ›Fünf-Pfund-Special‹ haben sie das genannt. Man steckte dem Verkäufer einen Fünfer zu und bekam dafür einen Becher oder eine Waffel mit einem kleinen Zellophantütchen drin…«

Rebus dankte Hannigan und legte auf. Fünf-Pfund-Specials: Mr. Taystee und seine Kunden, die bei jedem Wetter Eis aßen. Sein Revier: tagsüber in der Nähe von Schulen; nachts vor Telfords Klubs. Fünf-Pfund-Specials im Angebot, Telford machte seinen Schnitt… Der neue Benz: Mr. Taystees großer Fehler. Telfords Buchhalter dürften nicht lang gebraucht haben, um herauszufinden, dass ihr Knabe in die eigene Tasche wirtschaftete. Telford beschließt, mit Mr. Taystee ein Exempel zu statuieren…

Allmählich fügte sich eins zum anderen. Er ließ seinen Stift durch die Luft wirbeln, fing ihn wieder auf und wählte eine weitere Nummer, dieses Mal in Newcastle.

»Nett, von Ihnen zu hören«, sagte Miriam Kenworthy. »Was Neues von Ihrer Freundin?«

»Sie ist hier aufgetaucht.«

»Toll.«

»In Mr. Pink Eyes' Gefolge.«

»Nicht so toll. Ich habe mich schon gefragt, wo er steckt.«

»Aber zum Sightseeing ist er nicht hier.«

»Kann ich mir vorstellen.«

»Was der eigentliche Grund meines Anrufs ist.«

»Ja?«

»Ich wüsste gern, ob er je mit Machete-Attacken in Verbindung gebracht wurde.«

»Macheten? Lassen Sie mich mal nachdenken…« Sie schwieg so lange, dass er schon dachte, die Verbindung sei unterbrochen. »Wissen Sie, *ganz* entfernt klingelt da schon was. Ich schau mal eben, was der Computer…« Klickedicklack auf ihrer Tastatur. Rebus biss sich auf die Unterlippe, biss sie sich fast blutig.

»Klar, natürlich«, sagte sie. »Vor einem knappen Jahr, eine Straßenschlacht in einer Siedlung. Angeblich rivalisierende Banden, aber jeder wusste, was dahintersteckte: nämlich Drogen und Grenzverletzungen.«

»Und wo Drogen sind, da ist auch Tarawicz?«

»Es heißt, seine Männer seien an der Sache beteiligt gewesen.«

»Und sie benutzten Macheten?«

»Einer von ihnen. Er heißt Patrick Kenneth Moynihan, allgemein bekannt als ›PK‹.«

»Können Sie mir eine Personenbeschreibung geben?«

»Ich kann Ihnen sein Bild faxen. Aber fürs Erste: groß, massig, schwarzes Haar, schwarzer Bart.«

Er gehörte nicht zu Tarawicz' Reisebegleitung. Mr. Pink hatte zwei seiner besten Muskelmänner in Newcastle zurückgelassen. Aus Sicherheitsgründen. Rebus verbuchte PK als einen der zwei Angreifer von Paisley – womit Cafferty erneut entlastet war.

»Danke, Miriam. Hören Sie, wegen dieses Gerüchts…«

»Helfen Sie mir auf die Sprünge.«

»Dass Telford Tarawicz beliefert und nicht umgekehrt: Gibt's irgendwas, das die Theorie stützen würde?«

»Wir haben Tarawicz und seine Männer beschattet. Ein paar Spritztouren auf den Kontinent, aber bei der Wiedereinreise waren sie immer sauber.«

»Haben Sie an der Nase rumgeführt?«

»Was uns veranlasst hat, die Sache neu zu überdenken.«

»Wo könnte Telford den ganzen Stoff herhaben?«

»So weit waren wir mit dem Überdenken noch nicht gediehen.«

»Tja, danke noch mal...«

»Hey, lassen Sie mich hier nicht so hängen! Sagen Sie schon, was los ist?«

»Alles, was nicht festgenietet ist. Bis dann, Miriam.«

Rebus holte sich einen Kaffee, tat ohne nachzudenken Zucker hinein, merkte es erst, als er den halben Becher ausgetrunken hatte. Tarawicz setzte Telford zu. Telford gab Cafferty die Schuld. Der daraus resultierende Krieg würde Caffertys Ende bedeuten und Telford schwächen. Dann würde Telford den Maclean's-Bruch durchziehen, aber verpfiffen werden...

Und Tarawicz würde das dadurch entstehende Vakuum ausfüllen. Das war von Anfang an der Plan gewesen. Bluesbreakers: »Double-Crossing Time«. Zeit für Doppelspielchen. Herrgott, war das schön: die zwei Rivalen aufeinander hetzen und das Ende des Gemetzels abwarten...

Die Beute: kannte Rebus noch nicht. Aber es musste etwas Großes sein. Tarawicz, so lautete die Theorie, bezog seine Drogen nicht aus London, sondern aus Schottland, von Tommy Telford.

Was wusste Telford? Was machte *seine* Quelle so wertvoll? Hatte das etwas mit Maclean's zu tun? Rebus besorgte sich einen weiteren Kaffee, spülte damit drei Paracetamol hinunter. Sein Kopf fühlte sich an, als würde er gleich platzen. Wieder am Schreibtisch, probierte er es bei Claverhouse, aber Fehlanzeige. Wählte stattdessen seine Pager-Nummer und wurde augenblicklich zurückgerufen.

»Ich bin im Lieferwagen«, sagte Claverhouse.

»Ich muss Ihnen was erzählen.«

»Was?«

Rebus wollte wissen, was ablief. Wollte mit von der Partie sein. »Nicht am Telefon. Wo stehen Sie?«

Claverhouse klang argwöhnisch. »Ein Stück vom Laden weg.«

»Weißer Lieferwagen, Anstreicherfirma?«

»Das ist eindeutig *keine* gute Idee ...«

»Wollen Sie hören, was ich habe?«

»Machen Sie mich neugierig.«

»Damit wird absolut alles klar«, log Rebus.

Claverhouse wartete auf Konkreteres, aber Rebus tat ihm den Gefallen nicht. Bühnenseufzer: Claverhouse hatte es nicht leicht.

»Ich bin in einer halben Stunde da«, sagte Rebus. Er legte auf, sah sich im Büro um. »Hat jemand zufällig einen Overall?«

»Nette Verkleidung«, meinte Claverhouse, als Rebus sich auf den Beifahrersitz quetschte.

Ormiston saß am Lenkrad, vor sich eine offene Plastikbrotbüchse. Eine Thermoskanne mit heißem Tee war gerade geöffnet worden und ließ die Frontscheibe beschlagen. Der hintere Teil des Lieferwagens war voll von Farbeimern, Pinseln und anderen Malerutensilien. Auf dem Wagendach war eine Leiter festgebunden, eine zweite lehnte an der Wand des Mietshauses, vor dem der Lieferwagen stand. Claverhouse und Ormiston steckten in weißen Overalls, die über und über mit eingetrockneter Farbe verschmiert waren. Was Besseres als einen Blaumann, der über Taille und Brust spannte, hatte Rebus nicht auftreiben können. Sobald er eingestiegen war, riss er die obersten Knöpfe auf.

»Tut sich was?«

»Jack war heute Vormittag zweimal da.« Claverhouse sah hinüber zum Laden. »Einmal wegen Kippen und einer Zeitung, einmal wegen einer Dose Saft und einem belegten Brötchen.«

»Er raucht gar nicht.«

»Bei diesem Einsatz schon: ideale Ausrede, um mal eben zum Laden zu flitzen.«

»Irgendein Zeichen hat er Ihnen nicht gegeben?«

»Soll er vielleicht die Signalflaggen raushängen?« Ormiston atmete Fischpaste aus.

»Ich frag ja bloß.« Rebus schaute auf seine Uhr. »Hat einer von Ihnen Lust auf ein Päuschen?«

»Kein Bedarf«, antwortete Claverhouse.«

»Was macht Siobhan?«

»Papierkram«, sagte Ormiston mit einem Lächeln. »Schon mal ne Anstreicher*in* gesehen?«

»Und Sie? Haben Sie in Ihrem Leben schon viel gestrichen, Ormie?«

Das entlockte Claverhouse ein Lächeln. »Also, John«, sagte er, »was haben Sie nun für uns?«

Rebus setzte sie kurz ins Bild, wobei ihm Claverhouse' rasch wachsendes Interesse nicht entging.

»Tarawicz hat also vor, Telford zu linken?«, sagte Ormiston.

Rebus zuckte die Achseln. »Vermute ich jedenfalls.«

»Warum zum Teufel machen wir uns dann die ganze Mühe mit dieser Aktion? Sollen die das doch unter *sich* abmachen.«

»Dadurch bekämen wir aber Tarawicz nicht«, erklärte Claverhouse mit vor Konzentration zusammengekniffenen Augen. »Wenn er dafür sorgt, dass Telford auf die Schnauze fällt, ist *er* aus dem Schneider. Wir buchten Telford ein und tauschen lediglich einen Gauner gegen einen anderen ein.«

»Und dazu noch gegen einen weit übleren«, sagte Rebus.

»Ach ja? Und Telford ist ein Robin Hood?«

»Nein, aber bei ihm wissen wir wenigstens, woran wir sind.«

»Und die Omis und Opis in seinen Mietwohnungen lieben ihn«, meinte Claverhouse.

Rebus dachte an Mrs. Hetherington, die sich gerade auf ihren Kurzurlaub in Holland vorbereitete. Der einzige Nachteil: Sie musste von Inverness aus fliegen... Sakiji Shoda war von London aus nach Inverness weitergeflogen...

Rebus begann zu lachen.

»Was ist so witzig?«

Er schüttelte den Kopf, lachte weiter, wischte sich die Tränen aus den Augen. Es war nicht witzig, das konnte man wirklich nicht sagen.

»Wir könnten Telford aufklären«, sagte Claverhouse, den Blick fest auf Rebus gerichtet. »Ihn gegen Tarawicz aufhetzen; dass sie sich gegenseitig bei lebendigem Leib auffressen.«

Rebus nickte, atmete tief durch. »Das wär mit Sicherheit eine Möglichkeit.«

»Nennen Sie mir eine andere.«

»Später«, sagte Rebus. Er öffnete die Tür.

»Wo wollen Sie hin?«

»Muss den Flieger erwischen.«

32

Tatsächlich aber fuhr er – und es war eine lange Fahrt – nordwärts nach Perth und von da aus weiter in die Highlands, über eine Route, die im tiefsten Winter nicht selten gesperrt war. Die Straße war nicht schlecht, aber stark befahren. Er überholte einen langsamen Laster, um gleich darauf hinter dem nächsten herzukriechen. Er wusste, es hätte schlimmer sein können: Im Sommer stauten sich die Wohnwagen kilometerweit.

Kurz hinter Pitlochry tauchten dann tatsächlich ein paar Wohnwagen auf. Sie kamen aus den Niederlanden. Mrs. Hetherington hatte gesagt, es sei eigentlich nicht die richtige Saison für einen Urlaub in Holland. Die meisten Leute ihres Alters würden im Frühling fliegen, um sich am Anblick der Tulpenfelder zu erfreuen. Nicht so Mrs. Hetherington. Telfords Angebot: Fliegen Sie, wann ich es sage. Taschengeld gab's wahrscheinlich auch. Telford wünschte ihr viel Spaß, riet ihr, sich keine Gedanken zu machen…

Als Rebus in die Nähe von Inverness kam, wurde die Straße wieder vierspurig. Er war jetzt weit über zwei Stunden unterwegs. Sammy konnte in der Zwischenzeit wieder zu sich gekommen sein; Rhona hatte seine Handynummer. Von der Einfallsstraße aus folgte er den Schildern zum Inverness Airport. Er parkte und stieg aus, vertrat sich ein bisschen die Beine, drückte Schultern und Kreuz durch. Er ging in den Terminal und erkundigte sich nach der Flughafenpolizei. Man verwies ihn an ein Männchen mit schütterem Haar, Brille und einem Hinkebein. Rebus stellte sich vor. Der Mann bot ihm Kaffee an, aber Rebus war nach der Fahrt schon ausreichend aufgedreht. Hunger verspürte er allerdings: das Mittagessen war ausgefallen. Er berichtete dem Mann seine Geschichte, und nach einigem Suchen spürten sie eine Beamtin der Zollbehörde Ihrer Majestät auf. Während des Rundgangs durch den Terminal gewann Rebus den Eindruck, dass der ganze Betrieb auf Sparflamme lief. Die Beamtin war Anfang dreißig und hatte rosige Wangen und schwarzes lockiges Haar. Mitten auf ihrer Stirn prangte ein purpurrotes Muttermal von der Größe einer kleinen Münze, das akkurat wie ein drittes Auge wirkte.

Sie nahm Rebus mit in den Zollbereich und fand ein

gerade unbenutztes Zimmer, in dem sie sich unterhalten konnten.

»Direkte internationale Flüge gibt es erst seit kurzem«, sagte sie in Beantwortung seiner Frage. »Es ist wirklich eine Katastrophe.«

»Warum?«

»Weil gleichzeitig etliche Stellen gestrichen worden sind.«

»Sie meinen, beim Zoll?«

Sie nickte.

»Sie machen sich Sorgen wegen Drogen?«

»Natürlich.« Sie schwieg kurz. »Und allem übrigen.«

»Gibt es Direktflüge nach Amsterdam?«

»Nein, aber bald.«

»Und bis dahin…?«

Sie zuckte die Achseln. »Man kann nach London fliegen und von dort aus weiter hierher.«

Rebus dachte nach. »Vor ein paar Tagen ist ein Typ von Japan nach Heathrow geflogen und ist da nach Inverness umgestiegen.«

»Hat er in London Zwischenstation gemacht?«

Rebus schüttelte den Kopf. »Ist mit der nächsten Maschine weiter.«

»Das zählt dann als internationaler Flug.«

»Was bedeutet?«

»Sein Gepäck wird in Japan eingecheckt, und er bekommt es erst wieder in Inverness zu sehen.«

»Dann findet die erste Zollkontrolle also erst hier statt?«

Sie nickte.

»Und wenn die Maschine zu irgendeiner unchristlichen Zeit landet…?«

Sie zuckte erneut die Achseln. »Wir tun, was wir können, Inspector.«

Ja, das konnte sich Rebus bildlich vorstellen: eine einsame Zollbeamtin, verschlafen, nicht eben im Vollbesitz ihrer geistigen Kräfte...

»Das Gepäck wird also in Heathrow umgeladen, aber von niemandem kontrolliert?«

»So ist es.«

»Und wenn man von Holland über London nach Inverness fliegt?«

»Gleiche Geschichte.«

Da wusste Rebus Bescheid, erkannte die Brillanz von Tommy Telfords Idee. *Er* belieferte Tarawicz – und Gott weiß, wen sonst noch alles – mit Drogen. Seine Omis und Opis trugen sie frühmorgens oder spätnachts durch den Zoll. Wie schwierig konnte es schon sein, etwas in einen Koffer zu schmuggeln? Und anschließend waren Telfords Männer zur Stelle, bereit, alle wieder nach Edinburgh zu chauffieren, ihnen das Gepäck die Treppe hinaufzutragen... und die Päckchen unbemerkt wieder an sich zu nehmen.

Rentnerinnen und Rentner als ahnungslose Drogenkuriere. Es war phantastisch.

Und Shoda war nicht nach Inverness geflogen, um die dortigen Sehenswürdigkeiten zu besichtigen, sondern um mit eigenen Augen zu sehen, wie einfach es war, welch genialen Weg Telford gefunden hatte: schnell und effektiv und mit einem Minimum an Risiko. Rebus musste wieder lachen. Die Highlands hatten neuerdings ihr eigenes Drogenproblem: gelangweilte Teenager und Erdölarbeiter mit Taschen voller Geld. Rebus hatte erst Anfang dieses Sommers einen Ring im Nordosten zerschlagen, mit dem Resultat, dass er jetzt Telford am Hals hatte...

Cafferty wäre nie auf diese Idee gekommen, wäre nie so kühn gewesen. Aber dafür hätte er die Sache für sich behalten. Er hätte nicht versucht zu expandieren, hätte keine Partner mit ins Boot genommen.

In mancher Hinsicht war Telford immer noch ein kleiner Junge. Der Teddybär auf dem Beifahrersitz bewies das hinlänglich.

Rebus dankte der Zollbeamtin und machte sich auf die Suche nach was Essbarem. Parkte im Stadtzentrum, besorgte sich einen Hamburger und ließ sich alles gründlich durch den Kopf gehen. Einzelne Aspekte ergaben zwar noch immer keinen Sinn, aber damit konnte er leben.

Er rief erst das Krankenhaus an, dann Bobby Hogan. Sammy war nicht wieder aufgewacht. Hogan hatte Pretty-Boy zur Vernehmung für neunzehn Uhr auf die Wache bestellt. Rebus sagte, dass er dabei sein würde.

Während der Fahrt nach Süden war das Wetter wohlwollend, der Verkehr erträglich. Der Saab schien Spaß an langen Fahrten zu haben – oder vielleicht war es auch nur so, dass bei Tempo hundert das Geräusch des Motors jedes Klappern und Scheppern übertönte.

Er fuhr direkt zur Revierwache Leith, sah auf die Uhr und stellte fest, dass er eine Viertelstunde zu spät kommen würde. Was aber nicht schlimm war, da die eigentliche Befragung noch gar nicht angefangen hatte. Pretty-Boy war in Begleitung des Allzweckanwalts Charles Groal. Hogan saß neben einem weiteren CID-Beamten, DC James Preston. Ein Tonbandgerät wartete aufnahmebereit. Hogan wirkte nervös, ihm war wohl bewusst, wie spekulativ das ganze Unternehmen war, besonders mit einem Anwalt als Zeugen. Rebus zwinkerte ihm beruhigend zu und entschuldigte sich für die Verspätung. Der Hamburger rumorte in seinem Magen, und auch der Kaffee, den er dazu getrunken hatte, war seinen angespannten Nerven nicht gerade gut bekommen. Er musste seinen Kopf von Inverness und allem, was dazugehörte, frei machen und sich auf Pretty-Boy und Joseph Lintz konzentrieren.

Pretty-Boy sah gelassen aus. Er trug einen anthrazitfarbenen Anzug, dazu ein gelbes T-Shirt und nadelspitze schwarze Wildlederstiefel. Er roch nach teurem Aftershave. Vor ihm auf dem Tisch: Ray-Bans mit Schildpattgestell und seine Autoschlüssel. Rebus war davon ausgegangen, dass er einen Range Rover fuhr – für Telford-Angestellte Pflicht –, aber am Schlüsselring prangte das Porsche-Wappen, und draußen vor der Wache hatte Rebus hinter einem kobaltblauen 944er geparkt. Pretty-Boy verriet Ansätze von Individualismus …

Groal hatte seinen Aktenkoffer offen auf dem Boden neben sich liegen. Vor ihm auf dem Tisch: ein karierter Din-A4-Block und ein dicker schwarzer Montblanc-Füller.

Anwalt und Mandant waren von einer Aura leicht verdienten und ebenso leicht ausgegebenen Geldes umgeben. Pretty-Boy verwendete seines, um sich Klasse zu kaufen, aber Rebus kannte seinen Background: Paisleyer Arbeiterschicht, eine granitharte Einführung ins Leben.

Hogan nannte für das Bandprotokoll die Namen der Anwesenden, warf dann einen Blick in seine Notizen.

»Mr. Summers …« Pretty-Boys richtiger Name: Brian Summers. »Wissen Sie, warum Sie hier sind?«

Pretty-Boy formte seine glänzenden Lippen zu einem O und starrte zur Decke.

»Mr. Summers«, schaltete sich Charles Groal ein, »hat mir mitgeteilt, dass er bereit ist, mit der Polizei zusammenzuarbeiten, Inspector Hogan, dass er aber zumindest andeutungsweise erfahren möchte, was man ihm vorwirft und worauf sich diese Anschuldigungen stützen.«

Hogan fixierte Groal, ohne zu blinzeln. »Wer hat gesagt, dass man ihm etwas vorwirft?«

»Inspector, Mr. Summers arbeitet für Thomas Telford, und die schikanösen polizeilichen Maßnahmen gegen Letztgenannten sind aktenkundig …«

»Damit hatte ich nichts zu tun, Mr. Groal – oder überhaupt

diese Wache.« Hogan schwieg kurz. »Das hatte überhaupt nichts mit meinen gegenwärtigen Ermittlungen zu tun.«

Groal blinzelte. Er sah zu Pretty-Boy, der jetzt in die Betrachtung seiner Stiefelspitzen versunken war.

»Soll ich etwas sagen?«, fragte Pretty-Boy den Anwalt.

»Ich bin bloß… Ich weiß nicht genau, ob…«

Pretty-Boy schnitt ihm mit einer Handbewegung das Wort ab und starrte dann Hogan an.

»Schießen Sie los.«

Hogan tat wieder so, als studierte er seine Notizen. »Wissen Sie, warum Sie hier sind, Mr. Summers?«

»Zwecks pauschaler Verunglimpfung meiner Person im Rahmen Ihrer Hexenjagd auf meinen Arbeitgeber.« Er lächelte die drei CID-Beamten an. »Ich wette, Sie hätten nicht geglaubt, dass ich ein Wort wie ›Verunglimpfung‹ kenne.« Sein Blick ruhte eine Zeit lang auf Rebus, richtete sich dann wieder auf Groal.

»DI Rebus gehört nicht zu dieser Wache.«

Groal verstand den Wink. »Das trifft zu, Inspector. Dürfte ich erfahren, welchem Umstand Sie es verdanken, dieser Befragung beizuwohnen?«

»Das wird sich im Lauf des Gesprächs schon aufklären«, antwortete Hogan. »Wenn Sie uns jetzt gestatten, endlich zu beginnen…«

Groal räusperte sich, sagte aber nichts. Hogan ließ das Schweigen ein paar Augenblicke wirken, dann ergriff er das Wort.

»Mr. Summers, kennen Sie einen Mann namens Joseph Lintz?«

»Nein.«

Das Schweigen zog sich hin. Summers überkreuzte die Beine andersherum. Er sah zu Hogan und blinzelte. Das Blinzeln entartete zu einem kurzen Zucken des einen Auges. Er schniefte, rieb sich die Nase, versuchte, den Eindruck zu erwecken, das Zucken habe nichts zu bedeuten gehabt.

»Sie haben ihn nie kennen gelernt?«

»Nein.«

»Der Name sagt Ihnen gar nichts?«

»Das haben Sie mich alles schon mal gefragt. Ich sage Ihnen das, was ich damals gesagt habe: Ich kenne den Typen nicht.« Summers richtete sich auf seinem Stuhl ein bisschen auf.

»Sie haben nie mit ihm telefoniert?«

Summers sah Groal an.

»Hat sich mein Mandant nicht klar genug ausgedrückt, Inspector?«

»Ich hätte gern eine Antwort.«

»Ich kenne ihn nicht«, wiederholte Summers und zwang sich, sich wieder zu entspannen, »ich habe nie ein Wort mit ihm gewechselt.« Er erwiderte Hogans starren Blick, und diesmal hielt er ihm stand. Aus seinen Augen sprach purer Eigennutz. Rebus fragte sich, wie ihn jemand »hübsch« finden konnte, wo doch seine ganze Einstellung zum Leben von Grund auf hässlich war.

»Er hat Sie nicht in … Ihren Geschäftsräumen angerufen?«

»Ich habe keine Geschäftsräume.«

»Das Büro, das Sie sich mit Ihrem Arbeitgeber teilen.«

Pretty-Boy lächelte. Er mochte solche Formulierungen: »Geschäftsräume«; »Ihr Arbeitgeber«. Die wussten alle, was Sache war, trotzdem spielten sie dieses Spielchen … und er liebte Spielchen.

»Ich habe Ihnen schon gesagt, dass ich nie was mit ihm zu tun gehabt habe.«

»Komisch, die Telecom sagt da was anderes.«

»Vielleicht ist denen ein Fehler unterlaufen.«

»Das bezweifle ich, Mr. Summers.«

407

»Hören Sie, das haben wir doch alles schon einmal durchgekaut.« Summers lehnte sich vor. »Vielleicht hatte er sich verwählt. Vielleicht hat er mit einem meiner Mitarbeiter gesprochen, und der hat ihm *gesagt*, dass er sich verwählt hatte.« Er breitete die Arme aus. »Das führt doch zu nichts.«

»Ich muss meinem Mandanten beipflichten, Inspector«, warf Charles Groal ein, während er sich etwas notierte. »Ich meine, worauf soll das alles hinauslaufen?«

»Es läuft darauf hinaus, Mr. Groal, dass Mr. Summers identifiziert wurde.«

»Wo und durch wen?«

»In einem Restaurant, in Gesellschaft von Mr. Lintz. Demselben Mr. Lintz, den er noch nie gesehen, nie gesprochen haben will.«

Rebus sah ein Zögern über Pretty-Boys Gesicht huschen. *Zögern*, keine Überraschung. Er stritt die Sache nicht direkt ab.

»Ein Mitarbeiter des Restaurants hat Sie identifiziert«, fuhr Hogan fort. »Und ein Gast ebenfalls.«

Groal sah seinen Mandanten an, der zwar kein Wort sagte, aber die Tischplatte so anstarrte, dass Rebus jeden Augenblick damit rechnete, zwei schwelende Brandlöcher darin entstehen zu sehen.

»Nun«, ergriff Groal wieder das Wort, »das ist ziemlich regelwidrig, Inspector.«

Hogan kümmerte sich nicht um den Anwalt.

»Wie steht's, Mr. Summers? Möchten Sie Ihre Darstellung der Ereignisse vielleicht revidieren? Worüber haben Sie mit Mr. Lintz geredet? War er an weiblicher Gesellschaft interessiert? Das ist doch eines Ihrer Spezialgebiete, wenn ich nicht irre.«

»Inspector, ich muss darauf bestehen …«

»Nur zu, bestehen Sie, Mr. Groal. Es ändert nichts an

den Tatsachen. Ich frage mich nur, was Mr. Summers vor Gericht sagen wird, wenn man ihn nach dem Telefonat, nach dem Treffen fragt … wenn die Zeugen ihn identifizieren. Ich zweifle nicht daran, dass er über einen reichen Fundus an Märchen verfügt, aber er wird sich schon ein verdammt gutes zurechtlegen müssen.«

Summers schlug mit beiden Handflächen auf den Tisch und erhob sich halb von seinem Stuhl. Er hatte kein Gramm Fett am Leib. An seinen Handrücken traten Adern hervor.

»Ich habe Ihnen gesagt, dass ich ihn nie gesehen und nie gesprochen habe, Punkt, Ende der Geschichte, finito. Und wenn Sie Zeugen haben, dann lügen die. Vielleicht haben *Sie* sie zum Lügen angestiftet. Und das ist alles, was ich dazu zu sagen habe.« Er setzte sich wieder hin, steckte die Hände in die Taschen.

»Ich habe gehört«, mischte sich Rebus ein, »dass Sie sich um die Luxusmädchen kümmern – also eher um die dreistelligen Nummern als um die Quickie-Fickis.«

Summers schnaubte und schüttelte den Kopf.

»Inspector«, intervenierte Groal, »ich kann derlei Unterstellungen nicht weiter dulden.«

»War es das, was Lintz wollte? Hatte er kostspielige Vorlieben?«

Summers schüttelte weiter den Kopf. Er schien etwas sagen zu wollen, überlegte es sich dann aber anders, lachte stattdessen nur.

»Ich möchte Sie darauf hinweisen«, fuhr Groal fort, ohne dass jemand auf ihn geachtet hätte, »dass sich mein Mandant während des ganzen Verlaufs dieser empörenden Posse rückhaltlos kooperativ …«

Rebus fing Pretty-Boys Blick auf und erwiderte ihn, ohne zu blinzeln. Es gab so viel, was der junge Gangster nicht sagte … so viel, was er um ein Haar hätte sagen *wollen*. Da fiel Rebus das Stück Seil in Lintz' Haus ein.

»Er stand darauf, sie zu fesseln, stimmt's?«, fragte Rebus leise.

Groal stand auf und riss Summers mit hoch.

»Brian?«, fragte Rebus.

»Ich danke Ihnen, Gentlemen«, sagte Groal. Er verstaute den Notizblock in seinem Aktenkoffer, ließ die Messingverschlüsse zuschnappen. »Sollten sich für Sie Fragen ergeben, die die Zeit meines Mandanten wert sind, können Sie unserer Mithilfe gewiss sein. Aber ansonsten würde ich Ihnen empfehlen…«

»Brian?«

DC Preston hatte inzwischen das Bandgerät ausgeschaltet und die Tür geöffnet. Summers nahm seine Autoschlüssel, setzte seine Sonnenbrille auf.

»Gentlemen«, sagte er, »es ist mir eine lehrreiche Erfahrung gewesen.«

»SM«, bohrte Rebus nach und stellte sich Pretty-Boy in den Weg. »Hat er sie gefesselt?«

Pretty-Boy schnaubte, schüttelte wieder den Kopf. Als sein Anwalt ihn an Rebus vorbeischieben wollte, blieb er kurz stehen.

»Es war für *ihn*«, sagte er halblaut.

Es war für ihn.

Rebus fuhr ins Krankenhaus. Saß zwanzig Minuten lang bei Sammy. Zwanzig Minuten Meditation und Kopflüften. Zwanzig belebende Minuten, nach deren Ablauf er seiner Tochter die Hand drückte.

»Danke dafür«, sagte er.

Wieder in der Wohnung, spielte er mit dem Gedanken, den Anrufbeantworter zu ignorieren, bis er gebadet hätte. Schultern und Rücken schmerzten ihn von der Fahrt nach Inverness. Doch irgendetwas veranlasste ihn, auf den Knopf zu drücken. Jack Mortons Stimme. »Ich hab einen Termin bei TT. Sehen wir uns anschließend. Halb elf im Ox. Ich versuche, es bis dahin zu schaffen, kann aber nichts versprechen. Drück mir die Daumen.«

Er kam um elf.

Im Nebenzimmer spielte Folk-Musik. Im Schankraum hätte man seine Ruhe gehabt, wären da nicht zwei Dummschwätzer gewesen, die so aussahen, als wären sie schon seit Büroschluss zugange. Sie trugen noch immer ihre Arbeitsanzüge, eine aufgerollte Zeitung in der Jacketttasche und tranken Gin Tonic.

Rebus fragte Jack Morton, was er wollte.

»Ein Pint O-Saft und Limo.«

»Also, wie ist es gelaufen?« Rebus gab Mortons Bestellung auf. Er hatte es geschafft, sich in vierzig Minuten zwei Cokes reinzuziehen und war mittlerweile bei Kaffee angelangt.

»Sie scheinen interessiert zu sein.«

»Wer war beim Treffen dabei?«

»Meine Sponsoren aus dem Laden, dazu Telford und ein paar seiner Männer.«

»Der Sender hat funktioniert?«

»Einwandfrei.«

»Haben sie dich durchsucht?«

Morton schüttelte den Kopf. »Sie waren nachlässig, schienen aus irgendeinem Grund ziemlich unter Druck zu stehen. Willst du den Plan hören?« Rebus nickte. »Mitten in der Nacht kommt ein Laster zum Werk, und ich mach das Tor auf und lass ihn rein. Meine Story lautet: Der Boss hat angerufen und die Lieferung angekündigt. Deswegen habe ich mir nichts dabei gedacht.«

»Aber in Wirklichkeit hat dein Boss *nicht* angerufen?«

»Genau. Also hat irgendjemand seine Stimme nachgeahmt. Und mehr als das brauche ich der Polizei nicht zu sagen.«

»Wir würden die Wahrheit ziemlich schnell aus dir rausholen.«

»Wie gesagt, John, der ganze Plan ist unausgegoren. Eins muss ich ihnen aber lassen – überprüft haben sie mich. Schienen mit dem Ergebnis zufrieden zu sein.«

»Wer wird im Laster sitzen?«

»Zehn Männer, bis an die Zähne bewaffnet. Morgen soll ich Telford eine Planskizze von der Anlage zukommen lassen, mitteilen, wie viele Leute da sein werden, wie das Alarmsystem funktioniert...«

»Was springt für dich dabei raus?«

»Fünf Riesen. Das hat er richtig geschätzt: Mit fünf kann ich meine Schulden abzahlen, und es bleibt mir noch ein Batzen übrig.«

Fünf Riesen: der Betrag, den Joseph Lintz von seiner Bank abgehoben hatte...

»Deine Story nehmen sie dir ab?«

»Sie haben meine Wohnung beobachtet.«

»Und hierher sind sie dir nicht gefolgt?«

Morton schüttelte den Kopf, und Rebus berichtete ihm, was er herausgefunden hatte und was er vermutete. Während Morton sich die Informationen durch den Kopf gehen ließ, stellte ihm Rebus eine Frage.

»Wie will Claverhouse die Sache durchziehen?«

»Das Bandmaterial ist gut: Telford redet, ich spreche ihn ein paarmal wohlweislich mit Namen an – ›Mr. Telford‹ und ›Tommy‹. Es besteht kein Zweifel, dass er es auf der Aufnahme ist. Aber... Claverhouse will Telfords Crew auf frischer Tat ertappen.«

»›Wir müssen es richtig machen‹.«

»Das scheint sein Slogan zu sein.«

»Steht der Tag fest?«

»Samstag, wenn alles gut geht.«

»Wetten, dass wir am Freitag einen Tipp bekommen?«

»Wenn deine Theorie stimmt.«

»Wenn sie stimmt«, pflichtete Rebus ihm bei.

33

Der Tipp ging erst Samstagmittag ein, aber als er kam, wusste Rebus, dass er mit seiner Vermutung richtig gelegen hatte.

Claverhouse war der Erste, der ihm gratulierte, was Rebus überraschte, da Claverhouse viel am Hals hatte, und als der Anruf gekommen war, sehr beiläufig tat. An den Wänden des Crime-Squad-Büros hingen detaillierte Pläne der Drogenfabrik sowie die Dienstpläne der Mitarbeiter. Farbige Sticker zeigten, wo sich wer jeweils aufhielt. Während der Nacht waren es normalerweise nur die Leute vom Sicherheitsdienst, es sei denn, ein Großauftrag erforderte Sonderschichten. In dieser Nacht würde das Wachpersonal Verstärkung durch die Polizei von Lothian und Borders erhalten. Zwanzig Beamte auf dem Werksgelände, mit Scharfschützen auf Dächern und an einzelnen strategisch wichtigen Fenstern. Ein Dutzend Autos und Mannschaftswagen in Reserve. Für Claverhouse war es die größte Operation seiner bisherigen Laufbahn; die Erwartungen an ihn waren hoch. Wie ein Mantra wiederholte er: »Wir müssen es richtig machen«, und er würde »nichts dem Zufall überlassen.«

Rebus hatte sich die Bandaufzeichnung des Anrufs angehört: »Seien Sie heute Nacht am Maclean's-Werk in Slateford. Um zwei Uhr früh steigt da ein Bruch. Zehn Männer, bewaffnet, in einem Laster. Wenn Sie's geschickt anstellen, können Sie sie alle schnappen.«

Schottischer Akzent, aber dem Klang nach ein Ferngespräch. Rebus lächelte und sagte laut: »Alles klar, Crab?«

Kein Wort von Telford, was interessant war. Telfords Männer waren loyal: Sie würden wortlos in den Knast wandern. Und Tarawicz konnte zu Recht behaupten, dass er Telford nicht verpfiffen hatte. Er wusste ja nicht, dass die Polizei schon eine Tonbandaufzeichnung besaß, die Telfords Beteiligung an der Sache bewies. Was bedeutete, dass er Telford entwischen lassen wollte… Nein, noch einmal nachdenken. War der Plan erst einmal geplatzt und saßen zehn seiner besten Männer in U-Haft, *brauchte* Telford gar nicht hinter Schloss und Riegel zu wandern. Tarawicz wollte ihn lieber draußen haben, ohne Deckung, verunsichert, im Visier der Yakuza, bloßgestellt und blamiert. So konnte er jederzeit abgeschossen oder gezwungen werden, *alles* abzugeben. Ganz ohne Blutvergießen; es würde eine schlichte geschäftliche Transaktion sein.

»Wir müssen es…«

»Richtig machen«, sagte Rebus. »Claverhouse, das *wissen* wir langsam, okay?«

Claverhouse verlor die Beherrschung. »Sie sind hier bloß, weil ich Sie dulde! Also dass eins klar ist: Ich brauch nur einmal mit den Fingern zu schnippen, und Sie sind draußen, kapiert?«

Rebus starrte ihn an. Ein Schweißtropfen rann Claverhouse' linke Schläfe hinunter. Ormiston sah von seinem Schreibtisch auf. Siobhan Clarke, die gerade einen anderen Beamten anhand eines der Pläne instruiert hatte, verstummte.

»Ich verspreche, dass ich ein braver Junge sein werde«, sagte Rebus leise, »wenn *Sie* dafür versprechen, nicht mehr die kaputte Schallplatte zu spielen.«

Claverhouse' Backenmuskeln arbeiteten, aber schließlich rang er sich ein verlegenes Lächeln ab.

»Na, dann machen wir uns wieder an die Arbeit.«

Nicht dass es für sie viel zu tun gegeben hätte. Jack Morton fuhr eine Doppelschicht, würde erst nachmittags um drei anfangen. Von da an wollten sie das Werksgelände observieren, nur für den Fall, dass Telford seinen Zeitplan änderte. Das bedeutete, dass die Beamten das große Lokalderby verpassen würden: Hibs gegen Hearts im Easter Road. Rebus hatte auf einen Drei-zu-zwei-Sieg der Hibernians gesetzt.

Ormistons Kommentar: »So leicht werden Sie Ihre Knete nie wieder loswerden.«

Rebus setzte sich an einen der Computer und machte sich wieder an die Arbeit. Siobhan Clarke war schon schnüffeln gekommen.

»Insiderbericht für ein Revolverblatt?«

»Das Glück müsste ich mal haben.«

Er versuchte, sich möglichst verständlich auszudrücken. Als er mit dem Ergebnis zufrieden war, druckte er zwei Kopien aus. Dann verließ er das Büro, um zwei hübsche, grellbunte Aktendeckel zu besorgen …

Er gab eines der zwei Exemplare ab und fuhr dann wieder nach Hause, zu unruhig, um sich in Fettes groß nützlich machen zu können. Drei Männer erwarteten ihn im Treppenhaus. Zwei weitere traten hinter ihm ein und versperrten ihm den einzigen Fluchtweg. Rebus erkannte Jake Tarawicz und einen seiner Muskelmänner vom Schrottplatz. Die anderen waren ihm fremd.

»Treppe rauf«, befahl Tarawicz. Rebus war ein Gefangener.

»Tür aufschließen.«

»Wenn ich gewusst hätte, dass Sie kommen, hätte ich ein paar Bier besorgt«, sagte Rebus, während er nach den Schlüsseln kramte. Er fragte sich, was sicherer wäre: sie reinzulassen oder auszusperren? Tarawicz gab ein Zeichen mit dem Kopf und nahm ihm die Entscheidung ab. Hände packten Rebus' Arme, andere langten in sein Jackett und seine Hose, fanden die Schlüssel. Er verzog keine Miene, hielt den Blick auf Tarawicz gerichtet.

»Großer Fehler«, sagte er.

»Rein!«, befahl Tarawicz. Sie schoben Rebus in die Diele, dann weiter ins Wohnzimmer.

»Setzen.«

Hände drückten Rebus aufs Sofa.

»Lassen Sie mich wenigstens eine Kanne Tee kochen«, sagte er. Innerlich zitterte er im Bewusstsein dessen, was er alles nicht verraten durfte.

»Hübsche Wohnung«, sagte Mr. Pink Eyes. »Aber man merkt gleich das Fehlen einer Frau.« Er wandte sich zu Rebus. »Wo ist sie?« Zwei der Männer hatten sich verzogen, um die Wohnung zu durchsuchen.

»Wer?«

»Ich meine, an wen sollte sie sich sonst wenden? An Ihre Tochter nicht ... nicht jetzt, wo sie im Koma liegt.«

Rebus starrte ihn an. »Woher wissen Sie das?« Die zwei Männer kehrten ins Zimmer zurück, schüttelten den Kopf.

»Man hört so manches.« Tarawicz zog einen Stuhl heran und setzte sich.

»Macht's euch gemütlich, Jungs. Wo ist die Krabbe, Jake?« Eine Frage, die man vielleicht von ihm erwartete.

»Newcastle. Was kümmert Sie das?«

Rebus zuckte die Achseln.

»Jammerschade das mit Ihrer Tochter. Aber sie wird doch wieder, oder?« Rebus gab keine Antwort. Tarawicz lächelte. »Kassenärzte ... in die hätte ich auch kein Vertrauen.« Kurze Pause. »Wo ist sie, Rebus?«

»Meine geschulte detektivische Kombinationsgabe lässt mich vermuten, dass Sie Candice meinen.« Was bedeutete, dass sie abgehauen war, sich endlich einmal was zugetraut hatte. Rebus war stolz auf sie.

Tarawicz schnippte mit den Fingern. Arme umklammerten Rebus von hinten, rissen seine Schultern zurück. Ein Mann trat vor und verpasste ihm einen Kinnhaken. Trat wieder zurück. Zweiter Mann vor: Schläge in den Magen. Eine Hand packte ihn bei den Haaren, zwang ihm den Kopf in den Nacken. Er sah den Handkantenschlag nicht, der auf seine Kehle zielte. Als er dann kam, hatte er das Gefühl, er würde gleich seinen Kehlkopf aushusten. Sie ließen ihn los. Er klappte nach vorn, die Hände an der Kehle, nach Atem ringend. Ein paar Zähne fühlten sich locker an, und die Wangenschleimhaut war aufgeplatzt. Er holte ein Taschentuch heraus, spuckte Blut.

»Unglücklicherweise«, sagte Tarawicz währenddessen, »habe ich keinerlei Sinn für Humor. Deswegen hoffe ich, Sie halten es nicht für einen Scherz, wenn ich sage, dass ich Sie, falls es nötig sein sollte, töten werde.«

Rebus schüttelte seinen Kopf frei von allen Geheimnissen, die er wusste, all der Macht, die er über Tarawicz besaß. Er sagte sich: *Du weißt nichts.*

Er sagte sich: *Du wirst nicht sterben.*

»Selbst... wenn... ich es wüsste...« – er rang nach Atem – »...würd ich es Ihnen nicht sagen. Selbst wenn wir beide mitten auf einem Minenfeld stünden, würde ich Ihnen nichts verraten. Soll ich... Ihnen sagen, warum?«

»Kläff nur, Köter.«

»Es geht für mich nicht darum, *wer* Sie sind, sondern *was* Sie sind. Sie sind ein Menschenhändler.« Rebus wischte sich den Mund ab. »Sie sind nicht besser als die Nazis.«

Tarawicz legte eine Hand auf die Brust. »Gleich fange ich an zu weinen.«

»Schön wär's.« Rebus hustete wieder. »Verraten Sie mir eins: Warum wollen Sie sie zurückhaben?« Aber er wusste die Antwort schon: Weil Tarawicz im Begriff war, gen Süden zu entschwinden und Telford in der Scheiße sitzen zu lassen. Weil ohne sie nach Newcastle zurückzukehren eine Niederlage bedeutet hätte. Tarawicz wollte *alles*. Er wollte selbst noch den letzten Krümel auf dem Teller.

»Meine Sache«, erwiderte Tarawicz. Ein weiteres Signal, und Rebus wurde wieder gepackt, leistete diesmal Widerstand. Klebeband wurde ihm um den Mund gewickelt.

»Alle sagen mir, wie *piekfein* Edinburgh ist«, sagte Tarawicz. »Da kann ich nicht riskieren, dass die Nachbarn sich über die Schreie beschweren. Setzt ihn auf einen Stuhl.«

Rebus wurde auf die Füße gestellt. Er wehrte sich. Ein Schlag in die Nieren ließ seine Knie einknicken. Sie zwangen ihn auf einen Stuhl nieder. Tarawicz zog sich derweil das Jackett aus, öffnete goldene Manschettenknöpfe, um sich die Ärmel seines rosa-blau-gestreiften Hemdes hochzukrempeln. Seine Arme waren haarlos, fleischig und von derselben marmorierten Farbe wie sein Gesicht.

»Ein Hautleiden«, erklärte er, während er seine blau getönte Brille abnahm. »Ein entfernter Verwandter der Lepra, wie man mir gesagt hat.« Er knöpfte seinen Hemdkragen auf. »Ich bin nicht so hübsch wie Tommy Telford, aber ich glaube, Sie werden feststellen, dass ich ihm in jeder anderen Hinsicht überlegen bin.« Ein Lächeln zu seinen Mannen, ein Lächeln, das Rebus hätte unverständlich sein sollen. »Wir können anfangen, wo immer Sie wollen, Rebus. Und *Sie* dürfen entscheiden, wann Schluss ist. Nicken Sie einfach, sagen Sie mir, wo sie ist, und ich verschwinde für immer aus Ihrem Leben.«

Als er sich zu Rebus hinunterbeugte, wirkte sein cremeglänzendes Gesicht wie schutzversiegelt. Seine blassblauen Augen hatten winzige schwarze Pupillen. Rebus dachte: Pusher *und* User. Tarawicz wartete auf ein Nicken, das nicht kam, trat dann zurück. Ging zur Leselampe, die neben Rebus' Sessel stand. Stellte sich mit beiden Füßen auf den Lampenfuß, packte das Netzkabel und riss es los.

»Schafft ihn her«, befahl er. Zwei Männer schleiften Rebus samt Stuhl zu Tarawicz, der sich inzwischen vergewisserte, dass das Kabel auch angeschlossen war und unter Strom stand. Ein anderer Mann zog die Vorhänge zu: keine Liveshow für die Kinder von gegenüber. Tarawicz ließ das Ende des Kabels herunterhängen, so dass Rebus die blanken Drähte sehen konnte. Zweihundertvierzig Volt, die nur darauf warteten, seine Bekanntschaft zu machen.

»Glauben Sie mir«, sagte Tarawicz, »das ist noch gar nichts. Die Serben hatten die Folter zu einer wahren Kunst entwickelt. Meistens ging es ihnen nicht einmal um ein Geständnis. Ein paar von den Klügeren unter ihnen habe ich geholfen – denen, die wussten, wann es Zeit zu verschwinden war. In der Anfangszeit lag das Geld, lag die Macht förmlich auf der Straße. Jetzt ziehen die Politiker ein und mit ihnen die Strafrichter.« Er sah Rebus an. »Die Klugen wissen immer, wann es Zeit ist aufzuhören. Eine letzte Chance, Rebus. Denken Sie daran, ein einziges Nicken …« Die blanken Drähte waren nur wenige Zentimeter von seiner Wange entfernt. Tarawicz überlegte es sich anders, führte sie zu seinen Nasenlöchern, dann zu seinen Augäpfeln.

»Nur ein Nicken …«

Rebus wand sich, kämpfte gegen die Arme an, die ihn – Kopf, Oberkörper, Arme, Beine – festhielten. Moment! Sein Körper würde den Stromschlag direkt an Tarawicz' Männer weitergeben! Rebus erkannte das Ganze als einen Bluff. Er starrte Tarawicz an, und beide wussten Bescheid. Tarawicz trat einen Schritt zurück.

»Fesselt ihn an den Stuhl.« Fünf Zentimeter breiter Klebestreifen fixierte ihn an seinen Platz.

»Diesmal im Ernst, Rebus.« An seine Männer gewandt: »Haltet ihn fest, bis ich nah dran bin. Wenn ich es sage, zurücktreten.«

Rebus dachte: Nachdem sie losgelassen haben, bleibt ein Bruchteil eines Augenblicks Zeit… Ein Moment, in dem er sich losreißen konnte. Das Klebeband war nicht gerade das dickste… allerdings hatten sie damit nicht gespart. Vielleicht waren es einfach zu viele Lagen. Er stemmte sich mit der Brust dagegen, aber nichts deutete darauf hin, dass es zerreißen würde.

»Los geht's«, sagte Tarawicz. »Erst das Gesicht… dann die Geschlechtsteile. Sie *werden* es mir sagen, wir beide wissen das. Wie lange Sie den Helden spielen wollen, liegt ganz bei Ihnen, aber bilden Sie sich nicht ein, das würde irgendwas nützen.«

Rebus nuschelte etwas hinter dem Klebeband.

»Reden hat keinen Zweck«, sagte Tarawicz. »Das Einzige, was ich von Ihnen will, ist ein Nicken.«

Rebus nickte.

»War das ein Nicken?«

Rebus schüttelte den Kopf.

Tarawicz wirkte unbeeindruckt. In Gedanken war er schon ganz bei seiner Aufgabe. Mehr als das bedeutete Rebus für ihn nicht: eine Aufgabe. Er richtete die Drahtenden auf Rebus' Wange.

»Loslassen!«

Der Druck hörte plötzlich auf. Rebus stemmte sich gegen seine Fesseln, aber sie gaben nicht nach. Elektrizität schoss durch sein Nervensystem, und er erstarrte. Sein Herz fühlte sich an, als wäre es zu doppelter Größe angeschwollen, die Augäpfel quollen ihm aus den Höhlen. Die Zunge presste gegen den Knebel. Tarawicz nahm das Kabel wieder weg.

»Festhalten.«

Arme schlangen sich wieder um Rebus, stießen diesmal auf geringeren Widerstand.

»Hinterlässt keinerlei Spuren«, sagte Tarawicz. »Und das

Schönste daran ist: Am Ende zahlen Sie die Stromrechnung selber.«

Seine Männer lachten. Allmählich fing die Sache an, ihnen Spaß zu machen.

Tarawicz ging vor Rebus in die Hocke, so dass sich ihre Gesichter auf gleicher Höhe befanden. Sah ihm in die Augen.

»Zu Ihrer Information: Das war ein Stromstoß von fünf Sekunden. Interessant wird die Sache erst ab einer halben Minute. Wie steht's mit Ihrem Herzen? Ich hoffe für Sie, dass es in gutem Zustand ist.«

Rebus hatte das Gefühl, als hätte er sich gerade einen Schuss Adrenalin gesetzt. Fünf Sekunden: Es war ihm viel länger erschienen. Er änderte seine Strategie, versuchte, sich ein paar neue Lügen auszudenken, die Mr. Pink ihm vielleicht abnehmen würde, irgendwas, um ihn aus der Wohnung rauszubekommen ...

»Macht seine Hose auf«, befahl Tarawicz. »Schauen wir mal, was ein Stromstoß da unten bewirkt.«

Hinter seinem Knebel fing Rebus an zu schreien. Sein Folterer sah sich erneut im Zimmer um.

»Hier fehlt ganz eindeutig eine Frau.«

Hände machten sich an seinem Hosengürtel zu schaffen. Sie hielten inne, als ein Summer ertönte. Da war jemand unten an der Haustür.

»Wartet«, sagte Tarawicz leise. »Der geht schon wieder weg.«

Der Summer ließ sich wieder vernehmen. Rebus kämpfte gegen seine Fesseln an. Stille. Dann wieder der Summer, jetzt anhaltender. Einer der Männer ging ans Fenster.

»Nicht!«, zischte Tarawicz.

Wieder der Summer. Rebus hoffte, dass er ewig weitersummen würde. Konnte sich nicht denken, wer es sein mochte: Rhona? Patience? Ein plötzlicher Gedanke ... was, wenn sie nicht lockerließen und Tarawicz beschloss, sie reinzulassen? Rhona oder Patience …

Die Zeit zog sich hin. Kein Summen mehr. Wer auch immer es gewesen war, hatte Leine gezogen. Tarawicz begann sich zu entspannen, sich im Geist wieder auf seine Arbeit zu konzentrieren.

Dann klopfte es an der Wohnungstür. Der Besucher war irgendwie ins Haus gelangt. Jetzt stand er draußen im Treppenhaus. Klopfte noch einmal. Hob die Klappe des Briefschlitzes.

»Rebus!« Eine männliche Stimme. Tarawicz wandte sich zu seinen Männern, nickte ihnen zu. Der Vorhang wurde aufgezogen; Rebus' Fesseln durchgeschnitten; das Klebeband von seinem Gesicht gerissen. Tarawicz rollte die Ärmel hinunter, zog sein Jackett wieder an. Ließ das Kabel auf dem Boden liegen. Ein letztes Wort zu Rebus: »Wir sprechen uns wieder.« Dann marschierte er an der Spitze seiner Männer zur Tür und öffnete sie.

»Entschuldigung.«

Rebus wurde auf seinem Stuhl zurückgelassen. Er konnte sich nicht rühren, fühlte sich zu schwach, um aufzustehen.

»Einen Moment, Chef!«

Rebus erkannte die Stimme: Abernethy. Es klang nicht so, als ob Tarawicz auf den Special-Branch-Beamten hören würde.

»Was war?« Jetzt stand Abernethy im Wohnzimmer und sah sich um.

»Geschäftliche Unterredung«, krächzte Rebus.

Abernethy trat näher. »Komische Geschäfte, bei denen man seinen Hosenstall öffnen muss.«

Rebus sah an sich hinunter, machte sich an die Ausbesserungsarbeiten.

»Wer war das?«, bohrte Abernethy nach.

»Ein Tschetschene aus Newcastle.«

»Reist wohl nicht gern ohne Begleitung, was?« Abernethy marschierte im Zimmer herum, entdeckte das blanke Kabel, machte »tch-tch« und zog den Stecker aus der Wand. »Ein bisschen Spaß miteinander gehabt?«, fragte er.

»Keine Angst«, erwiderte Rebus, »ich hab alles im Griff.« Abernethy lachte.

»Was wollen Sie überhaupt?«

»Ich hab Ihnen jemand mitgebracht.« Er nickte in Richtung Wohnungstür. Dort stand ein distinguiert aussehender Herr in einem dreiviertellangen schwarzen Wollmantel und einem weißen Seidenschal. Sein vollkommen kahler Schädel wölbte sich wie eine Kuppel, und seine Wangen waren rot von der Kälte. Er hatte Schnupfen und putzte sich gerade die Nase.

»Ich dachte, wir könnten vielleicht irgendwohin gehen«, sagte der Mann mit einer makellosen Aussprache, und blickte sich im Zimmer um, ohne Rebus auch nur eines Blickes zu würdigen. »Einen Happen essen, wenn Sie Hunger haben.«

»Hab ich nicht«, sagte Rebus.

»Dann was trinken.«

»Es gibt Whisky in der Küche.«

Der Mann sah wenig begeistert aus.

»Hören Sie, Kumpel«, meinte Rebus, »*ich* bleibe hier. Sie können ebenfalls bleiben oder sich verpissen.«

»Ich verstehe«, erwiderte der Mann. Er steckte sein Taschentuch ein und trat mit ausgestreckter Hand vor. »Ich heiße übrigens Harris.«

Als Rebus die dargebotene Hand nahm, erwartete er, dass sie Funken sprühen würde.

»Mr. Harris, setzen wir uns an den Esstisch.« Rebus stand auf. Er war zittrig, aber seine Knie taten immerhin ihren Dienst. Abernethy kam mit der Flasche und drei Gläsern aus der Küche. Verschwand wieder und kehrte mit einem Krug Wasser zurück.

Ganz der perfekte Gastgeber, schenkte Rebus ein. Sein rechter Arm zitterte. Er fühlte sich desorientiert. Adrenalin und Elektrizität durchzuckten seinen Körper.

»*Sláinte!*«, sagte er und hob das Glas. Dann roch er aber nur daran. Pakt mit dem Alten: kein Alkohol, dafür Sammy gesund. Ihm tat der Hals weh, als er schluckte, aber er stellte das Glas wieder hin, ohne es an die Lippen geführt zu haben. Harris goss sich viel zu viel Wasser ins Glas. Selbst Abernethy schaute missbilligend.

»Also, Mr. Harris«, begann Rebus und rieb sich den Hals, »wer zum Teufel sind Sie eigentlich?«

Harris rang sich ein Lächeln ab. Er spielte mit seinem Glas.

»Ich bin Angehöriger eines unserer Nachrichtendienste, Inspector. Ich weiß, was Sie jetzt wahrscheinlich denken, aber ich fürchte, die Realität ist weit prosaischer. Nachrichtendienstliche Tätigkeit besteht weitestgehend im Sichten, Sortieren und Archivieren von Informationen.«

»Und Sie sind hier wegen Joseph Lintz?«

»Ich bin hier, weil Sie nach DI Abernethys Aussage entschlossen sind, die Ermordung Joseph Lintz' mit den verschiedenen Anschuldigungen in Verbindung zu bringen, die in letzter Zeit gegen ihn erhoben worden sind.«

»Und?«

»Und das ist natürlich Ihr gutes Recht. Doch es gibt gewisse nicht unbedingt zur Sache gehörige Fakten, die sich als… peinlich erweisen könnten, wenn sie an die Öffentlichkeit gelangten.«

»Wie zum Beispiel, dass Lintz tatsächlich Linzstek war und über die Rattenlinie, wahrscheinlich mit tatkräftiger Unterstützung des Vatikans, ins Land gelangte?«

»Ob Lintz und Linzstek miteinander identisch waren…

kann ich ihnen nicht sagen. Unmittelbar nach dem Krieg wurden viele Akten zerstört.«

»Aber in dieses Land wurde ›Joseph Lintz‹ von den Alliierten gebracht?«

»Ja.«

»Und warum haben wir das getan?«

»Lintz war diesem Land von Nutzen, Inspector.«

Rebus schenkte Abernethy nach. Harris hatte seinen Whisky nicht angerührt. »Inwiefern nützlich?«

»Er war ein angesehener Mann. Als solcher wurde er zu internationalen Kongressen und zu Gastvorlesungen überall auf der Welt eingeladen. Während dieser Auslandsreisen arbeitete er für uns. Übersetzte, sammelte Informationen, rekrutierte...«

»Er rekrutierte Agenten in anderen Ländern?« Rebus starrte Harris an. »Er war ein *Spion*?«

»Er erledigte einige gefährliche und... wichtige Aufträge für dieses Land.«

»Und wurde dafür belohnt. Das Haus in der Heriot Row?«

»Er hat sich in der Anfangszeit jeden Penny redlich verdient.«

Rebus hörte aus Harris' Ton etwas heraus. »Was passierte dann?«

»Er wurde... unzuverlässig.« Harris führte sein Glas an die Nase, roch daran, stellte es dann aber unberührt wieder auf den Tisch.

»Trinken Sie, bevor er verdunstet«, spöttelte Abernethy. Harris warf ihm einen Blick zu, und der Londoner nuschelte eine Entschuldigung.

»Definieren Sie ›unzuverlässig‹«, sagte Rebus und schob sein eigenes Glas beiseite.

»Er fing an zu... phantasieren.«

»Er glaubte, ein Kollege an der Universität sei in der Rattenlinie gewesen?«

Harris nickte. »Die Rattenlinie wurde bei ihm zur fixen Idee. Er bildete sich bald ein, jeder in seiner Umgebung hätte was damit zu tun gehabt, wir seien *allesamt* verantwortlich. Paranoia, Inspector. Sie beeinträchtigte seine Arbeit, und schließlich mussten wir uns von ihm trennen. Das geschah vor etlichen Jahren. Seitdem hat er nicht mehr für uns gearbeitet.«

»Warum dann das Interesse? Was spielt es jetzt noch für eine Rolle, wenn irgendwas davon herauskommen sollte?«

Harris seufzte. »Sie haben natürlich Recht. Das Problem ist nicht die Rattenlinie per se oder die angebliche Beteiligung des Vatikans oder sonst eine Verschwörungstheorie.«

»Was ist dann das...?« Rebus unterbrach sich, als er die Wahrheit begriff. »Das Problem ist personeller Natur«, stellte er fest. »Es geht um die anderen Leute, die über die Rattenlinie eingeschleust wurden.« Er nickte vor sich hin. »Von wem reden wir? Wer könnte darin verwickelt sein?«

»Hochrangige Persönlichkeiten«, räumte Harris ein. Er hatte aufgehört, mit dem Glas herumzuspielen. Seine Hände lagen flach auf dem Tisch, womit er Rebus zu verstehen gab: Die Sache ist *ernst*.

»Frühere oder jetzige?«

»Frühere ... außerdem Personen, deren Kinder inzwischen einflussreiche Stellungen innehaben.«

»Parlamentsabgeordnete? Minister? Richter?«

Harris schüttelte den Kopf. »Das kann ich Ihnen nicht sagen, Inspector. Ich verfüge selbst nicht über die entsprechenden Informationen.«

»Aber Sie könnten einen Tipp riskieren.«

»Rätselraten ist nicht mein Metier.« Er sah Rebus an. Ein Blick wie aus Stahl. »Mein Geschäft sind bekannte Größen. Das ist eine gute Maxime – Sie sollten sie selbst einmal ausprobieren.«

»Aber wer immer Lintz getötet hat, tat es *wegen* seiner Vergangenheit.«

»Sind Sie da sicher?«

»Es ergibt sonst keinen Sinn.«

»Laut DI Abernethy soll eine Verbindung zu gewissen kriminellen Elementen in Edinburgh bestehen; es könnte möglicherweise um Prostitution gehen. Das klingt schmutzig genug, um glaubwürdig zu sein.«

»Und wenn es glaubwürdig ist, reicht es Ihnen?«

Harris stand auf. »Danke, dass Sie mir zugehört haben.« Er schneuzte sich wieder die Nase, wandte sich zu Abernethy. »Zeit zu gehen, glaube ich. DI Hogan wartet auf uns.«

»Harris«, erklärte Rebus, »Sie haben selbst gesagt, Lintz wäre übergeschnappt, zu einer Gefahr geworden. Wer sagt mir, dass *Sie* ihn nicht haben umlegen lassen?«

Harris zuckte die Achseln. »Wenn wir es arrangiert hätten, wäre sein Ableben nicht ganz so aufsehenerregend vonstatten gegangen.«

»Autounfall, Selbstmord, Sturz aus dem Fenster…?«

»Auf Wiedersehen, Inspector.«

Während Harris schon zur Tür ging, stand Abernethy auf und sah Rebus in die Augen. Er sagte nichts, aber die Botschaft war klar.

Wir sitzen tiefer in der Scheiße, als sich einer von uns beiden auch nur vorstellen kann. Also tun Sie sich einen Gefallen, und schwimmen Sie ans Ufer.

Rebus nickte, streckte die Hand aus. Abernethy schlug ein.

34

Zwei Uhr früh.

Frost auf den Windschutzscheiben. Sie durften ihn nicht abkratzen: durften sich von den übrigen Autos auf der Straße nicht unterscheiden. Die Reserve – vier Einheiten – parkte auf einem Bauhof direkt um die Ecke. Man hatte aus den Straßenlaternen die Birnen entfernt, so dass die ganze Umgebung in fast völliger Dunkelheit lag. Maclean's leuchtete darin wie ein Weihnachtsbaum: Sicherheitsscheinwerfer, jedes Fenster hell erleuchtet, so wie in jeder anderen Nacht.

Keine Heizung in den nicht gekennzeichneten Polizeiwagen: Wärme hätte den Frost zum Schmelzen gebracht; Auspuffdämpfe hätten sie sofort verraten.

»Das kommt mir alles sehr bekannt vor«, sagte Siobhan Clarke. Die Observierung auf der Flint Street schien Rebus dagegen eine Ewigkeit zurückzuliegen. Clarke saß auf dem Fahrersitz, Rebus im Fond. In jedem Auto zwei. Auf die Art hatten sie Platz, sich zu ducken, sollte jemand schnüffeln kommen. Nicht dass sie damit gerechnet hätten: Telfords Plan war völlig unausgegoren. Telford selbst verzweifelt *und* in Gedanken ganz woanders. Sakiji Shoda hielt sich noch immer in der Stadt auf – ein diskretes Gespräch mit dem Hotelmanager hatte ergeben, dass er am Montag früh abzureisen gedachte. Rebus hätte wetten können, dass Tarawicz und seine Männer sich bereits aus dem Staub gemacht hatten.

»Sie scheinen sich mollig warm zu fühlen«, sagte Rebus; er spielte auf ihre wattierte Skijacke an. Sie zog eine Hand aus der Tasche, zeigte ihm, was sie darin hielt. Es sah aus wie ein schlankes Feuerzeug. Rebus nahm es ihr aus der Hand. Es fühlte sich warm an.

»Was zum Teufel ist das?«

Clarke lächelte. »Hab ich aus einem dieser Kataloge. Ist ein Handwärmer.«

»Wie funktioniert das?«

»Mit Feuerzeugbenzin. Eine Füllung reicht für bis zu zwölf Stunden.«

»Dann haben Sie also *eine* warme Hand?«

Sie zog die andere Hand heraus, zeigte ihm eine identische Brennzelle. »Ich hab mir zwei davon besorgt«, sagte sie.

»Hätten Sie auch gleich sagen können.« Rebus schloss die Finger um den Handwärmer, steckte ihn tief in die Tasche.

»Das ist nicht fair.«

»Schreiben Sie es meinem höheren Dienstgrad zu.«

»Scheinwerfer«, warnte sie. Sie gingen auf Tauchstation, streckten die Köpfe wieder hoch, als das Auto vorbeigefahren war. Falscher Alarm.

Rebus sah auf seine Uhr. Jack Morton hatte man gesagt, er könne den Laster zwischen halb und Viertel nach zwei erwarten. Rebus und Clarke saßen seit kurz nach Mitternacht im Wagen. Die Scharfschützen auf dem Dach, die armen Schweine, waren seit eins auf ihrem Posten. Rebus hoffte, dass sie einen ausreichenden Vorrat an Brennzellen dabeihatten. Er war noch immer ganz hibbelig von den Ereignissen des Nachmittags. Es passte ihm gar nicht, dass er Abernethy so einen großen Gefallen schuldete; ja vielleicht sogar sein *Leben*. Er wusste, dass er das leicht durch das Versprechen abgelten konnte, die Ermittlungen im Fall Lintz in Absprache mit Hogan langsam einschlafen zu lassen. Die Vorstellung behagte ihm ganz und gar nicht, aber nun… Der Lichtblick des Tages: Candice hatte sich von Tarawicz abgeseilt.

Clarks Funkgerät schwieg. Seit vor Mitternacht herrschte absolute Funkstille. Claverhouse' Worte: »Der Erste, der spricht, werde ich sein, verstanden? Wer auch immer vor mir ein Funkgerät benutzt, bekommt den Tritt des Jahrhunderts in den Hintern. Und *ich* werde keinen Pieps von mir geben, bevor der Laster auf das Werksgelände gefahren ist. Ist das klar?« Allseitiges Nicken. »Sie könnten den Polizeifunk abhören, das ist also *wichtig*. Wir müssen es *richtig* machen.« Und wandte, während er das sagte, den Blick von Rebus ab. »Ich wünsche uns allen Glück, aber je weniger Glück bei der Sache im Spiel ist, desto lieber soll's mir sein. Wenn wir uns strikt an den Plan halten, dürften wir in ein paar Stunden Tommy Telfords Bande zerschlagen haben.« Er schwieg einen Moment. »Lassen Sie sich das auf der Zunge zergehen. Wir werden *Helden* sein.« Er schluckte, als ihm die große Bedeutung des Siegespreises bewusst wurde.

Rebus schaffte es nicht, so viel Begeisterung aufzubringen. Das ganze Unternehmen hatte ihm eine simple Wahrheit vor Augen geführt: kein Vakuum. Wo es eine menschliche Gesellschaft gab, gab es auch Kriminelle. Keine Welt ohne Unterwelt.

Rebus wusste, wie wenig seine eigenen Besitztümer – seine Wohnung, seine Bücher und Platten, seine klapprige Karre – wert waren. Und er begriff, warum er sein Leben zu einer bloßen Hülse reduziert hatte: weil er unbewusst erkannt hatte, dass er in allen wichtigen Dingen – Liebe, Beziehungen, Familienleben – gescheitert war. Man hatte ihm vorgeworfen, ein Sklave seines Berufs zu sein, aber das war nie der Fall gewesen. Seine Arbeit hielt ihn nur deshalb aufrecht, weil sie eine bequeme Option war. Er hatte jeden Tag mit Unbekannten zu tun, mit Menschen, die ihm letztlich nichts bedeuteten. Er konnte in ihr Leben eintauchen und es ebenso leicht wieder verlassen. Er bekam die Gelegenheit, anderer Menschen Leben – oder zumindest Teile davon – zu beobachten, mittelbare Erfahrungen zu machen, was nicht annähernd so anstrengend war wie die Realität.

Sammy hatte ihm diese essenziellen Wahrheiten vor Augen geführt: dass er nicht nur als Vater, sondern überhaupt als Mensch gescheitert war; dass die Polizeiarbeit ihn vor dem Überschnappen bewahrte, dass sie aber ein Surrogat für das Leben war, das er hätte führen können, die Art von Leben, die alle anderen zu führen schienen. Und wenn er von einem Fall besessen werden konnte, nun, dann war das auch nicht anders, als wenn man eine Leidenschaft für Züge, Briefmarken oder Rockalben entwickelte. Es war leicht, eine Leidenschaft zu entwickeln – besonders als Mann –, denn es war ein simpler Weg, über etwas *Macht* zu gewinnen, wenn auch über etwas praktisch Wertloses. Was spielte es schon für eine Rolle, wenn man die Songs jedes einzelnen Stones-Albums der Sechzigerjahre in der richtigen Reihenfolge herunterrasseln konnte? Nicht die geringste. Was spielte es für eine Rolle, wenn Tommy Telford eingebuchtet wurde? Tarawicz würde seinen Platz einnehmen, und wenn nicht er, gab's immer noch Big Ger Cafferty. Und wenn nicht Cafferty, dann jemand anders. Die Krankheit war endemisch, eine Heilung war nicht in Sicht.

»Woran denken Sie?«, fragte Clarke, während sie ihren Handwärmer von der linken in die rechte Hand nahm.

»An meine nächste Zigarette.« Patience' Worte: *am glücklichsten, wenn er verdrängt.*

Sie hörten den Laster, bevor sie ihn sahen: geräuschvolles Schalten. Sie tauchten ab, dann wieder auf, als er in die Auffahrt zu Maclean's einbog. Ein Zischen der Druckluftbremsen, als er mit einem Ruck vor dem Tor zum Stehen kam. Ein Wachmann kam heraus und ging zur Fahrerseite. Er hatte ein Klemmbrett in der Hand.

»Jack sieht in Uniform richtig gut aus«, sagte Rebus.

»Kleider machen eben Leute.«

»Glauben Sie, Ihr Chef hat sich das auch alles richtig überlegt?« Er meinte Claverhouse' Plan: Sobald der Lastwagen auf dem Hof stand, würde Claverhouse das Megaphon einschalten und die Leute in der Fahrerkabine auf die Scharfschützen aufmerksam machen und ihnen nahe legen auszusteigen. Die übrigen Männer konnten ruhig im Laderaum eingeschlossen bleiben. Man würde sie auffordern, alle Waffen hinauszuwerfen und dann einzeln auszusteigen.

Entweder das, oder warten, bis sie *alle* aus dem Lastwagen ausgestiegen waren. Vorteil des zweiten Plans: Sie würden wissen, womit sie es zu tun hatten. Vorteil des ersten: Der größte Teil der Bande würde im Laster eingesperrt sein und zu gegebener Zeit in aller Ruhe festgenommen werden können.

Claverhouse hatte sich für Plan eins entschieden.

Streifenwagen und Zivilautos sollten losfahren, sobald der Lastwagen auf dem Hof zum Stehen gekommen war und den Motor ausgeschaltet hatte. Sie würden die Ausfahrt blockieren, dann aus sicherem Abstand zusehen, wie Claverhouse, an einem Fenster des ersten Stocks mit seinem Megaphon, und die Scharfschützen (Dach; verschiedene Erdgeschossfenster) ihren Teil erledigten. »Verhandlung aus einer Position der Stärke« hatte Claverhouse das genannt.

»Jack öffnet das Tor«, bemerkte Rebus, aus dem Seitenfenster spähend.

Motordonnern, und der Laster fuhr ruckartig los.

»Der Fahrer scheint ein bisschen nervös zu sein«, kommentierte Clarke.

»Oder er hat keine Übung mit Lkws.«

»Okay, sie sind drin.«

Rebus starrte das Funkgerät an, damit es endlich zum Leben erwachte. Clarke hatte den Zündschlüssel auf Start gedreht. Jack Morton folgte dem Laster mit den Augen. Er wandte sich zur Reihe von Autos, die auf der anderen Straßenseite parkten.

»Gleich…«

Die Bremslichter des Lastwagens leuchteten auf, verloschen dann wieder. Druckluftbremsen fauchten.

Aus dem Funkgerät knisterte ein einziges Wort: »*Jetzt!*«

Clarke ließ den Motor an, trat voll aufs Gas. Fünf andere Fahrer taten das Gleiche. Plötzlich quollen Abgaswolken in die Nachtluft. Es herrschte ein Lärm wie beim Start eines Stockcar-Rennens. Rebus kurbelte sein Fenster herunter, um Claverhouse' Megaphondiplomatie besser mitverfolgen zu können. Clarkes Wagen machte einen Satz nach vorn, erreichte als Erster das Tor. Sie und Rebus sprangen heraus und gingen mit eingezogenem Kopf hinter dem Auto in Deckung.

»Motor läuft noch«, zischte Rebus.

»Was?«

»Der Laster. Der Motor läuft noch!«

Claverhouse' Stimme, zittrig – zum Teil die Nerven, zum Teil Megaphonqualität: »Hier spricht die Polizei. Öffnen Sie langsam die Kabinentür, und steigen Sie einzeln mit erhobenen Händen aus. Ich wiederhole: Hier spricht die Polizei. Lassen Sie vor dem Aussteigen Ihre Waffen fallen. Ich wiederhole: Lassen Sie die Waffen fallen.«

»Macht schon!«, zischte Rebus. Dann: »Sag ihnen, sie sollen den Scheißmotor ausschalten!«

Claverhouse: »Das Tor ist blockiert, jeder Fluchtweg abgeschnitten. Wir wollen nicht, dass jemand zu Schaden kommt.«

»Sag denen, sie sollen die Schlüssel rauswerfen.« Fluchend eilte Rebus geduckt wieder ins Auto und griff sich das Mikrofon. »Claverhouse, sagen Sie denen, dass sie die verdammten Schlüssel rauswerfen sollen!«

Frontscheibe vereist; er konnte nichts sehen. Hörte Clarke »*Raus da!*« schreien.

Sah verschwommene weiße Lichter. Der Lastwagen

setzte zurück. Mit Vollgas. Mit aufheulendem Motor, irre schlingernd, aber zielstrebig auf das Tor zu.

Geradewegs auf *ihn* zu.

Eine Explosion: Backsteine flogen von der Fassade des Fabrikgebäudes.

Rebus ließ das Mikro fallen, blieb mit dem Arm am Sicherheitsgurt hängen. Als er sich losgerissen hatte, hörte er Clarke schreien.

Eine Sekunde später knallte der Laster krachend gegen das Auto. Dominoeffekt: Clarkes Wagen rollte rückwärts an den nächsten und rüttelte Beamte durch. Die Einfahrt war eine einzige Eisbahn: der Laster schob ein Auto, zwei Autos, dann drei Autos zurück auf die Straße.

Claverhouse durchs Megaphon, halb am Staub erstickend: »Nicht schießen! Beamte zu nah! Beamte zu nah!«

Ja, hätte jetzt wirklich nur noch gefehlt, von Scharfschützen unter Beschuss genommen zu werden. Männer und Frauen schlitterten, rutschten aus, stolperten aus ihren Wagen. Manche von ihnen bewaffnet, aber hilflos und verwirrt. Die vom Zusammenstoß eingedellte Hecktür des Lasters flog auf, sieben oder acht Männer sprangen schon rennend heraus. Zwei oder drei von ihnen hatten Pistolen und feuerten je drei, vier Schuss ab.

Rufe, Schreie, Megaphonplärren. Die Glaswand des Pförtnerhäuschens zerbarst, als eine Kugel sie traf. Rebus konnte Jack Morton nicht sehen… ebenso wenig Siobhan. Er lag bäuchlings auf einem Grasstreifen, die Hände über dem Kopf verschränkt: klassische Demuts-/Verteidigungshaltung, und verdammt nutzlos dazu. Das ganze Gelände war in gleißendes Licht getaucht, und einer der bewaffneten Gangster – Declan aus dem Laden – zielte jetzt auf die Scheinwerfer. Andere Bandenmitglieder waren auf die Straße gelaufen und rannten, was das Zeug hielt. Sie trugen Schrotflinten und Spitzhacken. Rebus erkannte ein paar weitere Gesichter: Ally Cornwell, Deek McGrain. Die Straßenlaternen brannten natürlich nicht, und das gab den Männern die beste Deckung. Rebus hoffte, dass die Reservewagen vom Bauhof im Anmarsch waren.

Ja, sie bogen gerade um die Ecke, mit aufgeblendeten Scheinwerfern und heulenden Sirenen. An den Fenstern der Mietshäuser wurden Vorhänge aufgezogen, und Hände rieben Gucklöcher in die beschlagenen Scheiben. Und direkt vor Rebus, zwei Finger von seiner Nase entfernt, ein dick bereifter Grashalm. Er konnte jeden einzelnen Eiskristall erkennen, die komplexen Muster, die sich gebildet hatten. Aber der Reif schmolz von der Wärme seines Atems rasch dahin. Seine Vorderseite wurde allmählich kalt. Jetzt stürmten die Scharfschützen aus dem Gebäude, das wie eine Schießbude ausgeleuchtet war.

Und Siobhan Clarke war in Sicherheit: Er konnte sie unter einem Wagen liegen sehen. Braves Mädchen.

Und eine gleichfalls auf dem Boden liegende Polizeibeamtin war am Knie getroffen worden. Sie fasste da immer wieder hin, zog dann die Hand zurück und starrte auf das Blut.

Und von Jack Morton war immer noch nichts zu sehen.

Die Gangster erwiderten das Feuer, ballerten in die Gegend, zertrümmerten Windschutzscheiben. Uniformierte stiegen mit erhobenen Händen aus dem vordersten Einsatzwagen. Vier Gangster stiegen hinein.

Zweiter Wagen: Uniformierte raus, drei Gangster rein. Keine Windschutzscheiben, aber sie fuhren. Schrien und brüllten, fuchtelten mit ihren Waffen herum. Die zwei verbleibenden Gangster behielten die Nerven. Sie sahen sich aufmerksam um, versuchten die Situation abzuschätzen. Wollten sie da sein, wenn die Scharfschützen kamen? Vielleicht ja. Vielleicht rechneten sie sich auch aus, wie ihre Chancen standen. Schließlich hatten sie bis *dahin* Glück gehabt. Claverhouse: *Je weniger Glück bei der Sache im Spiel ist, desto lieber soll's mir sein.*

Rebus rappelte sich hoch: erst auf die Knie, dann auf die Füße, blieb aber geduckt. Er fühlte sich relativ sicher. Schließlich hatte *sein* Glück heute auch so weit mitgespielt.

»Alles klar, Siobhan?« Mit leiser Stimme, die Augen auf die bewaffneten Gangster gerichtet. In den Fluchtwagen saßen insgesamt sieben. Zwei standen noch da. Wo war Nummer zehn?

»Alles okay«, sagte Clarke. »Und Sie?«

»Auch.« Rebus schlich sich um den Laster nach vorn. Der Fahrer saß bewusstlos am Lenkrad. Er hatte sich beim Zusammenstoß eine blutende Kopfwunde geholt. Auf dem Beifahrersitz lag eine Art Granatwerfer. Er hatte ein verdammt großes Loch in die Wand von Maclean's gestanzt. Rebus tastete den Fahrer nach Schusswaffen ab, fand keine. Dann fühlte er nach seinem Puls: gleichmäßig. Erkannte das Gesicht wieder; einer der Stammgäste der Spielhalle; dem Aussehen nach neunzehn, zwanzig. Rebus holte die Handschellen heraus, schloss den Fahrer an das Lenkrad an, warf den Granatwerfer auf die Straße.

Ging dann zum Pförtnerhäuschen. Jack Morton, in Uniform, aber ohne Mütze, bäuchlings auf dem Fußboden, von einem Schleier aus Glassplittern bedeckt. Das Geschoss hatte seine rechte Brusttasche durchschlagen. Der Puls war schwach.

»Gott, Jack...«

Im Kabuff gab's ein Telefon. Rebus tippte die 999 ein und forderte Rettungswagen an.

»Polizeibeamte vor dem Maclean's-Werk auf der Slateford Road!« Er starrte dabei hinunter auf seinen Freund.

»Wo genau auf der Slateford Road?«

»Glauben Sie mir, ist nicht zu übersehen.«

Fünf schwarz gekleidete Scharfschützen legten von

draußen auf Rebus an. Sahen ihn telefonieren, sahen ihn den Kopf schütteln, gingen weiter. Sahen ihre Zielpersonen hinten auf der Straße, wie sie gerade in einen Streifenwagen stiegen. Forderten sie auf stehen zu bleiben, da sie sonst Gebrauch von der Schusswaffe machen würden.

Antwort: Mündungsfeuer. Rebus zog den Kopf ein. Das Feuer wurde erwidert, der Lärm war ohrenbetäubend, dauerte aber nur einen Augenblick.

Rufe von der Straße her: »Volltreffer!«

Ein Stöhnen: Einer der zwei Gangster war verwundet. Rebus spähte hinaus. Der andere lag völlig regungslos auf dem Asphalt. Scharfschützen schrien dem Verletzten zu: »Waffe fallen lassen, auf den Bauch legen, Hände auf den Rücken.«

Antwort: »Mich hat's erwischt!«

Rebus, vor sich hin murmelnd: »Der Mistkerl ist bloß verwundet. Erledigt ihn.«

Jack Morton war bewusstlos. Rebus hütete sich, ihn zu bewegen. Er konnte die Blutung stillen, das war alles. Zog dem Freund das Jackett aus, faltete es zusammen und presste es ihm an die Brust. Musste wehtun, aber Jack bekam ja nichts mit. Rebus fischte den Handwärmer aus seiner Tasche. Der winzige Blechkanister war noch warm. Drückte ihn in Jacks rechte Hand, schloss seine Finger darum.

»Mach nicht schlapp, Kumpel. Mach bloß nicht schlapp.«

Siobhan Clarke in der Tür, die Augen voller Tränen.

Rebus drängte sich an ihr vorbei, schlitterte die Straße entlang bis dahin, wo die Männer des Sondereinsatzkommandos dem Verletzten gerade Handschellen anlegten. Um dessen toten Partner kümmerte sich niemand weiter. Ein Grüppchen von Gaffern in sicherem Abstand. Rebus beugte sich über die Leiche, nahm ihr die Pistole aus der Hand, ging um den Wagen zurück. Hörte jemanden rufen: »Er hat eine Waffe!«

437

Rebus so weit hinuntergebeugt, dass die Mündung des Laufs das Genick des Verwundeten berührte. Declan aus dem Laden: abgehackt keuchend, das Haar schweißverklebt, das Gesicht gegen den Asphalt gepresst.

»John...«

Claverhouse. Megaphon nicht erforderlich. Stand direkt neben ihm. »Wollen Sie wirklich wie *die* sein?«

Wie die... Wie Mean Machine. Wie Telford und Cafferty und Tarawicz. Er hatte schon früher die Grenze überschritten, war mehrmals hin- und zurückgewandert. Sein Fuß stand auf Declans Nacken, der Pistolenlauf war so heiß, dass er die Haut im Genick ansengte.

»Bitte, nein... o Gott, bitte... nicht... nicht...«

»Schnauze«, zischte Rebus. Er spürte, wie sich Claverhouse' Hand um die seine schloss, die Sicherung einrasten ließ.

»Meine Schuld, John. Ich hab's versaut, tun Sie's jetzt nicht auch.«

»Jack...«

»Ich weiß.«

Rebus verschwamm alles vor Augen. »Sie entkommen.«

Claverhouse schüttelte den Kopf. »Straßensperren. Die Reserve ist schon dran.«

»Und Telford?«

Claverhouse warf einen Blick auf die Uhr. »Ormie dürfte ihn in diesem Moment abholen.«

Rebus packte Claverhouse am Revers. »Nageln Sie ihn fest!«

Sirenen kamen näher. Rebus brüllte den Fahrern zu, sie sollten ihre Autos beiseite fahren, Platz für die Rettungswagen machen. Dann lief er zum Pförtnerhaus zurück. Siobhan Clarke kniete neben Jack, streichelte seine Stirn. Ihr Gesicht war tränenüberströmt. Sie sah zu Rebus auf und schüttelte den Kopf.

»Er ist tot«, sagte sie.

»Nein.« Aber er wusste, dass es die Wahrheit war. Was ihn nicht daran hinderte, das Wort zu wiederholen, immer und immer wieder.

35

Sie teilten die Bande zwischen der Torphichen-Wache und Fettes auf und schafften Telford und ein paar seiner »Leutnants« nach St. Leonard's. Resultat: ein logistischer Albtraum. Claverhouse spülte Koffeintabletten mit extrastarkem Kaffee hinunter: ein Teil von ihm wollte alles richtig machen, der andere Teil wusste, dass er für das Blutbad auf dem Maclean's-Gelände verantwortlich war. Ein Beamter tot, sechs verwundet oder sonstwie verletzt – einer davon schwer. Ein Gangster tot, einer verwundet – nach Ansicht mancher nicht schwer genug.

Die gestohlenen Streifenwagen waren gestoppt worden, die Flüchtlinge festgenommen – Schusswechsel, aber keine Verletzten. Keiner der Festgenommenen sagte ein Wort, nicht ein einziges verdammtes Wort.

Rebus saß in einem leeren Vernehmungsraum in St. Leonard's, Arme auf dem Tisch, Kopf auf den Armen. Er saß schon eine ganze Weile so da und dachte nur über den Verlust nach, der einen plötzlich ereilen konnte. Ein Leben, eine Freundschaft, einfach weg, geraubt.

Unwiederbringlich.

Er hatte nicht geweint und würde es wohl auch nicht tun. Er fühlte sich wie betäubt, als hätte man seine Seele mit Novocain durchtränkt. Die Welt schien sich immer langsamer zu drehen, als verlöre der Mechanismus die Spannung. Er fragte sich, ob die Sonne die Kraft haben würde, wieder aufzugehen.

Und ich hab ihn da reingezogen.

Es war nicht das erste Mal, dass er sich in Schuld- und Unzulänglichkeitsgefühlen suhlte, aber es war noch nie so schlimm wie jetzt gewesen. Es überwältigte ihn schier. Jack Morton, ein Bulle mit einem ruhigen Revier in Falkirk... in Edinburgh ermordet, weil ein Freund ihn um einen Gefallen gebeten hatte. Jack Morton, der sich selbst ins Leben zurückgeholt hatte, indem er Tabak und Alkohol abschwor, Sport trieb, sich vernünftig ernährte, auf sich *aufpasste*... lag jetzt im Leichenschauhaus.

Und ich habe ihn da hingebracht.

Er sprang plötzlich auf, schleuderte den Stuhl an die Wand. Gill Templer trat ins Zimmer.

»Alles okay, John?«

Er wischte sich mit dem Handrücken über den Mund.

»Bestens.«

»Mein Büro ist frei, wenn du dich ein bisschen hinlegen möchtest.«

»Nein, geht schon. Bloß...« Er sah sich um. »Wird der Raum hier gebraucht?«

Sie nickte.

»Klar. Okay.« Er stellte den Stuhl wieder hin. »Wer ist es?«

»Brian Summers«, sagte sie.

Pretty-Boy. Rebus straffte die Schultern.

»Ich kann ihn zum Reden bringen.«

Templer machte ein skeptisches Gesicht.

»Ehrlich, Gill.« Seine Hände zitterten. »Er hat keine Ahnung, was ich gegen ihn in der Hand habe.«

Sie verschränkte die Arme. »Und zwar?«

»Ich brauch nur...« – er sah auf seine Uhr – »...eine Stunde oder so; höchstens zwei. Bobby Hogan muss dabei sein. Und jemand soll Colquhoun herschaffen, aber dalli.«

»Wer ist das?«

Rebus kramte die Visitenkarte hervor und gab sie ihr.

440

»Dalli«, wiederholte er. Er zog seinen Schlips gerade, machte sich präsentabel. Strich sich die Haare zurück. Sagte kein Wort.

»John, ich glaube wirklich nicht, dass du in der Verfassung bist…«

Er streckte ihr einen Finger entgegen, richtete ihn dann auf und drohte ihr scherzhaft damit. »Nicht immer alles besser wissen, Gill. Wenn ich sage, ich kann ihn knacken, dann meine ich es auch so.«

»Bisher hat niemand auch nur ein Wort gesagt.«

»Bei Summers wird es anders sein.« Er starrte sie an. »Glaub's mir.«

Sie sah ihn an und glaubte ihm. »Ich halte ihn zurück, bis Hogan hier ist.«

»Danke, Gill.«

»Und, John?«

»Ja?«

»Es tut mir wirklich Leid wegen Jack Morton. Ich kannte ihn zwar nicht, aber ich hab gehört, was alle sagen.«

Rebus nickte.

»Sie meinen, er wäre der Letzte, der dir einen Vorwurf machen würde.«

Rebus lächelte. »Der Allerletzte in der Schlange.«

»In der Schlange steht nur einer, John«, sagte sie leise. »Und das bist du.«

Rebus rief das Caledonian Hotel an und erfuhr vom Nachtportier, Sakiji Shoda sei unerwartet abgereist – keine zwei Stunden, nachdem Rebus die grüne Aktenmappe für ihn abgegeben hatte, die ihn in einem Schreibwarenladen am Raeburn Place fünfundfünfzig Pence gekostet hatte. Genau genommen hatte ein Dreierpack eins fünfundsechzig gekostet. Die anderen zwei Mappen lagen in seinem Auto, nur eine davon leer.

Bobby Hogan war schon unterwegs. Er wohnte in Portobello. Er hatte gesagt, er würde in einer halben Stunde da sein. Bill Pryde kam zu Rebus und sagte, es tue ihm furchtbar Leid wegen Jack Morton, und er wisse, dass sie beide alte Freunde gewesen seien.

»Kommen Sie mir bloß nicht zu nah, Bill«, sagte Rebus. »Die, die mir am nächsten stehen, erwischt's zuerst.«

Von der Pforte kam ein Anruf, jemand sei für ihn da. Er ging hinunter. Es war Patience Aitken.

»Patience?«

Sie war zwar vollständig angezogen, nur nicht in der richtigen Reihenfolge, so als hätte sie sich die Sachen während eines Stromausfalls übergestreift.

»Ich hab's im Radio gehört«, erklärte sie. »Ich konnte nicht schlafen, deswegen hatte ich das Radio an, und da kam die Meldung von dem Polizeieinsatz und dass es Tote gegeben hätte … Und du warst nicht zu Haus, also hab ich …«

Er umarmte sie. »Mir ist nichts passiert«, flüsterte er. »Ich hätte dich anrufen sollen.«

»Es ist meine Schuld, ich …« Sie hielt inne. »Du warst da, ich sehe es dir an.« Er nickte. »Was ist passiert?«

»Ich hab einen Freund verloren.«

»O Gott, John.« Sie umarmte ihn wieder. Ihr Haar roch nach Shampoo, ihr Hals nach Parfüm. *Die mir am nächsten stehen* … Er löste sich sanft von ihr, gab ihr einen Kuss auf die Wange.

»Geh ein bisschen schlafen«, sagte er.

»Komm zum Frühstück.«

»Ich will bloß nach Hause und schlafen.«

»Du könntest bei mir schlafen. Es ist Sonntag. Wir könnten im Bett bleiben.«

»Ich weiß nicht, wann ich hier fertig sein werde.«

Sie sah ihm in die Augen. »Friss es nicht in dich hinein, John. Behalt nicht alles für dich.«

»Okay, Doc.« Er gab ihr erneut einen Kuss auf die Wange. »Jetzt zisch ab.«

Er brachte ein Lächeln und ein Zwinkern zustande, die sich beide wie Verrat anfühlten. Er stand an der Tür und sah ihr nach. Während seiner Ehe hatte er häufig daran gedacht, einfach zu gehen. Es gab Gelegenheiten, wo die ganze Verantwortung und die Verpflichtungen und die Scheiße in der Arbeit und der Druck und der innere *Drang* ihm nichts so verlockend erscheinen ließen wie die Flucht.

Jetzt spürte er wieder diese Versuchung. Einfach die Tür öffnen und losgehen, weg von *hier*, und irgendwas machen, bloß nicht *das*. Aber auch das wäre Verrat gewesen. Er hatte Rechnungen zu begleichen, einen triftigen Grund, sie zu begleichen. Er wusste, dass Telford sich hier irgendwo in dem Gebäude befand, wahrscheinlich gerade mit Charles Groal konferierte und ansonsten schwieg. Er fragte sich, wie die Jungs die Sache wohl anpacken wollten. Wann würden sie Telford von der Bandaufzeichnung erzählen? Wann würden sie ihm sagen, dass der Wachmann ein verdeckter Ermittler gewesen war? Dass ebendieser Mann jetzt tot war?

Er hoffte, dass sie es geschickt anstellten. Er hoffte, dass sie es schafften, Telford nervös zu machen.

Er konnte nicht umhin, sich wieder einmal zu fragen, ob es das alles überhaupt wert war. Manche Bullen betrachteten das Ganze als Spiel, andere wie einen Kreuzzug, aber für die meisten war es keins von beidem, sondern lediglich ein Weg, sich ihren Lebensunterhalt zu verdienen. Er fragte sich, warum er Jack Morton zum Mitmachen aufgefordert hatte. Antworten: Weil er einen *Freund* dabeihaben wollte, jemanden, durch den *er selbst* im Spiel bleiben würde; weil er dachte, Jack langweile sich und würde sich über die Herausforderung freuen; weil sie aus taktischen Gründen einen Außenstehenden gebraucht hatten. Es gab jede Menge Gründe. Claverhouse hatte gefragt, ob Morton Familie habe, ob man jemanden informieren müsse. Rebus hatte ihm gesagt: geschieden, vier Kinder.

Gab Rebus Claverhouse die Schuld? Hinterher war man immer klüger, aber andererseits stand Claverhouse in dem Ruf, immer schon *vorher* klüger zu sein. Und er hatte versagt... gewaltig versagt.

Eisglatte Straßen: Sie hätten das Tor schließen müssen. Bei der PS-Leistung, die einem Laster zur Verfügung stand, war die Blockade viel zu leicht zu beseitigen gewesen.

Scharfschützen im Gebäude: schön und gut im abgeschlossenen Werksgelände, aber sie hatten es nicht geschafft, den Laster zu blockieren, und als er zurücksetzte, waren sie praktisch nutzlos.

Weitere bewaffnete Beamte *hinter* dem Lastwagen: zu nicht viel mehr gut, als die Gefahr eines Kreuzfeuers heraufzubeschwören.

Claverhouse hätte sie dazu bringen müssen, den Motor auszuschalten oder, besser noch, darauf zu warten, dass sie ihn von sich aus ausschalteten, bevor er sich bemerkbar machte.

Jack Morton hätte den Kopf unten halten sollen.

Rebus hätte ihn warnen sollen.

Nur – ein Schrei hätte die Aufmerksamkeit der Gangster auf *ihn* gelenkt. Feigheit: Lief es letztlich *darauf* hinaus? Schlichte menschliche Feigheit. So wie in der Bar in Belfast, wo er nichts gesagt hatte: aus Angst vor Mean Machines Wut, aus Angst, ein Gewehrkolben könnte sich gegen *ihn* richten. Vielleicht war das der Grund – nein, *natürlich* war das der Grund –, warum Lintz ihn so fasziniert hatte. Denn bei Licht betrachtet, wenn Rebus in Villefranche gewesen wäre... besoffen vor Ernüchterung, aller Träume von Welteroberung beraubt... wenn er seine Befehle gehabt hätte, nichts anderes als ein Handlanger mit einer

Schusswaffe gewesen wäre ... und durch rassistische Propaganda und den Verlust unzähliger Kameraden entsprechend seelisch eingestimmt ... wer weiß, wie *er* gehandelt hätte?

»Herrgott, John, wie lang stehen Sie schon hier draußen rum?«

Es war Bobby Hogan. Er berührte Rebus' Gesicht, zog ihm die Aktenmappe aus den steif gefrorenen Fingern.

»Sie sind ja der reinste Eisblock. Mann, kommen Sie rein.«

»Alles okay«, hauchte Rebus. Und es musste die Wahrheit sein. Wie sonst hätte man den Schweiß auf seinem Rücken und auf seiner Stirn erklären können? Wie sonst hätte man erklären können, dass er erst zitterte, *nachdem* Bobby ihn mit hineingenommen hatte?

Hogan füllte ihn mit zwei Bechern süßen Tee ab. In der Wache ging es noch immer drunter und drüber: Schock, Gerüchte, Theorien. Rebus setzte Hogan ins Bild.

»Wenn niemand redet, werden sie Telford laufen lassen müssen.«

»Was ist mit dem Band?«

»Das werden sie erst später aus dem Hut zaubern ... wenn sie gescheit sind.«

»Wer ist bei ihm?«

Rebus zuckte die Achseln. »Das Letzte, was ich gehört habe: Farmer Watson höchstpersönlich. Er zog eine Doppelnummer mit Bill Pryde ab, aber später habe ich Bill draußen gesehen, also haben sie entweder eine Pause eingelegt oder sich ablösen lassen.«

Hogan schüttelte den Kopf. »Was für eine verdammte Scheiße.«

Rebus starrte auf seinen Tee. »Ich kann Zucker nicht ausstehen.«

»Den ersten Becher haben Sie anstandslos getrunken.«

»Wirklich?« Er nahm einen Schluck, zuckte zusammen.

»Was zum Teufel haben Sie eigentlich da draußen getrieben?«

»Bisschen frische Luft geschnappt.«

»Bisschen sich den Tod geholt, würd ich eher sagen.« Hogan strich sich eine widerspenstige Haarsträhne zurück. »Ein gewisser Harris hat mir einen Besuch abgestattet.«

»Was haben Sie jetzt vor?«

Hogan zuckte die Achseln. »Die Sache schmeißen vermutlich.«

Rebus starrte ihn an. »Ist vielleicht nicht unbedingt nötig.«

36

Colquhoun wirkte nicht glücklich, da zu sein.

»Danke, dass Sie gekommen sind«, sagte Rebus.

»Hatte ich eine andere Wahl?« Neben ihm saß ein Anwalt, ein Mann mittleren Alters. In Telfords Sold? Das war Rebus vollkommen egal.

»Sie müssten inzwischen daran gewöhnt sein, keine andere Wahl zu haben, Dr. Colquhoun. Wissen Sie, wer sonst noch hier ist? Tommy Telford, Brian Summers.«

»Wer?«

Rebus schüttelte den Kopf. »Falscher Text. Sie dürfen durchaus wissen, wer die beiden sind: Wir haben in Candice' Gegenwart über die beiden geredet.«

Colquhoun errötete.

»Sie erinnern sich doch an Candice, oder? Ihr wirklicher Name ist Dunja. Hatte ich Ihnen das schon gesagt? Sie hat einen Sohn, nur ist er entführt worden. Vielleicht wird sie ihn wiederfinden, vielleicht auch nicht.«

»Ich verstehe nicht, was das —«

»Telford und Summers werden längere Zeit hinter Gittern bleiben.« Rebus lehnte sich zurück. »Wenn ich es darauf anlegte, hätte ich gute Chancen, Sie gleich mit einzubuchten. Wie würde Ihnen das gefallen, Dr. Colquhoun? Gemeinschaftliche Anstiftung zur Prostitution und so weiter.«

Rebus spürte, wie er sich wieder in seine Arbeit hineinfand; es für Jack tat.

Der Anwalt wollte etwas sagen, aber Colquhoun kam ihm zuvor. »Es war ein Fehler.«

»Ein Fehler?« Rebus höhnisch. »So kann man es wohl auch nennen.« Er beugte sich vor, stützte die Ellbogen auf den Tisch. »Zeit für eine Aussprache, Dr. Colquhoun. Sie wissen ja, was man vom Geständnis sagt...«

Brian »Pretty-Boy« Summers sah makellos aus.

Er hatte ebenfalls einen Anwalt dabei, einen Seniorpartner, der wie ein Leichenbestatter wirkte und es ziemlich übel nahm, dass man ihn warten ließ. Als sie sich im Vernehmungsraum an den Tisch setzten und Hogan Kassetten in Tonbandgerät und Videorekorder schob, ließ der Anwalt die Protestrede vom Stapel, die er sich während der letzten ein, zwei Stunden zurechtgelegt hatte.

»Im Namen meines Mandanten, Inspector, fühle ich mich verpflichtet zu sagen, dass dies das empörendste Verhalten ist, das ich je —«

»Sie halten *das* für empörendes Verhalten?«, entgegnete Rebus. »Wie es im Song so schön heißt: › *You ain't seen nothing yet.* ‹«

»Hören Sie, es ist mir klar, dass Sie —«

Ohne ihn weiter zu beachten, knallte Rebus den Aktendeckel auf den Tisch und schob ihn Pretty-Boy zu.

»Werfen Sie da mal einen Blick hinein.«

Pretty-Boy trug einen schiefergrauen Anzug und ein violettes Hemd mit offenem Kragen. Hatte diesmal keine Sonnenbrille oder Autoschlüssel dabei. Er war von seiner Wohnung in der Neustadt abgeholt worden. Kommentar eines der Beamten, die dazu abkommandiert worden waren: »Dickste Hi-Fi-Anlage, die ich in meinem Leben gesehen habe. Der Scheißkerl war hellwach und hörte sich Patsy Cline an.«

Rebus fing an, »Crazy« zu pfeifen; das verschaffte ihm Pretty-Boys Aufmerksamkeit und ein ironisches Lächeln, aber der Junggangster hielt weiter die Arme vor der Brust verschränkt.

»Ich würd's an Ihrer Stelle tun«, sagte Rebus.

»Fertig«, ließ sich Hogan vernehmen, womit er meinte, dass die zwei Geräte eingeschaltet waren. Sie brachten die Formalitäten hinter sich: Datum und Uhrzeit, Ort, Namen der anwesenden Personen. Rebus sah den Rechtsanwalt an und lächelte. Er musste ganz schön teuer sein. Wie immer hatte Telford zweifellos das Kostspieligste geordert.

»Kennen Sie Elton John, Brian?«, fragte Rebus. »Da gibt's so einen Song von ihm: ›Someone Saved My Life Tonight‹. Wenn Sie da reingeschaut haben« – er tippte auf die Mappe –, »werden Sie mir den vorjodeln. Na los, Sie wissen selbst, dass es das Vernünftigste ist. Ich treib keine Spielchen, und Sie brauchen auch nichts zu sagen. Aber Sie sollten sich wirklich einen Gefallen tun…«

»Ich hab nichts zu sagen.«

Rebus zuckte die Achseln. »Öffnen Sie einfach die Mappe, werfen Sie einen Blick hinein.«

Pretty-Boy sah seinen Anwalt an; der schien gewisse Zweifel zu haben.

»Ihr Mandant wird sich dadurch nicht belasten«, erklärte Rebus. »Wenn Sie zuerst lesen möchten, was da drinsteht, auch gut. Es wird Ihnen vielleicht nicht viel sagen, aber bitte.«

Der Anwalt öffnete die Mappe, fand darin ein Dutzend beschriebene Blätter.

»Ich bitte schon vorab um Entschuldigung für etwaige Tippfehler«, sagte Rebus. »Ich war ziemlich in Eile.«

Pretty-Boy warf nicht einmal einen Blick auf das Material. Er hielt die Augen auf Rebus gerichtet, während der Anwalt die Seiten durchblätterte.

»Es ist Ihnen doch klar«, sagte der Anwalt endlich, »dass Sie keinerlei Beweise für diese Unterstellungen haben?«

»Wenn das Ihre Ansicht ist – bitte. Ich verlange von Mr. Summers nicht, dass er irgendetwas davon einräumt oder bestreitet. Wie gesagt, er kann von mir aus gern den Taubstummen spielen, solange er seine *Augen* benutzt.«

Ein Lächeln von Seiten Pretty-Boys, dann ein Blick zum Anwalt, der die Achseln zuckte und ihm erklärte, er habe nichts zu befürchten. Wieder ein Blick auf Rebus, und Pretty-Boy griff sich das erste Blatt und begann zu lesen.

»Nur für das Tonbandprotokoll«, sagte Rebus: »Mr. Summers liest jetzt einen vorläufigen Bericht, den ich heute früh abgefasst habe.« Rebus hielt kurz inne. »Ich meine eigentlich gestern, Samstag. Er liest meine Interpretation bestimmter Ereignisse der letzten Zeit in und um Edinburgh, Ereignisse, die mit seinem Arbeitgeber, Thomas Telford, einem japanischen Konsortium – hinter dem sich meiner Meinung nach in Wirklichkeit die Yakuza verbirgt – und einem Gentleman aus Newcastle namens Jake Tarawicz in Zusammenhang stehen.«

Er schwieg. Der Rechtswalt sagte: »So weit keine Einwände.« Rebus nickte und fuhr fort.

»Meine Sicht der Ereignisse ist wie folgt: Jake Tarawicz ging nur deswegen mit Thomas Telford eine geschäftliche Verbindung ein, weil er an etwas interessiert war, was Letzterer hatte: nämlich eine todsichere Methode, Drogen nach Großbritannien zu schmuggeln, ohne Verdacht zu erregen.

Entweder das, oder Tarawicz beschloss erst später, nachdem sich ihre Geschäftsbeziehungen gefestigt hatten, Telfords Revier zu übernehmen. Um dies zu erreichen, hat er einen Krieg zwischen Telford und Morris Gerald Cafferty angezettelt. Das war nicht schwer zu bewerkstelligen. Telford war, wahrscheinlich von Tarawicz angestachelt, auf aggressive Weise in Caffertys Territorium eingedrungen. Alles, was Tarawicz noch tun musste, war, dafür zu sorgen, dass die Situation eskalierte. Zu diesem Zweck befahl er einem seiner Männer, einen Drogendealer vor einem von Telfords Klubs zu attackieren, wofür Telford prompt Cafferty verantwortlich machte. Er befahl außerdem, dass ein paar seiner Männer eine Hochburg Telfords in Paisley angriffen. Parallel dazu fanden Überfälle auf Caffertys Territorium und Geschäftspartner statt – Vergeltungsschläge wegen angeblicher Übergriffe.«

Rebus räusperte sich, nahm einen Schluck Tee – einen frischen Becher, ohne Zucker.

»Kommt Ihnen das bekannt vor, Mr. Summers?« Pretty-Boy schwieg. Er war in seine Lektüre vertieft. »Ich vermute, dass die Japaner bei der ganzen Sache nicht eingeplant waren. Mit anderen Worten, sie hatten keine Ahnung, was da ablief. Telford spielte lediglich den Fremdenführer und Makler, der ihnen den Ankauf eines Country Clubs ermöglichen sollte. Als Erholungs- und Vergnügungsstätte für Bandenmitglieder *und* gleichzeitig als hervorragende Geldwaschanlage – weniger verdächtig als ein Spielkasino oder ein ähnliches Etablissement, besonders da die Eröffnung einer Elektronikfabrik unmittelbar bevorsteht, was den Yakuza die Gelegenheit gibt, ganz unauffällig, als ehrbare japanische Geschäftsleute ins Land zu kommen.

Ich glaube, als Tarawicz das merkte, begann er sich Sorgen zu machen. Er wollte nicht Tommy Telford aus dem Weg räumen, um dann lediglich zusehen zu müssen, wie andere

Konkurrenten sich ins Geschäft drängten. Also beschloss er, sie mit in seinen Plan einzubauen. Er ließ Matsumoto beschatten und umlegen und richtete es dabei – ein gelungener Schachzug – so ein, dass *ich* als Hauptverdächtiger dastand. Warum? Zwei Gründe. Erstens war Telford davon überzeugt, ich sei Caffertys Mann; indem er also den Finger auf mich richtete, zeigte er auf Cafferty. Zweitens wollte er mich aus dem Weg räumen, denn ich war nach Newcastle gekommen, und ich hatte dort einen seiner Männer gesehen, einen gewissen William ›The Crab‹ Cotton. Ich kannte Crab schon von früher, und wie der Zufall so spielt, war er derjenige, den Tarawicz auf den Drogendealer vor dem Klub angesetzt hatte. Er wollte vermeiden, dass ich zwei und zwei zusammenzählte.«

Rebus legte wieder eine kurze Pause ein. »Wie klingt das so weit, Brian?«

Pretty-Boy war mit dem Bericht durch. Er hatte wieder die Arme verschränkt, die Augen auf Rebus gerichtet.

»Wir haben bislang noch keinerlei Beweise gesehen, Inspector«, sagte der Anwalt.

Rebus zuckte die Achseln. »Ich *brauche* nichts zu beweisen. Sehen Sie, von der Akte hier habe ich eine Kopie im Caledonian Hotel für einen gewissen Mr. Sakiji Shoda abgegeben.« Rebus sah, wie Pretty-Boys Augenlider flatterten. »Nun, wie ich die Sache sehe, wird Mr. Shoda ziemlich stinkig werden. Ich meine, stinkig ist er sowieso schon, deswegen ist er ja überhaupt hergeflogen. Er hatte gesehen, wie Telford die Sache versiebte, und wollte feststellen, ob er überhaupt irgendetwas richtig hinbekam. Ich kann mir nicht denken, dass der Überfall auf Maclean's sein Vertrauen in Ihren Boss nennenswert gestärkt hat. Er ist aber auch hier, um herauszufinden, warum man einen seiner Männer umgelegt hat und wer dafür verantwortlich ist. Dieser Bericht sagt ihm, dass Tarawicz' hinter der Sache steckte, und sollte er sich dazu entschließen, meinen Ausführungen zu folgen, wird er sich auf Tarawicz Fährte setzen. Tatsächlich hat er gestern Abend aus seinem Hotel ausgecheckt – und wie es scheint, etwas überstürzt. Ich frage mich, ob er auf dem Heimweg einen Abstecher über Newcastle macht. Ist aber auch egal. *Nicht* egal ist, dass er immer noch auf Telford stinkig sein dürfte, weil *er* das alles zugelassen hat. Und derweil könnte Jake Tarawicz sich fragen, wer ihn an Shoda verpfiffen hat. Die Yakuza sind keine netten Onkels, Brian. Verglichen mit denen, seid ihr Leute der reinste Kindergarten.« Rebus lehnte sich zurück.

»Noch ein letzter Punkt«, fuhr er fort. »Tarawicz' Revier ist Newcastle. Ich würde wetten, dass er Augen und Ohren in Edinburgh hatte. Ja, genau genommen *weiß* ich es. Ich hab gerade ein paar Takte mit Dr. Colquhoun geplaudert. Erinnern Sie sich an ihn, Brian? Lintz hat Ihnen von ihm erzählt. Als Tarawicz dann osteuropäische Mädchen in sein Angebot aufnahm, dachten Sie sich, dass Tommy vielleicht ein paar entsprechende Redewendungen parat haben sollte. Den Sprachkurs hat Colquhoun übernommen. Sie haben ihm Geschichten über Bosnien, über Tarawicz erzählt. Der Haken bei der Sache: Er ist der Einzige in der Gegend, der sich in der Sprache auskennt. Als wir also Candice aufgegriffen haben, mussten wir zwangsläufig früher oder später ebenfalls bei ihm landen. Colquhoun hat gleich kapiert, was ablief. Er war sich nicht sicher, ob er etwas zu befürchten hatte: Er hatte sie vorher noch nie gesehen, und ihre Antworten waren beruhigend vage – oder er gab sie so wieder. Wie auch immer, er wendete sich an Sie. Ihre Lösung: Candice nach Fife schaffen, sie sich dann schnappen und Colquhoun aus dem Verkehr ziehen, bis sich die Wogen geglättet haben.«

Rebus lächelte. »Von Fife hat er *Ihnen* erzählt. Trotzdem war es *Tarawicz*, der sich Candice geschnappt hat. Ich glaube, Tommy wird das ein bisschen merkwürdig finden, meinen Sie nicht auch? Da wären wir also. Und ich kann Ihnen eins sagen: In dem Moment, wo Sie hier rausspazieren, sind Sie so gut wie tot. Vielleicht wird Sie die Yakuza erwischen, vielleicht Cafferty, vielleicht Ihr eigener Boss oder Tarawicz. Sie haben keine Freunde, und Sie sind nirgendwo mehr sicher.« Rebus schwieg einen Moment. »Es sei denn, *wir* helfen Ihnen. Ich habe mit Chief Superintendent Watson gesprochen, und er ist mit einem Zeugenschutzprogramm einverstanden, neue Identität, was immer Sie wollen. Sie werden vielleicht ein Weilchen sitzen müssen – nur damit alles seine Ordnung hat –, aber es wird eine milde Strafe werden: Einzelzelle, keine anderen Häftlinge in Ihrer Nähe. Und anschließend sind Sie aus allem raus. Das ist ein großer Preis, den wir zu zahlen bereit sind, und dafür werden *Sie* uns einiges liefern müssen. Wir werden *alles* haben wollen.« Rebus zählte an den Fingern ab. »Die Drogenlieferungen, den Krieg mit Cafferty, die Newcastle-Connection, die Yakuza, die Prostituierten.« Er hielt wieder inne, trank seinen Tee aus. »Viel verlangt, ich weiß. Ihr Boss hat einen kometenhaften Aufstieg hingelegt, und er hätte es beinah geschafft. Aber das ist vorbei. Das Beste, was Sie jetzt tun können, ist reden. Entweder das oder den Rest Ihres Lebens damit zubringen, auf die Kugel oder die Machete zu warten, die Sie ins Jenseits befördern wird…«

Der Anwalt fing an zu protestieren. Rebus hob eine Hand.

»Wir werden alles brauchen, Brian. Einschließlich Lintz.«

»Lintz«, sagte Pretty-Boy wegwerfend. »Lintz tut nichts zur Sache.«

»Wo liegt dann das Problem?«

Der Ausdruck in Pretty-Boys Augen war eine Mischung aus Wut, Angst und Verwirrung. Rebus stand auf.

»Ich brauch was zu trinken. Wie steht's mit Ihnen, meine Herren?«

»Kaffee«, meinte der Anwalt, »schwarz, ohne Zucker.«

Pretty-Boy zögerte, sagte dann: »Bringen Sie mir ein Coke.« Und in dem Moment wusste Rebus – zum ersten Mal –, dass ein Deal möglich war. Er unterbrach die Vernehmung. Hogan schaltete die Aufnahmegeräte ab, und beide Männer verließen den Raum. Hogan klopfte ihm auf die Schulter.

Farmer Watson kam ihnen auf dem Korridor entgegen. Rebus manövrierte ihn von der Tür weg.

»Ich glaube, wir könnten es schaffen, Sir«, sagte Rebus. »Er wird versuchen, uns auszutricksen, uns weniger zu liefern, als wir haben wollen, aber ich glaube, wir haben eine Chance.«

Watsons Gesicht ging lächelnd in die Breite, während Rebus sich an die Wand lehnte und die Augen schloss. »Ich fühl mich, als wäre ich hundert Jahre alt.«

»Wir werden alle nicht jünger«, sagte Hogan.

Rebus knurrte ihn an, dann gingen sie die Getränke holen.

»Mr. Summers«, sagte der Anwalt, als Rebus ihm seinen Becher reichte, »möchte Ihnen von seiner Beziehung zu Joseph Lintz erzählen. Erst bräuchten wir aber einige Garantien.«

»Reicht nicht, was ich schon gesagt habe?«

»Darüber ließe sich noch verhandeln.«

Rebus starrte Pretty-Boy an. »Sie vertrauen mir nicht?«

Pretty-Boy nahm seine Coladose, sagte »Nein« und trank.

»Schön.« Rebus durchquerte den Raum, blieb an der Wand stehen. »In dem Fall können Sie gehen.« Er warf einen Blick auf seine Uhr. »Sobald Sie ausgetrunken haben, möchte ich, dass Sie hier verschwinden. Vernehmungsräume sind heute Nacht Mangelware. DI Hogan, würden Sie die Bänder beschriften?«

Hogan drückte bei beiden Geräten auf die Auswurftaste. Rebus setzte sich neben ihn, und sie begannen, über Dienstliches zu reden, als hätten sie Pretty-Boy bereits aus ihrem Gedächtnis gestrichen. Hogan nahm sich ein Blatt vor, sah nach, wer als Nächster vernommen werden sollte.

Aus dem Augenwinkel bemerkte Rebus, wie sich Pretty-Boy zu seinem Anwalt hinüberlehnte und etwas flüsterte. Er wandte sich zu den beiden.

»Könnten Sie das bitte draußen machen? Wir brauchen diesen Raum.«

Pretty-Boy *wusste*, dass Rebus bluffte … wusste, dass der Polizist ihn brauchte. Aber ihm war auch klar, dass Rebus in Bezug auf Shoda – und dass er ihm den Bericht zugespielt hatte – *nicht* bluffte, und er war viel zu intelligent, um keine Angst zu haben. Er rührte sich nicht von der Stelle und hielt den Anwalt am Arm fest, so dass er ebenfalls bleiben und zuhören musste. Schließlich räusperte sich der Anwalt.

»Inspector, Mr. Summers ist bereit, Ihre Fragen zu beantworten.«

»*Alle* meine Fragen?«

Der Anwalt nickte. »Aber ich muss darauf bestehen, dass Sie erst mehr über den ›Deal‹ erzählen, den Sie uns vorschlagen.«

Rebus sah Hogan an. »Gehen Sie den Chief Super holen.«

Rebus verließ das Zimmer und wartete auf dem Korridor. Schnorrte einem vorbeigehenden Uniformierten eine Zigarette ab. Er hatte sie gerade angezündet, als Farmer Watson im Eilschritt auf ihn zukam; hinter ihm Hogan, als hänge er mit einer unsichtbaren Hundeleine am Chief fest.

»Rauchen verboten, John, das wissen Sie.«

»Ja, Sir«, sagte Rebus, während er die Glut abknipste. »Ich hatte die bloß für Inspector Hogan gehalten.«

Watson nickte zur Tür. »Was wollen die?«

»Wir hatten über Straffreiheit gesprochen. Zu allermindest wird er ein mildes Urteil wollen, dazu Sicherheitsgarantien während der Haft und anschließend eine neue Identität.«

Watson dachte nach. »Bislang war nicht ein Piep aus denen rauszukriegen. Nicht dass es viel ausmachen würde. Die Bande wurde auf frischer Tat ertappt, dazu haben wir Telford auf Band ...«

»Summers ist ein echter Insider, er kennt Telfords Organisation.«

»Wie kommt's dann, dass er bereit ist auszupacken?«

»Weil er Angst hat, und seine Angst ist stärker als seine Loyalität. Ich behaupte nicht, dass wir jedes Detail aus ihm herausholen werden, aber wahrscheinlich doch genug, um die anderen Bandenmitglieder unter Druck zu setzen. Sobald die wissen, dass jemand plaudert, werden sie alle versuchen, ebenfalls einen Deal auszuhandeln.«

»Wie ist sein Anwalt?«

»Teuer.«

»Dann hat's wohl keinen Wert, lange rumzufackeln.«

»Ich hätte es nicht treffender formulieren können, Sir.«

Der Chief Super straffte die Schultern. »In Ordnung, machen wir einen Deal.«

»Wann haben Sie Joseph Lintz kennen gelernt?«

Pretty-Boy hielt die Arme nicht mehr verschränkt. Er hatte die Ellbogen auf den Tisch gestützt, den Kopf in die Hände. Sein Haar hing ihm ins Gesicht, wodurch er noch jünger wirkte.

»Vor ungefähr sechs Monaten. Davor hatten wir schon am Telefon gesprochen.«

»Er war einer Ihrer Kunden?«

»Ja.«

»Und das bedeutet genau?«

Pretty-Boy sah auf das Bandgerät. »Sie möchten, dass ich es für alle unsere Zuhörer erkläre?«

»Genau.«

»Joseph Lintz war ein Kunde der Hostessenagentur, für die ich arbeitete.«

»Kommen Sie schon, Brian, Sie waren ein bisschen mehr als ein bloßer Laufbursche. Sie waren der Geschäftsführer, stimmt's?«

»Wenn Sie's sagen.«

»Wenn Sie gehen möchten, Brian...«

Augen wie glühende Kohlen. »Okay, ich *habe* die Geschäfte geführt; für meinen Arbeitgeber.«

»Und Mr. Lintz rief wegen einer Hostess an?«

»Er wollte, dass eins unserer Mädchen ihn zu Haus besucht.«

»Und?«

»Und das war's. Er nahm ihr gegenüber Platz und starrte sie einfach nur eine halbe Stunde lang an.«

»Beide vollständig bekleidet?«

»Ja.«

»Sonst nichts?«

»Anfangs nicht.«

»Aha.« Rebus schwieg kurz. »Das muss Sie neugierig gemacht haben.«

Pretty-Boy zuckte die Achseln. »Leute sind eben verschieden.«

»Wohl wahr. Wie hat sich Ihre geschäftliche Beziehung also weiterentwickelt?«

»Na ja, bei einer solchen Nummer ist immer ein Aufpasser dabei.«

»Sie selbst?«

»Ja.«

»Hatten Sie nichts Besseres zu tun?«

Ein weiteres Achselzucken. »Ich war neugierig.«

»Weswegen?«

»Wegen der Adresse: Heriot Row.«

»Mr. Lintz hatte also … Niveau?«

»Kam ihm aus den Ohren raus. Ich meine, ich hab schon ne Menge reicher Knacker kennen gelernt, Manager, die was zum Ficken aufs Hotelzimmer wollten, aber Lintz war eine Klasse für sich.«

»Wollte die Mädchen nur ansehen.«

»Genau. Und dieses Riesenhaus, das er hatte …«

»Sie waren drin? Haben nicht bloß im Auto gewartet?«

»Ich hab ihm gesagt, das sei in unserer Firma so üblich.« Ein Lächeln. »Ehrlich, ich wollte lediglich ein bisschen schnüffeln.«

»Haben Sie sich mit ihm unterhalten?«

»Später, ja.«

»Sind Freunde geworden?«

»Nicht direkt … na ja, vielleicht. Er wusste unheimlich viel, hatte echt was auf dem Kasten.«

»Sie waren beeindruckt.«

Pretty-Boy nickte. Ja, das konnte sich Rebus vorstellen. Bis dahin war sein Rollenvorbild Tommy Telford gewesen, aber Pretty-Boy strebte nach Höherem. Er wollte *Klasse*. Er wollte, dass die Leute ihn wegen seines Verstands bewunderten. Rebus wusste, wie verführerisch Lintz' Erzählungen sein konnten. Um wie viel verführerischer mussten sie für Pretty-Boy gewesen sein …

»Was ist dann passiert?«

Pretty-Boy veränderte seine Position. »Seine Vorlieben haben sich geändert.«

»Oder seine eigentlichen Vorlieben sind zum Vorschein gekommen?«

»Das habe ich mich auch gefragt.«

»Also, was wollte er?«

»Er wollte, dass die Mädchen… er hatte so ein Stück Seil… er hatte eine Schlinge hineingeknüpft.« Pretty-Boy schluckte. Sein Anwalt schrieb nicht mehr mit, hörte aufmerksam zu. »Er wollte, dass die Mädchen sie sich über den Kopf zogen, sich dann hinlegten und so taten, als wären sie tot.«

»Angezogen oder nackt?«

»Nackt.«

»Und?«

»Und er… er saß auf seinem Stuhl und geilte sich daran auf. Ein paar Mädchen machten nicht mit. Er wollte die ganze Nummer: aufgerissene Augen, raushängende Zunge, verrenkter Hals…« Pretty-Boy fuhr sich mit beiden Händen durch die Haare.

»Haben Sie je darüber geredet?«

»Mit ihm? Nein, nie.«

»Worüber haben Sie denn dann geredet?«

»Alles Mögliche.« Pretty-Boy starrte an die Zimmerdecke und lachte. »Einmal hat er mir gesagt, er würde an Gott glauben, das Problem wär bloß, dass er nicht wüsste, ob Gott an *ihn* glaubte. Kam mir in dem Moment irre clever vor… Er schaffte es immer, mich zum Nachdenken zu bringen. Und das war derselbe Typ, der sich zu ›Leichen‹ mit einem Strick um den Hals einen runterholte.«

»Diese ganze persönliche Aufmerksamkeit, die Sie ihm widmeten…«, sagte Rebus. »Sie haben ihn abgecheckt, stimmt’s?«

Pretty-Boy sah auf seinen Schoß und nickte.

»Fürs Tonbandgerät, bitte.«

»Tommy wollte von jedem Freier wissen, ob sich was aus ihm rausholen ließe.«

»Und…?«

Pretty-Boy zuckte die Achseln. »Wir haben von der Nazigeschichte erfahren, und da war uns klar, dass wir ihm nicht mehr Ärger machen konnten, als er so schon hatte. Da haben wir bloß noch drüber gelacht und überlegten uns, ihm zu drohen, dass wir ihn als Perversen bloßstellen würden, während die Zeitungen gleichzeitig behaupteten, er wäre ein Massenmörder.« Er lachte wieder.

»Also haben Sie die Idee fallen lassen?«

»Ja.«

»Aber er hat Ihnen fünf Riesen gezahlt.« Auf gut Glück.

Pretty-Boy leckte sich über die Lippen. »Er hatte versucht, sich umzubringen. Hat er mir selbst erzählt. Hat das Seil ganz oben ans Treppengeländer gebunden und ist gehüpft. Bloß, dass es nicht funktioniert hat. Geländer hin, und er eine halbe Treppe tiefer auf die Schnauze gefallen.«

Rebus erinnerte sich: das zerbrochene Treppengeländer. Rebus erinnerte sich: Lintz mit einem Schal um den Hals, stockheiser. Hatte Rebus erzählt, er hätte eine Halsinfektion.

»Er hat Ihnen das erzählt?«

»Er rief im Büro an, meinte, wir müssten uns sehen. Das war ungewöhnlich. Bis dahin hatte er immer von Telefonzellen aus angerufen und nur auf mein Handy. Der alte Knacker geht auf Nummer sicher, hatte ich immer gedacht. Dann ruft er von zu Hause aus an, direkt im Büro.«

»Wo haben Sie sich getroffen?«

»In einem Restaurant. Er hat mich zum Essen eingeladen.« Die junge Frau... »Erzählte mir, er hätte versucht, sich umzubringen, und hätt's nicht geschafft. Er sagte immer wieder, er hätte sich als ›Charakterschwein‹ erwiesen, was immer das heißen mag.«

»Und, was wollte er?«

Pretty-Boy starrte Rebus an. »Er brauchte jemand, der ihm hilft.«

»Sie?«

Pretty-Boy zuckte die Achseln.

»Und der Preis war in Ordnung?«

»Feilschen war nicht nötig. Er wollte, dass es auf dem Warriston passiert.«

»Haben Sie gefragt, warum?«

»Ich wusste, dass er den Friedhof mochte. Ich habe ihn zu Hause abgeholt, ganz früh am Morgen, und ihn da hingefahren. Er wirkte so wie immer, nur dass er mir in einem fort für meinen ›Liebesdienst‹ gedankt hat. Ich hätt ihm fast eine reingehauen. Für solche Dienste sind bei uns die Mädchen zuständig.«

Rebus grinste wie erwartet schief. »Erzählen Sie weiter«, sagte er.

»Gibt nicht mehr viel zu erzählen, oder? *Er* hat den Kopf in die Schlinge gesteckt. *Er* hat gesagt, ich soll am Seil ziehen. Ich hab noch ein letztes Mal versucht, ihm die Sache auszureden, aber der Kerl war fest entschlossen. Das ist doch kein Mord, oder? Beihilfe zum Selbstmord ist in vielen Ländern ganz legal.«

»Woher kam die Delle am Kopf?«

»Er war schwerer, als ich dachte. Beim ersten Versuch ist mir das Seil aus der Hand gerutscht, und er ist hingefallen, hat sich die Birne angeschlagen.«

Bobby Hogan räusperte sich. »Brian, hat er… ganz am Schluss… noch irgendwas gesagt?«

»Letzte Worte und so?« Pretty-Boy schüttelte den Kopf. »Hat bloß ›danke‹ gesagt. Armer Dreckskerl. Noch eins: Er hat alles aufgeschrieben.«

»Was?«

»Dass ich ihm geholfen habe. War wie eine Lebensversicherung, für den Fall, dass man mir auf die Spur kommen würde. Im Brief steht, dass er mich bezahlt hat, damit ich ihm helfe.«

»Wo ist der?«

»In einem Safe. Ich kann ihn Ihnen holen.«

Rebus nickte, reckte sich. »Haben Sie jemals mit ihm über Villefranche gesprochen?«

»Ab und an – meist ging's darum, wie ihn die Zeitungen und das Fernsehen hetzten, wie schwierig es dadurch für ihn wurde, wenn er ... Damengesellschaft wollte.«

»Aber über das Massaker selbst nicht?«

Pretty-Boy schüttelte den Kopf. »Aber wissen Sie, selbst *wenn* er es mir gesagt hätte, würde ich's Ihnen nicht erzählen.«

Rebus klopfte mit dem Stift auf den Tisch. Er wusste, dass der Lintz-Fall abgeschlossen war. Bobby Hogan wusste das ebenfalls. Das Geheimnis um Lintz' Tod war endlich gelüftet. Sie wussten, dass er von der Rattenlinie unterstützt worden war, aber sie würden niemals erfahren, ob er Josef Linzstek gewesen war oder nicht. Die Indizien waren erdrückend; aber auch diejenigen, die dafür sprachen, dass Lintz zu Tode gehetzt worden war. Seine nekrophilen Spielchen mit den Hostessen hatte er erst begonnen, *nachdem* man die öffentlichen Anschuldigungen gegen ihn erhoben hatte.

Hogan fing Rebus' Blick auf und zuckte die Achseln, als wollte er sagen: Was spielt das noch für eine Rolle? Rebus nickte. Einerseits hätte er gern eine Pause eingelegt, aber jetzt, wo Pretty-Boy in Fahrt gekommen war, durfte man ihn nicht aufhalten.

»Danke, Mr. Summers. Sollten uns weitere Fragen zum Thema einfallen, werden wir noch einmal auf Mr. Lintz zurückkommen. Lassen Sie uns aber zunächst über die Beziehung von Thomas Telford zu Jake Tarawicz reden.«

Pretty-Boy rutschte ein bisschen auf dem Stuhl herum, als wollte er es sich gemütlich machen. »Das könnte eine Weile dauern«, sagte er.

»Wir haben Zeit«, erklärte Rebus.

37

Am Ende bekamen sie alles.

Pretty-Boy brauchte eine Ruhepause, und sie nicht minder. Andere Teams erschienen, bearbeiteten andere Aspekte des Falls. Die Bänder füllten sich, wurden anderswo abgehört, transkribiert und ausgewertet. Auftauchende Rückfragen wurden an den Vernehmungsraum weitergeleitet. Telford schwieg. Rebus ging ihn sich ansehen, nahm eine Weile ihm gegenüber Platz. Telford zuckte kein einziges Mal mit der Wimper. Er saß stocksteif da, die Hände auf den Knien. Und währenddessen wurde Pretty-Boys Geständnis dazu verwendet, andere Bandenmitglieder auszuquetschen – und wer erst mal zu singen anfing, wurde nicht mehr von der Bühne gelassen.

Die Reihen brachen auseinander: erst langsam, dann erdrutschartig, eine Lawine von Anschuldigungen, Ausreden und Leugnen. Und sie bekamen alles.

Telford und Tarawicz: osteuropäische Prostituierte, die nach Norden, Schläger und Stoff, die nach Süden geschafft wurden.

Mr. Taystee: hatte mehr abgezweigt, als ihm zustand; dementsprechend verfuhr man mit ihm.

Die Japaner: hatten Telford als ihren Einstieg in Schottland benutzen wollen, weil ihnen das Land als eine günstige Operationsbasis erschienen war.

Nur dass Rebus ihnen die Sache jetzt vermasselt hatte. In seiner »Informationsmappe« hatte er Shoda davor gewarnt, sich weiter um Poyntinghame zu bemühen, da er andernfalls in »laufende polizeiliche Ermittlungen« hineingezogen werden würde. Die Yakuza waren nicht blöd. Sie würden sich nicht wieder blicken lassen... jedenfalls nicht so bald.

Die letzte Amtshandlung dieser Nacht: Rebus stieg hinunter in den Zellentrakt, schloss eine der Türen auf und sagte Ned Farlowe, er sei frei, er habe nichts mehr zu befürchten.

Anders als Mr. Pink Eyes. Die Yakuza hatte eine Rechnung zu begleichen, und die blieb nicht lange offen. Man fand ihn in einem Wagen in seiner eigenen Schrottpresse, mit zugeschweißtem Sicherheitsgurt. Seine Männer suchten bereits das Weite.

Einige von ihnen waren noch nicht weit genug gekommen.

Rebus saß in seinem Wohnzimmer und starrte auf die Tür, die Jack Morton gestrichen hatte. Er dachte an die Beerdigung, an die Anonymen Schnapskirchler, die mit Sicherheit in voller Mannschaftsstärke dabei sein würden. Er fragte sich, ob sie ihm die Schuld an Jacks Tod gaben. Jacks Kinder würden ebenfalls da sein. Rebus hatte sie nie kennen gelernt; legte keinen Wert darauf, das jetzt nachzuholen.

Mittwoch Vormittag war er wieder in Inverness, um Mrs. Hetherington am Flughafen abzuholen. Sie war in Holland aufgehalten worden, hatte den dortigen Zollbeamten ein paar Fragen beantworten müssen. Sie hatten eine kleine Falle gestellt und einen gewissen De Gier – einen polizeilich bekannten Dealer – dabei geschnappt, wie er das Kilo Heroin in Mrs. Hetheringtons Gepäck schmuggelte: In ihrem Koffer – einem Geschenk ihres Vermieters – gab es ein Geheimfach. Mehrere weitere ältere Mieter Telfords genossen eine außerplanmäßige Verlängerung ihres Auslandaufenthalts. Sie würden von der dortigen Polizei vernommen werden.

Wieder zu Hause, rief Rebus David Levy an.

»Lintz hat Selbstmord begangen.«

»Das ist Ihre Schlussfolgerung?«

»Es ist die Wahrheit. Keine Verschwörung, keine Vertuschung.«

Ein Seufzer. »Das spielt keine allzu große Rolle, Inspector. Was zählt, ist, dass wir wieder einen verloren haben.«

»Villefranche ist Ihnen vollkommen egal, stimmt's? Die Rattenlinie ist alles, was Sie interessiert.«

»An Villefranche können wir nichts mehr ändern.«

Rebus holte tief Luft. »Ein gewisser Harris hat mich besucht. Er gehört zum britischen Nachrichtendienst. Die geheimen Kollegen beschützen irgendwelche hohen Tiere, irgendwelche Bonzen. Überlebende der Rattenlinie, möglicherweise deren Kinder. Sagen Sie Mayerlink, er soll weitergraben.«

Ein kurzes Schweigen. »Danke, Inspector.«

Rebus saß im Jaguar des Wiesels, der neben ihm im Fond saß. Dem Fahrer fehlte ein großes Stück vom linken Ohr. Er sah dadurch wie ein Kobold aus – aber nur von der Seite, und ins Gesicht hätte man ihm das ungern gesagt.

»Sie haben Ihre Sache gut gemacht«, sagte das Wiesel. »Mr. Cafferty ist sehr zufrieden.«

»Wie lange halten Sie ihn schon fest?«

Das Wiesel lächelte. »Ihnen entgeht nichts, Rebus.«

»Die Glasgow Rangers wollen mich probeweise ins Tor stellen. Wie lange haben Sie ihn schon?«

»Ein paar Tage. Wir mussten uns schließlich vergewissern, dass er auch der Richtige ist.«

»Und jetzt sind Sie sicher?«

»Hundert pro.«

Rebus starrte auf die Geschäfte, Fußgänger und Busse, die am Wagenfenster vorbeizogen. Das Auto fuhr in Richtung Newhaven und Granton. »Sie würden nicht zufällig irgendeinen Penner aufgabeln und ihm die Sache anhängen?«

»Er ist echt.«

»Sie könnten die letzten paar Tage dazu genutzt haben, um ihn so weit zu bringen, dass er die richtigen Dinge sagt.«

Das Wiesel wirkte belustigt. »Zum Beispiel?«

»Zum Beispiel, dass er von Telford bezahlt worden ist.«

»Und nicht von Mr. Cafferty, meinen Sie?« Rebus sah ihn wütend an; das Wiesel lachte. »Ich glaube, Sie werden ihn ziemlich überzeugend finden.«

Der Ton, in dem er das sagte, ließ Rebus erschaudern. »Er ist doch noch am Leben, oder?«

»O ja. Wie lange das so bleibt, hängt ganz von Ihnen ab.«

»Glauben Sie etwa, ich will ihn tot sehen?«

»Ich *weiß* es. Sie haben sich nicht der Gerechtigkeit wegen an Mr. Cafferty gewandt. Sie wollten *Rache*.«

Rebus starrte das Wiesel an. »Sie klingen gar nicht wie Sie selbst.«

»Sie meinen, ich klinge nicht wie meine *Maske* – eine ganz andere Sache.«

»Und wie viele Leute haben die Ehre, hinter die Maske zu blicken?« The Who: »Can You See the Real Me?«

Wieder lächelte das Wiesel. »Ich dachte, Sie hätten es verdient, nachdem Sie sich so viel Mühe gemacht haben.«

»Ich habe Telford nicht nur zur Strecke gebracht, um Ihrem Boss einen Gefallen zu tun.«

»Trotzdem…« Das Wiesel rutschte näher an Rebus heran. »Apropos, wie geht's Sammy?«

»Gut.«

»Auf dem Weg der Genesung?«

»Ja.«

»Das ist eine gute Nachricht. Da wird sich Mr. Cafferty freuen. Er ist enttäuscht, dass Sie ihn nicht besucht haben.«

Rebus zog eine zusammengefaltete Zeitung aus der Tasche. Die Schlagzeile: HÄFTLING ERSTOCHEN.

»Ihr Boss?«, fragte er, während er ihm die Zeitung reichte.

Das Wiesel tat so, als würde er den Artikel überfliegen. »Sechsundzwanzig Jahre alt, aus Govan… in seiner Zelle mit Stich im Herz aufgefunden… keine Zeugen, Tatwaffe trotz gründlicher Suche nicht gefunden.« Er machte *tch-tch*. »Bisschen unvorsichtig.«

»Er war also der Killer, den man auf Cafferty angesetzt hatte?«

»*Wirklich?*« Das Wiesel machte ein entsetztes Gesicht.

»Zum Teufel mit Ihnen«, sagte Rebus und schaute wieder aus dem Fenster.

»Ach, übrigens, Rebus, falls Sie beschließen sollten, den Unfallverursacher *nicht* vor Gericht zu schleifen…« Das Wiesel hielt ihm etwas hin. Einen selbst gebastelten Schraubenzieher, nadelspitz geschliffen, Griff mit Klebeband umwickelt. Rebus sah ihn angewidert an.

»Das Blut habe ich abgewaschen«, versicherte ihm das Wiesel. Dann lachte er wieder. Rebus hatte das Gefühl, auf der Fähre in der Hölle zu sitzen. Vor sich sah er die graue Weite des Firth of Forth, jenseits davon Fife. Sie fuhren jetzt zwischen Docks, Gaswerken und Lagerhallen entlang. Das Gebiet war zur Sanierung vorgesehen, sollte von Leith aus erschlossen werden. Die ganze Stadt veränderte sich. Verkehrsführung und Vorfahrt wurden über Nacht geändert, Kräne kamen auf Baustellen nicht zur Ruhe, und die Stadtverwaltung, die ständig jammerte, sie sei pleite, betrieb die vielfältigsten Projekte, um Erscheinungsbild und Ausdehnung von Rebus' Wahlheimat weiter zu verändern.

»Wir sind gleich da«, sagte das Wiesel.

Rebus fragte sich, ob es ein Zurück geben würde.

Sie hielten am Tor eines Lagerhauskomplexes. Der Fahrer öffnete das Vorhängeschloss, zog die Kette ab. Das Tor schwang zurück. Sie fuhren hinein. Das Wiesel befahl dem Fahrer, auf der Rückseite des Gebäudes zu parken. Vor ihnen stand ein schlichter weißer Lieferwagen, mehr Rost als Metall. Das Heckfenster war übermalt worden, wodurch er bei Bedarf einen passablen Leichenwagen abgeben konnte.

Als sie ausstiegen, erfasste sie eine salzige Windbö. Das Wiesel schlurfte auf eine Tür zu und knallte einmal mit der Faust dagegen. Die Tür wurde von innen geöffnet. Sie traten ein.

Eine riesige Halle, in der sich lediglich ein paar Kisten und zwei, drei mit Wachstuch abgedeckte Maschinen befanden. Und zwei Männer: der eine, der sie hineingelassen hatte, und ein zweiter am anderen Ende des Raums. Dieser Mann stand vor einem Holzstuhl, auf dem, halb von ihm verborgen, eine gefesselte Gestalt saß. Das Wiesel ging voraus. Rebus versuchte, seine zunehmend flache Atmung in den Griff zu bekommen. Sein Herz raste, seine Nerven waren bis zum Zerreißen gespannt. Er schluckte seine Wut hinunter, war nicht sicher, dass er es schaffen würde, sie im Zaum zu halten.

Als sie nur noch zweieinhalb Meter vom Stuhl entfernt waren, nickte das Wiesel, und der Mann trat beiseite und gab Rebus den Blick auf die Gestalt eines zu Tode verängstigten Kindes frei.

Eines Jungen.

Neun oder zehn, nicht älter.

Ein blaues Auge, die Nasenlöcher blutverkrustet, beide Wangen grün und blau, am Kinn eine Schürfwunde. Aufgeplatzte Lippen, die allmählich schon wieder verheilten, an den Knien aufgerissene Hosen, nur ein Schuh.

Und ein Geruch, als ob er in die Hose gepinkelt hätte; wenn nicht Schlimmeres.

»Was zum Teufel ist das?«, fragte Rebus.

»Das«, antwortete das Wiesel, »ist der kleine Scheißkerl, der den Wagen gestohlen hat. Der an einer roten Ampel Angst bekam, durchgebrettert ist und dann die Kontrolle über die Pedale verloren hat, weil er mit den Füßen kaum ranreichte. Das ...« Das Wiesel trat an das Kind heran, legte ihm eine Hand auf die Schulter. »Das ist der Täter.«

Rebus sah den Männern ins Gesicht. »Ist das Ihre Vorstellung von einem Witz?«

»Kein Witz, Rebus.«

Er starrte den Jungen an. Eingetrocknete Tränenspuren. Die Augen blutunterlaufen. Die Schultern bebend. Sie hatten ihm die Arme hinter dem Rücken gefesselt. Seine Knöchel an die Stuhlbeine.

»B-bitte, Mister ...« Spröde, brüchige Stimme. »Ich ... helfen Sie mir, b-bitte ...«

»Hat das Auto geklaut«, sagte das Wiesel, »hat dann den Unfall gebaut, Schiss gekriegt und die Karre in der Nähe seiner Wohnung stehen lassen. Hat die Radiokonsole und die Kassetten mitgenommen. Er wollte das Auto für ein Rennen. Damit vertreiben die sich die Zeit: Autorennen durch die Siedlungen veranstalten. Der Knirps hier kriegt ein Auto in zehn Sekunden kurzgeschlossen.« Er rieb sich die Hände. »So ... da wären wir also.«

»Helfen Sie mir ...«

Rebus erinnerte sich an das Graffito: *Hilft uns denn keiner?* Das Wiesel nickte einem seiner Männer zu, worauf der den Griff einer Spitzhacke hervorholte.

»Oder der Schraubenzieher«, sagte das Wiesel. »Oder was immer Sie möchten, wirklich. Wir stehen ganz zu Ihrer Verfügung.« Und eine kleine Verbeugung.

Rebus konnte nur mit Mühe reden. »Macht ihn los.«

Schweigen in der Lagerhalle.

»Macht ihn los, verdammte Scheiße!«

Das Wiesel schniefte. »Du hast den Mann gehört, Tony.«

Das Ka-tschink eines aufklappenden Schnappmessers. Die Klinge ging durch die Seile wie durch Butter. Rebus trat ganz dicht an den Jungen heran.

469

»Wie heißt du?«

»J-Jordan.«

»Ist das dein Vor- oder dein Nachname?«

Der Junge sah ihn an. »Vorname.«

»Okay, Jordan.« Rebus beugte sich zu ihm hinunter. Der Junge zuckte zurück, leistete aber keinen Widerstand, als Rebus ihn hochhob. Er wog fast nichts. Rebus ging mit ihm Richtung Ausgang.

»Was denn nun, Rebus?«, fragte das Wiesel. Aber Rebus gab keine Antwort. Er trug den Jungen zur Tür, öffnete sie mit einem Fußtritt, trat ins Freie, in die Sonne.

»Es... es tut mir wirklich Leid.« Der Junge hielt sich eine Hand vor die Augen, vom Licht geblendet. Er war den Tränen nah.

»Du weißt, was du getan hast?«

Jordan nickte. »Ich bin... ich... seit dieser Nacht... Ich weiß, dass es schlimm war...« Jetzt kamen die Tränen.

»Haben sie dir gesagt, wer ich bin?«

»Bitte, legen Sie mich nicht um.«

»Ich hab nicht vor, dich umzulegen, Jordan.«

Der Junge blinzelte, versuchte, die Tränen aus den Augen zu bekommen, um besser erkennen zu können, ob er angelogen wurde.

»Ich glaube, du hast schon genug durchgemacht, Kumpel«, meinte Rebus. Dann fügte er hinzu. »Ich glaube, das gilt für uns beide.«

Darauf lief das Ganze also hinaus. Bob Dylan: »Simple Twist of Fate.« Überleitung zu Leonard Cohen: »Is This What You Wanted?«

Rebus wusste darauf keine Antwort.

38

Sauber und nüchtern fuhr er ins Krankenhaus. Diesmal eine offene Station, mit festen Besuchszeiten. Keine Nachtwachen mehr. Kein weiterer Besuch von Candice; allerdings erzählten die Schwestern von regelmäßigen Anrufen einer ausländisch klingenden Frau. Keinerlei Möglichkeit festzustellen, wo sie sich befand. Vielleicht unterwegs auf der Suche nach ihrem Sohn. Spielte keine Rolle, solange sie in Sicherheit war. Solange sie ihr Leben im Griff hatte.

Als er das hintere Ende des Mehrbettzimmers erreichte, standen zwei Frauen von ihren Stühlen auf und ließen sich von ihm küssen: Rhona und Patience. Er hatte eine Plastiktüte dabei, Zeitschriften und Weintrauben. Sammy saß aufrecht, drei Kissen im Rücken, neben sich Pa Broon. Man hatte ihr die Haare gewaschen und gebürstet, und sie lächelte ihn an.

»Frauenzeitschriften«, sagte er kopfschüttelnd. »Die sollten im Giftschrank stehen.«

»Ich brauch schon ein paar Phantasien, um hier über die Runden zu kommen«, sagte Sammy. Rebus strahlte sie an, sagte hallo, beugte sich dann hinunter und küsste seine Tochter.

Die Sonne strahlte, während sie durch die Meadows schlenderten – ein seltener gemeinsamer freier Tag. Sie hielten sich an der Hand und betrachteten die Leute, die sich sonnten oder Fußball spielten. Er spürte, dass Rhona aufgeregt war, und glaubte zu wissen, warum. Aber er wollte nicht alles durch Mutmaßungen verderben.

»Wenn du eine Tochter bekämst, wie würdest du sie nennen?«, fragte sie.

Er zuckte die Achseln. »Ich hab mir bisher keine Gedanken darüber gemacht.«

»Und wenn's ein Sohn wäre?«

»Sam find ich ganz gut.«

»Sam?«

»Als Kind hatte ich ein Bärchen, das hieß Sam. Meine Mutter hatte es für mich gestrickt.«

»Sam…« Sie wiederholte den Namen. »Das würde für beides passen, nicht?«

Er blieb stehen, schlang die Arme um ihre Taille. »Wie meinst du das?«

»Na ja, es könnte für Samuel oder für Samantha stehen. Gibt nicht viele solche Namen – die für Mädchen und Jungen passen.«

»Nein, wohl nicht. Rhona, möchtest du mir etwas…?«

Sie legte ihm einen Finger an die Lippen, dann küsste sie ihn. Sie gingen weiter. Es schien keine einzige Wolke am ganzen verdammten Himmel zu sein.

473

Nachwort

Mein fiktives französisches Dorf Villefranche d'Albarede verdankt seine Existenz dem realen Dorf Oradour-sur-Glâne, das Opfer eines Angriffs der 3. Division des SS-Panzerregiments »Der Führer« wurde.

Am Nachmittag des 10. Juni 1944 marschierte die 3. Panzerdivision, »Das Reich«, in das Dorf ein und trieb alle Einwohner zusammen. Die Frauen und Kinder wurden in die Kirche gesperrt, während die Männer in mehrere Gruppen aufgeteilt und in verschiedene Scheunen und andere Gebäude des Dorfes eskortiert wurden. Dann begann das Gemetzel.

Amtliche Stellen sprachen von 642 Opfern, aber inoffiziellen Schätzungen zufolge könnten an dem Tag bis zu tausend Menschen gestorben sein. Nur dreiundfünfzig Leichen wurden je identifiziert. Einem Jungen aus Lothringen, der bereits aus eigener Anschauung wusste, zu welchen Gräueln die SS fähig war, gelang es, während die Truppen ins Dorf einmarschierten, unbemerkt zu fliehen. Fünf Männer überlebten das Massaker in Laudys Scheune. Obwohl verletzt, schafften sie es, sich aus dem brennenden Gebäude zu retten und sich bis zum nächsten Tag versteckt zu halten. Einer Frau glückte die Flucht aus der Kirche: Sie kletterte aus einem Fenster, nachdem sie sich neben dem Leichnam ihres Kindes stundenlang tot gestellt hatte.

Soldaten gingen von Haus zu Haus und fanden Dorfbewohner, die zu krank oder zu gebrechlich gewesen waren, um ihre Betten zu verlassen. Diese Menschen wurden erschossen, ihre Häuser in Brand gesteckt. Einige Leichen wurden in Massengräbern verscharrt, andere in Brunnen und Backöfen entsorgt.

Der für diese Aktion verantwortliche Offizier war General Lammerding. Am 9. Juni hatte er in Tulle die Erschießung von neunundneunzig Geiseln angeordnet. Er gab auch den Befehl zum Massaker von Oradour. Im weiteren Verlauf des Krieges fiel er in die Hände der Briten, die allerdings seine Auslieferung an Frankreich verweigerten. Stattdessen durfte er in seine Heimatstadt Düsseldorf zurückkehren, wo er bis zu seinem Tod im Jahr 1971 ein erfolgreiches Unternehmen leitete.

In der allgemeinen Begeisterung über die Landung in der Normandie blieb die Tragödie von Oradour nahezu unbemerkt. Erst im Januar 1953 begann in Bordeaux der Prozess gegen fünfundsechzig Männer, die als Mittäter bei dem Massaker identifiziert worden waren. Von diesen fünfundsechzig waren nur einundzwanzig anwesend: sieben Deutsche und vierzehn Elsässer. Keiner der Männer war im Offiziersrang gewesen.

Jeder Einzelne für schuldig befundene Angeklagte verließ den Gerichtssaal als freier Mann. Im Interesse der nationalen Sicherheit war ein besonderes Amnestiegesetz verabschiedet worden. (Die elsässische Bevölkerung war darüber empört, dass ihre – zwangsrekrutierten – Landsleute verurteilt worden waren.) Die deutschen Angeklagten wiederum wurden mit der Begründung freigelassen, sie hätten ihre Strafe bereits verbüßt.

Infolge dieser Ereignisse brach Oradour jede Beziehung zum französischen Staat ab – eine Trennung, die siebzehn Jahre währte.

Im Mai 1983 wurde in Ostberlin ein Mann vor Gericht gestellt, dem vorgeworfen wurde, als Sturmführer der Division »Das Reich« am Massaker von Oradour beteiligt gewesen zu sein. Er gestand alles und wurde zu einer lebenslangen Freiheitsstrafe verurteilt.

Im Juni 1996 berichteten die Medien, dass noch immer um die zwölftausend ausländische Freiwillige der Waffen-SS von der deutschen Bundesregierung Pensionen beziehen. Einer dieser Pensionäre, ein ehemaliger Obersturmbannführer, war in Oradour dabei...

Oradour ist heute Mahnmal und Gedenkstätte. Das zerstörte Dorf blieb so, wie es die Deutschen an jenem Tag im Juni 1944 hinterlassen hatten.

IAN RANKIN

»Rankin ist nach wie vor der unübertroffene Meister
aller zeitgenössischen britischen Krimiautoren.«
The Times

DIE INSPECTOR-REBUS-ROMANE
In chronologischer Reihenfolge:

GOLDMANN VERLAG